The Tooth Extraction Manual

必ず上達

抜歯手技

増補新版

堀之内　康文　著

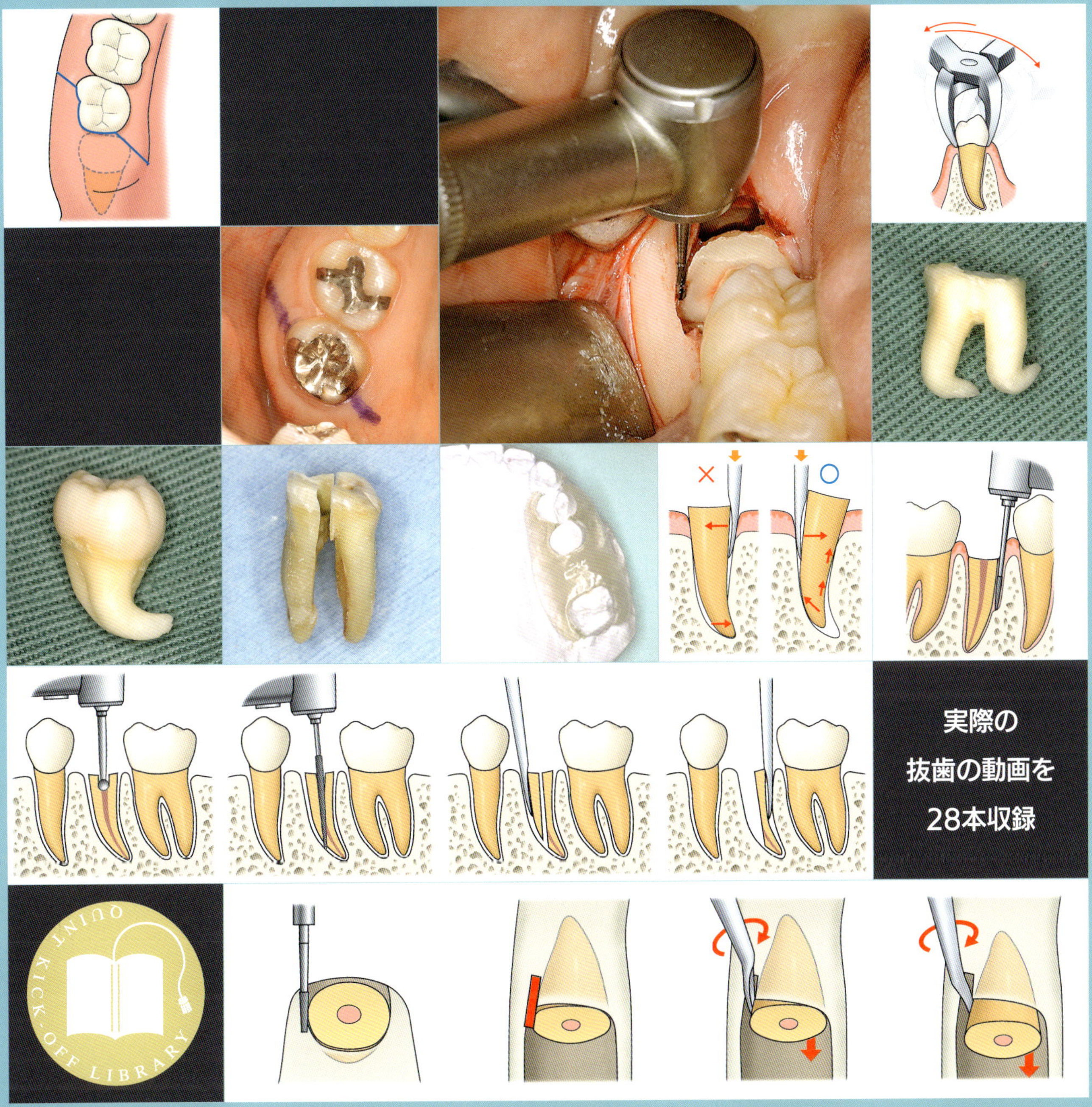

実際の
抜歯の動画を
28本収録
QUINT KICK-OFF LIBRARY

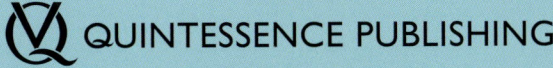

クインテッセンス出版株式会社　2022

QUINTESSENCE PUBLISHING

Berlin | Chicago | Tokyo
Barcelona | London | Milan | Mexico City | Paris | Prague | Seoul | Warsaw
Beijing | Istanbul | Sao Paulo | Zagreb

増補新版に寄せて

　2010年に本書の初版を発刊して以来，12年が経過した．この間，いくつかの歯科大学や歯学部の推薦図書にも指定され，たくさんの方々に読んでいただいたようで，幸いに7刷を重ねた．また韓国・中国の口腔外科医の目にも留まり，2012年には韓国語版が，2020年には中国語版が出版された．内容を国外でも認めていただいたことになり，大変光栄である．

　しかしながら，「十年一昔」という言葉どおり，内容的にやや古くなったり，言葉足らずの部分もあったりしたので，このたび改訂することとなった．増補新版では，初版の**各章の内容の記載をより詳細**にし，新たに**難抜歯の抜歯テクニックや偶発症**に関する章などを追加したため，8章，80ページ増となった．また**写真やイラストを新しくしたり，追加**し，さらに実際の**抜歯の動画**を加えて，よりビジュアルに，理解しやすいようにした．

　本書の初版は，GPの先生方を対象にした歯科医師会やたくさんのスタディーグループでの講演会の内容をベースにしたもので，口腔外科での研修経験のない方々にもわかりやすく，また自信をもって抜歯できるようになっていただくことを願って出版したものである．その思いは増補新版でも変わらない．いわゆる教科書的な本ではなく，**いかに安全に，手際よく抜歯するか**という実践的なポイントに重点をおいて，著者個人の工夫やテクニックを記載したもので，従来の抜歯法とは異なる点もあるが，実践的で理論的にも誤りはないものと自負している．

　12年の時間のせいか，改訂作業は初版の時よりも大変であった．編集担当のクインテッセンス出版の板井誠信さんの粘り強い叱咤激励により何とか出版にこぎ着けることができた．心から感謝申し上げる．

2022年　4月

堀之内康文

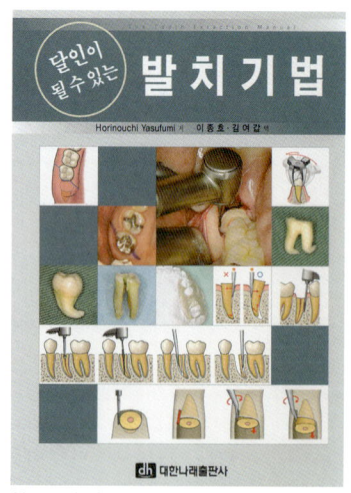
韓国語版（2012年）

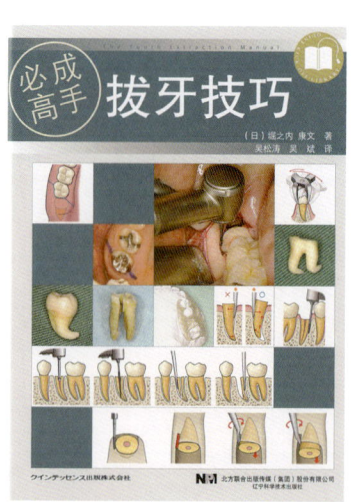
中国語版（2020年）

推薦のことば

　私と著者の堀之内康文先生は九州大学歯学部の同期生であり，卒業後も共に同大学の口腔外科学教室で研鑽を積んだ，30数年来の親友です．私は研究志向が強く，大学院進学そして海外留学と，臨床に従事するまでかなり遠回りをしました．一方，著者は卒業後すぐに口腔外科診療に従事し，私が研究生活に終止符を打って診療を始めた頃には，口腔外科医としては遥か上の存在となっておりました．そのため，著者は私の口腔外科医としての目標であるとともに，とても身近で相談しやすい師でもありました．著者とは幾度も手術手技などについて議論を交わしたことがありますが，著者の診療に対する熱意や向上心，そして何よりも私を含めた後進の熱心な指導には常に感銘を受けております．親友が書く推薦文は信用できないと思われるでしょうが，私に多くのことを授けてくれた師に対する素直な推薦文として受け止めていただけたら幸いです．

　基本的な抜歯の理論や手技に関する書は多くみられますが，本書のように実践的なポイントやコツを明解に解説したものはありません．著者は抜歯についての多くの講演を行っていますが，多くの聴講者からは「基本手技がよく理解できた」とか「さっそく明日から実践してみよう」という声が聞かれます．その実践的で明解な内容は大変な評判で，噂が広まって，つぎつぎと講演を依頼されているようです．本来なら著者の熱の入った講演を聞くのがいちばんでしょうが，まずはその内容が記された本書を独習書として読んでいただけたらと思います．

　抜歯はもっとも頻度の高い歯科手術でありながら，うまくいかなくて悩んだご経験は誰でもおありだと思います．困ったときにこそ基本手技に立ち返り，見直すことが大切です．本書の内容は経験の浅い歯科医師にはもちろん，かなりの経験を積んだ歯科医師にとっても大変有益な書であると思います．私は，本書が多くの読者の抜歯の参考となり，日常臨床のお役に立てると確信しており，自信をもって本書を推薦させていただきます．

九州大学大学院歯学研究院顎顔面病態学講座・教授
（九州大学病院顎顔面口腔外科）

中村誠司

はじめに

　各地の歯科医師会やスタディーグループ，その他の講演会などで抜歯について講演した内容の一部をthe Quintessence誌に連載させていただく幸運に恵まれた．幸いにもその連載が好評であったとのことで，さらに加筆して1冊の本として出版してはどうかとのお話を編集部よりいただき，この本が完成した次第である．

　抜歯は日常の歯科臨床においてもっとも頻繁に行われる手術であり，避けては通れない手術である．しかし，そのように頻度の高い処置でありながら，皆さんは納得いくまで手取り足取り，抜歯手技を懇切丁寧に習った記憶がおありだろうか？　そして現在自信をもって抜歯しておられるだろうか？

　筆者は大学病院の口腔外科に20年以上在籍し，学生，研修医，若手医局員らの抜歯の指導にもあたってきた．そして現在の職場では，病診連携を重視して口腔外科的疾患の診断と治療に特化した診療を行っている．そのため難抜歯の依頼も多く，平成21年度は歯科医師3名で1,700本を超える埋伏歯（半，完全，水平，過剰）の抜歯を行った．これまでの経験から抜歯に対する誤解，問題点を熟知しているつもりである．

　本書の執筆にあたっては，若手歯科医師や抜歯が苦手な先生方が独習でマスターできるようにとの願いを込めて，これまでの経験をもとに実践的なポイントやコツをたくさんの写真やイラストを使って，できるだけ詳細に書いたつもりである．教科書の記載と異なる内容も含まれているが，あくまでも教科書をきちんと理解したうえで自分なりの工夫を加えたものである．抜歯に限らず手術方法や器具の使い方には大学や施設間でそれぞれの流儀があり決して全国一様ではないので，本書の内容が正しく他書の記載が誤りというつもりは決してない．内容的に納得でき，賛同できる部分を取り入れていただければそれでよい．

　世には高名な先生が書かれた抜歯に関する名著が数多くあり，小生のような浅学非才の者が本を書くなどおこがましく，また恥をさらすことになるかもしれないことは重々承知している．内容に誤りや独りよがりの部分があれば読者諸賢の御意見，御叱責を賜りたい．

　最後に，忙しい診療のなかで快く写真を撮影してくれた関　勝宏，岡　正司，金城亜紀，新田秀一の先生方に感謝します．また連載の単行本化を提案して下さった北峯康充編集長と遅れがちな原稿を気長に待っていただき，書籍の形にしていただいた板井誠信氏に心からお礼を申し上げます．

2010年　7月
堀之内康文

CONTENTS

増補新版に寄せて ……………………………………………………………………………………… ii
推薦のことば …………………………………………………………………………………………… iii
はじめに ………………………………………………………………………………………………… iv

PART 1 抜歯の基本

CHAPTER 1　抜歯のまえに …………………………………………………………………… 2
患者への接し方／患者の体位と，術者の姿勢・位置／珍しい歯根形態の抜去歯

CHAPTER 2　抜歯がうまくなるために ……………………………………………………… 7
抜歯時に注意を要する全身疾患と，全身状態の評価／手術の原則／抜歯に対する誤解／上手な手術（抜歯）とは／「歯肉骨膜弁を起こすこと，骨を削ることは，侵襲が大きい」という手術侵襲についての誤解／抜歯の難易度を測る基準

CHAPTER 3　局所麻酔──浸潤麻酔と下顎孔伝達麻酔 ……………………………………… 14
Ⅰ．浸潤麻酔
「局所麻酔」が抜歯・手術成功のカギを握っている！／痛くなくてよく効く局所麻酔で全身的トラブルを防げる！／なぜ局所麻酔注射は痛いのか？──注射時の痛みの原因／痛くない浸潤麻酔のポイント／浸潤麻酔が効きにくい理由／浸潤麻酔をよく効かせるポイント
Ⅱ．下顎孔伝達麻酔
下顎孔伝達麻酔について／下顎孔伝達麻酔の手技の実際／下顎孔伝達麻酔が効かない理由／下顎孔伝達麻酔のトラブルとその防止法／局所麻酔（浸潤麻酔・下顎孔伝達麻酔）のまとめ

CHAPTER 4　鉗子抜歯 ………………………………………………………………………… 28
鉗子抜歯のポイント／鉗子抜歯の対象となる歯／鉗子の種類と選択／鉗子の持ち方／鉗子の動かし方／鉗子抜歯のトラブル／おかしやすい誤り／鉗子抜歯の実際①　4|の抜歯（1）／鉗子抜歯の実際②　4|の抜歯（2）／鉗子抜歯の実際③　|6の鉗子抜歯／鉗子抜歯の実際④　大臼歯の分割後の鉗子抜歯／鉗子抜歯の原理『鉗子抜歯の極意は杭を抜く動き』

CHAPTER 5　ヘーベル抜歯 …………………………………………………………………… 39
ヘーベル抜歯のポイント／ヘーベル抜歯の対象となる歯／ヘーベルの種類と選択／ヘーベルの作用原理／効果的なヘーベルの使い方／ヘーベルで抜けないときの理由と対処／ヘーベル抜歯のトラブル

PART 2 難抜歯

CHAPTER 6　難抜歯に対する考え方と抜歯テクニック ……………………………………… 52
難抜歯の要因／術前診査／難抜歯の実際／難抜歯を解決するための補助的外科処置

CHAPTER 7　基本手技①──切開・剥離 …………………………………………………… 61
切開の基本／切開の実際／剥離の基本と実際／剥離の開始部位はどこか

CONTENTS

CHAPTER 8　基本手技②——縫合・結紮・抜糸 ……… 70

縫合に用いる器具・材料／縫合針の種類と使い分け／縫合糸の種類と使い分け／持針器の種類と使い方／ピンセットの種類と使い分け／縫合の実際／結紮法／抜糸法

CHAPTER 9　残根歯(単根歯，複根歯)の抜歯 ……… 83

残根歯の抜歯について／エックス線写真の読影のポイント／残根歯の抜歯の問題点／残根歯の抜歯の問題点の解決法と抜歯のポイント

CHAPTER 10　上顎埋伏智歯の抜歯 ……… 93

上顎埋伏智歯の抜歯時のポイント／エックス線写真の読影のポイント／上顎埋伏智歯の抜歯時の問題点／上顎埋伏智歯の抜歯時の局所麻酔／上顎埋伏歯の抜歯の手順／臨床の疑問1　なぜ歯冠のアンダーカット部分をタービンで分割しないのか？／萌出している上顎智歯の抜歯はとても簡単／臨床の疑問2　上顎埋伏智歯の抜歯の骨削除になぜ丸刃の骨ノミがよいのか？／上顎埋伏智歯の抜歯の実際／上顎埋伏智歯の抜歯時のトラブルの種類と対処

CHAPTER 11　下顎埋伏智歯(半埋伏歯，水平埋伏歯)の抜歯 ……… 103

下顎埋伏智歯の抜歯の原則／上手に抜歯するポイント／術前診査／浸潤麻酔／切開線の設計／歯肉切開／骨膜剥離・歯肉骨膜弁挙上／歯冠の露出，最大豊隆部の開放／歯冠分割／ちょっと一言　歯冠分割はタービンか高速コントラか？　カーバイドバーかダイヤモンドバーか？／ちょっと一言　歯冠分割に時間がかかるのはなぜ？／ヘーベルによる歯根の脱臼／歯根の分割／下歯槽神経，舌神経の損傷回避法／遠心傾斜歯の抜歯／歯胚抜去／下顎埋伏第二大臼歯の抜歯／縫合

CHAPTER 12　上顎前歯部埋伏過剰歯の抜歯 ……… 130

どのような所見から上顎前歯部埋伏過剰歯を疑うか？／画像検査は何が必要か？／CT画像で何をみるか／抜歯の必要性の有無の判断／抜歯の難易度の判断／抜歯時期の決定／抜歯の実際／術後管理／偶発症

CHAPTER 13　小臼歯の叢生歯，転位歯，半埋伏歯などの抜歯 ……… 141

叢生歯，転位歯の便宜抜歯が難しい理由／叢生歯，転位歯の抜歯を容易にするための補助的処置

CHAPTER 14　抜けないときの対応 ……… 146

抜けない原因／同じ操作を延々と続けないで，つぎの手(対処法)をつぎつぎと繰り出す

CHAPTER 15　抜歯後の処置と患者への説明 ……… 155

抜歯後の処置／術後管理／術後経過の観察ポイント／患者への術後説明

PART 3　偶発症とその対応

CHAPTER 16　抜歯にともなう全身的偶発症 ……… 164

治療中の全身状態の急変・悪化／血管迷走神経反射／エピネフリン過剰反応／過換気症候群／局所麻酔薬アレルギー／局所麻酔薬中毒／内科的疾患の悪化

CHAPTER 17 偶発症とその対応① 　出血（術中出血，術後出血） ……………………………………… 175
抜歯時にもっとも多い偶発症は出血／止血法の種類と止血剤（材）／術中出血の具体的な止血法／後出血

CHAPTER 18 偶発症とその対応② 　神経損傷 ……………………………………………………………… 183
オトガイ孔の位置とオトガイ神経の走行／下歯槽神経の構造と損傷の分類／抜歯時の神経損傷の原因と対策／知覚鈍麻の検査・診断／神経損傷の治療／知覚鈍麻の経過

CHAPTER 19 偶発症とその対応③ 　ドライソケット …………………………………………………… 191
ドライソケットとは／患者側の要因／術者側の要因／治療法／予防するには／患者への説明

CHAPTER 20 偶発症とその対応④ 　上顎洞への穿孔 ………………………………………………… 195
上顎洞への穿孔／穿孔の確認／対処／口腔上顎洞瘻孔閉鎖術

CHAPTER 21 偶発症とその対応⑤ 　上顎洞内歯根迷入 ……………………………………………… 199
なぜ迷入させるのか？／迷入させたらどうするか？／摘出手術の実際／どのようにして防ぐのか？

CHAPTER 22 偶発症とその対応⑥ 　下顎智歯の舌側軟組織内迷入 ………………………………… 204
なぜ迷入させるのか？／どのようにして防ぐのか？／どのようにして迷入位置を確認するか？／どのようにして摘出するか？／どのようにして予防するか

CHAPTER 23 偶発症とその対応⑦ 　皮下気腫 ………………………………………………………… 208
どんな処置・操作で起こるか？／抜歯時の皮下気腫はなぜ起こるのか？／どのような下顎埋伏智歯の場合に，皮下気腫が起きやすいか？／どんな症状・所見があったら皮下気腫と診断するか？／皮下気腫の診断／皮下気腫の対応，治療／皮下気腫の予防

CHAPTER 24 偶発症とその対応⑧ 　誤抜歯 ……………………………………………………………… 213
誤抜歯の発生と原因

CHAPTER 25 術後経過不良──抜歯後の腫脹，疼痛，感染 ………………………………………… 216
抜歯後疼痛／抜歯後腫脹／抜歯後感染

APPENDIX

抜歯のための推薦器具 …………………………………………………………………………………… 221

参考図書一覧 ……………………………………………………………………………………………… 223

索引 …… 224

CONTENTS

movie 付録動画一覧

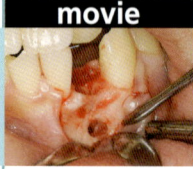

movie 1~2 鉗子抜歯 28

【movie 1】普通抜歯　└4 便宜抜歯（鉗子抜歯）／【movie 2】4┘便宜抜歯（隣接面カット）

movie 3~6 残根抜歯①　単根 92

【movie 3】症例 1　残根抜歯（単根）／【movie 4】症例 2　残根抜歯（単根）／【movie 5】症例 3　残根抜歯（単根）／【movie 6】症例 4　歯根端切除術の要領でグルーブ形成（CHAPTER 13❺参照）

movie 7~10 残根抜歯②　複根 92

【movie 7】症例 1　残根抜歯（複根）／【movie 8】症例 2　残根抜歯（複根）／【movie 9】症例 3　残根抜歯（複根）／【movie 10】症例 4　残根抜歯（複根）3 根に分割

movie 11~14 上顎智歯抜歯 102

【movie 11】上顎萌出智歯抜歯①　ヘーベル／【movie 12】上顎萌出智歯抜歯②　脱臼鉗子／【movie 13】上顎埋伏智歯抜歯①／【movie 14】上顎埋伏智歯抜歯②

movie 15~18 下顎智歯抜歯① 113

【movie 15】┌8 萌出智歯抜歯（分割抜歯）／【movie 16】┌8 萌出智歯抜歯（根湾曲・分割抜歯）／【movie 17】┌8 半埋伏智歯抜歯（遠心傾斜）／【movie 18】下顎埋伏智歯抜歯

movie 19 下顎智歯抜歯② 113

【movie 19】浸潤麻酔が効かないときは骨内注射（CHAPTER 11❽参照）

movie 20~25 下顎智歯抜歯③ 119

下歯槽神経・舌神経を損傷しないために　【movie 20】分割幅を広く／【movie 21】頬側グルーブ形成／【movie 22】背面グルーブ形成①／【movie 23】背面グルーブ形成②／【movie 24】背面グルーブ形成③／【movie 25】もう一度通してみてみよう

movie 26 下顎智歯抜歯④ 127

【movie 26】歯胚抜歯（CHAPTER 11❺❾参照）

movie 27~28 上顎前歯部埋伏過剰歯 140

【movie 27】上顎正中過剰埋伏歯抜歯（口蓋側アプローチ）／【movie 28】上顎正中過剰埋伏歯抜歯（唇側アプローチ）

PART 1

抜歯の基本

CHAPTER 1

抜歯のまえに

　抜歯は小さいながらもりっぱな手術であるので，抜歯のテクニックの習得以前に手術の基本的な原則を知っておかなければならない．抜歯はもちろんのこと，一般歯科治療さえもとても怖いという患者の心理の理解や対応のしかたなど，抜歯のテクニック以前の基本的な部分が不十分では抜歯がうまいとはいえない．何事も上達するためには基本の理解と習得が必須であり，そのうえで経験を積むことが必要である．

　この章では鉗子やヘーベルを握る以前の，手術に臨む心構えについて述べる．

患者への接し方

　患者とのコミュニケーションが十分にとれ，人間関係がよいこと，信頼されることは，抜歯に限らず一般歯科治療においてもよい結果を出すための重要な要素である．患者との関係・接し方については，抜歯に限った特別なものがあるわけではなく，医療全般における注意点と同様であるが，とくに抜歯を受ける患者との関係においては以下のような点に注意する．手術を受ける立場の心理，気持ちの理解がとても重要である．患者の心理，恐怖心がどのようなものであるかを理解するために，歯科医師も時々チェアに横になったり，実際に歯科治療を受けるとよい．

①十分なインフォームドコンセントを行う

▶抜歯の必要性，術式，考えられる術後経過などについて，できるだけ医(歯)学用語・専門用語を使わずに，平易な表現で説明し，理解させたうえで抜歯の同意を得る．

▶「トラブルが起きたときに医療訴訟で不利にならないよう，合併症として起こる可能性が0ではないことは，あれもこれもぜ～んぶ説明しておいた」というようなアリバイづくりや，自己防衛的な過剰な説明をよくみかける．これは正しいインフォームドコンセントだろうか？　誰のために，何のためにするのかという本来の目的・意義をよく理解して説明すべきである．

②患者にわかる平易な表現で説明する

▶患者は医療関係者ではなく，素人である．われわれ歯科医療に携わる者にとってはあたりまえの単語や表現であっても，患者には理解できないことがたくさんある．英語やドイツ語，専門用語をベラベラとまくしたてて威厳を保とうとしたり，煙に巻いて悦に入っているのは愚の骨頂．患者に対する説明を聞いているとだいたいその術者の技量がうかがい知れる．本当に理解している人は専門用語を使わないで平易な言葉で，比喩を使ったりしてわかりやすく説明できるものである(あの天才物理学者アインシュタインは「6歳のこどもに説明できなければ，あなた自身がそのことを理解しているとはいえない」といっている)．

- ▶ たとえば右表のように，本当に理解してもらうためには，**専門用語や難しい言葉で説明するのではなく，専門用語を解説するつもりでわかりやすく説明する**ことが大事である．専門用語を使わないでどう表現して理解してもらおうかと考えることはとても楽しいことである．
- ▶ 日本語は「同音異義語」の多い言語である．漢字を見てはじめて正確に理解できる「書き言葉」や「漢字言葉」で説明しても，会話のなかでは正しくは伝わらずに誤解されたり，不十分な理解になってしまう．聞いてわかる「話し言葉」で説明しよう．

【コラム 「破折」という用語】

- ▶ 日常の臨床で何の違和感もなく使用している「破折」という単語は，最新版の「広辞苑」にも掲載されていないことをご存知だろうか？ 「広辞苑」に掲載されていないので，当然家庭にある一般的な国語辞典にも掲載されておらず，筆者が確認した範囲内では，「大辞林（第四版）」にしか掲載されていない．大辞林では，第一義が「外からの力で歯が折れたり，割れたりすること」，第二義が「教義解釈などの誤りを指摘すること」となっている．「歯が」となっており「歯などが」ではないことから，「破折」は歯以外のものが折れる場合にはほとんど使われないものと思

専門用語のいい換えの例．

根尖	歯の根っこの先
下顎管	下あごの骨の中を走っている血管と神経が通るトンネル
歯冠分割	歯を頭の部分と根っこの部分に分ける
湾曲している	曲がっている
分割して	2つに分けて
摘出しましょう	中から取り出しましょう
埋伏している	アゴの骨のなかに埋まっている
上顎洞	うわ顎のなかにある，蓄膿症のときに膿みが溜まるほら穴
上顎洞底	（上顎洞の表現）の床の部分

われる．また，第二義は宗教に関係したもので，つまり「破折」は歯科関係者か宗教関係者しか使わない言葉といえる．
- ▶「破折しています」といわずに「折れています」といわなければ，患者には通じないのかもしれない．

③患者をリラックスさせる

- ▶ 歯科治療や抜歯が怖くない患者はほとんどいない．せっかくのやさしい表現での術前説明も，患者が緊張していては理解できないことが多いので，リラックスさせることが大事である．
- ▶ CHAPTER 16で述べるように，**歯科治療中の全身的トラブルは，緊張や不安といった心理的ストレスによって引き起こされることが圧倒的に多い．**
- ▶ ただ淡々と治療内容について説明するだけではなく，その前にその日のニュースや天気，患者の関心事や趣味の話など，世間話の1つもして患者をリラックスさせ，緊張をほぐすことが大切．「そんなことは治療のレベル，腕のよさとは何の関係もないことだ」と切り捨ててはならない．そこまで含んで「治療のレベル，腕のよさ」なのである．

④術中は手術の進み具合，残りの処置内容や所要時間などを説明する

- ▶ 局所麻酔下の手術中に，患者に話しかけることもなく黙々と長時間の手術をしてはいけない．「手術はどこまで進んだのだろう，あとどのくらいこのままでいなければならないのだろう」といった不安，疑問を患者はもっている．術中に，患者が怖がらない表現で，手術は現在どこまで進んだのか（「今，歯の頭の部分が取れましたよ」），残りの内容（「あと2か所縫っておしまいです」）と，あとどれくらい時間がかかるのかを説明して元気づけることが大事．その説明があれば患者は自分を奮い立たせながら我慢できるものである．手術のあいだ患者を1人ぼっちにしないことが大切である．
- ▶ とくに，患者の顔に敷布がかかっていて目隠しされた状態で局所麻酔注射をする場合など，「麻酔の注射をしますので歯ぐきがチクッとしますよ」と声をかけてあげないと，いきなりでは不意打ちをくらってびっくりするし，痛みも強く感じる．

患者の体位と，術者の姿勢・位置

われわれ歯科医師にとっては日常のことなので見逃しがちであるが，歯科治療は狭い口腔内で毎分30万回転の高速の切削器具や先端の鋭利な器具を使用する危険な仕事である．口腔内の手術は，スペースの狭いところでメスやター

ビン，縫合針を使い，出血をともなう繊細な仕事であるので，術野を見やすく，力をコントロールしやすい安定した姿勢で行う必要がある．この「姿勢・体位」は見落とされがちだが，患者，術者，介助者を問わず，また，何科の手術であろうとすべての手術に共通している非常に重要なポイントである．スポーツにしても武道にしても，上手な人の構え・姿勢・フォーム・動きは，理にかなっていて無駄がなく，美しいものである．

抜歯時の術者の姿勢(立位か，座位か)，患者の体位(座位か，水平位か)については，大学や施設ごとの流儀があって一様ではないが，**患歯に対して直視・直達でき，安定した姿勢で無理なく操作することができることが重要である**．ちなみに筆者はすべての抜歯を，術者座位，患者水平位で行っている．「術者座位では抜歯に必要な力がかけられないのでは？」といわれることがあるが，それは抜歯に対する考え方が誤っている．ただただ鉗子とヘーベルだけで抜くのではなく，CHAPTER 6 (難抜歯に対する考え方と抜歯テクニック)に述べるように，抜歯が容易になるような補助的処置を加えて，いかに強い力をいれないで抜くかが腕の見せ所である．立って踏ん張らなければならないような強い力は抜歯には不要である．

①患者に負担のかからない体位

▶ 抜歯部位や内容によって，患者のポジション(体位，チェアの高さ，背板やヘッドレストの角度)を調整する．手術操作がしやすく，なおかつ患者に負担のかからないポジション(背板とヘッドレストの角度)をまず決める．

▶ このポジショニングは，必ず患者1人ひとりに合わせて行う．若い歯科医師が，患者に合わせたポジショニングを行うことなく，すべての患者をチェアに内蔵されたオートポジションの高さ・角度で治療しているのをよく見かける．それでは繊細な仕事を正確・安全に行うことは難しく，術者の疲労も大きい．いい仕事をしようと思うなら，必ず患者ごとに調整しなくてはならない．

▶ スポーツでは，こちらの攻め方・守り方，相手の動きへの対応のために，自分の位置や構え(姿勢)を変えるのは当然のことであり，それができなくては勝つことはできない(いい仕事はできない)．

②手術野全体，患者の全身を見渡せる自然な姿勢

▶ 手術中は術野を見るだけでなく，つねに患者の全身を見渡し，手足の動きやそのほかの部位の体動からも，「痛い，疲れた，気分が悪い」など患者がだしている無言のサインを見逃さないことが重要．患者が言うまえにちょっとした体動で気づくようになろう．

③正確で，疲労が軽い手術をできる姿勢

▶ 足をドクター用チェアのキャスターや輪っかの上にのせていたり，踵があがっていたり，膝が伸びて曲がりの角度が浅い不安定な姿勢で診療している若い歯科医師をよく見かける❶．

不安定な足元．踵が床に着いていない．

技術のまえに 第1章

▶踵をきちんと床につけ❷，膝を直角に曲げてゆとりをもたせ，背筋を伸ばす❸ことで，疲労が少なく正確で安全な歯科治療ができる．

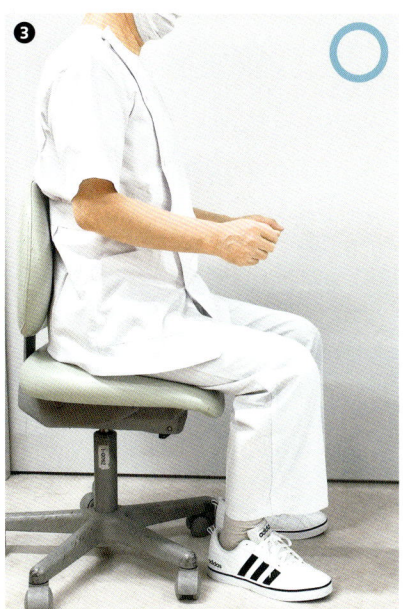

❷安定した足元．踵がきちんと床に着いている．
❸正しい姿勢．踵がきちんと床に着き，膝が直角に近く，余裕をもって曲がっている．肘にも余裕があり，肩を上げずに上腹部のあたりで処置する．

④肘は直角で，術野は上腹部くらいの高さにくるのがよい

▶術野が近くなると，肩や肘が上がって窮屈になり，疲労しやすい．また，患者の全身を見わたしにくい．

⑤十分な明るさを確保する

▶ライトが術野に十分に入るようにする．術野が暗いときは，術者やアシスタントの姿勢が悪く，ライトを遮っていることが多い．

▶ライトが入りにくい場合は，ルーペ付きヘッドライトを使用するとよい❹．

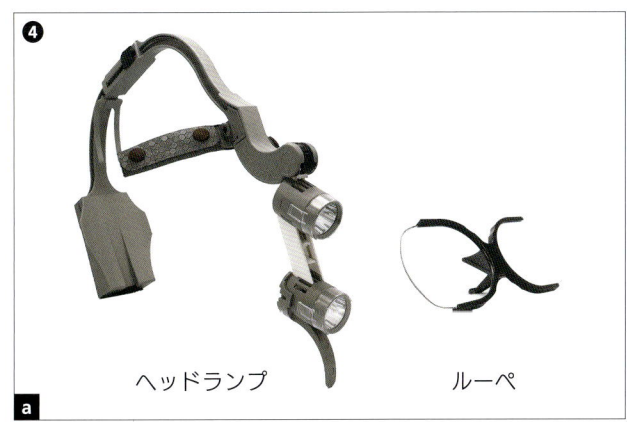
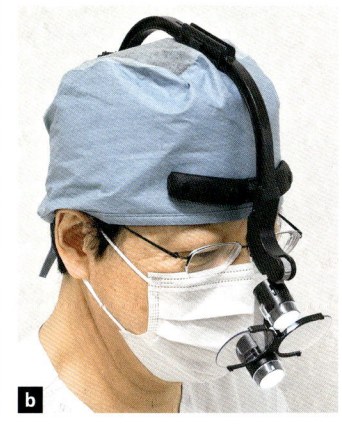

❹
a：「Dr-Kimヘッドランプ」（オカベ）．
b：「Dr-Kimヘッドランプ」装着時．

ヘッドランプ　　ルーペ

5

珍しい歯根形態の抜去歯

▶下の写真は筆者が抜歯した歯の写真だが，読者からは「こんな歯根の歯をどうやって……？」とか「どうせ骨をガンガン削ったんだろ？」とか「破折した歯根を接着材でくっつけたんでしょ？」といった疑いの声が聞こえてきそうな気がする．このあとの本文を読んでいただければわかるが，筆者はできるだけ骨を削除しないで抜く派であるし，これは正真正銘の破折のない歯根である．こんな形態の歯根でも，後述するいろいろな工夫・補助的手段を加えれば，歯根を破折させないで抜歯できるのである．

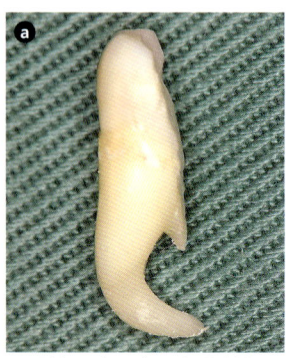

a 下顎第一大臼歯．根分岐部で分割し，歯根の湾曲がはずれる方向にヘーベルを使用して抜歯した．

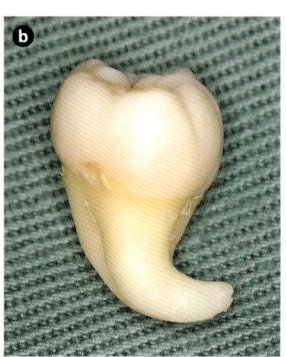

b 萌出下顎智歯．歯根の湾曲がはずれるように近心側にヘーベルを挿入し，歯冠を遠心に倒して抜歯した．

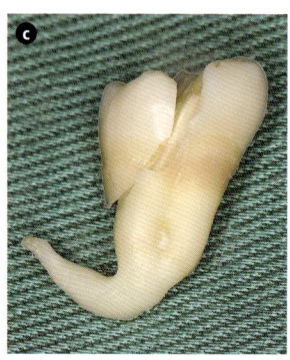

c 萌出下顎智歯．歯冠遠心を分割除去し，歯根の湾曲がはずれるようにヘーベルで遠心に倒すようにして抜歯した．

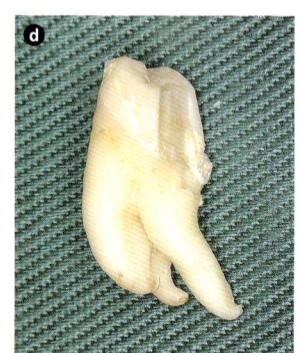

d 萌出下顎智歯．歯冠遠心を削除して，ヘーベルで近心から遠心に向かって倒すようにして抜歯した．

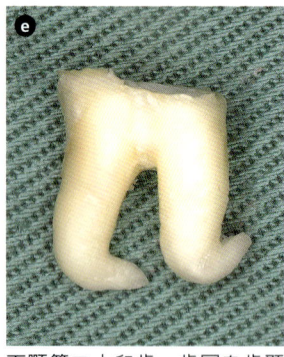

e 下顎第二大臼歯．歯冠を歯頸部で切断し，歯頸部にグルーブを形成して近心から遠心に向かって倒すようにして抜歯した．歯根分割してもよい．

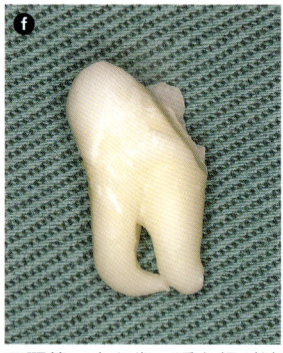

f 下顎第二大臼歯．近心根が湾曲し，2根の間に骨を抱え込んでいた．歯冠遠心を分割除去し，ヘーベルで近心から遠心に向って倒すようにして抜歯した．歯根分割してもよい．

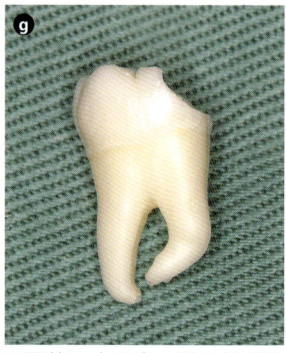

g 下顎第二大臼歯．近心根が湾曲し，2根の間に骨を抱え込んでいた．頰側からバーで中隔部の骨を除去して抜歯した．歯根分割してもよい．

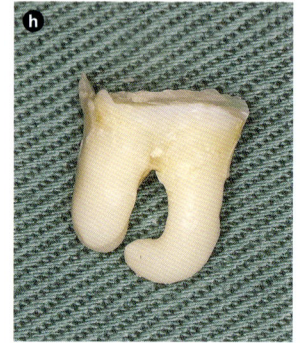

h 下顎第二大臼歯．近心根が湾曲し，2根の間に骨を抱え込んでいた．歯冠除去し，頰側から根分岐部の骨を削除して抜歯した．歯根分割してもよい．

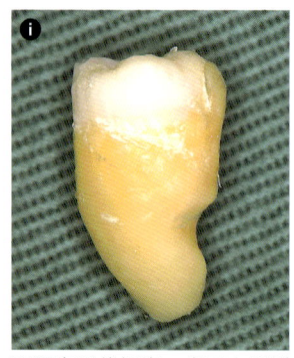

i 下顎半埋伏智歯．歯冠を舌側に倒し，下顎管の圧迫がはずれる方向にヘーベルを用いて抜歯した．歯根側壁に下顎管の走行による圧痕を認める．

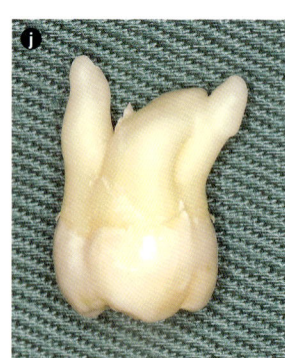

j 上顎埋伏智歯．4根で歯根の開大があった．ヘーベルで歯冠を遠心に倒し，歯槽骨を徐々に拡げるようにして，ゆっくりと抜歯した．

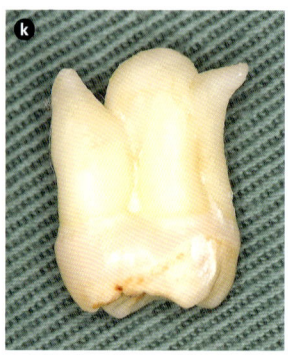

k 上顎埋伏智歯．4根で歯根の開大があった．ヘーベルで歯冠を遠心に倒し，歯槽骨を徐々に拡げるようにゆっくりと抜歯した．

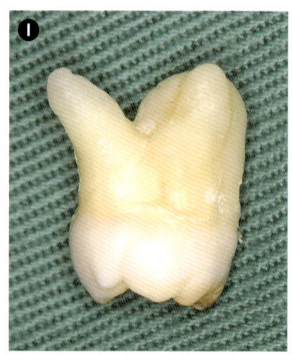

l 上顎埋伏智歯．4根で歯根の開大があった．ヘーベルで歯冠を遠心に倒し，歯槽骨を徐々に拡げるようにゆっくりと抜歯した．

CHAPTER2
抜歯がうまくなるために

　抜歯は手術である．抜歯が上手になるために必要な知識は，抜歯鉗子やヘーベルの使い方だけではない．患者の全身状態の把握や評価，手術全般や手術としての抜歯に関する基本的な原則や考え方をきちんと理解しておく必要がある．この章では，患者の全身状態の評価のしかた，手術，抜歯の基本的な原則について述べる．

抜歯時に注意を要する全身疾患と，全身状態の評価

　心疾患や血液疾患などの全身疾患のために，抜歯時に特別な配慮や事前の処置を必要とする場合があるが，全身疾患があっても絶対的な抜歯の禁忌は少ない．むしろ，抜歯することによって，歯の痛みによる精神的・肉体的ストレスが小さくなって，全身疾患への悪影響が軽減されたり，感染のリスクが低下するように，積極的に抜歯をすべき場合もある．

　抜歯することによる利点とリスクについて検討して抜歯すべきと判断した場合は，医科担当医に照会・相談のうえ，十分に準備して慎重に行えば，ほとんどの患者で抜歯可能である．疾患によっては，抜歯により全身状態が悪化したり，抜歯中に持病の発作を起こすおそれがあるため，医科担当医に問い合わせし，十分に準備して抜歯する．

　ただし，医科の情報に基づいてリスクを評価し，抜歯の可否を判断・決定するのは，あくまでも歯科医師である．**医科担当医に「抜歯は可能でしょうか？」という問い合わせをしてはならない**．なぜなら，医師であっても抜歯に関する局所麻酔薬，抜歯の手技，侵襲の大きさ，患者の全身状態への影響などについての知識は，患者と同程度と思ってよく，抜歯の可否の判断は，医師の情報をもとに歯科医師自身がしなくてはならない．

①歯科治療や抜歯の際の問題点・注意点がある疾患

▶歯科医師といえども，歯科治療を行ううえで注意すべき全身疾患については，十分な知識を有していなければならない．最近は，全身疾患を有する患者の歯科治療上の問題点や対処法について詳細に記載されたすぐれた書籍が数多く出版されているので，本書ではその点についての記載は最小限にとどめておく．

▶表1のような疾患では，それぞれの疾患ごとに歯科治療や抜歯の際の問題点・注意点があるので，それを十分に理解して抜歯する．

表1　歯科治療や抜歯の際の問題点，注意点がある主な疾患．

①循環器疾患	高血圧症，不整脈，狭心症，心筋梗塞，弁膜症など
②呼吸器疾患	喘息，慢性閉塞性肺疾患など
③脳血管障害	脳梗塞，脳出血など
④代謝性疾患	糖尿病，甲状腺機能亢進症など
⑤肝疾患	肝硬変，肝機能低下など
⑥腎疾患	慢性腎不全，血液透析など
⑦血液疾患	再生不良性貧血，白血病，血小板減少症，血友病など
⑧悪性腫瘍	抗癌剤投与や放射線治療の有無

②問診のポイント

▶問診は，
①全身疾患の有無とその病名
②服用薬剤の有無と薬剤名
③抜歯当日の服薬の有無と体調
④抗菌薬，鎮痛薬の薬剤アレルギーの有無
⑤歯科治療経験の有無
について行う．とくに，抜歯の経験の有無と，抜歯後の経過について問診しておけば，局所麻酔注射，止血，薬剤アレルギーなどについての問題の有無が把握できる．

▶最低限の配慮として，
①心血管系に負荷をかけないために，治療中に血圧・心拍数を上げない（＝怖がらせない，痛がらせない）
②易感染性患者には，抗菌薬を前投与する
③肝疾患・腎疾患がある場合には，それぞれの臓器に負担をかけない薬剤（抗菌薬，鎮痛薬）を処方する
などが必要である．

▶また，歯科治療・抜歯が可能かどうかの判断として，問診による心機能評価「NYHA分類」（NewYork Heart Assosiation分類 表2）や，身体に加えられる負荷の大きさを数値化し，患者の身体がどの程度の負荷に耐えられるかを問診する「MET（s）」という評価法（③ミニ知識参照）がある．これらの分類や評価法についての詳細は歯科麻酔学や有病者歯科治療学の教科書を参照されたい．

▶筆者自身は，これらの評価法に基づき，①健康な人と同じ速さで200m歩くことができる（＝3～4MET〔s〕）か，②健康な人と同じ速さで2階まで階段を上がることができる（＝5～6MET〔s〕）か，を問診し，問題がなければ通常の歯科治療，簡単な抜歯は可能であると判断している．

表2　心機能評価法NYHA分類（NewYork Heart Asssociation：ニューヨーク心臓学会による）．

分類	疲労，動悸，息切れ，胸痛などの臨床症状	生活制限	局麻剤
Ⅰ度	日常生活活動で生じない	制限なし	キシロカイン2本
Ⅱ度	日常生活活動で生じることあり	軽度制限	キシロカイン1本
Ⅲ度	わずかな日常生活活動で生じる	極度に制限	シタネスト3本
Ⅳ度	安静時でも心不全症状，狭心症状あり　安静以外で症状増悪	安静	治療不可

※NYHA分類のⅠ度・Ⅱ度の場合，局麻の追加はシタネスト3本まで可．
➡【筆者私見】日常生活で発作が出ず，歩いて1人で治療に来られる患者は，キシロカイン2本までは大丈夫．

③ミニ知識　MET（s）

▶MET（s）（metabolic equivalents：代謝等量）とは，身体活動の強さを表す国際基準の単位で，日常生活や運動活動時のエネルギー所要量をもとにして運動強度を評価する方法である．成人が座って安静にしているときの酸素摂取量（3.5mL/kg体重/分）を1MET（s）として，活動時の酸素摂取量が安静時の何倍であるかにより身体活動の強度を表す．

▶身体活動能力質問票により，日常生活のなかでどの程度の動作や運動ができるかを問診して，運動負荷に対する心臓の予備力を評価する．4MET（s）以上の身体活動能力があれば，通常の歯科治療は可能とされる．「時速4kmの普通の歩行」は3～4MET（s）に，「2階まで階段を上がることができる，坂道を登ることができる．平地を急ぎ足で歩ける」が5～7MET（s）に相当するとされる．

▶また，キシロカイン2本を局所麻酔注射したときの血圧・心拍数の上昇による身体への負担は，2階まで階段を上がる程度（5～6MET（s））であるとされている（表3）．

表3　予備力評価法．身体活動能力判定表（MET（s））とは．

① 夜，楽に眠れますか	（1MET以下）
② 横になっていると楽ですか	（1MET以下）
③ 一人で食事や洗面ができますか	（1.6METs）
④ トイレは一人で楽にできますか	（2METs）
⑤ 着替えが一人で楽にできますか	（2METs）
⑥ 炊事や掃除ができますか	（2～3METs）
⑦ 自分でフトンを敷けますか	（2～3METs）
⑧ ぞうきんがけはできますか	（3～4METs）
⑨ シャワーをあびても平気ですか	（3～4METs）
⑩ ラジオ体操をしても平気ですか	（3～4METs）
⑪ 健康な人と同じ速度で平地を100～200m歩いても平気ですか	（3～4METs）
⑫ 庭いじり（軽い草むしりなど）をしても平気ですか	（4METs）
⑬ 一人で風呂に入れますか	（4～5METs）
⑭ 健康な人と同じ速度で2階まで昇っても平気ですか	（5～6METs）
⑮ 軽い農作業（庭掘りなど）はできますか	（5～7METs）
⑯ 平地を急いで200m歩いても平気ですか	（6～7METs）
⑰ 雪かきはできますか	（6～7METs）
⑱ テニス（または卓球）をしても平気ですか	（6～7METs）
⑲ ジョギング（時速8km程度）を300～400mしても平気ですか	（7～8METs）
⑳ 水泳をしても平気ですか	（7～8METs）
㉑ なわとびをしても平気ですか	（8METs以上）

"はい"ならば問題なく歯科治療可能

手術の原則

これから述べる手術の原則は，抜歯に限らずすべての手術に共通する内容であり，重要であるので，しっかりと理解してほしい．

①解剖を熟知しておく

▶ 血管・神経の位置や走行，骨の形態(大臼歯部以外では唇・頬側の骨の厚みは思ったよりも薄いとか，下顎智歯部の舌側の骨は顎下腺窩という陥凹した形態をしているなど❶)，下顎管の走行，オトガイ孔の位置，上顎洞と歯根の関係など，をきちんと理解しておく．

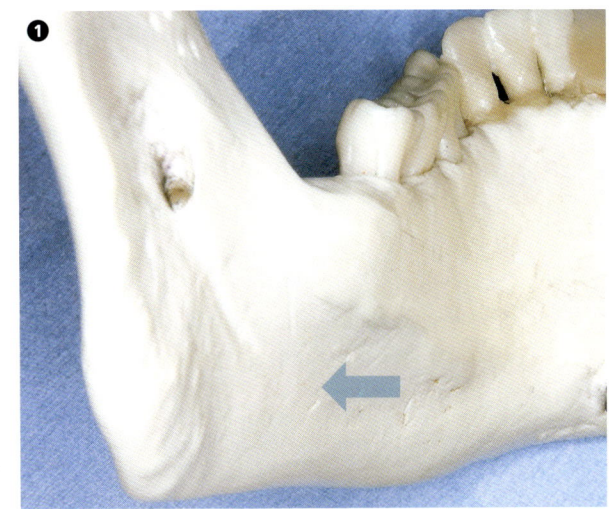

❶矢印は顎下腺窩．舌側の骨は臼後部では頬側に向かって陥凹している．

②正確な術前評価と手術計画

▶ 何事も十分な準備なくしてはよい結果は得られない．手術前には必ず予習(術前の状態の把握，評価)，シミュレーション(イメージトレーニング，頭のなかでの模擬手術)，を行う．また，術中に発生しうるアクシデントについても想定し，その予防と対処について考えておく．
▶ また，術後には復習(手術の振り返り・反省，次回手術時に注意すべき点の書き出しなど)を行う．この復習をきちんと記録しておくことが，手術の上達の近道である．
▶ 前述した内容について全身状態の評価を行って，患者の状態を把握する．また，口腔内の状態，開口度，術野のスペースなどを確認する．

③エックス線写真検査

▶ 歯根の形態，長さ，太さ，本数，根尖病変の有無，歯根膜の状態(狭小化や消失の有無)，下顎管やオトガイ孔の位置，周囲骨の状態(骨の硬化があれば抜歯後の治癒が悪く，痛みが続くことがあるので，そのことを前もって説明しておく)，上顎洞との関係などについて観察し，有効な抜歯方法と起こりうる偶発症について検討する．

④インフォームドコンセント

▶ 専門用語を使わずに，喩えを使ってわかりやすい言葉(CHAPTER 1参照)で説明し，抜歯の同意を得る．患者が理解しやすいように比喩表現を交えて説明する．

⑤清潔操作で行う

▶ 院内感染，創感染を避けるために，器具は滅菌されたものを用い，清潔操作で抜歯する．

⑥痛みを感じさせない

▶ 局所麻酔をきちんと効かせて，無痛下で治療することは，もっとも重要な手術の基本である．局所麻酔がよく効くことはもちろんのこと，局所麻酔注射自体が痛くないように十分配慮して注射する．
▶ また，局所麻酔薬で可動粘膜が変形してしまって，正確な手術がしにくくなることがないよう注意する(上手な局所麻酔のしかたについてはCHAPTER 3参照)．

⑦広くて明るい術野を確保する

▶ 手術に自信がもてるようになるまではやや大きめに切開して，十分な広さの術野で手術することが上達のポイントである．上達するにつれて切開を小さくしていけばよい．必ずしも「切開が大きい」＝「侵襲が大きい」「手術がへた」ということではない．また術野の光量が十分で明るい術野でこそ，細かい仕事を安全に行うことが可能である．

⑧明視下・直視直達の手術を心がける

▶「直視直達」は安全で上手に手術するための大原則である．術者は，術野の直視直達が可能な位置・姿勢で手術する．また，患者に指示して首の角度や向きの調節に協力してもらって，術野を「よく見る・見えるようにする」ことが重要である．よく見えていない状態での盲目的操作はトラブルのもとである．

▶ 血管や神経など危険なものは剖出して（＝術野に露出させて）保護するほうが安全なこともある．必要に応じて歯肉骨膜弁を起こす，骨を削除するなどの処置を加えて，よく見えるようにする．

▶ また，術野をよく洗浄し，血液をガーゼで拭いてきれいでよく見える術野を確保する．

▶ 剥離，挙上した歯肉骨膜弁を剥離子や筋鉤を用いてきちんと翻転，圧排することも，視野・術野の確保に重要である．

Point 1 術野の直視・直達は手術の大原則

よく見る！　見えるようにする！
よく見ていない・見えていないとトラブル発生！
（上顎臼歯の上顎洞内迷入は歯根膜腔をよく見ていないことが原因である）

Point 2 よく見る，見えるようにするためには

①見ようという意志をもつ
②歯肉骨膜弁を挙上する
③骨・歯を削除する
④術野を洗浄する
⑤出血を最小限にする
⑥血液を洗浄し，拭き取る

⑨愛護的操作で手術する

▶ できるだけ生体にダメージを与えないように，すべての操作を愛護的に行う．歯肉骨膜弁の剥離開始の部分で組織を挫滅させない，骨膜までしっかり切開して骨膜を断裂させない，歯肉骨膜弁を暴力的に剥離・翻転しない，骨や歯の切削時に歯肉骨膜弁を巻き込まない，骨切削時には必ず注水する，などの注意が必要である．

⑩毎回正しいポジショニングを行う

▶ 患者の体位，術者の位置，姿勢（CHAPTER 1 参照）など，手術操作がしやすいよう患者に合わせて調整する．前かがみになってのぞき込んだり，肩や肘があがったままで治療することなく，楽な位置，姿勢をとることが大事である．たとえば同じ患者でも上顎と下顎ではヘッドレストの角度は自ずと異なるし，術者の位置も異なるはずである．

Point 3 手術に必要な知識・技術とは

- 解剖の知識
- 手術の原則についての知識
- 基本手技（切開，剥離，縫合，結紮）の習熟

各手術ごとの術式，ポイント

※複雑で大きな手術も「基本手技」の組みあわせである．基本手技をスムーズにできなくては，上手に手術することはできない．

⑪器具を適切に選択・準備する

▶部位に応じた手術器具をきちんとそろえることが大事である．器具は目的に応じてその処置を安全に，効率的にできるようにわざわざ開発，作製されているのであるから，上手でないならばなおさらその専用の器具を揃え，使用するべきである．「自分の医院は外科処置が少ない→手術器具をそろえる必要はない→ほかの器具での代用→処置・操作が難しい・うまくいかない→外科は嫌い→手術や抜歯が上手にならない」の悪循環に陥るもとである．

抜歯に対する誤解

抜歯について研修医や若手の先生と話していると，抜歯について誤解していることが多いのに驚かされる．

誤解1　鉗子で抜くのは野蛮で，ヘーベル1本で抜くのがうまい抜歯

▶歯周組織のダメージを最小限にできることから，つかめる歯質が残っている場合は鉗子で抜歯するのが基本である．このことは矯正治療に必要な便宜抜去を考えるとよくわかる❷．ヘーベルでは歯肉，歯槽骨頂にダメージを与えて矯正治療上不利になる．いきなり鉗子を使うと歯根が折れるという人がいるが，それは鉗子の使い方が誤っているからである．

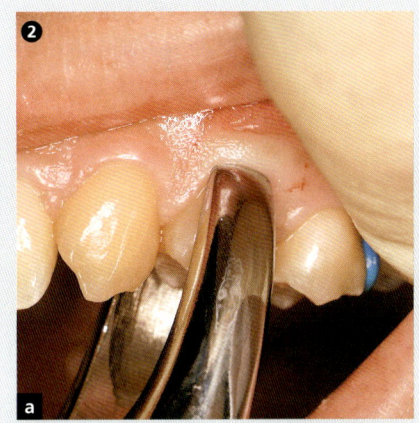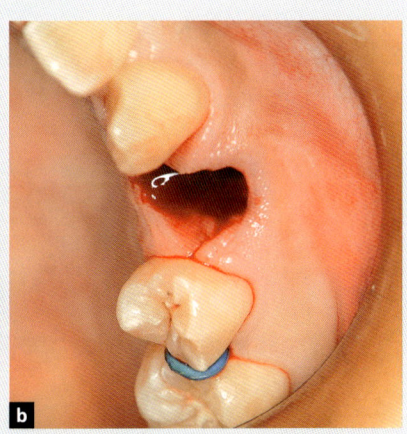

❷ 鉗子抜歯が抜歯の基本．つかめる歯質が残っているときは鉗子で抜歯するのが基本 (a)．骨植のよい歯でも，歯肉・歯槽骨頂はほとんど損傷されていない (b)．

誤解2　力を入れれば抜ける

▶抜歯の際に多少力が必要な場合があることは認めるが，力を入れ過ぎると患者はとても怖がるし，器具が滑脱すると事故につながる．歯にアンダーカットが残っていたり，加えた力の方向が歯根が抜けてくる方向と異なっていれば，ただ歯根を骨に押し付けるばかりの力になっていて，いくら力を入れても歯は抜けてこない．

誤解3　切開をしないで抜くのがうまい抜歯

▶筆者が若い頃アルバイトに行って抜歯をしていたところ，院長先生に「口腔外科の先生はすぐ切開したがる」と批判されることがあった．しかし，すぐに切開するのは切開の有用性を十分に知っているからである．切開することにより短時間で終わることができれば，決して侵襲が大きいことにはならない．**切開しないで時間がかかること自体が大きな侵襲である**．

誤解4　できるだけ歯の原形をとどめて抜くのがうまい抜歯

▶歯を原形に近い形で抜くことにこだわって，ガンガン骨を削るのは本末転倒である．タービンで歯を分割して小さくしたり削除すれば，アンダーカットが解消されたり，癒着面積が減少して抜けやすくなる．抜歯に用いる器具は，鉗子とヘーベルだけではない．**タービンをうまく使うことが大事である**．

> **誤解5　術者は動いてはいけない**
>
> ▶直視・直達が原則なので，見える側，器具を操作しやすい側・位置に術者が移動するのは当然のことである．たとえば左側の深い上顎埋伏智歯を右側から抜くことにこだわる必要はまったくない．無理な姿勢，見えない術野での操作は，うまくいかないばかりか事故のもとである．

上手な手術（抜歯）とは

以下の3つのポイントが上手な手術（抜歯）の必須条件である．

①患者が怖がらない

- ▶十分な説明，コミュニケーションで不安を取り除く．
- ▶術前の説明，術中の声かけ，手術の進み具合や残りの所要時間の説明をする．なかなか抜けないと抜歯に夢中になって声かけを忘れてしまい，患者の不安感が大きくなるので注意する．

②痛くない

- ▶局所麻酔が効けば手術自体は痛くないが，そもそも局所麻酔が痛くて怖いものである．痛くなくてよく効く局所麻酔をすることが大切である．
- ▶抜歯が短時間で終了しても痛ければ患者は「早かったけど痛かった」といい，少々時間がかかっても痛くなければ「少し時間はかかったけれど痛くなくて楽だった」というものである．とにかく痛がらせないことが最も重要である．

③早い，腫れない，術後の経過がよい

- ▶手技，テクニックの巧拙の影響がもっとも大きい．できるだけ侵襲を小さくし，短時間で終わるように意識しながら抜歯し，経験を積んで腕を上げるしかない．

> **Point 4　腫れない抜歯のポイント**
>
> ①切開線が歯肉頬移行部を大きく超えない
> ②骨を削り過ぎない
> 　（もちろん必要な骨削除はしてよい）
> ③暴力的な強い力を加えない
> ④出血させない
> ⑤短時間で終了する
> ⑥縫合は緩めに．強く締めすぎない（縫合の数が多過ぎたり，強く締めすぎたりすると腫脹が大きくなる）
> ⑦創はできるだけ開放創にする．閉鎖するなら圧抜き目的でドレーンを留置する（CHAPTER 15参照）
> ⑧抜歯直後の全身的・局所的な安静を保つ

> **「歯肉骨膜弁を起こすこと，骨を削ることは，侵襲が大きい」という手術侵襲についての誤解**
>
> ▶歯肉骨膜弁を挙上したり骨を削除すると，侵襲が大きくなり，腫脹・疼痛が強くなるという誤った考えがある．もちろん不要な侵襲は加えないに越したことはないが，切開，剥離，骨削除などの必要な処置をせずに時間が長引いたり，不必要な強い力を加えることは，もっと大きな侵襲であることを知るべきである．
> ▶必要最小限よりもやや大きめの歯肉骨膜弁を起こし，歯を分割したり，必要最小限の骨を削除して，短時間で手術を終了させることが本当の意味での侵襲の小さい手術である．
> 侵襲の大きさ＝
> 歯肉骨膜弁の切開・剥離挙上量＋骨削除量＋加えた力の強さ＋所要時間
> である．切開や骨削除の有無だけではなく，力の強さや手術時間も大きな侵襲であることを忘れてはならない．

Point 5 手術侵襲に対する誤解

腫れるのがいやだから
- 切開しない
- 歯肉骨膜弁を起こさない
- 骨を削らない

≠ 手術侵襲が小さい

→ 手術時間，加えた力の強さも侵襲！
必要ならさっさと歯肉骨膜弁を起こして，短時間で終了する

抜歯の難易度を測る基準

抜歯の難易度は単純にエックス線写真だけでは決められない．全身状態，開口量や口裂の大きさ，抜歯部位のスペース，前後の歯や骨の状態なども関係する．下顎の埋伏智歯で埋伏の深さが浅いので簡単だと思って始めたら，開口量が小さくてタービンが思ったようには使えず，予想以上に時間がかかることがある．エックス線写真だけでなく口腔内の状態もよく観察して，難易度・所要時間を想定する．

①患者を観察する際のポイント

▶ 年齢（高齢の場合，骨性癒着や骨硬化のために抜歯に時間がかかることが多い），全身状態，開口量，局所の炎症の有無，残存歯質の形や硬度，量などを観察する．下顎埋伏智歯の場合は，開口量だけではなく下顎枝前縁までの距離（臼後部のスペース）も重要である．この距離が小さいほど難度が上がり，トラブルも多くなる．

②エックス線写真の読影

（1）歯の観察
▶ 萌出異常の有無（埋伏，傾斜，転位，捻転など）
▶ 隣在歯との関係（残根歯の場合，隣在歯の傾斜によるスペース狭窄の有無など）
▶ アンダーカット量（埋伏智歯の場合，第二大臼歯遠心への潜り込み量）
▶ 傾斜歯の場合，傾斜方向，傾斜度
▶ 埋伏歯の場合，近遠心的埋伏位置，垂直的な埋伏の深さ，歯冠の頬舌的な向き，歯軸の傾斜度など
▶ 埋伏位置が深い場合，分割用のバーが届くかどうか（タービンが届かない場合はストレートハンドピースや骨ノミを準備する）
▶ 下顎埋伏智歯の抜歯の難易度判定に，傾斜度によるWinter分類，埋伏深度と下顎枝の立ち上がり部までの距離による分類（Pell & Gregory分類）がある（CHAPTER 11 下顎埋伏智歯の抜歯を参照）．

（2）歯根の異常の有無
▶ 歯根の形態（肥大，湾曲，歯根離開，歯根の数，太さ，長さなど）
▶ 歯根膜腔の有無，広さ
▶ 歯槽硬線の有無

（3）骨の状態
▶ 骨硬化の有無（骨のび慢性硬化があれば，抜歯後の治癒が遅れたり，痛みが長引くことがあるので，抜歯前に説明しておく）．

（4）そのほか
▶ 上顎臼歯部では上顎洞底部との関係を観察し，上顎洞穿孔のおそれがある場合は，抜歯前に説明しておく．
▶ 下顎埋伏智歯では，歯根膜腔，歯槽硬線，下顎管壁の消失の有無をみる．この3つがはっきりしていれば，歯根をヘーベルで根尖側に押し込まないように注意すれば，下歯槽神経の知覚鈍麻は出にくい（知覚鈍麻の出ない抜歯法についてはCHAPTER 11参照）．

Chapter3

局所麻酔
浸潤麻酔と下顎孔伝達麻酔

　患者が歯科治療に対してもっているイメージは，「痛い」「怖い」が圧倒的に多い．もし局所麻酔注射そのものが痛くなく，よく効いてその後の治療も痛くなければ，快適に治療が受けられて歯科治療に対するイメージが変わり，信頼度もアップするはずである．術中に患者が痛がるようでは十分な手術はできない．局所麻酔下の手術でもっとも重要なことは患者を痛がらせないことである．痛くなくてよく効く局所麻酔をマスターしよう．

I．浸潤麻酔

「局所麻酔」が抜歯・手術成功のカギを握っている！

　「抜歯や手術が上手」のなかには「局所麻酔が上手」であることも含まれている．局所麻酔が効かずに痛みを感じさせながらでは不十分な手術になったり，手術の続行を断念しなければならないし，患者の信頼も得られない．

Point1　上手な局所麻酔とは

①局所麻酔注射が痛くない　②麻酔効果が確実　③局所麻酔による全身的・局所的トラブルを起こさない

❶「痛くなくてよく効く局所麻酔」をできれば，歯科治療が怖いと思われない．

第3章 局所麻酔　浸潤麻酔と下顎孔伝達麻酔

痛くなくてよく効く局所麻酔で全身的トラブルを防げる！

歯科治療中の全身的トラブルの大部分が，局所麻酔に関連して発生するいわゆる「デンタルショック」（正しくは「血管迷走神経反射」）である．その原因のほとんどが恐怖心・不安という「精神的ストレス」と，痛みという「肉体的ストレス」である．怖がらせない，痛がらせないことで全身的トラブルを防げることをよく理解しておこう（CHAPTER 16参照）．

Point2　歯科治療中の全身的トラブルを防ぐには

①痛がらせない　②怖がらせない　③緊張させない

なぜ局所麻酔注射は痛いのか？——注射時の痛みの原因

痛くない局所麻酔注射をするためには，まず注射時の痛みの要因を知っておく必要がある．

①局所麻酔の痛みの要因は？

▶局所麻酔の痛みの要因は，
1. 注射針による組織破壊
2. 局所麻酔薬注入による組織内圧の上昇
3. 局所麻酔薬の温度
4. 患者の心理状態

の4つである．つまり，
①細い注射針を使って
②可動性があって注入圧が緩衝される部分に，圧がかからないようにゆっくりと
③体温に近い温度の局所麻酔薬を
④リラックスさせて
注射すれば，注射の痛みが軽いということである．

（1）注射針による組織破壊の痛み（＝注射針の太さが影響する❷）

▶注射針が細いほど組織破壊が小さいので，痛みが軽いことは明らかである．しかし細い針を使っても，強い圧で急速に注射すると，逆に痛みが強くなる．これはホースで水を撒くときのホースの径とホースから出る水のスピードの関係と同じである．ホースの先を指でつまんで細くすると水はものすごいスピードでホースから出て遠くまで届く❸．これと同じで，同じ圧で注射すると針の径が小さいほど針先から出る局麻薬のスピードは早くなり，いわばジェット水流が噴出しているようなものなので痛みが強い．

▶カートリッジのプランジャー（押棒）を進めるスピードと注射針から流出する局所麻酔薬のスピードは，カート

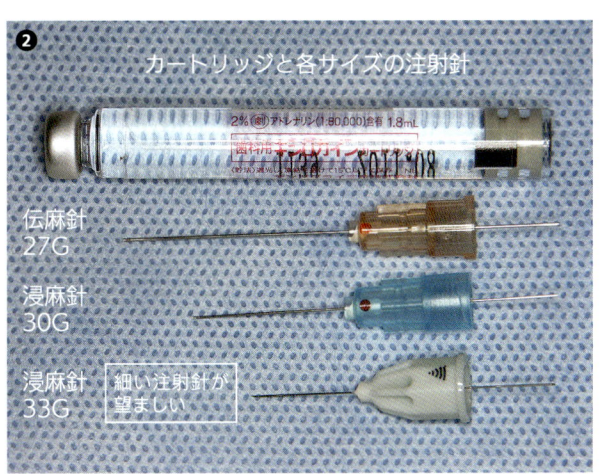

❷ カートリッジと各サイズの注射針

伝麻針 27G
浸麻針 30G
浸麻針 33G　細い注射針が望ましい

細い針は組織破壊が少ないので痛くない．しかし，細いほど局所麻酔薬の流出スピードが速くて痛い．それは水撒きのときのホースの径と水の流出スピードの関係と同じなので❸，細い針ほどゆっくりと注射することが大事．

リッジと注射針の半径の比の2乗（＝面積）に反比例する．半径が20倍違うと仮定すると，針先から出る局所麻酔薬のスピードは，プランジャーのスピードの400倍になる．仮にプランジャーのスピードが1cm／秒だとすると，針先から出る局所麻酔薬のスピードは400cm／秒になる．つまり，細い注射針ほどゆっくりと注入することが大事ということである．歯科麻酔学の臨床研究では1.8mLのカートリッジ1本を2分かけて可動粘膜に注入すると，ほとんど痛くないとされている．また，適切な注入スピードを表す表現として「1 drop per second（1秒1滴）」という言葉がある．

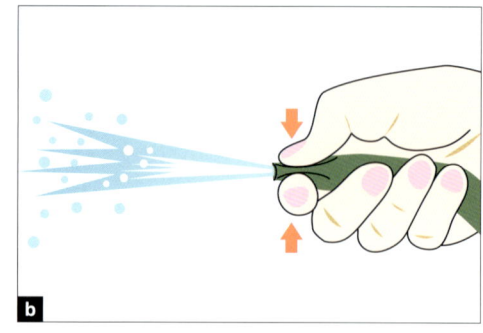

❸ホースの径と流れ出る水の
スピードの関係.
a：そのままの径だと水は普
通のスピードで流れ出て近く
に落ちる.
b：指先でホースの先をつま
んで細くすると，勢いよく水
が出て遠くまで届く.

（2）局所麻酔薬注入による組織内圧の上昇（＝組織の硬
　　 さ・密度と注入スピードが影響する）
▶局所麻酔薬注入により組織内圧が上昇することも痛みの
要因である．軟らかい組織，密度の低い組織では，注入
による圧が緩衝されて組織内圧が上がりにくいので痛み
が軽い．このことはいきなり付着歯肉や歯間乳頭部，口
蓋粘膜などの不動歯肉に注射するととても痛いというこ
とである．痛くない局所麻酔注射をするためには，まず
可動粘膜である歯肉頬移行部に注射し，頬側歯肉が麻酔
されたら歯間乳頭部に注射する．

（3）局所麻酔薬の温度
▶麻酔薬の温度が体温から大きく離れていると痛みとして
感じやすいので，冷蔵庫から出してきたばかりの冷え冷
えのカートリッジを使わない．室温にしてからか，体温
程度に温めて注射すると痛みが軽い．

（4）患者の心理状態
▶緊張・不安・恐怖が強いと痛みを強く感じることは，心
理学的にも明らかになっている．注射ができるだけ痛く
ないように配慮していることを伝え，いきなり注射しな
いで「今からチクッとしますよ」と心の準備をさせてから
注射する．黙っていきなり注射する「不意打ち」は，痛み
が強い．

> **Point3** 局所麻酔時の痛みの要因
>
> ①注射針による組織破壊の痛み　②局所麻酔薬注入による組織内圧の上昇　③局所麻酔薬の温度
> ④患者の心理状態

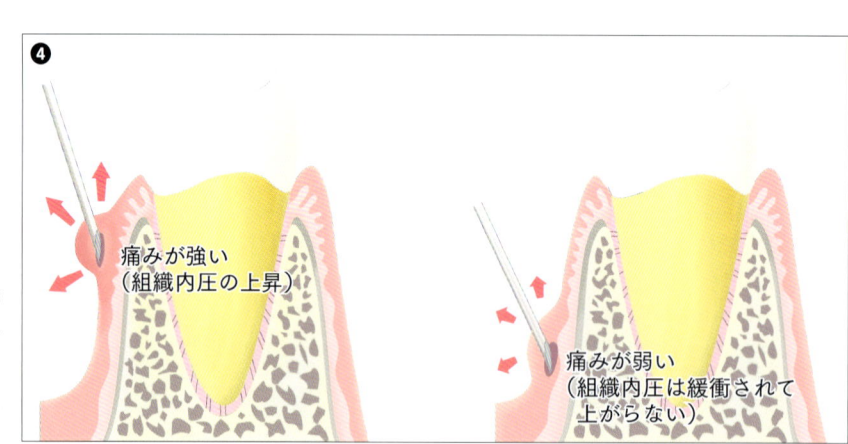

❹注射部位による痛みの違い．
左：付着歯肉・歯間乳頭部注射．組織が
　　硬く，密であるので，組織内圧が上
　　がり，痛みが強い．
右：可動粘膜部注射．組織が疎で変形す
　　るので，組織内圧が緩衝され，痛み
　　が軽い．

痛くない浸潤麻酔のポイント

①十分な説明とコミュニケーション

▶ 不安は痛みの増強因子の1つで，不安，緊張があると痛みに敏感になり，強く感じるので，不安・緊張を除くことが大事である．十分なコミュニケーションで患者の不安・緊張をなくす．

②表面麻酔の使用

▶ 歯肉を乾燥，防湿して，最低2分間待つ❺．
▶ 表面麻酔薬を2分間置くと，粘膜表面から2mm程度の深さまで麻酔されることが歯科麻酔学の臨床研究で明らかになっている．つまり，最初の刺入が表面から2mm程度以内の深さであれば，痛くないということである．

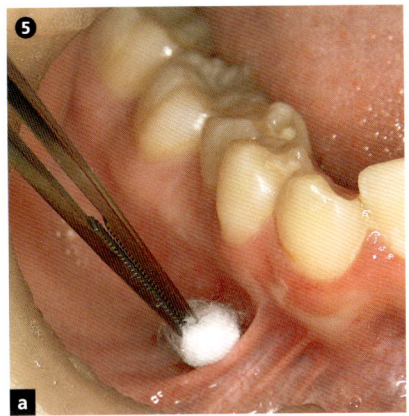
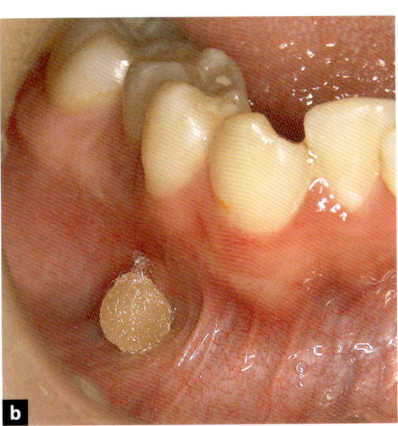
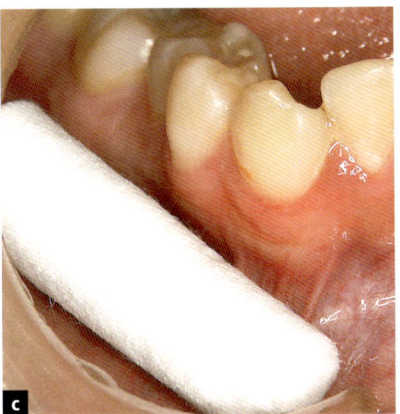

❺ a｜便宜抜去時の浸潤麻酔．注射部位を消毒する．
b｜粘膜を乾燥させたあと，刺入部に表面麻酔薬をおく．
c｜表面麻酔薬上にロール綿を置いて防湿して2分待つ．

③細い注射針の使用

▶ 注射針の太さができるだけ細いほうが組織の損傷が小さいので，痛みが軽い．ただし前述したように，細いほどゆっくりと注射する必要がある．現在市販されているなかでは33Gがもっとも細い❷．

④最初の注射は可動粘膜部の粘膜表面直下

▶ 注射針がスムーズに粘膜表面を貫通するように粘膜を緊張させて，可動粘膜部（歯肉頬移行部）の粘膜直下（1mm程度の深さ）に，膨疹をつくるようにゆっくりとカートリッジ4分の1程度を注射する❻．この深さは，表面麻酔薬で麻酔されているので痛くない．
▶ また，可動粘膜部は組織が疎で変形するので，注射による組織内圧の上昇が緩衝されて痛みが軽い（❹参照）．
▶ 刺入時，注入時には患者の表情を観察しながら，痛みの有無・程度を推し測り，注入スピードを調節する．

⑤傍骨膜・骨膜下に注射

▶ さらに2分待って，刺入部直下の骨膜まで局所麻酔薬が浸潤して骨膜が麻酔されたら深部に針を進める❼．傍骨膜（骨膜よりも浅い骨膜に近いところ）または骨膜下にゆっくりと注射する❼❽．すでに骨膜は麻酔されているので，骨膜下注射であっても痛くない．骨膜下注射については，骨膜が骨から剥がれるため賛否両論あるが，骨膜下注射のほうが麻酔効果が早く，高い．

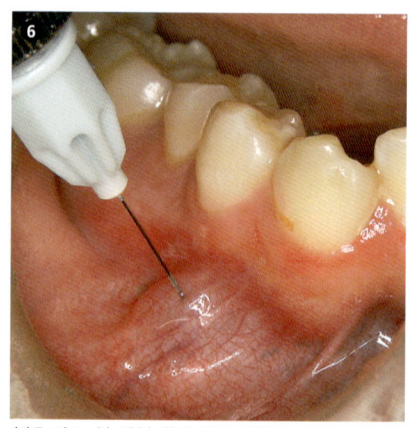
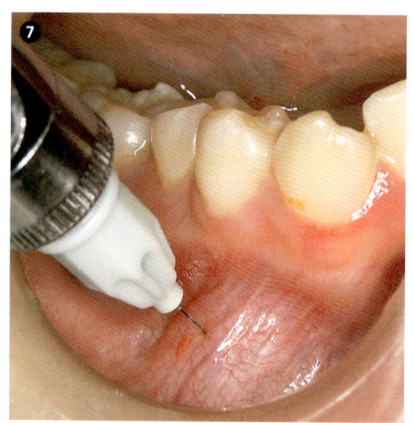
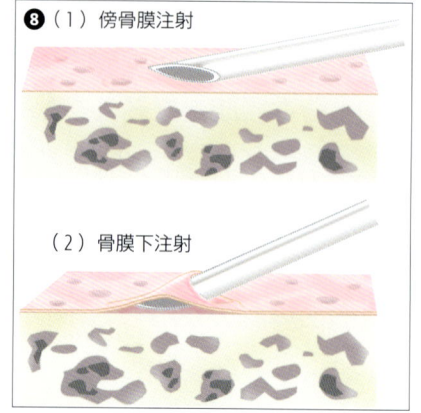

刺入時に針が粘膜表面を貫通しやすいように粘膜を緊張させて，可動粘膜部に刺入する．粘膜直下にカートリッジ4分の1程度を注射して膨疹を形成する．麻酔薬が浸潤して骨膜が麻酔されるまで2分待つ．

根尖部の骨膜直上に注射する(傍骨膜注射)．骨膜下注射は疼痛が強いので一般的には勧められないが，傍骨膜注射で骨膜が麻酔されていれば痛くないので，骨膜下注射をしてもよい．5分後に処置を開始する．

傍骨膜注射と骨膜下注射．
(1) 傍骨膜注射．骨膜より浅い部分に注射する．骨膜がバリアになって効果発現までやや時間がかかり，効果も落ちる．
(2) 骨膜下注射．骨に当てて，骨膜の下に注射する．このとき最初の粘膜直下の注射が骨膜まで浸透して麻酔されていれば痛くない．

⑥薬液の流出スピード

▶針先からジェット水流が噴出していることをイメージしながら，圧をかけずにできるだけゆっくり注入する．細い注射針ほど薬液の流出スピードが早く，痛みが強いことをしっかり意識して注入する．カートリッジと注射針の径の違いを考えると，カートリッジのゴム栓の動きはゆっくりでも，針先からはジェット水流が噴出していることになる．このことは，15，16ページで詳述した❸．

▶手指で注入スピードを調節しにくければ，電動注射器を使用するとよい．電動注射器は圧や注入スピードを一定に保つことができるので，痛みが軽く，術者の疲労も小さい．

⑦広い範囲を麻酔する必要がある場合

▶広い範囲を麻酔する必要がある場合，注射により生じた粘膜の膨隆や白く色が変わった部分(=貧血帯)の辺縁部分の麻酔の効いている範囲内に注射することを繰り返して，徐々に麻酔範囲を拡げる(筆者はこの注射のしかたを「尺取り虫注射法」と呼んでいる)．このようにすると痛みは最初の刺入の1回だけですむ❾．刺入点が多いと局所麻酔薬が漏出するのでよくないという意見があるが，33Gの細い注射針なら漏出は少ない．

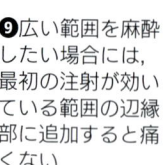
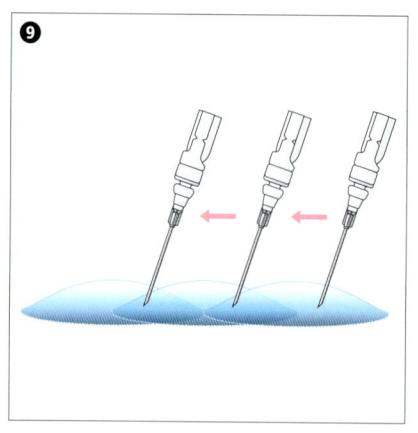

❾広い範囲を麻酔したい場合には，最初の注射が効いている範囲の辺縁部に追加すると痛くない．

⑧注射終了後5分以上待って処置開始

▶骨膜下注射後，麻酔薬が骨内に浸潤し，歯根周囲に到達するまで最低でも5分以上待つ．頬側皮質骨の厚さと，皮質骨の骨髄側表面から歯根までの距離によって，麻酔薬が歯根に到達する時間と麻酔薬の量が異なるので，前歯部と臼歯部では，注射する量，待ち時間は当然異なる(20ページ❸参照)．

⑨抜歯の場合の麻酔の範囲

▶保存処置の場合は，根尖部が麻酔されればいいので唇（頬）側の注射だけでよいが，抜歯の場合は口蓋側あるいは舌側歯肉への注射も必要である．すでに麻酔が効いている唇側（頬側）の歯間乳頭部から舌側歯間乳頭部へ抜けるように刺入して口蓋側，舌側を麻酔すると痛くない⑩⑫．

⑩歯根膜腔注射も効果あり⑪

▶抜歯の際には，歯根膜注射も有効である．歯根膜腔注射はドライソケットを引き起こすという意見があるが，統計的に有意にドライソケットの発生率が上がるというエビデンスはない．ただし，抜髄や根管治療などの保存的治療時に歯根膜腔注射をすると歯根膜炎を起こして痛みが長く続くので，保存治療時には歯根膜腔注射をしてはならない．

4⃣の便宜抜歯
⑩a：近心歯間乳頭部への注射．抜歯の場合は舌側歯肉にも注射する必要があるが，舌側には表面麻酔薬を置きにくいので，頬側の歯間乳頭部から舌側へ針先を進めて，舌側の歯間乳頭部を麻酔する．保存処置で根尖部への注射で奏効しない場合には乳頭部に追加する．頬側歯肉はすでに麻酔されているので，根尖部への注射に続けて歯間乳頭部へ注射してよい．
⑩b：遠心歯間乳頭部への注射．

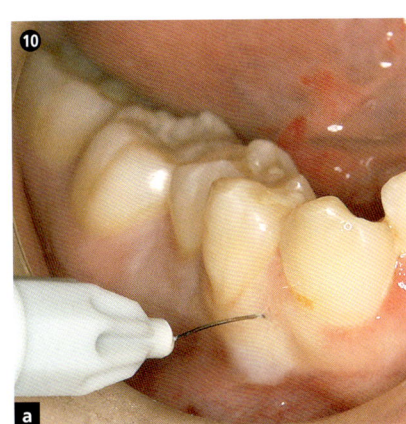
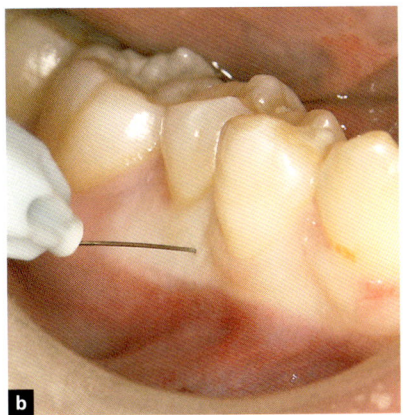

⑩c：抜歯の場合は最後に舌側の歯肉に刺入して麻酔する．
⑪抜歯の際に根尖部・歯間乳頭部の浸潤麻酔が奏効しない場合には，歯根膜腔注射を追加する．歯根膜腔注射でドライソケットの頻度が高くなることはない．ただし，歯根膜腔注射は歯根膜炎を起こして打診痛がでるので，保存処置の場合には用いない．

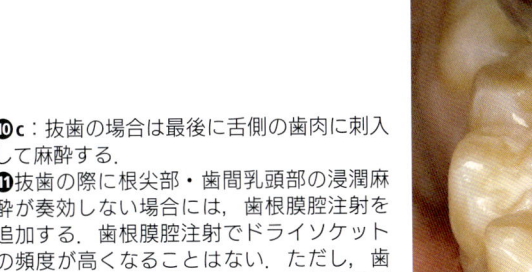
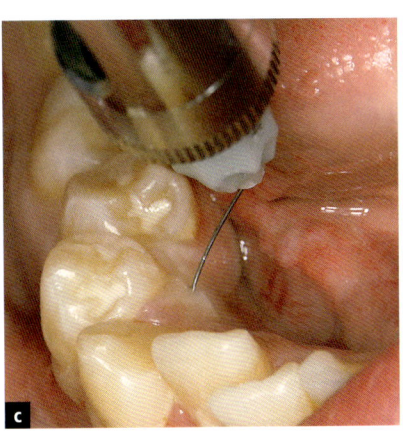
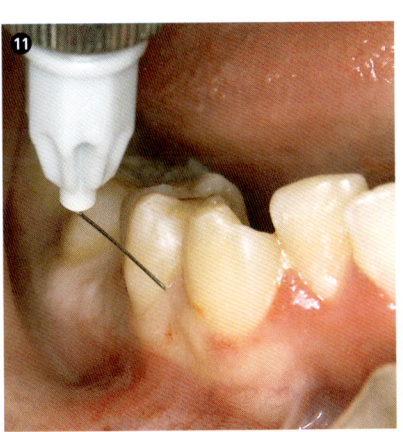

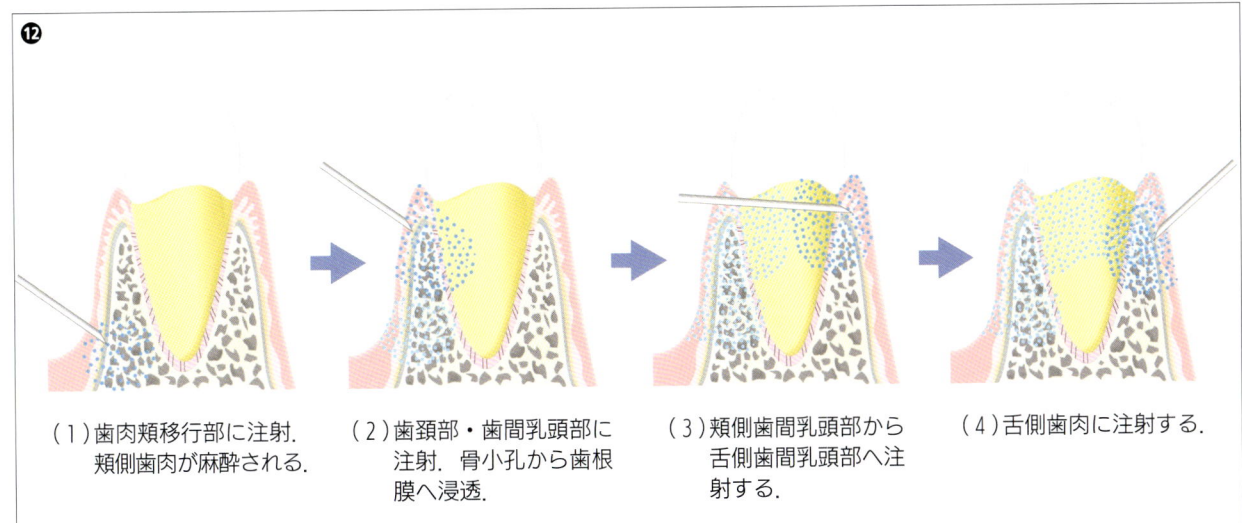

（1）歯肉頬移行部に注射．頬側歯肉が麻酔される．
（2）歯頸部・歯間乳頭部に注射．骨小孔から歯根膜へ浸透．
（3）頬側歯間乳頭部から舌側歯間乳頭部へ注射する．
（4）舌側歯肉に注射する．

舌側歯肉への注射の仕方．

浸潤麻酔が効きにくい理由

①麻酔効果の低い局所麻酔薬の使用

▶麻酔効果・持続時間は，キシロカイン＞シタネスト（局所麻酔薬そのものと，血管収縮剤の効果による差がある）である．

②皮質骨が緻密で厚い，骨髄が慢性炎症で硬化している

▶下顎臼歯部の場合，皮質骨が緻密で厚いために，局所麻酔薬が根尖部に到達するまでに時間がかかり，また到達する量が少なくなるため，麻酔が効きにくい．
▶また，慢性根尖性歯周炎が長期にあり，歯根周囲の骨髄が硬化していると，局麻薬の浸透が悪く効きにくい．

③下顎大臼歯部では，歯根が頬側皮質骨の骨髄側表面から遠い

（1）下顎骨の頬舌的幅径は，前歯部・小臼歯部よりも，大臼歯部のほうが大きい．
（2）下顎骨の頬（唇）側皮質骨の厚みは，前歯部・小臼歯部よりも，大臼歯部のほうが厚い．
（3）根尖は大臼歯部のほうが舌側よりに位置しており，頬側皮質骨（＝浸潤麻酔の注射部位）と下顎大臼歯の根尖との距離が大きい．
▶この3つの理由で，局所麻酔薬が下顎大臼歯根尖に到達するまでに時間がかかり，また到達する量も少なくなるので，浸潤麻酔が効きにくい❸．
▶このことから，下顎大臼歯でしっかりと浸潤麻酔を効かすためには，他部位よりも多い量の局所麻酔薬を注射し，他部位よりも長く待って，治療を開始する必要がある．

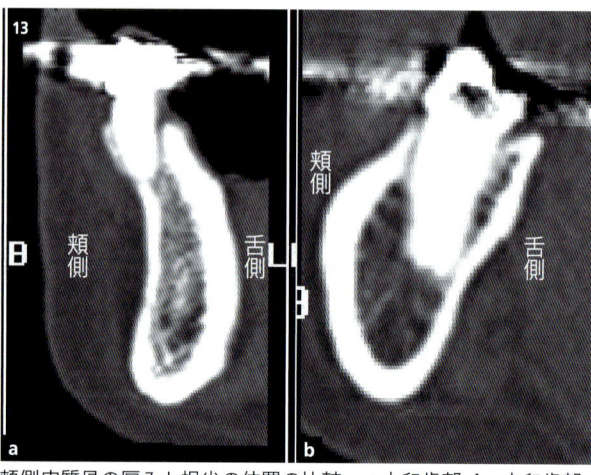

頬側皮質骨の厚みと根尖の位置の比較．**a**：小臼歯部，**b**：大臼歯部．

④注射量が少ない

▶局所麻酔薬が骨膜，皮質骨，骨髄を経由して，歯根に到達するまでに拡散・希釈されるので，十分な注射量が必要である．浸潤麻酔をきちんと効かせるためには，前歯部・小臼歯部と大臼歯部では当然注射量が異なる．

⑤効果発現まで待てない

▶局所麻酔薬が皮質骨を通過して根尖に到達するまでには時間を要する．下顎埋伏智歯の抜歯では骨膜下注射終了後最低でも10分は待ちたい．

⑥炎症がある

▶炎症巣では組織のpHが酸性に傾いており，局所麻酔薬は性質上，酸性下では効果が減弱する．また炎症のために増えている組織液で希釈されて，効きが悪くなる．理論上は，組織のpH（ペーハー）が7.4から6.8に変化すると，局麻薬の濃度は3分の1以下（キシロカインで表現すると2％から0.6％）に低下するとされており，このように薄い濃度の局麻薬を注射していることになるので，麻酔が効きにくいことになる．

⑦不安・緊張が強い

▶不安・緊張は痛みの増強因子であることが心理学で明らかになっている．

浸潤麻酔をよく効かせるポイント

特別な秘策はないが，前述した「浸潤麻酔が効きにくい理由」を参考にして考えるとよい．これまでに述べた手順で「麻酔効果の強い局所麻酔薬を」「よく効く場所に」「たっぷり注射して」「じっくり待つ」のがポイント．

①麻酔効果の強い局所麻酔薬を選択する

▶麻酔効果・持続時間は，キシロカイン＞シタネストである．血管収縮剤の効果の差もあり，麻酔効果・持続時間・止血効果ともにキシロカインがまさる．
▶高血圧，心疾患患者には，血圧と心拍数の上昇を防ぐために，エピネフリンの含まれていないシタネストを使うことが勧められているが，痛がらせない，怖がらせないという前提で，「キシロカイン2本までであれば含有されているエピネフリンは循環器系に大きな影響を及ぼさない」ことが歯科麻酔学の教科書に記載されている．抜歯・手術の際は，止血効果が高いほうを選ぶほうが手術がしやすいので，筆者はキシロカインを選択している．

②効果的な場所に注射する

▶局所麻酔薬の効果発現までの経路をよく知ることが大事である⓮．
（1）前歯部・小臼歯部は，上下顎とも歯肉頬移行部のみで可．
（2）大臼歯部は，上顎は歯肉頬移行部のみで可だが，下顎は歯肉頬移行部＋歯間乳頭部に注射する．下顎大臼歯部は皮質骨が厚く，根尖までの距離が遠いため麻酔が効きにくい．歯頸部歯根膜と歯槽頂付近にある骨小孔からの浸潤を期待して歯間乳頭部に注射する．歯肉頬移行部に注射してしばらく待って歯間乳頭部に注射すると，すでに頬側の歯間乳頭部は麻酔されているので痛くない．
（3）抜歯の場合は口蓋側・舌側歯肉への注射も必要．頬側歯肉が麻酔されたあとで，頬側歯間乳頭部から舌側・口蓋側の乳頭部に抜けるように注射すると痛くない．

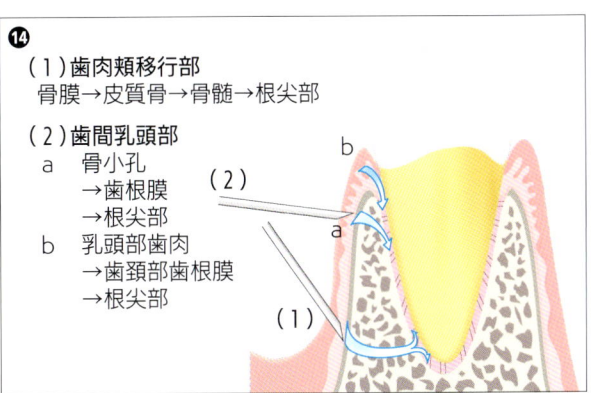

⓮
（1）歯肉頬移行部
　骨膜→皮質骨→骨髄→根尖部
（2）歯間乳頭部
　a 骨小孔
　　→歯根膜
　　→根尖部
　b 乳頭部歯肉
　　→歯頸部歯根膜
　　→根尖部

注射部位と局所麻酔薬の浸透経路．下顎大臼歯部では頬側皮質骨が厚く，歯肉頬移行部の注射だけでは効きにくいので，頬側歯肉が麻酔されたあとで歯頸部・歯間乳頭部に追加する．

③効果発現まで十分に待つ

▶前述の痛くない注射法で注射したら，最短でも5分は待って治療を始める．注射の量が十分であれば待ち時間が長いほうが麻酔効果が高い⓯．

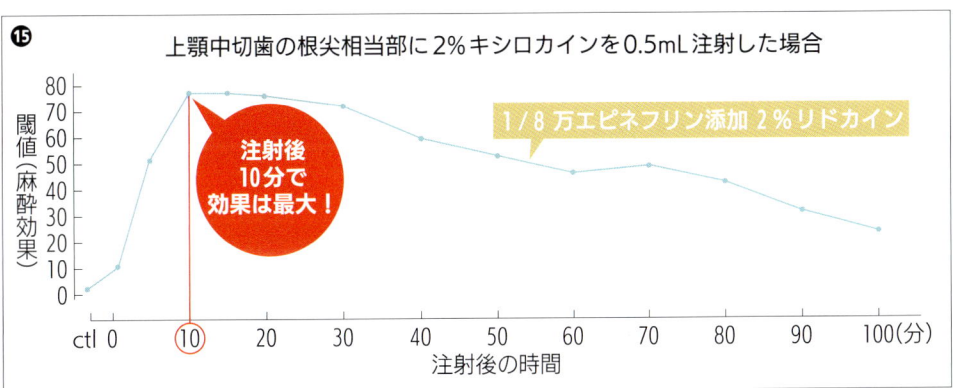

⓯局麻後の疼痛閾値の経時的変化．上顎中切歯でも，麻酔効果のピークは10分後なので，下顎大臼歯部ではさらに時間を要すると考えられる．局所麻酔注射後の治療開始までの待ち時間の重要性がわかる．＊岡安徹，野口いづみ，ら．2％リドカインの口腔内浸潤麻酔効果の歯髄診断器を用いた検討．歯科薬物療法 1993；12（1）：33-38．より引用・改変

④最初にきちんと効かせる

▶麻酔効果が切れて痛みが出てからの追加注射は，疼痛閾値が下がり効きにくいので，最初にきちんと効かせることが大事である．治療時間が長くなりそうなら，最初に多めに注射しておくか，痛みがでる前に追加する．

⑤注射量

▶保存処置なら，1.8mLカートリッジ半量でも十分である（そのため1カートリッジ1.0mLの製品も販売されている）が，抜歯の場合は多めのほうが効果は確実である．筆者は普通抜歯で1.8mLカートリッジ1本，埋伏歯の抜歯では2～3本を最初に注射している．

Point 4 痛くない局所麻酔注射のポイント

①十分なコミュニケーション
②表面麻酔(2分間)
③細い注射針の使用(33G)
④最初の刺入は可動粘膜(粘膜変形で注入圧が緩衝される)
　　粘膜直下に注射して膨疹形成
　　　2分間待って骨膜に浸潤したら，骨膜下に注射
⑤できるだけゆっくり注射(電動注射器の使用も)
⑥十分に待って処置開始(5分以上)

Point 5 最悪の局所麻酔

①麻酔作用が弱く，効果時間の短い局所麻酔薬を
②血管収縮剤の全身状態への影響が怖いので少なめに注射して
③忙しい，早く終わってしまいたいので麻酔が効く前に治療を始めて
④痛がっているのに，「もう少しで終わりますから」といって我慢させながら続けて治療する
　　これが全身的トラブルのもと！

II．下顎孔伝達麻酔

　通常の一般歯科治療は浸潤麻酔で十分可能であるが，歯髄や歯周組織の炎症が強い場合には浸潤麻酔だけでは完全な無痛状態が得られないことがある．また，皮質骨が厚い下顎大臼歯部の治療や，埋伏智歯の抜歯，顎骨囊胞の摘出などの顎骨内病変の手術の際にも，浸潤麻酔のみでは不十分なことがあり，「下顎孔伝達麻酔」が必要となる．
　下顎孔伝達麻酔は，歯科医師自身が注射することが怖かったり，苦手感をもっており，敬遠されがちであるが，浸潤麻酔が奏効しないときには有用であり，ぜひとも習得しておきたい手技である．

下顎孔伝達麻酔について

①利点と敬遠される理由

▶下顎孔伝達麻酔は，盲目的に深部に注射針を刺入する手技であるが，注射部位の解剖学的な形態を熟知し，手技上のポイントをつかめば「敬遠される理由」の③④⑤は防ぐことができる．また⑥⑦は処置内容によっては利点である(表1)．

表1　下顎孔伝達麻酔の利点と敬遠される理由．

利点	敬遠される理由
①麻酔範囲が広い ②麻酔の持続時間が長い ③刺入点が少なくてすむ（①，②による） ④炎症があっても効きやすい ⑤局麻薬の量を減らすことができる（①，②による）	①盲目的に深く刺入するので術者が怖がる ②注射針が長いので患者が怖がる ③神経損傷の危険がある ④血管内に注射する恐れがある ⑤効果が不確実 ⑥麻酔範囲が広すぎて不快 ⑦麻酔時間が長すぎて不快

②下顎孔伝達麻酔でどこを狙うか

▶下顎孔伝達麻酔で狙うのは，下顎孔や下歯槽神経そのものではない．

(1) 下顎孔や下顎神経を正確に狙う必要はない

(2) 翼突下顎隙に対する浸潤麻酔であると考える

▶翼突下顎隙は，外側は下顎枝内側面，内側は内側翼突筋，後方は耳下腺，前方は頰筋で囲まれた容積約2 mLの隙であり，この隙内に下歯槽神経，舌神経がある⑯⑰．翼突下顎隙に対する浸潤麻酔であると考えて，この翼突下顎隙内に麻酔薬を注入すれば，局麻薬はやがて下歯槽神経，下顎孔に浸潤して麻酔効果が得られる．下顎孔や下歯槽神経をねらう必要はないが，針先が下顎孔に近いほど効果発現が早く，麻酔効果が大きく，持続時間も長い．

(3) 針先を骨面に当てるか？　当てないか？

▶下顎枝内面の骨に針先を当てるか，当てないかについては両論がある．針先を骨に当てることは，針先のめくれを引き起こし，引き抜く際にトラブルを起こしやすいので，骨には当てないとする考え方がある．しかし，伝達麻酔は下顎孔周辺に対する浸潤麻酔であるので，できるだけ下顎孔に近い部分に注射するほうが，早く，確実な麻酔効果が得られる．針先が骨に当たった位置（下顎枝内面）で注入すれば，麻酔薬は下顎枝内側面の骨表面に沿って拡散して，下顎孔に到達しやすくなる．このため効果発現が早く，希釈されにくいので，麻酔効果も良好である．針先が骨表面から離れていると効果発現が遅かったり，注射のたびに麻酔効果が異なって効果が不確実（敬遠される理由の⑤）ということになる．筆者は軽く骨面に当てることが確実に麻酔効果を出すポイントだと考える．

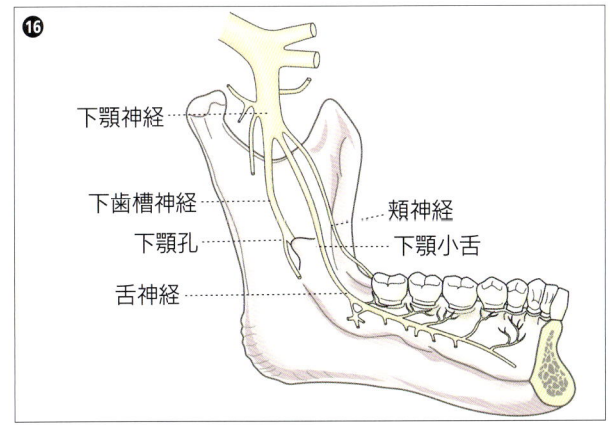

下顎神経の走行．下顎孔は下顎枝のほぼ中央に位置している．＊野間弘康．カラーアトラス　抜歯の臨床．医歯薬出版．より引用・改変

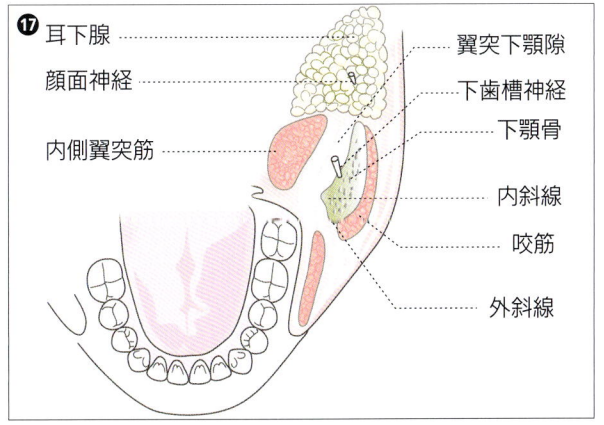

下顎孔伝達麻酔の注入部位の水平断面．＊山根源之．解剖と麻酔．歯界展望 1998；92(4)：873．より引用・改変

下顎孔伝達麻酔の手技の実際

①注射器，注射針

▶ 血管内刺入の有無を確認するため吸引が必要であることから，吸引可能な指輪のついた注射器を用いる．注射針は27G・30mmの伝麻針を用いる．

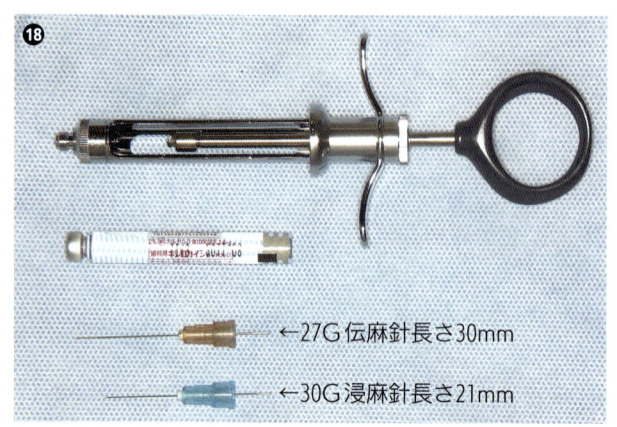

❶⓼ 下顎孔伝達麻酔に用いる注射器と注射針．注射器は吸引のできる指輪のついているものを用いる．注射針は，下段の30G・21mmの浸麻針を勧める説があるが，この長さでは針のほぼ全体を刺入することになり，針が破折すると見失うことがあり危険．上段の27G・30mmの伝麻針を用いて3分の2程度刺入する．

②患者の状態

▶ 大きく開口させると刺入点から下顎孔までの距離が短くなり注射しやすくなるので，できるだけ大きく開口させる．一方で，大開口により舌神経の位置が変化して前方に出てくるので，注射針による舌神経の損傷を起こしやすくなるとの説もある．筆者は大きく開口させて注射しているが，幸いに舌神経を損傷した経験はない．

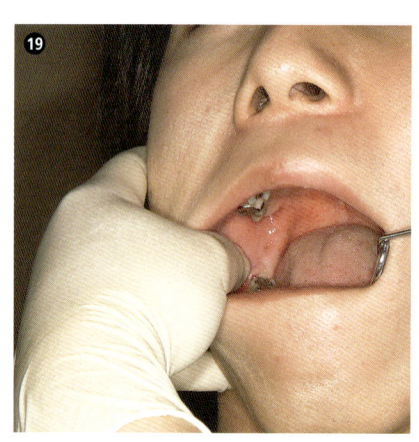

❶⓽ 大きく開口させ，下顎枝前縁と後縁を触知する．下顎孔はこの幅のほぼ中央部に位置している．

③刺入点

▶ 開口させて下顎枝前縁，内斜線を触知する❷⓪❷①．刺入点決定の際に指やミラーで頰粘膜を外側に強く引っ張ると，刺入点が外側へ移動するので注意する．

▶ 刺入点に表面麻酔をしたのち，内斜線と翼突下顎ヒダ（頰咽頭縫線）の中央で溝状に窪んでいる部分の咬合平面から10mm上方の位置に刺入する❷②．

▶ 刺入点が低すぎると舌のみが麻酔されるので注意．無歯顎の場合には顎間皺襞の最深部を刺入点とする．

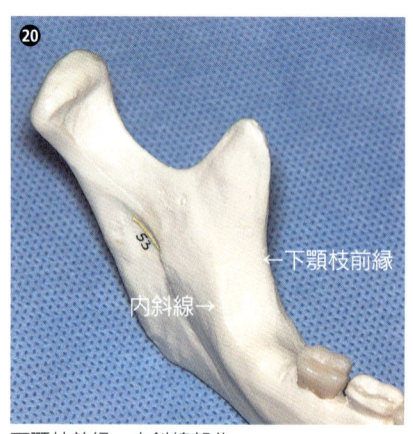

下顎枝前縁，内斜線部分．

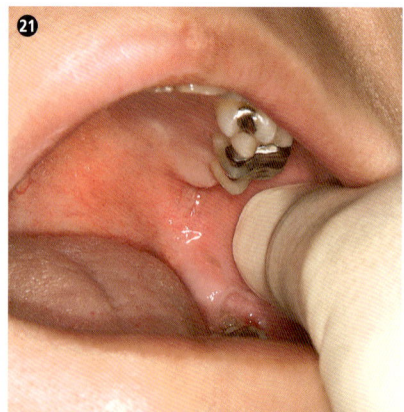

内斜線の触診．親指または人さし指で内斜線を触知する．内斜線は下顎枝前縁の内側端である．

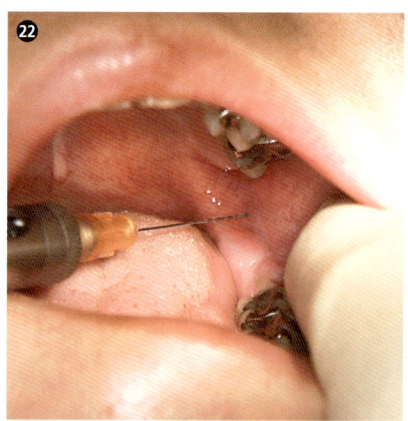

刺入位置．内斜線と翼突下顎ヒダの中央の陥凹部で，咬合平面より10mm上方の位置が刺入点である．

④刺入角度

▶刺入角度が浅く下顎枝の内面と平行になると針先が後方にいきやすい．下顎枝内面の骨面に到達しやすいように角度を大きくとり，下顎の反対側の第一，第二小臼歯付近から咬合平面に平行に刺入する❷❸❷❹．

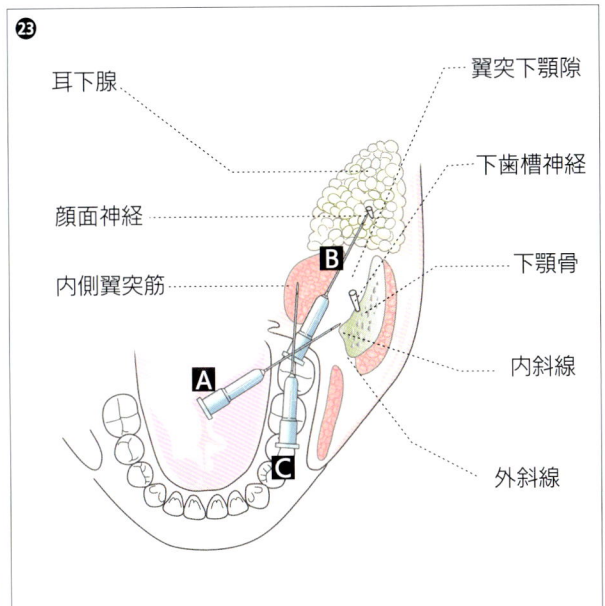

注射針の角度（❶と同文献より引用・改変）．
A：ちょうどよい角度．反対側の第二小臼歯付近の角度から刺入する．
B：角度が浅いため下顎枝内面に平行になり，後方にいき過ぎている．
C：角度が浅すぎるため内側翼突筋に刺入している．

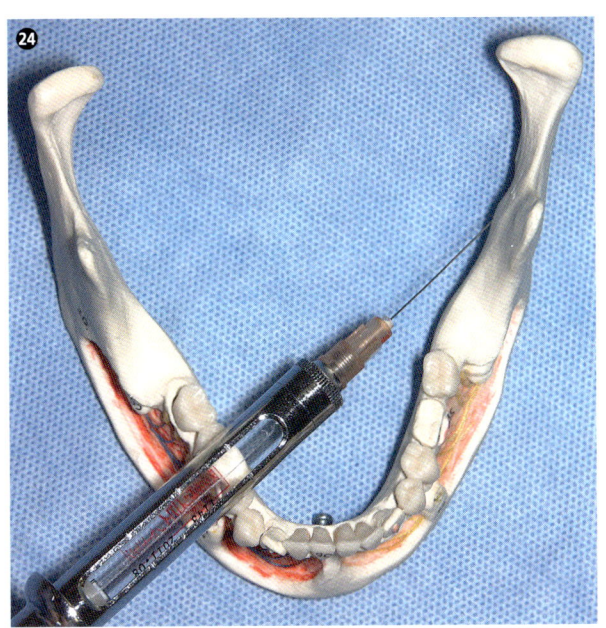

下顎枝内側面と注射針の角度・位置．反対側の第二小臼歯の角度から刺入すると，確実に下顎枝内側面に針先があたる．骨面に針先を軽く当てたほうが効果発現が早く，効果も確実である．

⑤刺入の深さ

▶刺入粘膜面から下顎孔までの距離は15〜20mmであるので，伝麻針（27G，30mm）の3分の2程度まで進めて下顎枝内側面の骨表面に針先を当てる❷❺❷❻．ここまで進めて骨に当たらない場合には角度が浅いので，それ以上は針を進めず，いったん粘膜直下まで針先を引き戻して角度を大きくして再刺入する．深く針を進めたままで針の角度を変えたり，針先で骨を探ることは，針の破折や血管・神経の損傷の原因になるのでしてはならない．
▶角度が浅すぎると内側翼突筋に注射することになり，開口障害を生じることがある．

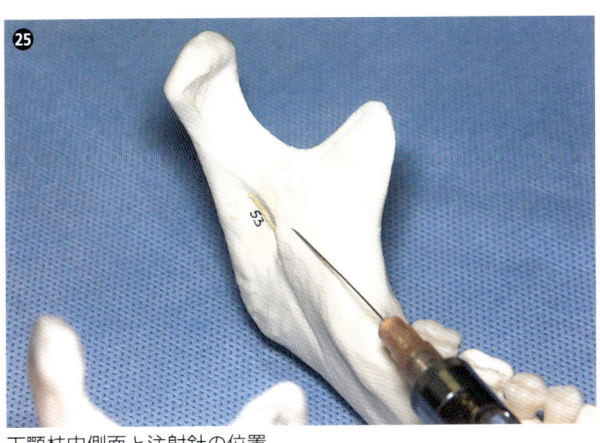

下顎枝内側面と注射針の位置．

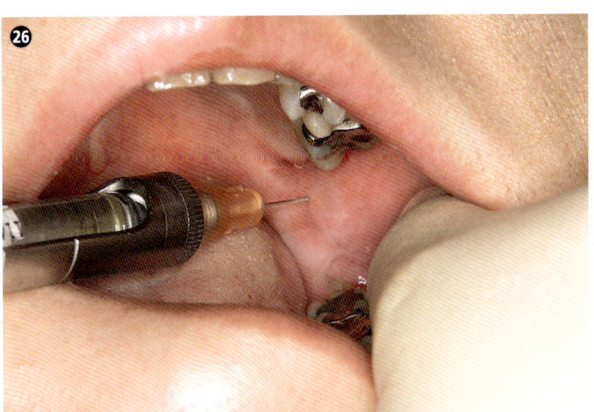

刺入の深さ．27G・30mmの伝麻針の3分の2程度まで刺入して軽く骨に当てる．この深さまで刺入しても骨に当たらない場合は刺入角度が浅いので，粘膜表面直下まで引き戻して角度をつけて刺入しなおす．

- ▶刺入の深さについては，内斜面のすぐ後方で刺入点から10mm程度の深さの位置で十分効果があり，また，刺入が浅いので舌神経を損傷しにくいとする「近位伝達麻酔法」という方法も報告されており，近年は従来の伝達麻酔法よりも，近位伝達麻酔法が推奨されている．しかしこの方法は，注入部位が下顎孔から遠いために効果発現に時間がかかったり，麻酔効果が弱い傾向があるのではないかと思われ，筆者は従来法で注射している．
- ▶舌・下唇は麻酔されているのに大臼歯部の頬側歯肉が麻酔されていないことがあるが，これは頬神経が麻酔されていないことによる．頬神経は下顎孔より上方で分岐し，下顎枝前縁を横切って頬側へ出て，下顎臼歯部の頬側歯肉を支配する❻ので，下顎孔伝達麻酔だけでは臼歯部頬側歯肉の痛みがとれないことがある．このときには咬合平面の延長線上の下顎枝前縁に注射する．

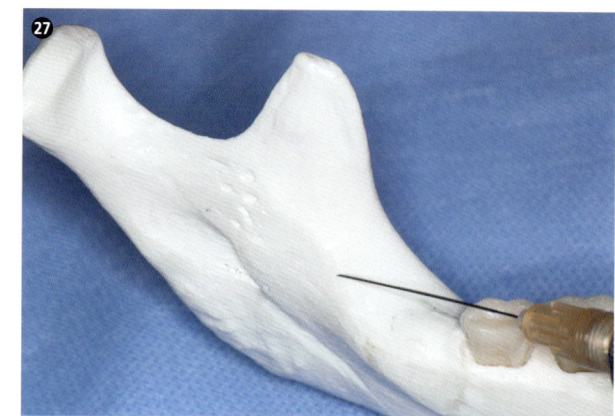

近位伝達麻酔法．刺入点は従来法と同じであるが，反対側の第一大臼歯の角度から10mm刺入して注射する．

⑥注入量

- ▶まずプランジャー（押棒）を引いて血液を吸引しないことを確認して注入する．血液を吸引したら少し針先を戻し，再度吸引して血液を吸引しなければ注射する．翼突下顎隙の容積は約2mLであるので，カートリッジ1本（1.8mL）を注入する．
- ▶抵抗なくスムーズに注入できる場合は，注射針の先端が翼突下顎隙内にあるが，やや抵抗がある場合には針先の位置が悪く，翼突内側筋内にあることが考えられるので，刺入しなおす．注入中に針先の位置がだんだん深くならないように注意する．

⑦注射後の処置

- ▶局所麻酔薬の拡散を促して効果の発現を早めるために，4，5回大きく開閉口運動をさせる．

下顎孔伝達麻酔が効かない理由

①注入部位が下顎孔から離れている

（1）深く刺入しすぎて下顎枝後縁付近に達している❷B
- ▶患者が水平位の場合，下顎枝後縁側に局麻薬が貯留するので効果が上がらないばかりではなく，一過性の顔面神経の麻痺を起こすことがある．

（2）内側すぎて内側翼突筋内に注入している❷C
- ▶筋肉内に局麻薬がとどまり効果が上がらない．また治療後の開口時痛，開口障害の原因となる．針先が翼突内側筋内にある場合は，翼突下顎隙にある場合よりも注入時の抵抗が大きい．

②注入量が少ない

- ▶注射した麻酔薬は翼突下顎隙内に拡散するので，注入量が少ないと拡散，希釈されて麻酔効果発現が遅かったり，効果不十分になりやすい．翼突下顎隙の容積（約2mL）に合わせてカートリッジ1本（1.8mL）を注入する．

③他に神経支配がある（副下顎枝，頬神経，臼後神経）

- ▶下歯槽神経の支配領域以外の部分の手術時に痛みを感じることがある．

下顎孔伝達麻酔のトラブルとその防止法

①開口障害→内側翼突筋内注射，血腫形成が原因

▶刺入角度が小さいため，針先が内側翼突筋内にあるために生じる．刺入角度を大きくして，針先を骨面に当てる．深く刺入したままで角度を変えたり，針先で探ったりしない．

②舌・下唇の知覚鈍麻→下歯槽神経損傷，舌神経損傷が原因

▶深く刺入しすぎない（2 cm以内），刺入角度を大きくする，針先で探らない．
▶実際の発症率は低く，0.04％との報告あり（斉藤一彦．日本歯科麻酔学会雑誌1992；20（3）：514）
▶大開口させると舌神経が前方へ出てくるので，刺入点からの距離が近くなり，損傷しやすくなる可能性がある．そのため，刺入点を決定したあと，少し閉口させて刺入する（CHAPTER 3 24ページ参照）．

③顔面神経麻痺

▶下顎枝と平行のままで深く刺入すると顔面神経麻痺を起こすことがあるが，一過性で局所麻酔薬の効果消失とともに麻痺も消失する．注射針で直接損傷することはない．局所麻酔薬の広がりによるものである．

④局麻中毒→血管内注入が原因

▶吸引して血液の逆流があれば，針をやや戻した浅い位置で注入する．理論的には局所麻酔薬が下歯槽動脈から逆行して脳内に入り中毒を起こしうるとされているが，動脈の圧もあり，伝麻による中毒は現実には起こる可能性は極めて低いと思われる（局所麻酔薬による中毒についてはCHAPTER 16で述べる）．

⑤下唇の咬傷

▶麻酔がとれて感覚が元に戻ってからの食事を勧める．とくに小児では伝達麻酔時だけではなく下顎前歯部の浸潤麻酔でも大きな咬傷を起こしやすいので，保護者に十分注意しておく❷❽．

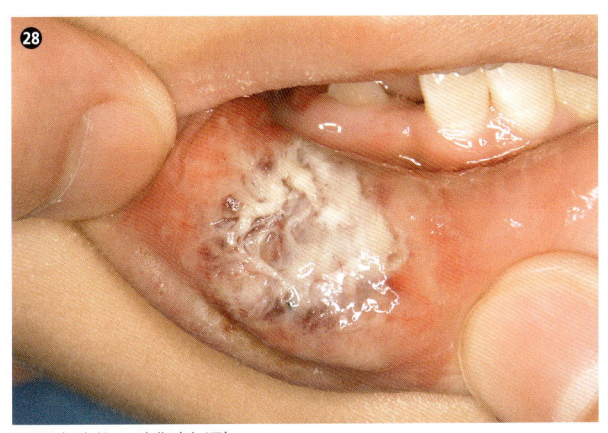

局所麻酔後の咬傷（小児）．

局所麻酔（浸潤麻酔・下顎孔伝達麻酔）のまとめ

「歯科治療は『恐い』『痛い』」という患者のイメージを変えて，歯科治療に対する嫌悪感を除き，また，治療中の全身的トラブル（CHAPTER 16参照）を防ぐという面から，「痛くない局所麻酔」「よく効く局所麻酔」は抜歯や手術だけではなく，歯科治療全般の最大のポイントである．

抜歯や手術の時間が長くなったとしても，その間まったく痛くなければ，患者はがまんできるものである．日々の臨床でもっと上手に局所麻酔をすることに関心をもってほしい．

CHAPTER 4

鉗子抜歯

鉗子抜歯
【movie 1】普通抜歯　4 便宜抜歯(鉗子抜歯)
【movie 2】4 便宜抜歯(隣接面カット)

歯の分割・歯肉の切開・骨削除などをすることなく，鉗子やヘーベルで抜く抜歯を「普通抜歯」という．抜歯の際にどの器具を使うかは歯の状態によるが，鉗子でつかむことができる歯質の形態・量・硬さが残っている場合には，まず鉗子を用いるのが基本である．ただつかんで引っ張りあげれば抜けるというものではなく，ちゃんとした理論がある．歯の状態をよく観察し，鉗子を有効に使えるようになろう．
抜歯鉗子は，英語ではforceps(フォーセップス)，ドイツ語ではZange(ツァンゲ)であるが，日常の診療のなかでは日本語で鉗子とよぶことが多い．

鉗子抜歯のポイント

「鉗子で抜歯するのは，ペンチかやっとこで歯を引き抜くように見えて患者が怖がるし，カッコ悪い．どんな歯でもヘーベル1本で抜くのが上手でスマートだ」と思っている若い歯科医師が少なくないようだが，これは誤りである．大学，施設ごとの流儀があるにしても，やはり**鉗子でつかめる形態・量・硬さの歯質が残っている場合には鉗子で抜歯するのが基本**である．

「いきなり鉗子を使うと歯根破折を起こす恐れがあるので，まずヘーベルで脱臼させてから鉗子で把持して抜歯するのが正しい」という論もあるが，歯根が破折するほどの力を加えることが誤りであって，鉗子でつかめるなら鉗子で抜くのが基本である．

鉗子抜歯はヘーベルでの抜歯よりも歯頸部歯肉，歯槽骨頂へのダメージが小さいことから，とくに矯正治療の便宜抜去(抜歯したスペースに歯を移動させてくるので，歯肉・歯槽骨のダメージを最小限にする必要がある❶)や，インプラント予定部位の抜歯(歯槽頂の高さを下げたくない)では，鉗子での抜歯が望ましいことは容易に理解できることと思われる．とくに，上下顎とも小臼歯部付近までは頰側の骨が薄いことが多く，無理にヘーベルを用いると頰側の骨が破折しやすい．つかめる歯質が残っている場合には迷わず鉗子で抜歯すべきである．

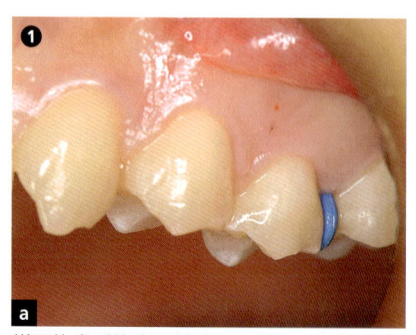

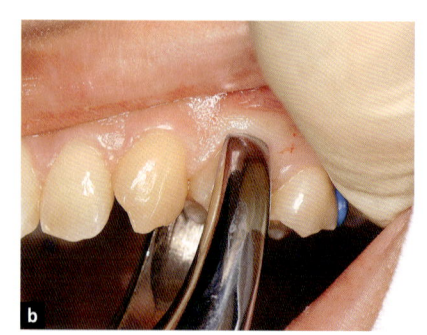

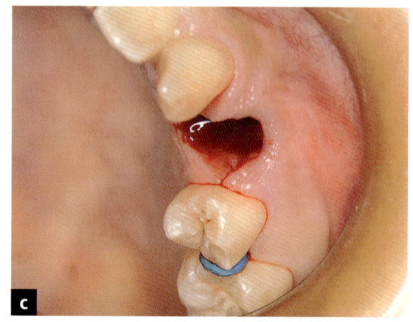

❶ 鉗子抜歯が抜歯の基本．つかめる歯質が残っているときは鉗子で抜歯するのが基本．そのことは便宜抜歯をみれば一目瞭然．骨植のよい歯でも，歯肉・歯槽骨頂はほとんど損傷されていない．

Point1 鉗子抜歯のポイント

①抜歯の基本は鉗子抜歯である！　つかめる歯質が残っているときは鉗子で抜歯する
②歯頸部にフィットする大きさ，形態の鉗子を選択する
③歯軸と鉗子先端の嘴部(歯質を把持する部分)の軸を一致させる
④引っ張り抜く動きは危険で効果なし．頰舌的に倒して歯槽骨を拡げて抜く
⑤鉗子を頰舌的に倒す際に，残存歯質量によって鉗子がはずれやすい方向があるので注意する
⑥単根歯にはねじりを加える

鉗子抜歯の対象となる歯

　鉗子抜歯の対象となるのは，**鉗子でつかめる歯質(形態，量，硬さ)が十分に残っている歯**である．
　一方，残存歯質が鉗子で把持しにくい形態であったり，う窩が大きく側壁が薄い場合や歯質が脆い場合などは，鉗子が滑脱したり，歯質が破折したり砕けたりするので，鉗子では抜歯しない．また，骨植のよい複根歯や歯根が開大している歯は，最初から鉗子で把持するのではなく，**根をバーで分割**(38ページ参照)**して単根化してから鉗子を用いるとよい**．根尖が湾曲している場合には，歯根の湾曲がはずれる方向に動かす必要がある．頰舌的な歯根湾曲の場合は，鉗子で把持して頰舌的に倒すことにより，湾曲をはずして抜歯することが可能であるが，近遠心方向に湾曲している場合は，鉗子で近遠心方向に倒すことは難しいので，ヘーベルのほうが有効な場合もある(CHAPTER 5参照)．

鉗子の種類と選択

　抜歯部位に応じて，「上顎用」「下顎用」，「前歯部用」「小臼歯部用」「大臼歯部用」，「残根鉗子」「脱臼鉗子」(分離鉗子ともいう)などの種類がある❷．上下顎の区別は，全体的な曲がり方が1回曲がりは下顎用，2回曲がりは上顎臼歯部用と考えるとよい❸．あるいは「嘴部(しぶ)(＝歯をつかむ先端部)」と把持部(＝握りの部分)が平行なものは上顎用，ほぼ直角に曲がったものは下顎用と考えてもよい❹．また，把持部が緩やかにカーブした上下顎兼用もある．上顎前歯部用は嘴部と把持部がストレートであり，下顎前歯部用は嘴部と把持部が直角になっている．それぞれが目的歯に到達し

▶歯の部位に応じた鉗子を選択することが重要．
▶残根歯には「残根鉗子」，萌出した智歯には「脱臼鉗子」(上顎用・下顎用がある)が有効．

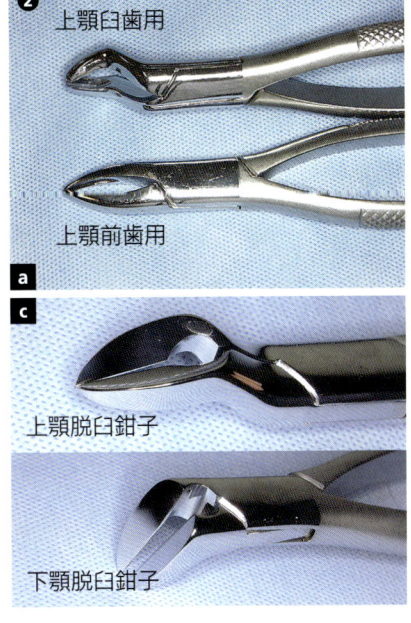

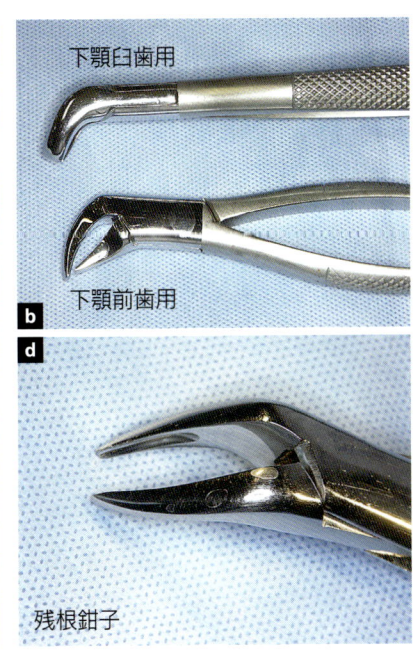

❷
a　上顎臼歯用／上顎前歯用
b　下顎臼歯用／下顎前歯用
c　上顎脱臼鉗子／下顎脱臼鉗子
d　残根鉗子

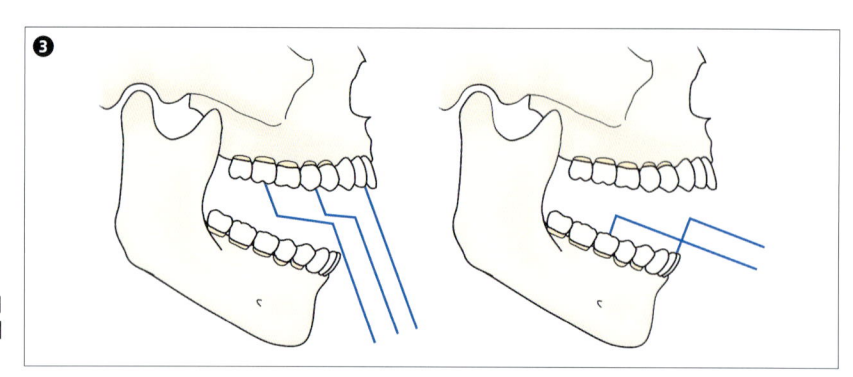

❸鉗子の上顎用と下顎用の区別．上顎の臼歯部に到達しやすいように，上顎用は2回湾曲している．

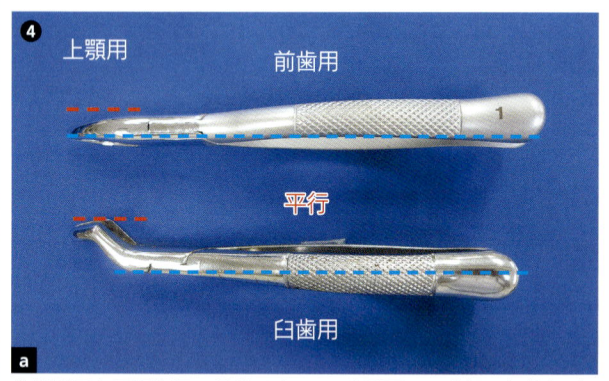

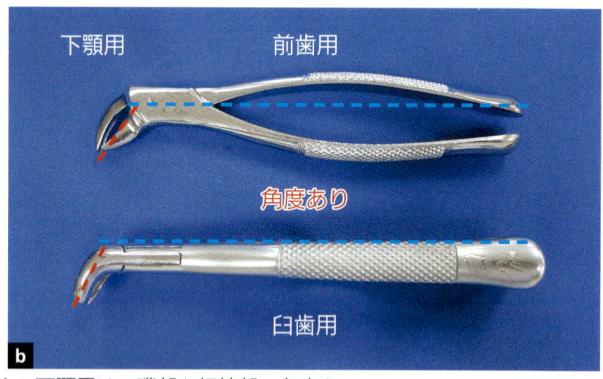

上顎鉗子と下顎鉗子の見分け方．**a**：上顎用は，嘴部と把持部が平行．**b**：下顎用は，嘴部と把持部に角度あり．

やすい角度，把持しやすい形態になっている．

　抜去する歯の**歯頸部にフィットする大きさ**，形態の鉗子を選んで使うことが重要である❺❻．歯をきちんと把持できて滑らないように，また先端が歯根膜腔に入りやすいようにメーカーごとに嘴部にいろいろな工夫が施されており，同一部位の鉗子であってもいろいろな種類があるので，比較して好みの鉗子を選ぶとよい❼．理想的には歯肉縁下に食い込んで歯頸部にきちんとフィットする形態の鉗子がよい❽．

　「鉗子だけでそんなに種類があれば全部揃えるのは大変だ，コストがかかる」との声が聞こえてきそうだが，**器具というものはその操作をするのに安全・便利で，効率よくできるように考えてつくられている**ので，自信がなければないほど器具を準備すべきである．器具が腕をカバーしてくれることもある．「弘法は筆を選ばず」という言葉もあるが，われわれ凡人は筆を選んだほうがよい．ほかのもので間に合わせると，「うまく行かない，時間がかかる，トラブルのもと」で，「抜歯が嫌い→上達しない→ますます抜歯が嫌い」の悪循環に陥る．まずは道具にこだわるべし．

▶歯根と鉗子の関係を歯頸部の横断面で表すと❺，
　◎Aが最適
　○Bは片側を2点で把持しているので可
　×Cは片側で1点把持なので滑りやすい
　となる．
▶つかめる歯質が残っているときは鉗子で抜歯する．歯頸部にフィットする形態・大きさの鉗子を選択する．歯根に対して鉗子のサイズが小さいと，歯質の狭い範囲に力が集中して，歯質が破折しやすい❻．

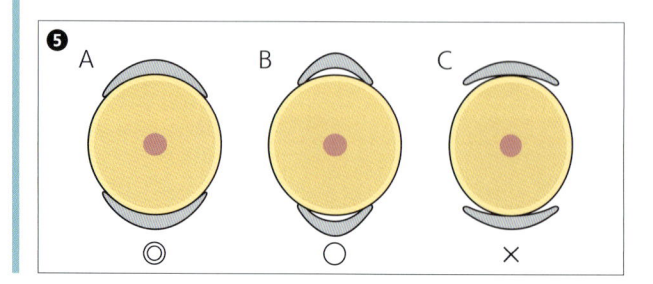

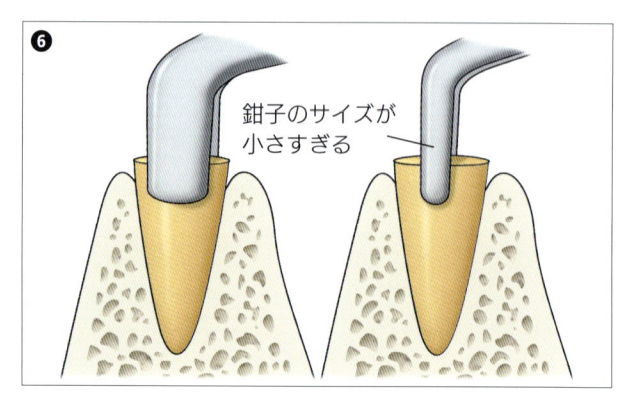

①鉗子の嘴部の形態

▶嘴部の先端が歯根膜腔に入りやすいような形態になっている．

▶また，歯をしっかり把持できて，滑らないように，各メーカーごとに，嘴部の形態や表面構造にいろいろな工夫が施されている．

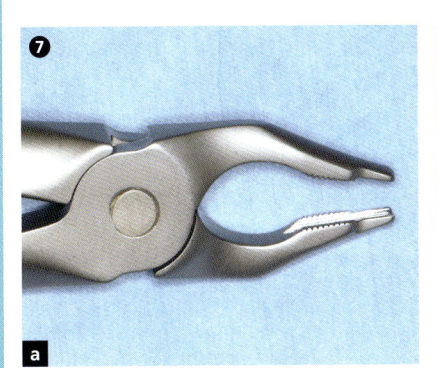

❼

a：上顎切歯用．先端部が歯根膜腔に入りやすい形態になっている．また，内面がギザギザし，滑り止め構造になっている．

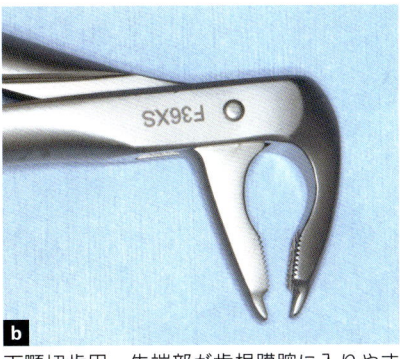

b：下顎切歯用．先端部が歯根膜腔に入りやすい形態になっている．

c：下顎小臼歯用．先端部が歯根膜腔に入りやすい形態になっており，内面が滑り止め構造になっている．

d：右側上顎大臼歯用．片方の先端部の中央にツメがある．この部分が頰側根分岐部に入り込み，全体としてしっかり把持することができる．左右の別がある．

e：下顎大臼歯用．カウホーン（牛の角）とよばれる下顎大臼歯鉗子．両先端部が，頰側・舌側の根分岐部に入り込む．

f：上顎残根用．先端部が小さく尖っており，残根を把持しやすい形態になっている．内面には滑り止めの溝がついている．

g：下顎残根用．上顎用と同様の形態，内面の構造．

▶鉗子の先端部（嘴部）が歯頸部にフィットする大きさ・形態のものを選ぶ．歯肉縁下に食い込んで適合するのが理想的**❽**．

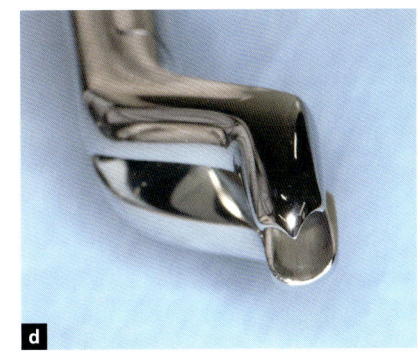

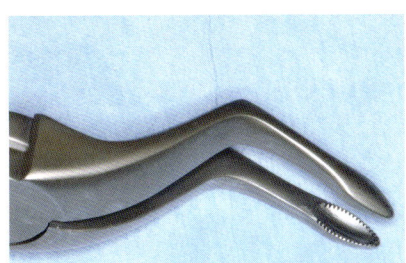

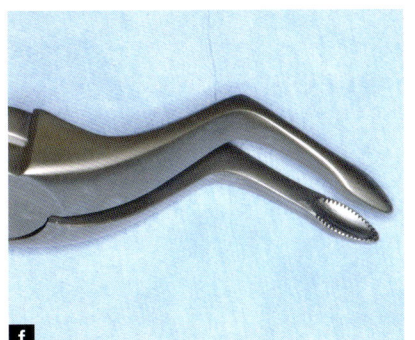

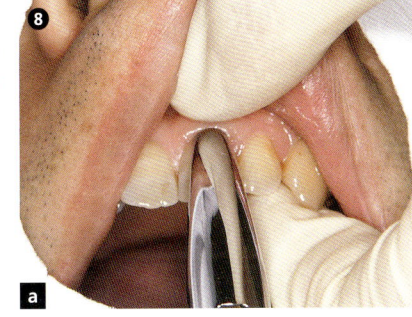

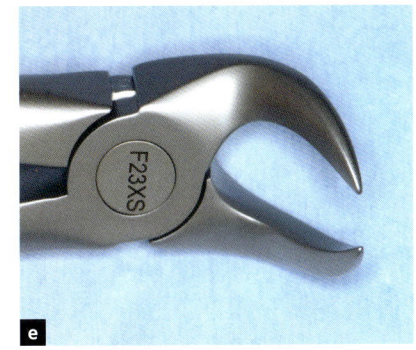

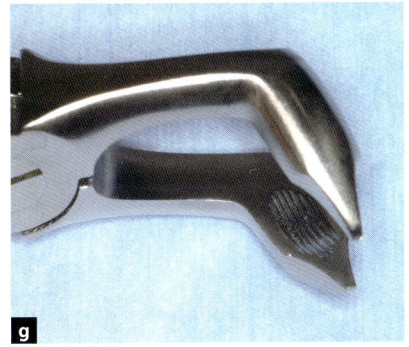

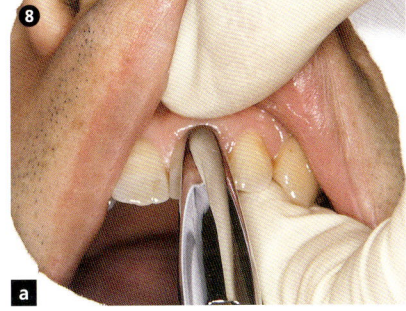

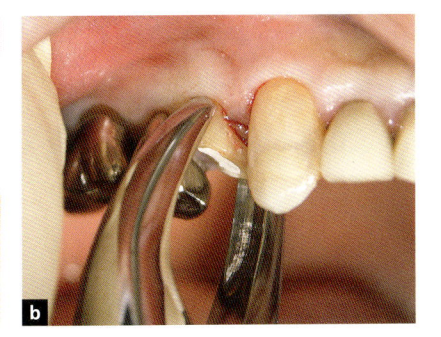

鉗子の持ち方

　鉗子を歯に適合させるまでは把持部内に指を入れて開閉の調節をしやすい状態で持ち❾，歯頸部に適合させたら全指でしっかり握る❿．通常は順手握りで用いるが，患者の体位，術者の位置，術者の利き手，抜歯する歯の位置などによっては，逆手のほうが持ちやすいこともある⓫ので，いろいろと試してみるとよい．無理のない安定した姿勢で，力を入れやすい握り方で持つ．

▶把持部のなかに指を入れて開閉して調節しながら歯頸部に適合させる．まず先に鉗子を合わせにくい舌側，口蓋側の歯頸部から適合させ，あとで唇側，頰側を合わせる．

▶術者の姿勢（立位，座位）や患者の体位（座位，水平位），歯の位置によって，順手と逆手を使い分ける．

❾ 順手．

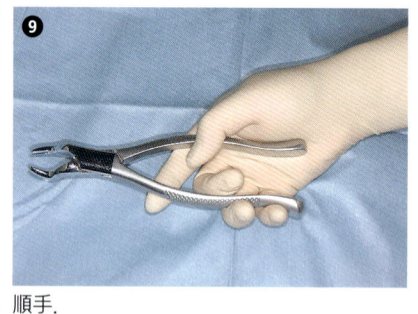

❿ 歯頸部に適合させたら，力を入れやすいように全指で握る．

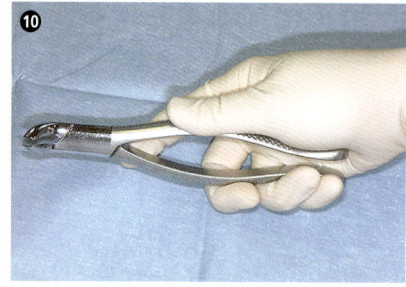

⓫ 逆手．

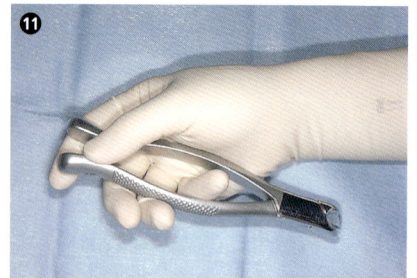

鉗子の動かし方

①メスか探針で環状靱帯を切離する（この処置で歯頸部に連続している歯頸部歯肉の損傷を少なくできる）

②歯冠の最大豊隆部より下方，理想的には歯肉縁下で歯頸部をきちんとつかむ

③反対側の手を添える

▶反対側の指で軟組織（口唇，頰粘膜，舌など）を排除しつつ，口蓋側（舌側）から先に鉗子を適合させる．
▶鉗子の滑脱を防ぎ，患歯・隣在歯の動揺を感じるために反対側の手を添える（鉗子が隣在歯に接触して隣在歯が動揺することもあるので，添えた手で感じるとよい）⓬．

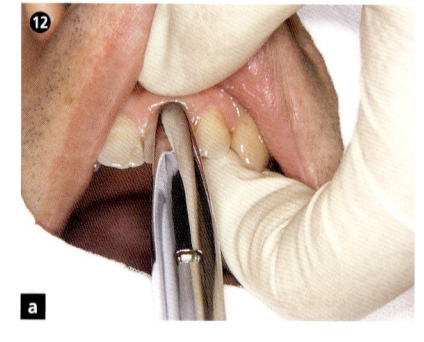

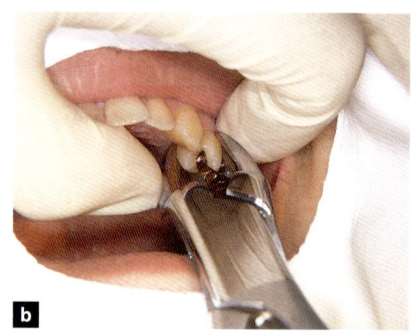

④歯軸と鉗子の嘴部の軸を一致させる

▶前歯部は鉗子の嘴部と歯軸を一致させやすいが，後方歯ほど鉗子が入りにくいため，2つの軸がずれやすいので注意する．歯軸と鉗子の軸がずれていると，加えた力が効果的にはたらかない．

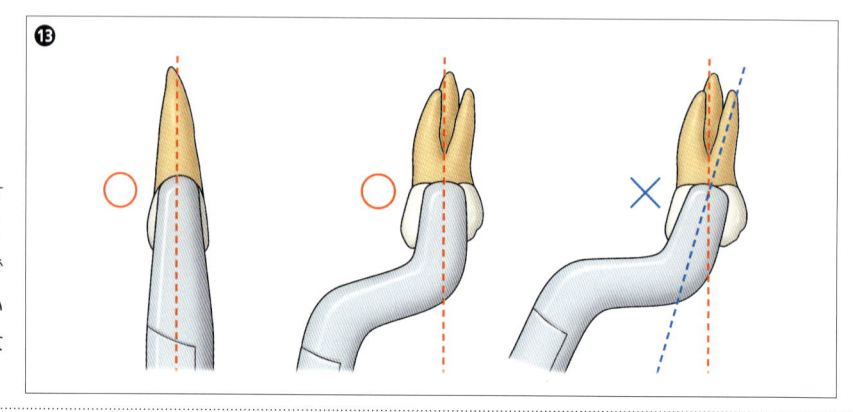

⑤鉗子を頬舌的に倒す

▶最初から力を入れ過ぎると歯根や歯槽骨の破折を起こしやすく，また，暴力的で患者が怖がる．

▶歯が抜けるのは歯槽骨が拡がることによるので，歯を引き抜くのではなく，**歯槽骨を拡げるつもりで**❶❷鉗子を頬舌的にゆっくりと倒す．まず最初に，骨が薄くてたわみやすい頬側に倒し，その後，力を入れ過ぎないように注意しながら，反対側に倒し，振り子運動様に頬舌的な振幅を徐々に大きくしていく．

❶ 鉗子抜歯の原理．鉗子で抜歯するときの要領は，杭を抜くときの要領と同じ．杭を左右に倒すと，周囲の土が緩んで抜けやすくなる．

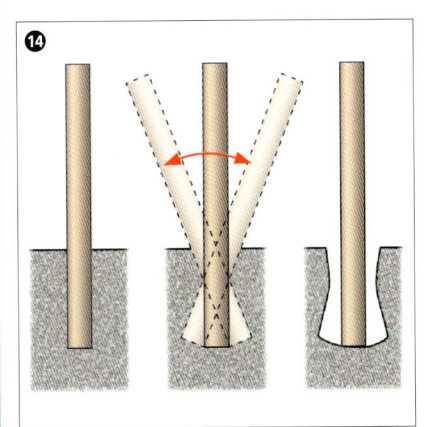

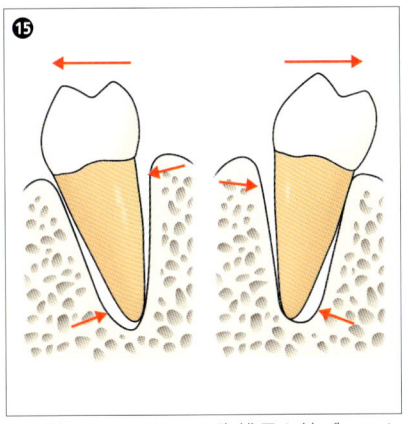

❷ 引き抜くのではなく，歯槽骨を拡げるつもりでゆっくりと頬舌的に倒す．赤い矢印の部分の骨が拡がる．

❸ 歯を頬舌的に倒すことにより，歯頸部・根尖部周囲の骨が拡がって脱臼する．

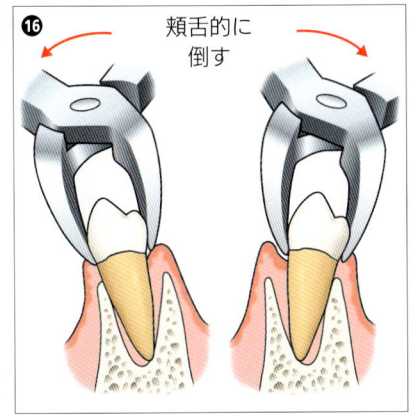

▶エックス線写真では読めない歯根の頬舌的な湾曲があると，頬舌的に倒したときに抵抗が強い方向がある．そのときは歯根の破折を防ぐために，抵抗の小さいほうへ大きく，抵抗の大きいほうへは小さく動かす❹❺．湾曲があっても湾曲がはずれる方向にゆっくりと徐々に大きく動かしていくと，歯根は破折しにくい．

❹ 歯根の頬舌的湾曲と鉗子の動かし方．

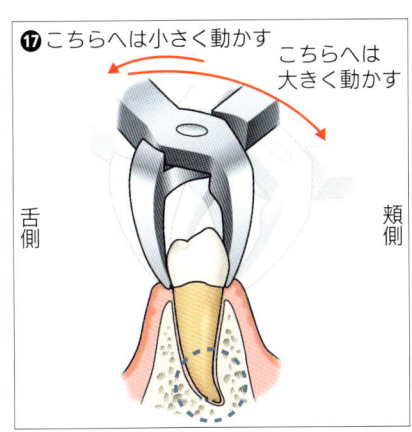

❺ 頬側的歯根が湾曲していた8．パノラマエックス線写真で頬舌的な湾曲はわからない．

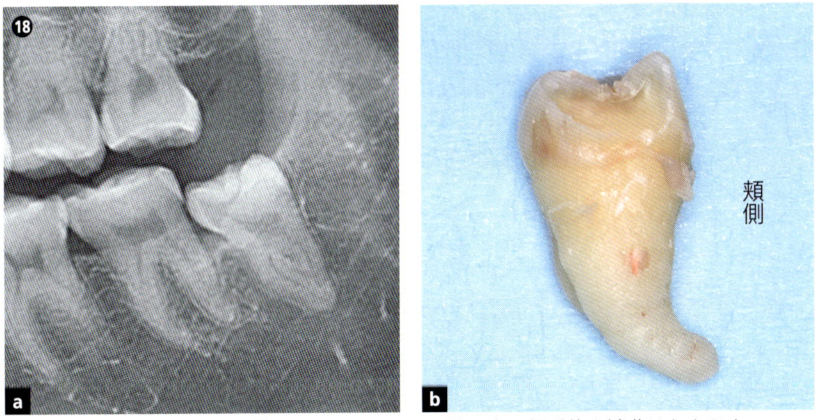

▶引き抜くのではなく，歯冠部をゆっくりと頬舌的に倒す．最初は小さく，徐々に大きく動かすと歯槽頂，根尖部の骨が拡がる．

▶初めから力を入れ過ぎると，歯根が破折することもある．

▶抵抗がある場合には，抵抗のないほうに大きく，抵抗のあるほうに小さく動かす．

⑥頰舌的に倒す場合，歯質の崩壊の状態，残存歯質量によって鉗子がはずれやすい方向があるので注意する

▶残存歯質量によっては鉗子がはずれやすい方向がある⓳．
▶図の×のついた矢印の方向に倒すと鉗子がはずれやすいので注意！
▶鉗子がはずれにくい方向へ大きく，はずれやすい方向へは小さく倒す．

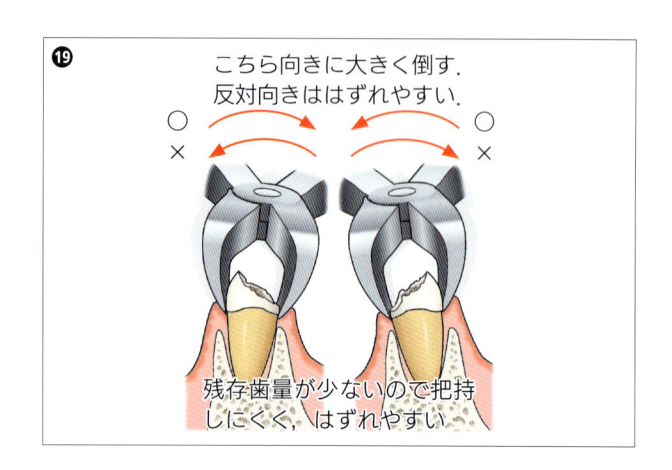

⓳ こちら向きに大きく倒す．
反対向きははずれやすい．
残存歯量が少ないので把持しにくく，はずれやすい

⑦単根歯はねじりを加えると効果的

▶ねじりを加えることは非常に有効である⓴．矯正治療上の必要性から，低位唇側転位の犬歯の便宜抜去をすることが稀にあるが，低位転位歯なので頰舌的に大きく動かすことは難しい．そういう場合は，頰舌的に少し動揺させたあとにねじりを加えると，「きゅっ」という感じで歯が回転しながら抜歯窩から出てくる感触がある．

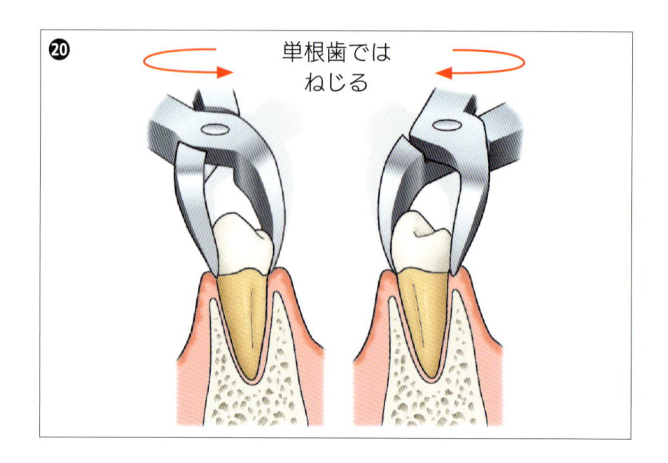

⓴ 単根歯ではねじる

⑧脱臼鉗子の使い方

▶「脱臼鉗子」（分離鉗子ともいう）(29ページの❷参照)は，歯根湾曲のない，垂直方向あるいは遠心方向に萌出した智歯の抜歯に用いる．鉗子の先端が楔形になっており，第二大臼歯と智歯の間の歯間部に適合させて鉗子の嘴部を閉じると，遠心の智歯のみに楔の力がはたらいて脱臼する．第二大臼歯には力は加わらない．鉗子を急に強く閉じると一気に強い力がかかって智歯の歯根が破折するおそれがあるので，鉗子を徐々に閉じたり開いたりを繰り返しながら脱臼させる．

㉑脱臼鉗子の使い方（上顎）．
a：萌出した智歯で根尖の近心側への湾曲がない場合には，脱臼鉗子が有効．
b：第二大臼歯と智歯の歯間に鉗子の先端を適合させる．

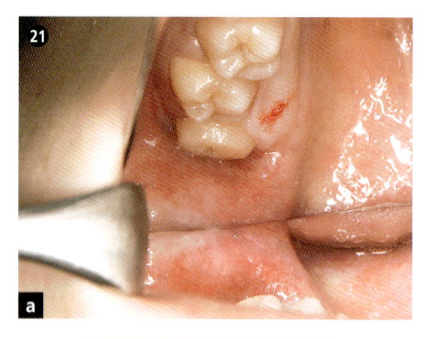

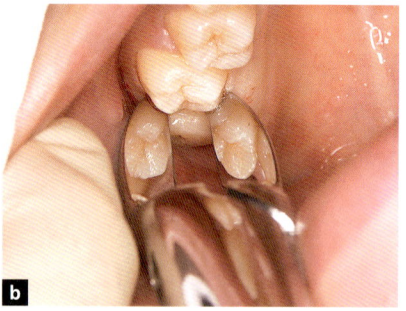

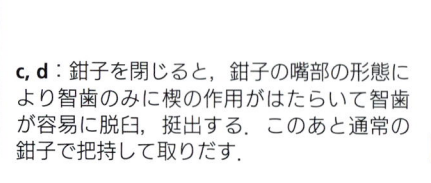

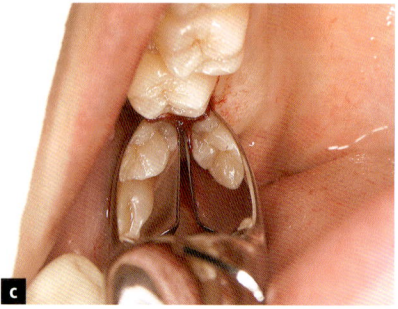

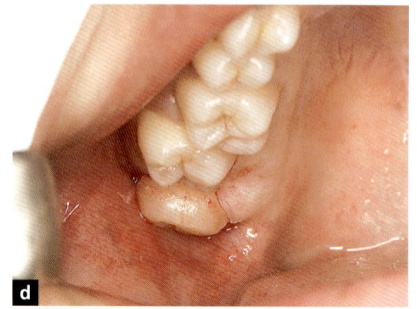

c, d：鉗子を閉じると，鉗子の嘴部の形態により智歯のみに楔の作用がはたらいて智歯が容易に脱臼，挺出する．このあと通常の鉗子で把持して取りだす．

❷

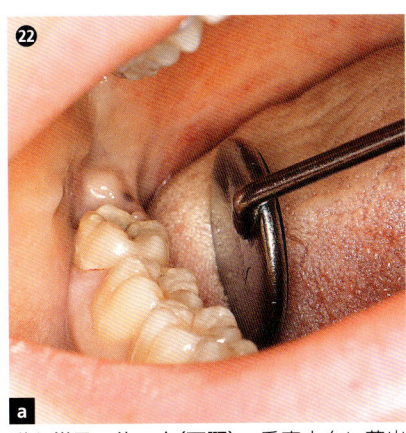

a 脱臼鉗子の使い方（下顎）．垂直方向に萌出した智歯で，根尖の近心側への湾曲がない場合には，脱臼鉗子が有効．

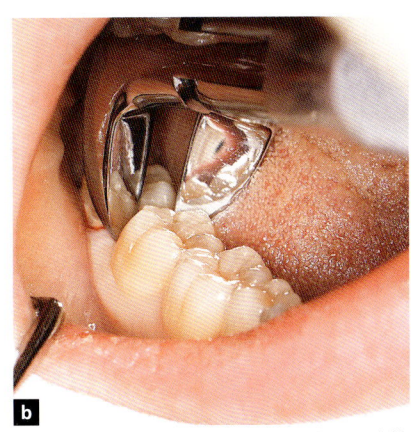

b 第二大臼歯と智歯の歯間に脱臼鉗子の先端を適合させる．

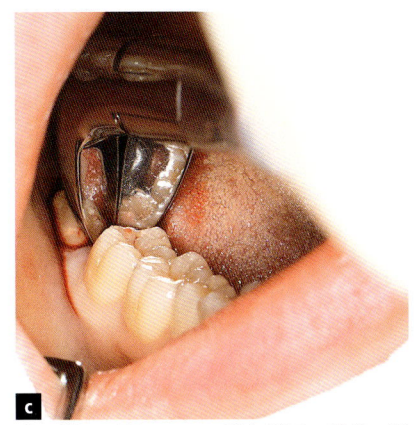

c 脱臼鉗子を閉じると，脱臼鉗子の嘴部の形態により智歯のみに楔の作用がはたらいて智歯が容易に脱臼，挺出する．

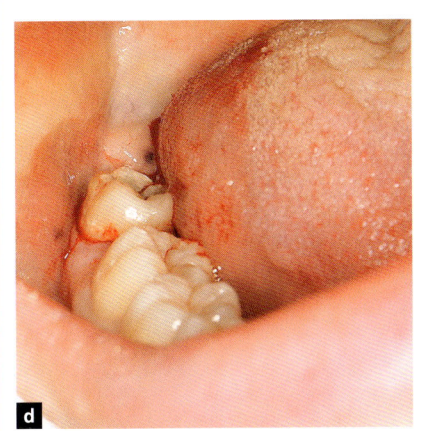

d 容易に脱臼して挺出してきた．

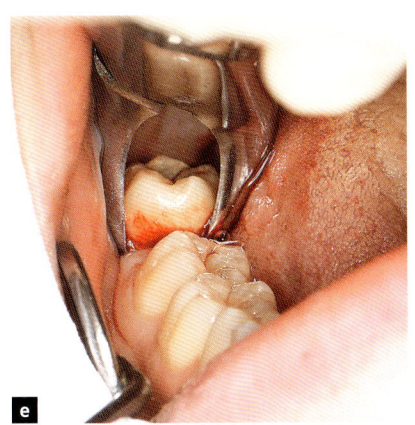

e 通常の鉗子で把持して取りだした．

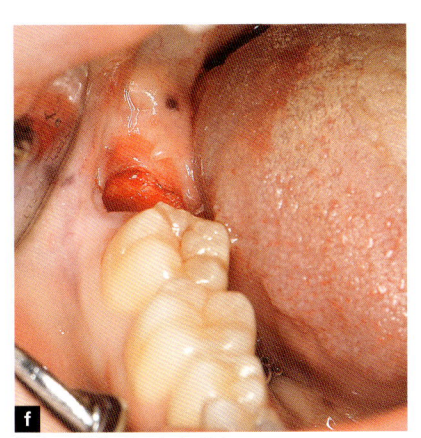

f 歯肉の損傷はほとんどない．

鉗子抜歯のトラブル

鉗子での抜歯の際には，下記のようなトラブルを起こすことがあるので注意する．

①歯質の破折，破砕

▶鉗子の選択を誤った場合（形態，サイズの不適合）
▶残存歯質量が少ない場合（大きなう蝕や窩洞，歯質欠損がある場合）
▶脆い歯質，軟らかい歯質の場合，歯質が砕けると，大きな音がして患者がびっくりする．また，歯質の量が少なくなってその後の抜歯が難しくなる．歯質の形態，量，硬さなどを正しく評価し，正確に鉗子を選択し，力を入れすぎないように注意する．

②歯根の破折

▶最初から力を入れ過ぎた場合
▶歯根の湾曲を無視して，湾曲と反対側に大きく動かした場合（❶参照）

③滑脱による対咬歯の損傷

▶鉗子の適合が悪くてはずれた場合
▶引っぱり抜こうとした場合の滑脱

④充填物，補綴物，メタルコアの脱離や歯の滑落，誤嚥

▶鉗子で把持して力を加えると，充填物・補綴物・メタルコアなどが歯質から脱離することがあるので注意する．

▶また，抜去歯が骨から勢いよく飛び出したり，鉗子から滑落して，誤嚥させるおそれもあるので注意する．

おかしやすい誤り

鉗子抜歯では，以下のようなおかしやすい誤りがあるので注意する．
①残存歯質の形態・硬さ・量からみて，鉗子抜歯の適応ではない
②鉗子の嘴部の形・大きさが歯頸部に一致していない
③歯根の軸と鉗子の軸が一致していない
④歯を引き抜こうとしている(引っ張る力よりも，頬舌的に倒す力が有効)

鉗子抜歯の実際① 4|の抜歯(1)

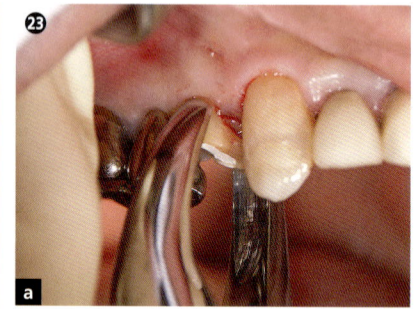

❷㉓

a 大きさ，形態の合った鉗子を歯肉縁下に適合させる．

b ゆっくりと頬側に倒す．

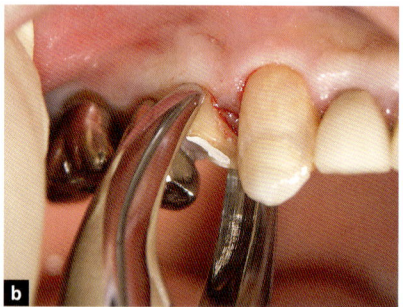

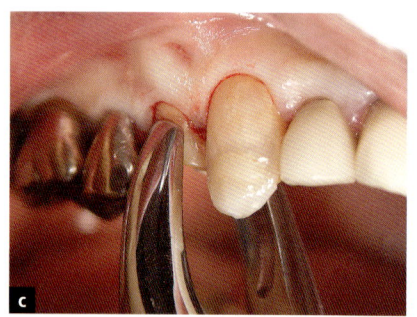

c ゆっくりと口蓋(舌)側に倒す．

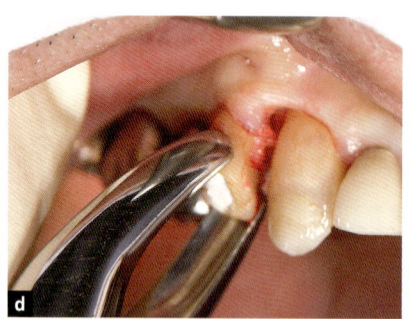

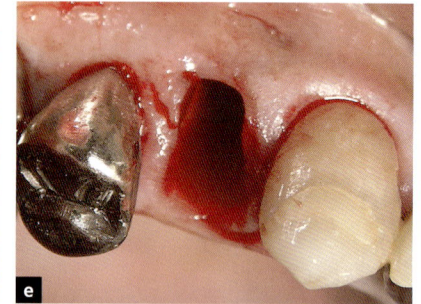

d ねじりを加える．

e ほとんど出血はなく，歯周組織の損傷は最小限である．

ちょっと一言

▶ある歯科医院のホームページに，「院長は○○大学口腔外科の出身で，抜歯が得意です．当院ではペンチのようなもので歯を抜くようなことはしていません．どんな歯でもエレベーターという細い器具1本で抜歯しますので怖くありません」と書いてあるのを見つけた．大学による流儀の違いがあり，患者を怖がらせないためのセールストークかもしれないが，もし本当だとしたら患者がちょっとかわいそうな気がする．

鉗子抜歯の実際②　4|の抜歯（2）

❷

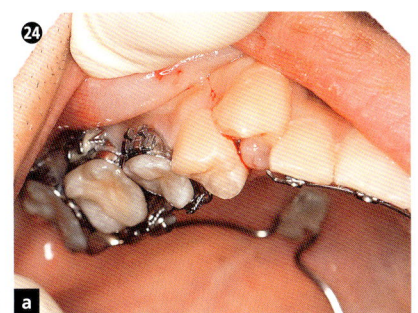

a：4|の便宜抜歯が必要． 
b：歯肉縁下歯頸部に鉗子を適合させる． 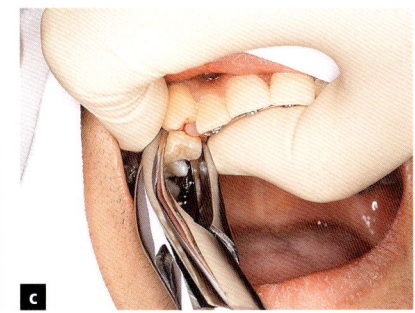
c：患歯に指を添える．

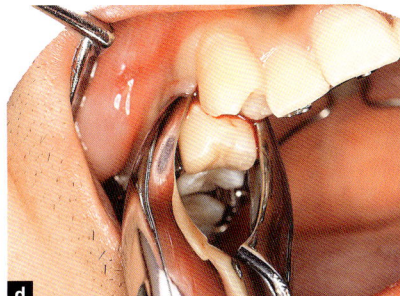

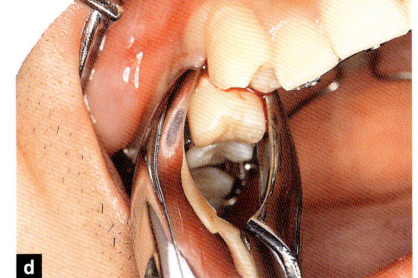

d：ゆっくりと頬側へ倒す．
e：ゆっくりと口蓋側へ倒す．

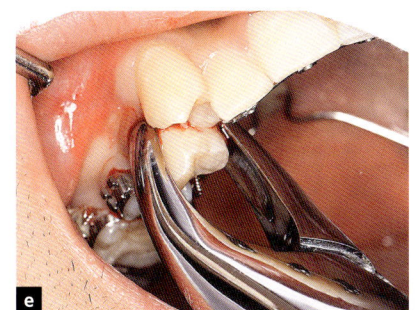

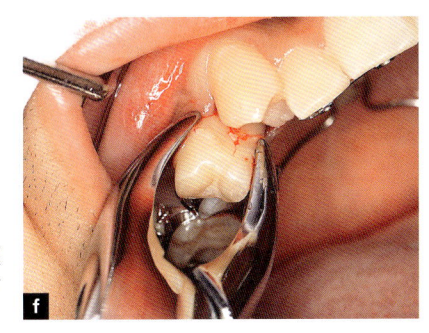

f：頬舌的に倒す振幅を徐々に大きくして，ねじりを加える．
g：抜歯窩．ヘーベルでは頬側歯肉・歯槽頂の損傷が大きくなりやすいが，鉗子の場合は小さい．

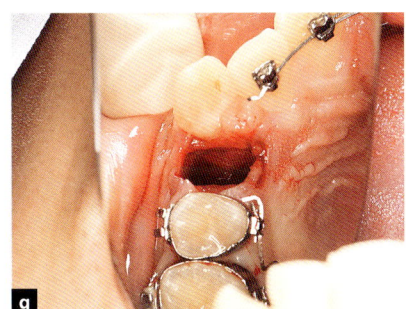

鉗子抜歯の実際③　|6 の鉗子抜歯

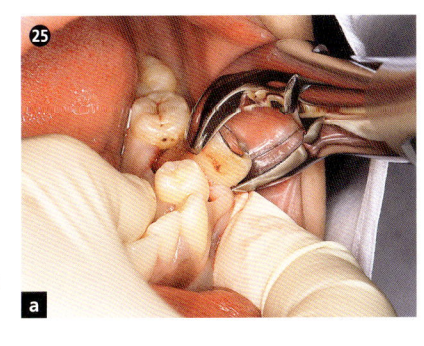

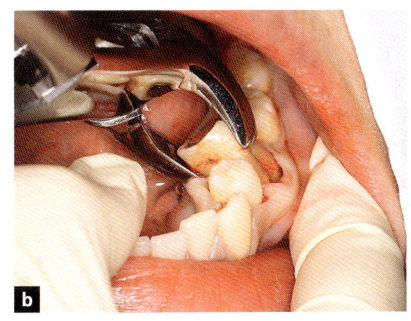

❷ |6 の鉗子抜歯．上に引き抜くのではなく，頬舌的に大きく倒して脱臼させる．

鉗子抜歯の実際④　大臼歯の分割後の鉗子抜歯

以下の2つの理由で，大臼歯を分割して鉗子で抜歯した．
①複根歯で，歯根が長く骨植がよいので，ヘーベルでの抜歯は困難．②歯質の残存状態が，周囲に壁状に薄く残っているだけで大きな窩洞があり，鉗子で把持すると歯質が砕けるおそれが大．

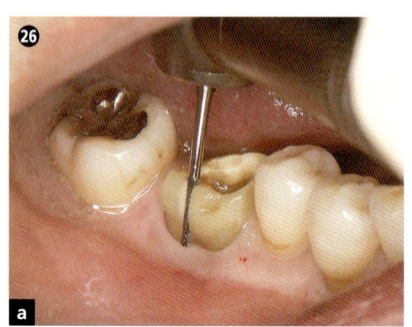

㉖

a：ヘミセクションの要領で，バーで根分岐部を切断して近心根，遠心根に分ける．使用しているバーは「インプラントバーXXL」（ドイツ・ブラッセラー社製，ヨシダ取扱い）．

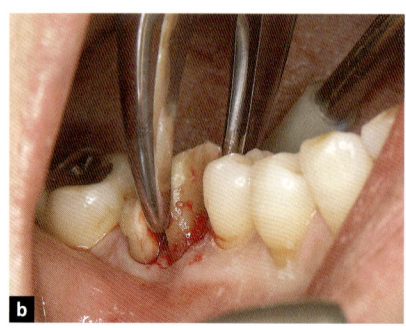

b：バーによる分割が終了したら，それぞれの歯根を残根鉗子で把持して抜去する．

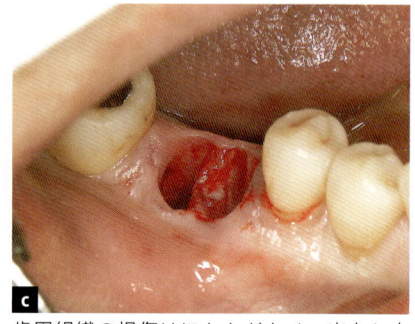

c：歯周組織の損傷はほとんどなく，出血も少ない．

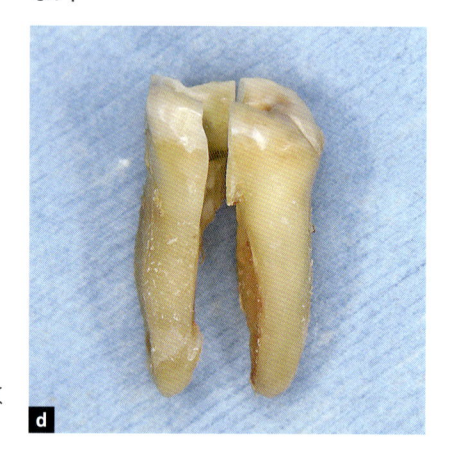

d：分割して抜歯した歯．分割しないで抜くことは困難であったと思われる．

鉗子抜歯の原理
『鉗子抜歯の極意は杭を抜く動き』

▶鉗子抜歯の要領は，地面に深く打ち込まれた杭を素手で抜くときの操作と同じである．杭を四方から押したり引いたり，蹴ったりしながら，前後，左右に倒して杭の動きを徐々に大きくしながら，途中でぐるーんと一周円を描くように杭を動かして抜くが，その動きと同じである．引き抜くのではなく，鉗子を頬舌的にゆっくりと倒す往復運動をしながら歯槽骨を徐々に拡げ，ねじりも加えて抜歯する．

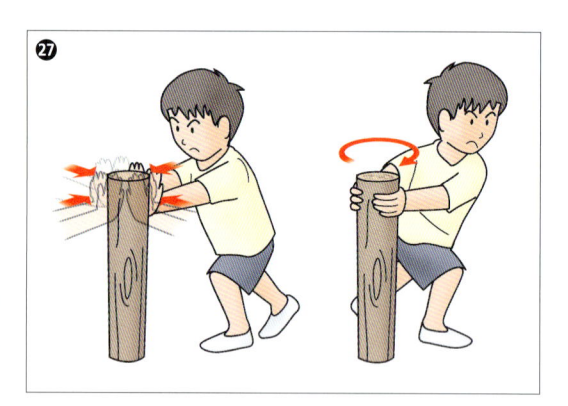

㉗

Point 2　上手な鉗子抜歯のまとめ

①つかめる歯質が残っているときは，鉗子で抜歯
②歯頚部の大きさ・形態に合った鉗子を選択
③歯軸と鉗子の軸を一致させる
④頬舌的にゆっくりと倒して歯槽骨を拡げる
　→残存歯質量によって有効な向きがある
　→力を入れ過ぎると，歯根破折
⑤単根歯はねじりを加える
⑥抵抗の小さいほうに大きく動かす

CHAPTER 5

ヘーベル抜歯

抜歯の基本は鉗子抜歯であるが，歯の状態によっては鉗子を使えないことがあり，ヘーベルで抜歯することになる．むしろ残根歯や埋伏歯などのようにヘーベルで抜歯することのほうが多く，抜歯の腕の差がでるのはヘーベル抜歯である．若い歯科医師はヘーベルを上手に使えておらず，ただただやみくもに突き刺しているだけであったり，ヘーベルが空回りしているのに何の工夫もなく延々と同じ操作を続けているのをよく見かける．ヘーベル抜歯のポイントをよく理解して，スマートに抜歯してほしい．

ヘーベル抜歯のポイント

不完全萌出歯や残根歯，歯質が脆弱な場合など，抜歯鉗子で把持できない状態の歯の抜歯には，「挺子」(elevator〔英〕, Hebel〔独〕=本書ではヘーベルと表記)を用いることになる．ヘーベルがくるくると空回りするだけで歯がまったく動揺しないのに，延々と同じ操作を続けている若い歯科医師をよく見かけるが，これはヘーベルが歯根膜腔にきちんと入っていないために歯に力が伝わっていない状態である．**ヘーベル抜歯の基本はヘーベルをきちんと歯根膜腔に入れることであり**，もしなかなか入らないのであれば，後述するような補助的処置を加えて確実に入れることが大切である．どの時点で，どの補助的処置を加えるか，早めに判断することが時間短縮のポイントである．なお文中の写真で，指を添えていない写真は撮影のために添えなかったもので，本来はできる限り添えるべきであることをお断りしておく．

Point 1 ヘーベル抜歯のポイントは『グルーブ（溝）』にあり

ヘーベルの先端をきちんとグルーブ（溝）に入れることがもっとも重要なポイントである．グルーブ（溝）とは，①歯根膜腔か，歯根膜腔のかわりになるように歯根と歯槽骨の境目に形成したグルーブ，②歯根を分割するためのグルーブ，③ヘーベルをかけるために歯根に形成したグルーブである(47ページ参照)．

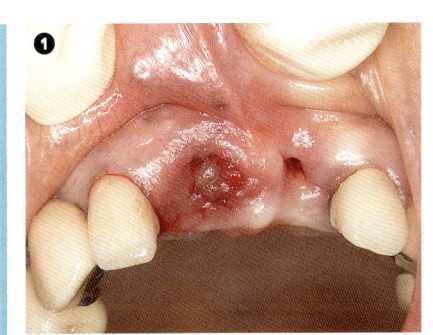

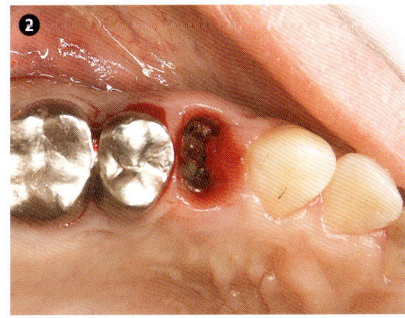

❶❷歯肉縁下の残根歯．いずれも鉗子では抜歯できないので，ヘーベルを上手に使って抜歯することになる．

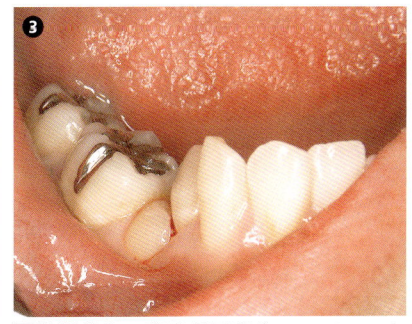

❸半埋伏歯．萌出が不完全でスペースもないので，鉗子では抜歯できない．ヘーベルを上手に使って抜歯することになる（CHAPTER 13参照）．

ヘーベル抜歯の対象となる歯

①抜歯鉗子で把持することのできない歯

▶ 歯質の形態・量・硬さからみて，抜歯鉗子で把持できない歯（残根歯など）❶❷．
▶ 萌出状態・萌出位置に問題があり，抜歯鉗子で把持できない歯（半埋伏歯，埋伏歯，転位歯など）❸．

②根尖が近遠心的に湾曲している歯

▶ 根尖が湾曲している場合には，歯根の湾曲がはずれるような動かし方が必要である．歯根が近遠心方向に湾曲している場合には，両隣在歯がある場合は抜歯鉗子で近遠心的に動かすのは難しく，つかめる歯質が十分に残っていてもヘーベルのほうが有効なこともある（㉓参照）．

ヘーベルの種類と選択

①ヘーベルの先端の形態により「直型」と「曲型」がある❹❺

❹ 直型．前歯，小臼歯に用いることが多い．歯軸とヘーベルの軸の方向を一致させやすいので初心者でも使いやすい．
曲型．直型では軸を一致させにくい臼歯部に用いることが多い．先端が歯軸より外側に向きやすいので注意する．

▶ 「直型」は，ヘーベルの先端が歯軸に一致しやすい前歯部・小臼歯部に用いる．
▶ 「曲型」は，「直型」では歯軸と一致しにくい大臼歯部に用いる．

❺ ヘーベルの先端部の軸を歯根に合わせる．「直型」のヘーベルは歯軸とヘーベルの軸の方向が一致しやすいが，「曲型」では先端の軸が外側に向かいやすいので注意．「曲型」のヘーベルでなかなか抜けないときには，この状態に陥っていることがある．基本的だが見落としがちなポイント．

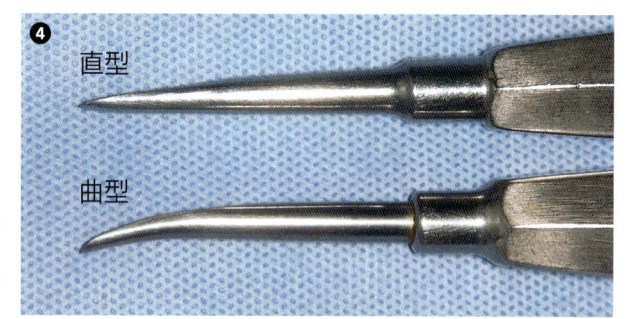

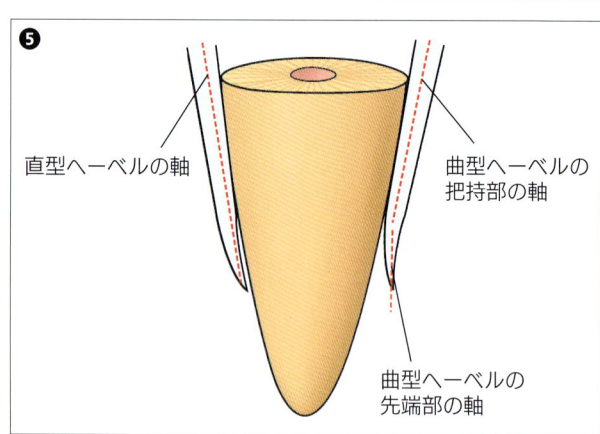

②先端部のサイズ（幅，厚み），形態に種類がある❻〜❽

▶ 歯頸部の大きさによって先端部のサイズを選択する．先端部の厚みは薄いほうが歯根膜腔に入りやすいので，薄いほうがよい．
▶ 幅が小さすぎると，回転運動でエッジ（先端部の両脇）を効かせて，歯根を動揺させる際に大きく動かすことができない（エッジの使い方は⓬参照）ので，幅が狭すぎてはいけ

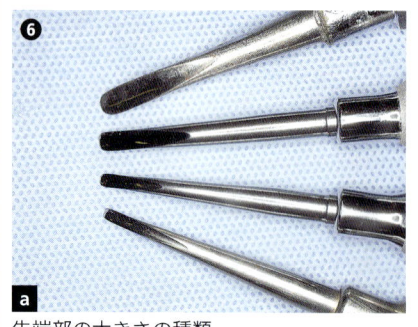

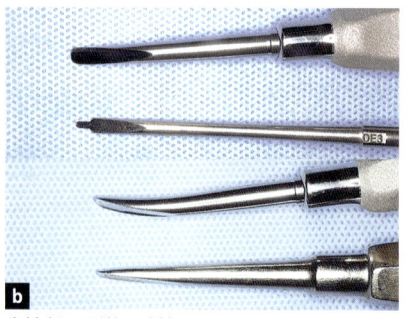

a 先端部の大きさの種類．
b 先端部の形態の種類．
c 先端部の厚みの種類．

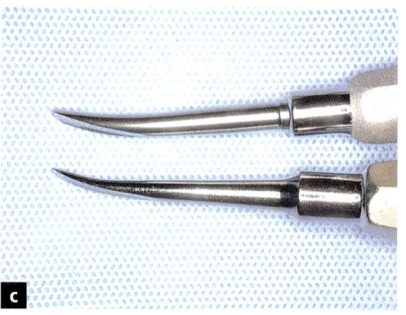

ない.
- 幅は狭いが，先端が鋭く尖っていて歯根膜腔に入りやすく，回転運動は行わずに，根尖側に向けての動きだけでシャーピー線維を切断し，歯根膜腔を拡げて抜歯するタイプのものもある❾.
- ヘーベルのグリップ部分(術者が手で握る部分)❿が太いほど，先端部には大きい力がかけられる(ネジを締めるときのドライバーの握りが太いほうが，強く締めることができるのと同じ原理)ので，力のない女性は把持部が大きいヘーベルを使用するほうが楽である.

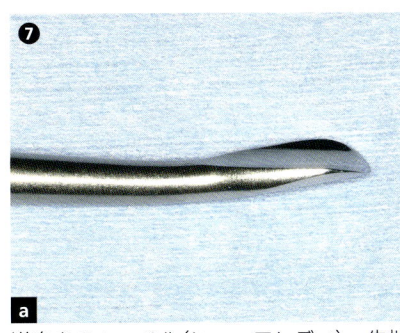

❼ 逆向きのヘーベル(ヒューフレディ).先端部が通常の曲型のヘーベルとは逆向きに曲がっている.

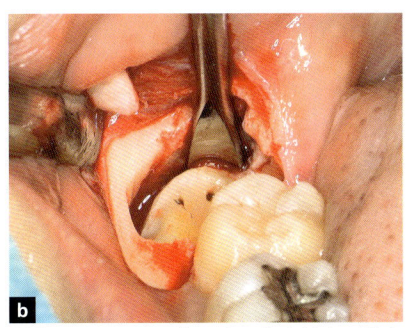

b 逆向きヘーベルの使い方.歯を前方に動かすときに有効である.

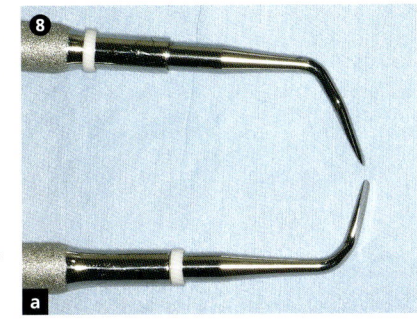

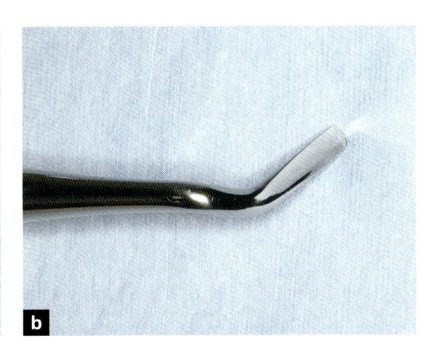

❽
a, b：曲のヘーベル(ヒューフレディ).先端部分が湾曲し，薄くて長い.ストレート，右向き，左向きの3種類がある.

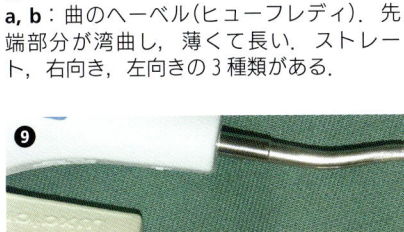

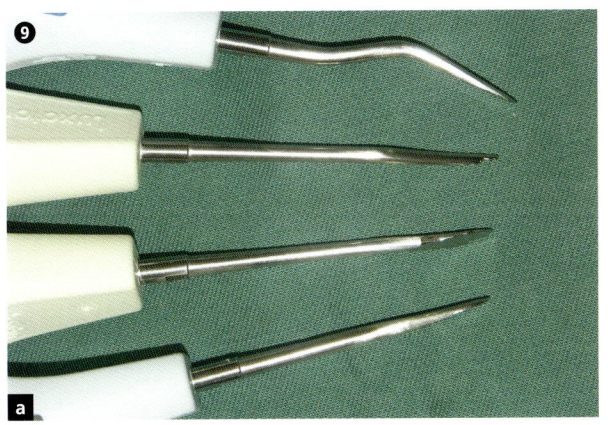

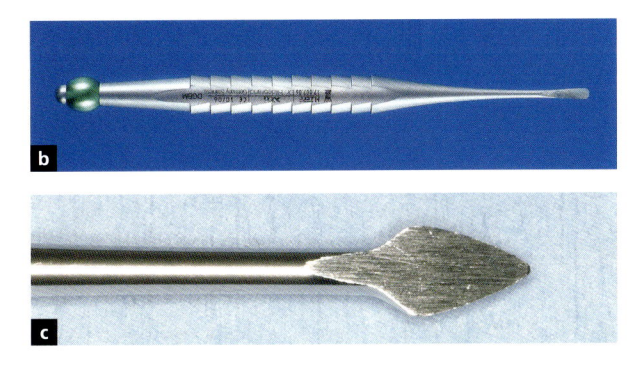

❾
a：ラクスエーター(クロスフィールド).
b：「Xツール」(マイクロテック).
c：先が尖っていて歯根膜腔に入りやすいヘーベル「バーナードエレベーター11(BER11)」(ヒューフレディ).

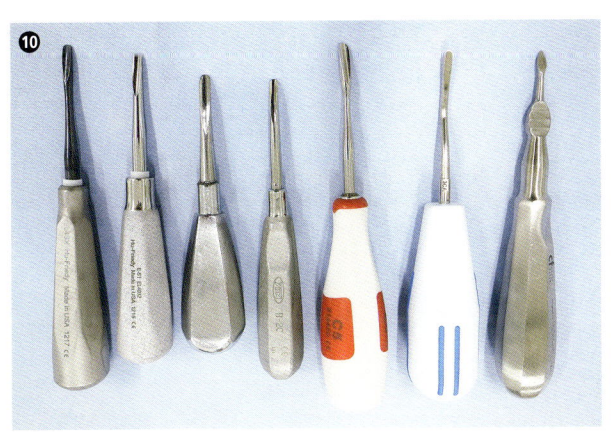

❿ グリップの形態，大きさの種類.

③ヘーベルの先端の大きさ，歯頸部の大きさを一致させる⓫

- 先端が歯根の大きさ・形状に一致するヘーベルを選択する.

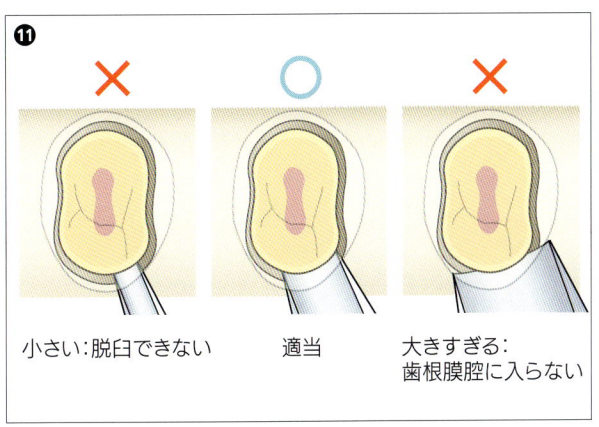

⓫
小さい：脱臼できない　　適当　　大きすぎる：歯根膜腔に入らない

ヘーベルのサイズの選択は重要.
厚み……歯根膜腔に入る厚み.
幅………回転が有効な幅.

ヘーベルの作用原理

　ヘーベルの作用は，「回転（輪軸）作用」⓬，「楔作用」⓭，「挺子（てこ）作用」⓮の３種類である（効果が大きい作用から順にあげた）．「回転作用」は，ヘーベルの軸を中心に左右に回転させることにより，歯を揺するように動かして動揺させる作用である．このとき，歯の動揺とともに歯槽骨が拡がる．「楔作用」は，歯軸に沿った根尖側への力を加えることにより，ヘーベルと反対側に歯根と歯槽骨を押す力がはたらき，歯槽骨が拡がって脱臼する．「挺子（てこ）作用」は，骨を支点にして歯を上方に持ち上げる．この３つの作用をうまく組み合わせて抜歯する．一般的に楔作用・挺子作用の効果に期待したヘーベルの使い方をする人が多い．しかし実はもっとも効果的で重要な作用は「回転（輪軸）作用」である．

　楔作用に期待して歯軸方向にヘーベルを押し込んでも歯根がスッと挺出してくるわけではない．根尖側向きの力が強すぎると患者は怖がり，また，ヘーベルが滑脱して周囲の軟組織を損傷するなどの事故のもとであるので，下向きの力を入れ過ぎてはならない．

　エッジ（ヘーベルの刃部の両脇）をきかせた回転運動で歯根を動揺させて歯根膜腔を拡げ，拡がったスペースのなかで根尖側にヘーベルを進め（楔作用），そこでまた回転運動で歯の動揺を大きくする．この操作を繰り返して歯の動揺を徐々に大きくし，ヘーベルを歯根側へ進めて抜歯する⓯．

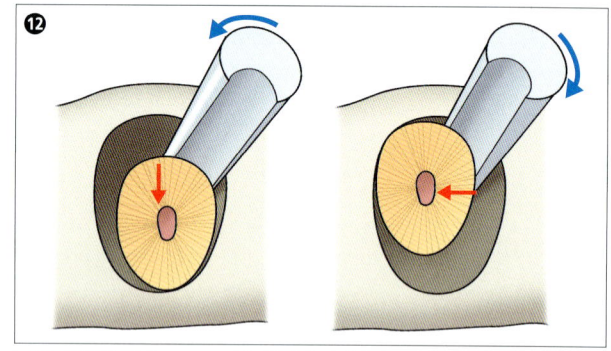

⓬ 回転（輪軸）作用．ヘーベルの軸を中心に回転させ，両端のエッジをきかせて歯根をゆするように動かして歯根膜腔を拡げる．拡がったら先端を歯根側に進めて，同じ動きで歯の動揺を徐々に大きくする．

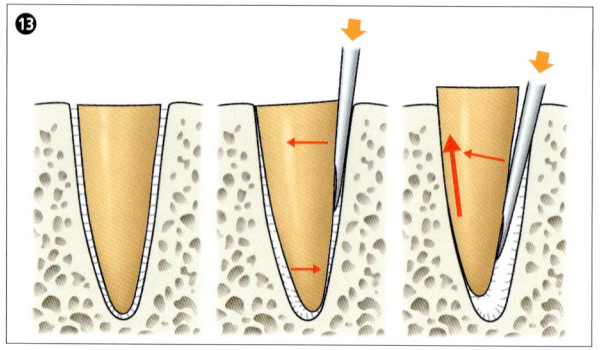

⓭ 楔作用．歯根膜腔に下向きに挿入すると楔の力がはたらいて挺出する．歯槽骨が広がって抜けてくる．

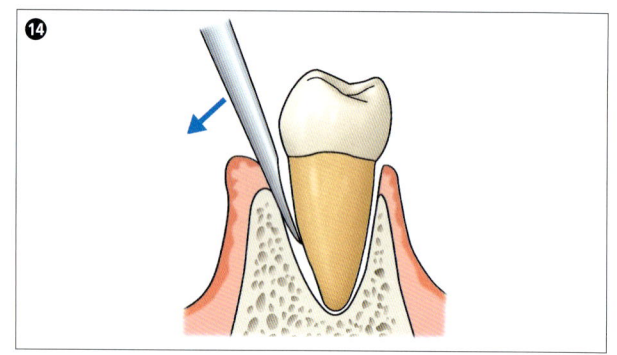

⓮ 挺子（てこ）作用．歯槽骨を支点にして歯根をもち上げる．骨の厚いところ（下顎大臼歯）だけでしか使ってはいけない．

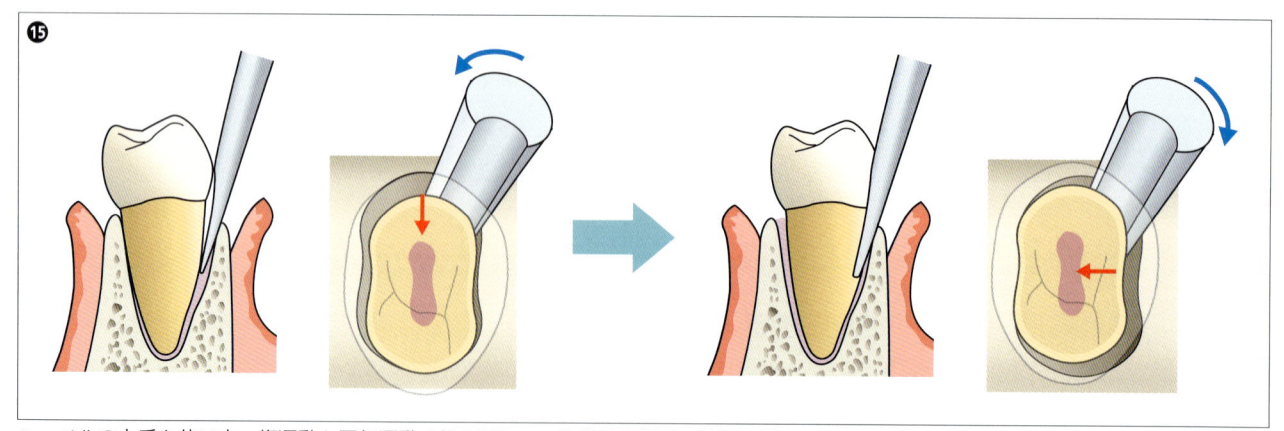

⓯ ヘーベルの上手な使い方．楔運動と回転運動の繰り返しで，歯槽骨を拡げて歯根を脱臼させる．

Point2 ヘーベル抜歯の作用原理

①もっとも効果的で重要な作用は「回転（輪軸）作用」
②エッジをきかせた回転運動で歯根を動揺させて歯根膜腔を拡げ，拡がったスペースのなかで根尖側にヘーベルを進め，そこでまた「回転作用」で歯の動揺を大きくする

効果的なヘーベルの使い方

①持ち方

▶ 掌（たなごころ＝手のひら）でヘッドを包むように握る❶❻．ヘッドが掌にあることによりしっかりと把持できて滑りにくく，下向きの力も加えやすい．誤った握り方をしているのを見かけることがある❶❼❶❽．これでは上手く抜くことはできない．

▶ 手のひらで包むように持ち，ヘーベルの軸と歯根の軸を一致させることが重要❺．

❶❻ ヘーベルは手のひらで包むように持つ． 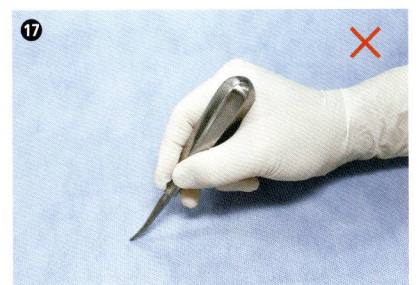
❶❼ ペングリップになっている． 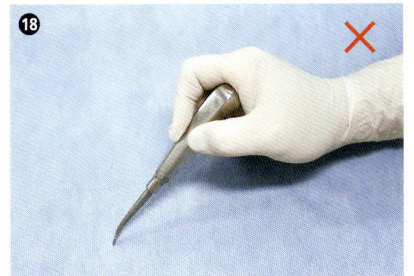
❶❽ ヘッドを手のひらで包んでいない．

②反対側の手指で歯を把持する

▶ ヘーベルが滑脱して他の部分を損傷することがないように，また，歯の動揺を触知してヘーベルの効果を感じ取るために，反対側の手指を添える❶❾❷⓪．
▶ ヘーベルの先端がきちんと歯根膜腔に入っておらず，手指を添えずに歯根側への力ばかりを加えたために，ヘーベルが滑脱して口蓋粘膜・咽頭粘膜・口底粘膜などの刺傷をつくって紹介されてきた例もある．

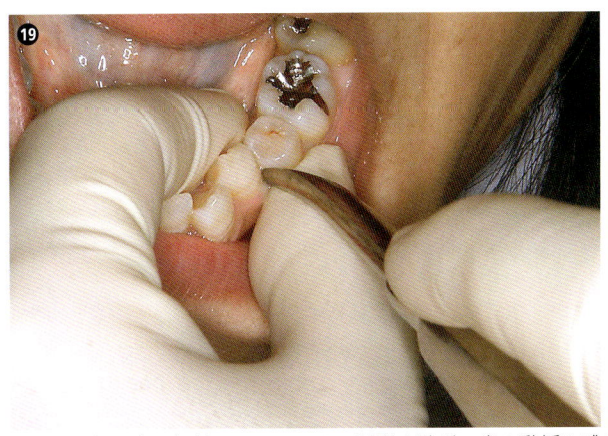

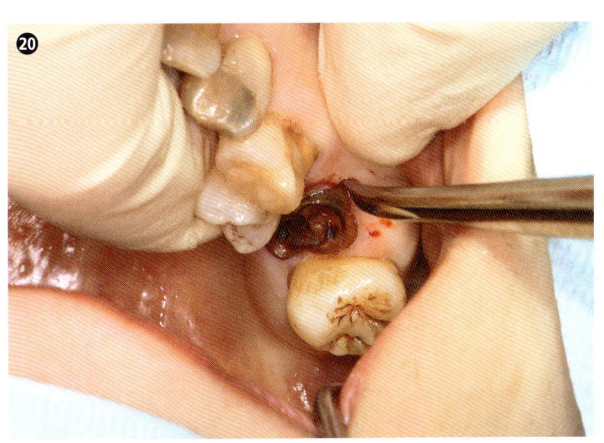

反対側の指で歯を把持してヘーベルの滑脱を防ぎ，歯の動揺を感じる（❶❾の歯は鉗子で抜くべき歯であるが，撮影用にヘーベルを用いている）．

③ヘーベルを作用させる位置

▶頬側の近心隅角部または遠心隅角部は骨が厚いので，ヘーベルは㉑の位置に挿入する．

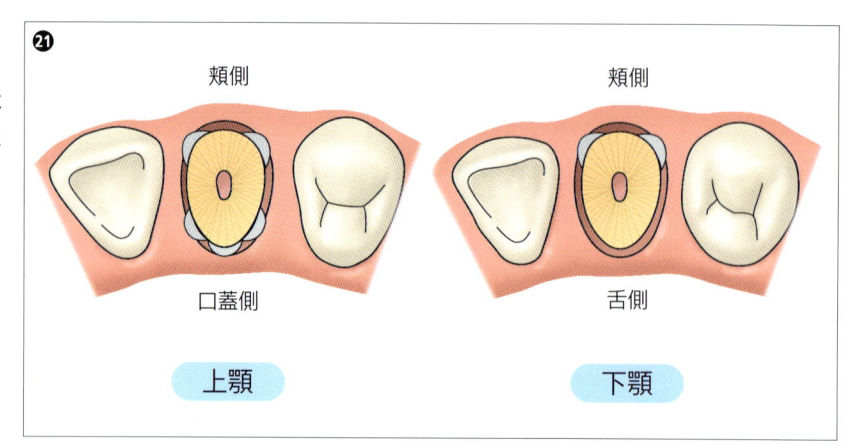

㉑ヘーベルの位置．

▶頬側の近遠心的中央部は，歯槽骨が薄く破折しやすいので，この位置には挿入しない㉒．
▶上顎は口蓋側の骨が厚いので必要があれば挿入してよいが，下顎では絶対に舌側には挿入しない．そもそも舌側には挿入しにくいし，歯軸・歯槽骨の傾斜からみて滑脱しやすく，口底部の損傷につながりやすい．
▶歯根の近遠心的湾曲がある場合には，ヘーベルの位置によって抜けやすい方向と抜けにくい方向があるので，エックス線写真で湾曲の状態をよく観察して，湾曲がはずれるように挿入する㉓．
▶歯根の湾曲を無視して反対側にヘーベルを作用させて強い力を加えると，歯根破折につながる㉔．
▶ヘーベルを使いながら歯の動揺・抵抗を観察し，歯根の動きが大きい方向へ力をかける（動きが大きい方向が，湾曲がはずれる方向である）．

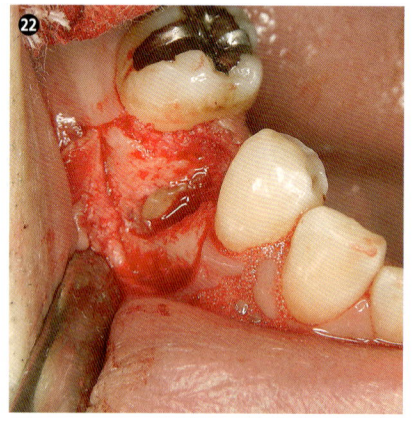

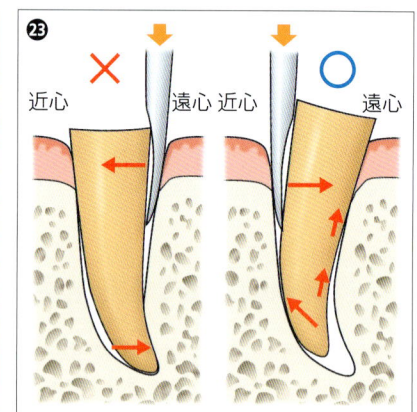

㉒抜歯困難で紹介されてきた5̄残根歯．頬側の中央部にヘーベルを作用させたために，頬側の歯槽骨頂が下がっている．
㉓歯根が湾曲している場合，ヘーベルの位置により抜けやすい場合と抜けにくい場合がある．

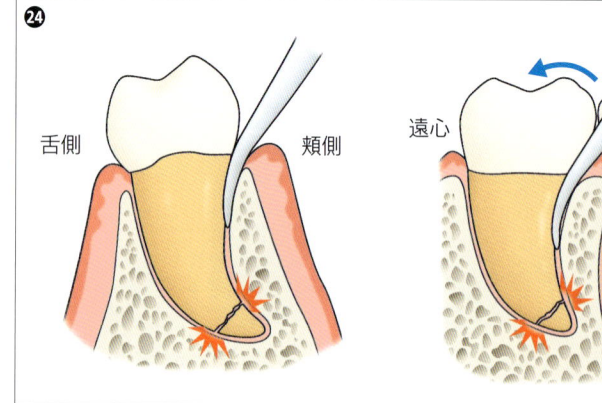

㉔
左：根尖が骨に当たって抜けにくい．
右：根尖の湾曲がはずれないため，抜けにくく，歯根が折れやすい．
歯根の近遠心方向の湾曲はエックス線写真でわかるが，頬舌方向の湾曲はわかりにくいので，注意する．

Point 3 ヘーベルを作用させる位置が重要

①ヘーベルを入れる部位は，頬側の近心，遠心隅角部
②下顎の舌側にはヘーベルを入れない
③歯には抜けやすい方向がある！
④歯根の湾曲がはずれるようにヘーベルを使う

④ヘーベルの先端を確実に歯根膜腔に入れる

▶ ヘーベル抜歯の最大のポイントは，ヘーベルの先端を確実に歯根膜腔に入れることである．ヘーベルが歯根膜腔に入っていなければ，くるくるとヘーベルが空回りする．

▶ 残根歯で歯肉が被っているような場合は，①電気メスで歯肉を切除したり㉕，②歯肉骨膜弁を挙上したり㉖㉗して，歯根膜腔を明示する．

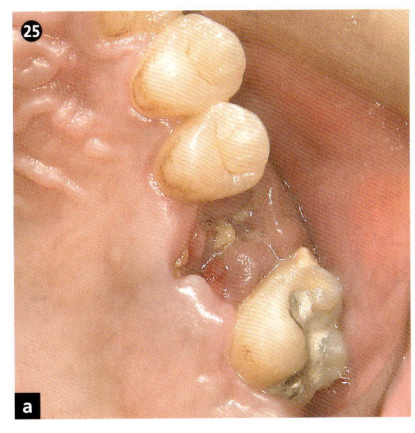

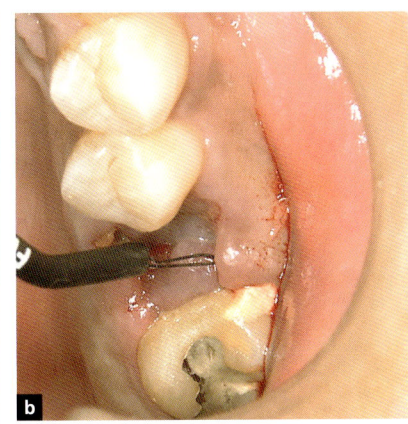

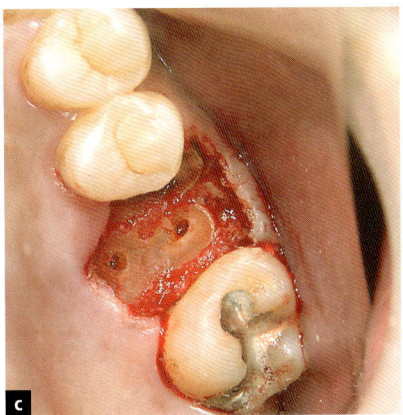

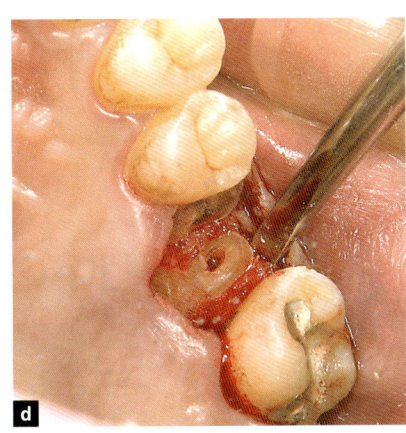

㉕ 6⏌の残根歯．残根を歯肉が覆っているような場合には，電気メスで歯肉を切除し，歯根膜腔を明示してヘーベルを挿入する．

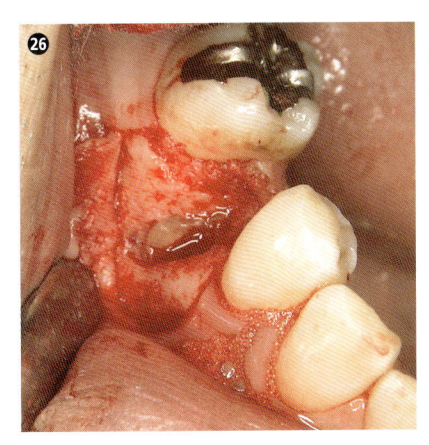

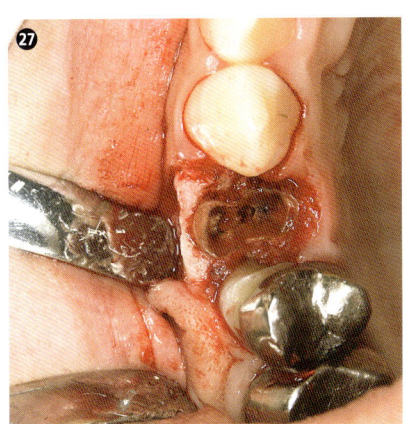

㉖ 5⏌残根歯．頰側弁を挙上した．
㉗ 4⏌残根歯．頰側弁を挙上した．

▶ 歯根が骨と癒着していて歯根膜腔が狭小化していたり，消失していてヘーベルを挿入できない場合には，バーで，**歯根と歯槽骨の間に歯根膜腔に相当するグルーブを形成して，ヘーベルを確実にこのグルーブ内に入れて，力を加える**㉘〜㉚．これがもっとも重要なポイントである！

㉘ ヘーベル挿入スペースの形成．
- ヘーベルを有効に作用させるためのグルーブを歯根と骨の境目に形成する．
- 十分な深さが必要．
- グルーブの幅が広すぎると，ゆるくなってヘーベルが空回りして効果減となるので注意．

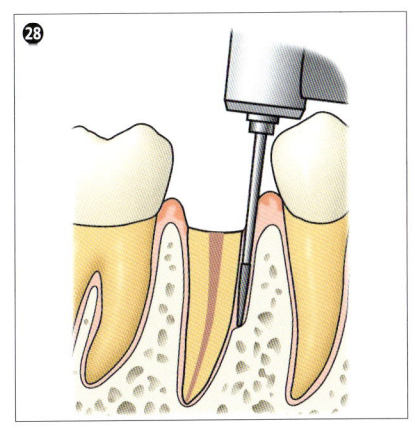

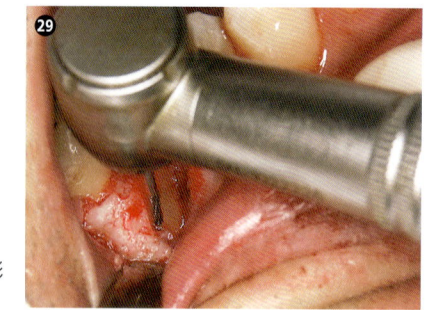

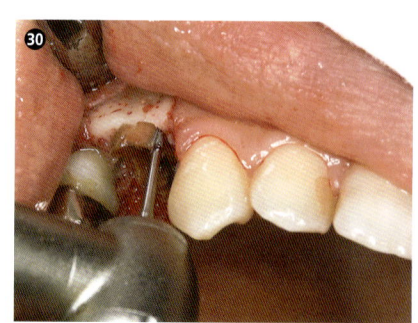

㉙㉚ヘーベルを挿入するためのグルーブ形成．㉙ 5┘残根歯．㉚ 4┘残根歯．

▶軟らかい歯質が残ったままでは力が歯に伝わりにくいので，エキスカベーターやバーで除去して，硬い歯質をだしてヘーベルを作用させる㉛．

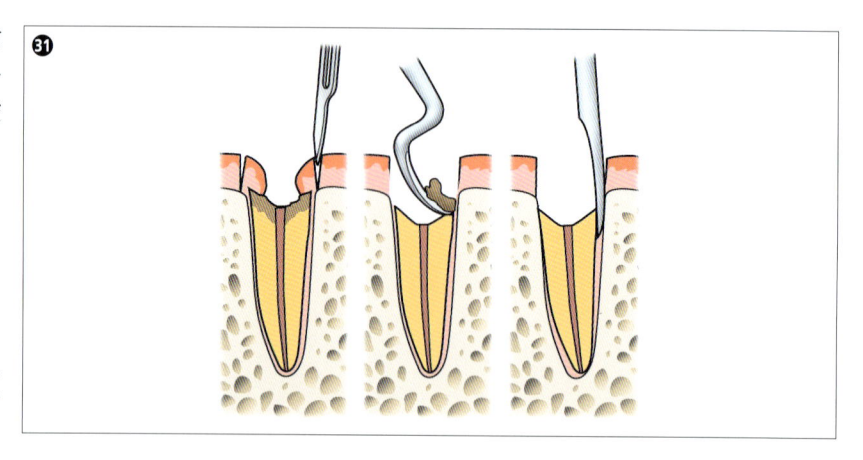

㉛メスか電気メスで歯肉を切除する．軟らかい歯質は除去して硬い歯質にヘーベルを作用させる．

Point 4 ヘーベル抜歯の最大のポイントはヘーベルを確実に歯根膜腔に入れること

ヘーベル抜歯の最大のポイントは，①ヘーベルの先端を確実に歯根膜腔に入れること，②歯根膜腔に入りにくければ，バーで歯根膜腔に相当するグルーブを形成すること，である．

⑤ヘーベルの先端の軸と歯軸を一致させる

▶「曲型」のヘーベルは刃先と把持部の角度差に注意する．後方歯はヘーベルが入りにくく，歯軸とヘーベルの軸がずれやすい❺．

⑥ヘーベルの動かし方

▶前述したように，「回転（輪軸）作用」「楔（くさび）作用」「挺子（てこ）作用」の3つの作用をうまく組み合わせて抜歯する．
▶「回転（輪軸）作用」で歯根膜腔を拡げ，ヘーベルの先端を根尖側に進めて，その先でまた「輪軸（回転）作用」で歯根膜腔を拡げる．この繰り返しである．ヘーベルがくるくる回転するときには，ヘーベルの先端がきちんと歯根膜腔に入っていないので，そのままではいくら頑張っても抜歯できない．
▶「挺子作用」をはたらかせる場合，歯槽頂を挺子の支点にしてよいのは下顎の大臼歯のみである．前歯部，小臼歯部の唇側・頬側の歯槽骨頂は，支点にしてよいほど厚くはない㉜．

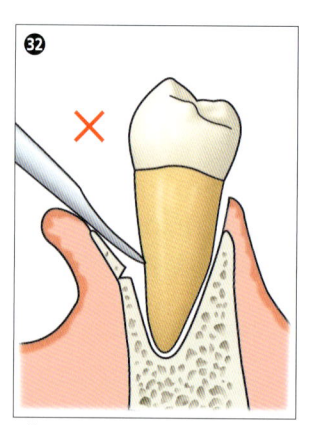

誤った挺子作用．薄い歯槽頂を挺子（てこ）の支点にすると，骨折を起こすので注意．

Point5 ヘーベル操作のカギはグルーブだ!!

ヘーベル抜歯が上手になるためには，3種類のグルーブを有効に使おう！

解説 ヘーベル抜歯の補助手段として，3種類のグルーブを形成する

- 歯を分割するグルーブは，歯根湾曲歯，歯根肥大歯，癒着歯などに有効で，歯根の湾曲・開大・アンダーカットを解消できる．
- 歯質内のグルーブにより，ヘーベルの作用点を形成し，骨を支点にして歯を脱臼させる．

表1　グルーブ形成の種類と，分割の効果．

	種類	効果
グルーブの種類	①歯質と骨の境目の（歯根膜腔に相当する）グルーブ❸❸	ヘーベルの作用点の確保
	②歯を分割するグルーブ❸❹	単根歯，複根歯，湾曲歯，肥大歯，開大歯を分割する
	③歯質内のグルーブ❸❺	歯質内にヘーベルの作用点を形成する
分割の効果	単根歯の分割	癒着面積が半減する，アンダーカットが解消できる
	分割部分にヘーベルを入れる	両分割片を容易に動揺させられる
	複根歯の分割	単根化できる，歯根の開大が解消できる

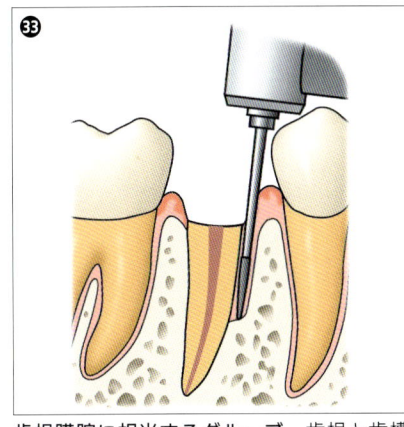

3種類のグルーブ

❸❸ 歯根膜腔に相当するグルーブ．歯根と歯槽骨の境目に形成する．歯根膜腔が狭い場合や消失している場合に形成して，ヘーベルを挿入する．

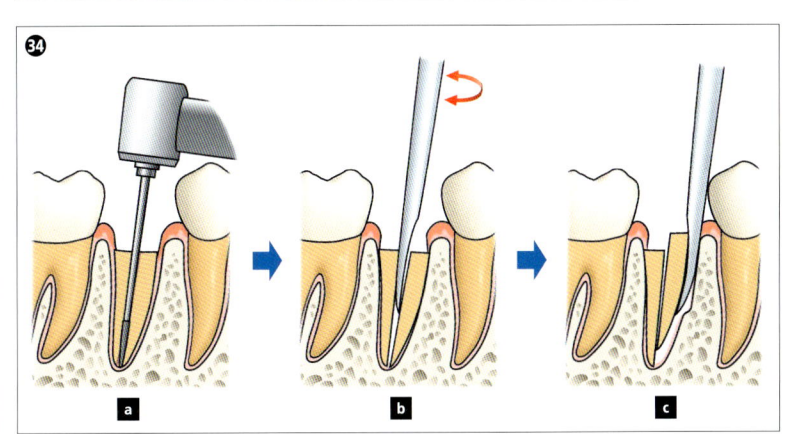

❸❹ 歯を分割するグルーブ．骨の癒着が強く，❸❸の操作だけでは抜けないときは，歯根を分割する．**a** バーで根尖まで歯根を分割する．このとき，必ずしもまっ2つに分割する必要はない．**b** 分割部にヘーベルを挿入して回転させると，分割された歯はそれぞれ容易に動揺する．**c** 分割終了後に「歯根膜に相当するグルーブ」❸❸を形成してヘーベルで抜去する．

❸❺ 歯質内のグルーブ．歯質内にグルーブを形成してヘーベルを挿入し，骨を支点にして歯を脱臼させる．

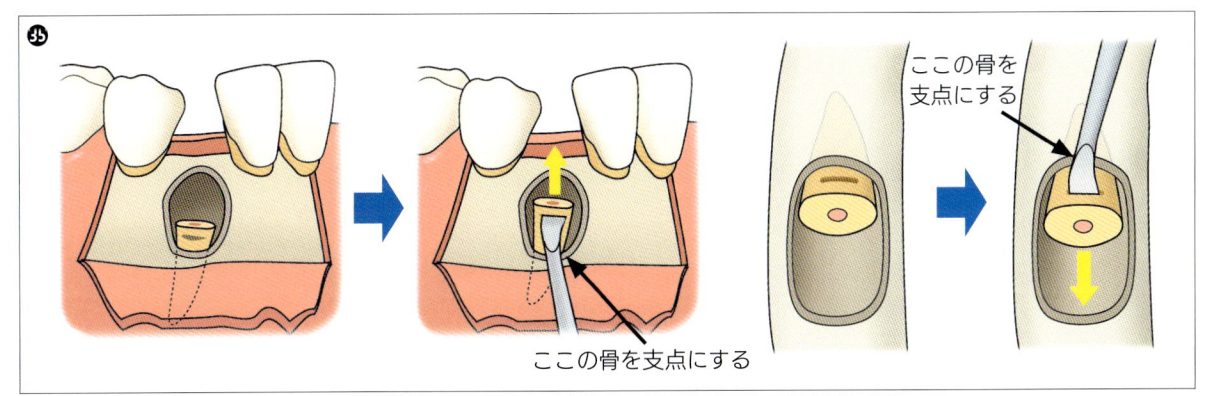

ヘーベルで抜けないときの理由と対処

①ヘーベルの先端が歯根膜腔に入っていない
▶歯肉の切除や歯肉骨膜弁の挙上により歯根膜腔を明示するか，バーで歯根膜腔に相当するグルーブを形成する．

②ヘーベルで歯に加えた力の方向が，歯の出る方向と一致していない
▶いくら強い力を加えても，歯が脱臼する方向と力の方向とが一致していないと，歯根を骨に押しつけることになり，なかなか抜けてこない．

③ヘーベル先端の向きが歯根に一致していない
▶ヘーベル先端が歯根に沿っていないと，加えた力が歯根に伝わらないので脱臼しにくい．とくに「曲型」のヘーベルは「軸」が一致しにくいので，慣れが必要である❺．

④根尖側への下向きの力ばかりを加えている
▶根尖側へ向けた力を加えるだけで歯がスッと上方に上がってくることはない．「回転（輪軸）作用」で歯根膜腔を拡大してから，先端を根尖側へ進める．

⑤歯根の湾曲・癒着・肥大がある
▶歯根の状態によっては，そのままヘーベルを使用するだけでは抜歯できないことがある．歯根を分割する，骨を削除する，歯根を全削去する，などの処置が必要である．

⑥アンダーカットが解消されていない
▶埋伏歯で歯冠の最大豊隆部が露出されていなかったり，歯根の湾曲が解消されておらず，アンダーカット部が残っているため，抜けてこない．

ヘーベル抜歯のトラブル

①ヘーベルの滑脱
▶ヘーベルの先端がきちんと歯根膜腔に入っていないこと，根尖側向きの力を加えすぎたこと，が原因で起こる．
▶口蓋や咽頭部，口底の損傷を生じることがある．
▶抜く歯の頰舌（口蓋）側歯肉を，反対側の手指で把持して抜歯する．

②歯肉，歯槽骨の損傷
▶ヘーベルの先端がきちんと歯根膜腔に入っていないこと，暴力的なヘーベルの使い方をすること，が原因である．

③歯根の押し込み
▶ヘーベルがきちんと歯根膜腔，または歯根と骨の境目に形成されたグルーブに入っておらず，歯根そのものをヘーベルで押し込むことにより起こる．
▶上顎洞への歯根迷入❸❻，下顎管の圧迫❸❼，下顎智歯の舌側軟組織内への落とし込みなどにつながる．
▶歯根膜腔を見つける，あるいは歯根膜腔に相当するグルーブを形成してヘーベルを使用する．

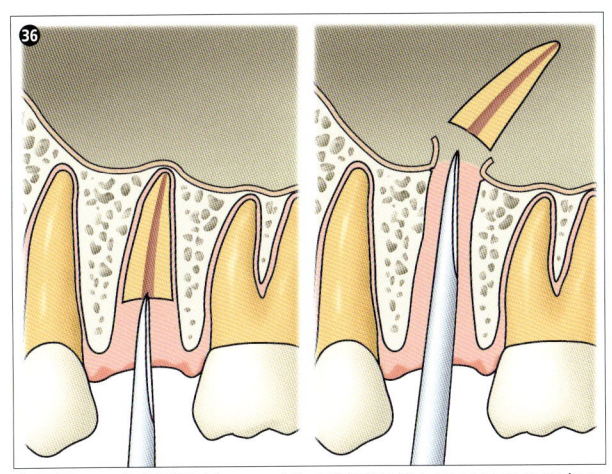

上顎洞への歯根迷入はヘーベルで歯根を押しているために起こる．ヘーベルを作用させるグルーブを歯根と骨の間に形成すれば防げる．

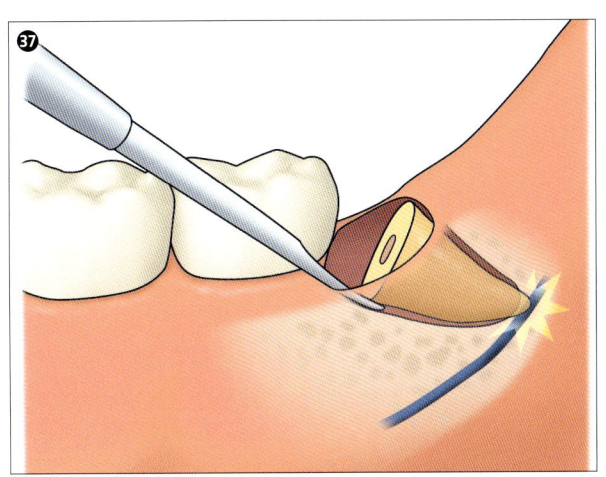

下顎智歯では図のようにヘーベルを使うと，歯根を押し込んで下顎管を損傷しやすいので注意．ヘーベルを作用させるためのグルーブを歯根と骨の間に形成して，違う方向からヘーベルを挿入すれば防げる（CHAPTER 11参照）．

④根尖部破折片の残存

▶根尖が折れて残った場合にはルートチップピックを用いる㊳．このときも先端が入りやすいように，バーでグルーブを形成する㊴．

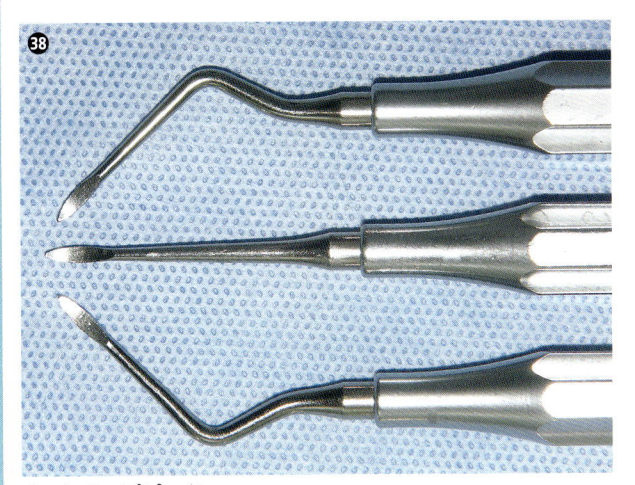

ルートチップピック．

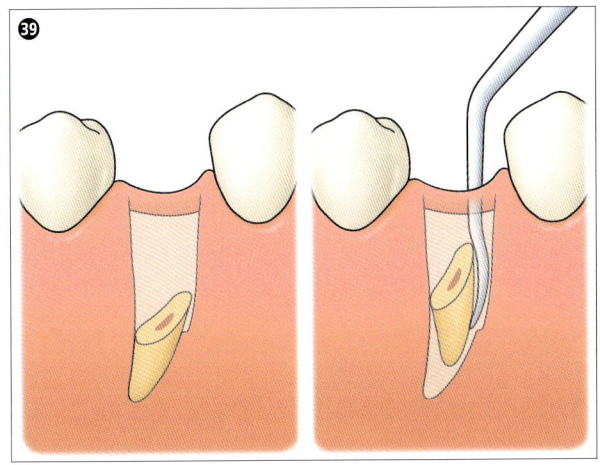

ルートチップピックの使い方．歯根と骨の間にグルーブを形成すると抜歯しやすい．

Point 6 ヘーベルはグルーブとエッジ（先端の刃部の両脇）をうまく使え！

ヘーベル抜歯のポイントは，先端を溝（歯根膜腔）に入れて，エッジを使った回転で歯を揺さぶって，歯槽骨を拡げて脱臼させること．

Point 7 上手なヘーベル抜歯のまとめ

①抜く歯に合ったヘーベルを選択する（刃部の厚さ・大きさ）
②ヘーベルをきちんと歯根膜腔に入れる
③歯根膜腔がなければバーでつくる
④回転作用でエッジを使って歯を動揺させ，歯槽骨を拡げる
⑤歯根の湾曲がはずれる方向に力を加える
⑥ヘーベルをうまく使うための3種類のグルーブ
　（1）歯根膜腔に相当するグルーブ
　（2）歯根を分割するグルーブ（単根も複根も）
　（3）歯質内のグルーブ（ヘーベルをかけるため）

PART 2

難抜歯

CHAPTER 6
難抜歯に対する考え方と抜歯テクニック

特別な処置を加えることなく，鉗子やヘーベルで抜歯できるものは「普通抜歯」とよばれる．これに対して，鉗子やヘーベルのみで抜歯することは難しく，歯肉骨膜弁の挙上，骨削除，歯根分割などの外科的補助処置を要する抜歯を「難抜歯」という．

難抜歯の要因

難抜歯となる歯は必ずしも埋伏歯ばかりではない．一見簡単そうに見える単根の正常萌出歯や残根歯であっても，歯と骨の状態によって難抜歯になりうる．

難抜歯となる要因を表1にあげた(歯以外の全身的要因によるものは除く)．これらの要因の有無について口腔内診査，エックス線学的診査を行って抜歯の難易度を評価し，どのようにして抜歯するかを検討する．

表1　難抜歯の要因．
①歯の位置異常(叢生歯，転位歯，埋伏歯)
②歯の萌出異常(半埋伏，完全埋伏)
③歯根の状態(数，長さ，太さ，湾曲，肥大，離開など)
④歯根膜腔の狭小化，消失
⑤骨性癒着
⑥歯槽骨の硬化

術前診査

安全に手際よく抜歯するためには，術前の口腔内診査，エックス線写真診査が重要である．

①口腔内診査

▶口腔内診査により，①開口量，②直視，器具の直達が可能か，③器具を操作するスペースの有無，④歯の位置(叢生，転位など)と萌出状態(捻転，埋伏など)，歯冠の状態(形態，大きさ，硬さ)，歯肉の状態，隣在歯との関係(中間欠損で隣在歯が傾斜していないか)，などを確認する．

②エックス線学的診査

▶デンタルエックス線写真，パノラマエックス線写真，必要であればCT撮影を行って，表1にあげた歯と骨の状態を評価する．

(1)歯根の状態
▶歯根の数と形態(太さ，長さ，湾曲の有無とその方向，離開の有無，肥大や骨性癒着の有無など)，歯根膜腔の状態(狭小化や消失の有無)，根尖病変の有無，などを確認する❶．

(2)歯槽骨の状態
▶歯根周囲の骨の状態(骨硬化の有無)，歯槽硬線の消失や肥厚の有無を確認する．
▶高齢者では，骨硬化により骨の弾性が失われて，たわみにくくなっているため，抜歯が難しいことが多い．

❶難抜歯が予想される歯．
a：6|歯根離開歯．歯根は大きく離開している．
b：|6歯根肥大歯．歯根が長く，歯根の湾曲，開大，肥大が認められ，骨性癒着も疑われる．

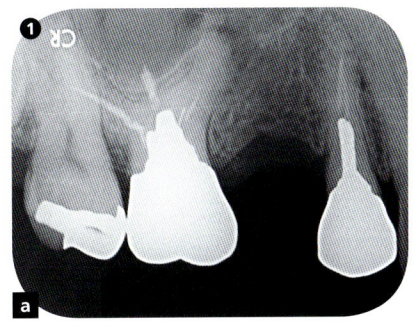

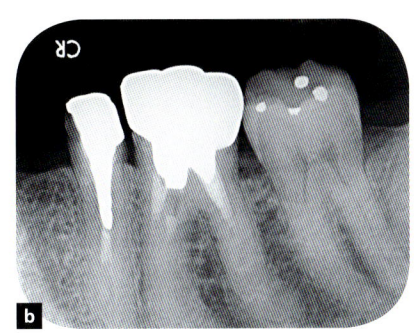

難抜歯の実際

①難抜歯に必要な器具

▶ 通常の抜歯器具に加え，歯肉骨膜弁の挙上に必要な器具，残根や破折した根尖部の抜歯に有用な器具を準備する．

▶ 難抜歯では，歯冠や歯根の分割，骨削除，破折して残遺した歯根の除去などが必要となることが多いので，ルートチップピック❷，モスキート鉗子❸，クライヤー❹，分割バー❺，骨削除バーなどを準備する．

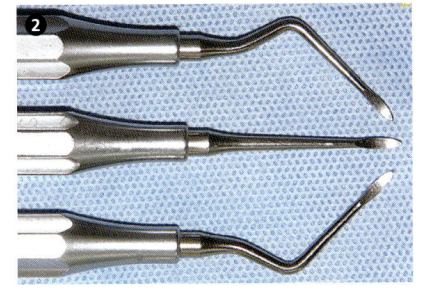

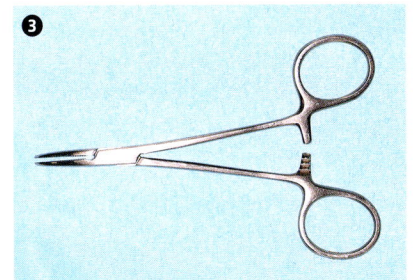

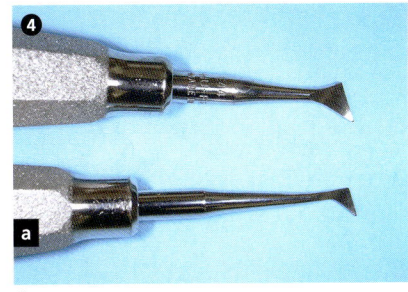

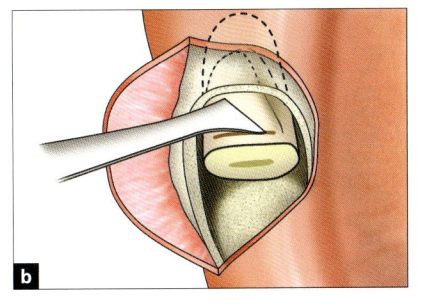

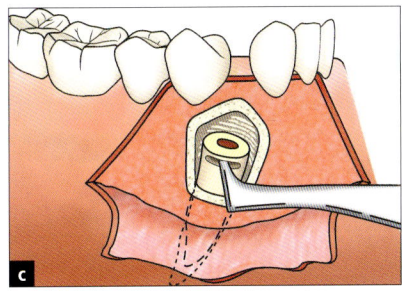

❷ルートチップピック．根尖部の残根，小さな分割片の抜歯に用いる．先端部は，ストレート，右向き，左向きがある．
❸モスキート鉗子．本来は血管，軟組織をつかむ器具であるが，筆者は歯の分割片の把持や肉芽組織の除去などに用いている．

❹クライヤー．
a：先端は右向きと左向き，サイズは大小がある（ヒューフレディ）．
b, c：クライヤーの使用法．歯に形成したグルーブ（b）に先端を引っ掛けて抜歯する（c）．

❺筆者が歯の分割に用いているバー．
a：#1557．b：「インプラントバーXXL」（ブラッセラー社製／販売：ヨシダ）．分割にはゼクリアバーが頻用されているが，破折しやすく，また，刃部が長く歯肉を損傷しやすいため，筆者は使用していない．

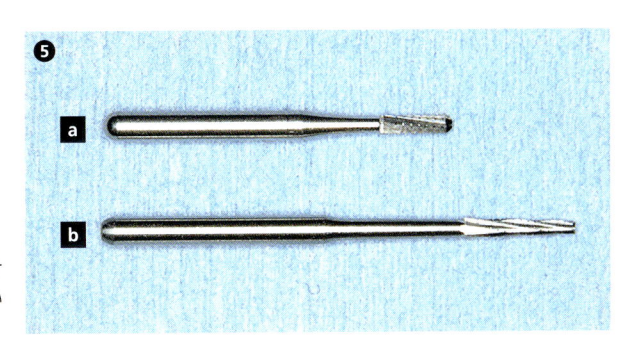

②難抜歯解決のための基本的な考え方

▶抜歯とは，顎骨から歯（根）を除去することであるので，最終的には，①歯を削る（分割，全削去）か，②骨を削る，あるいは③歯と骨の両方を削る，ことで抜歯は可能である．

▶口腔内診査とエックス線検査で，表1にあげた難抜歯になる要因があり，鉗子とヘーベルだけでは抜歯することは難しいと感じたら，最初から，①歯肉骨膜弁の剥離・挙上，②歯に対する処置（歯冠，歯根の分割や削除），③骨に対する処置（削除や開窓），を加える．

▶抜歯に際して，「歯肉骨膜弁を起こしたり，骨を削ると，侵襲が大きくなり，腫脹・疼痛が強くなるから」「出血が増えるから」などの理由で，歯肉骨膜弁の挙上，骨の削除を避けたがるGPが多いが，それはまったく誤った考え方である．むしろこのような補助的外科処置を加えないことで抜歯が難しくなっているのである．

▶必要であれば，速やかに歯肉骨膜弁を挙上し，明視下・直視下に歯の分割や骨削除を行うほうが，はるかに安全で短時間のうちに終了する．そのほうが鉗子とヘーベルのみで延々と抜歯を続けるよりもはるかに侵襲が小さい❻．

▶抜歯に用いる器具は鉗子とヘーベルだけではない．タービンやコントラアングル・ストレートハンドピースや超音波骨切削器を併用すると早くて安全である．

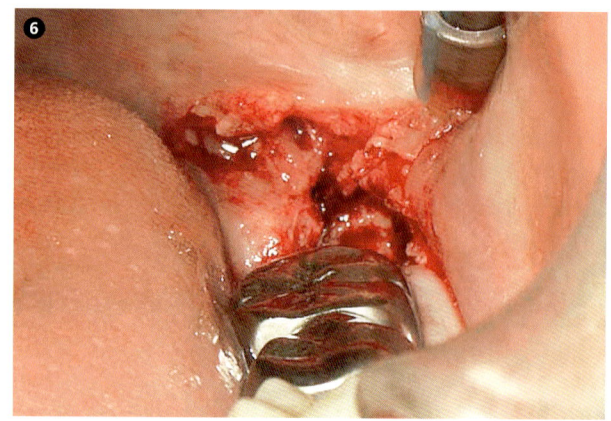

❻
歯肉の切開，剥離，骨削除，歯冠削除することなく，ヘーベルだけで抜歯を試みられた「8 埋伏歯．

Point1 難抜歯解決のために必要な処置

必要に応じて下の処置を加える．
①被覆歯肉の切除
②歯肉骨膜弁の剥離，挙上
③歯の分割，削去
④骨の削除
⑤歯と骨の両方の削除

Point2 抜歯の器具は，鉗子とヘーベルだけではない

タービン，コントラアングル・ストレートハンドピース，超音波骨切削器などの切削機器を併用する．

Point3 外科の基本手技（切開，剥離，縫合）

難抜歯解決のためには，外科の基本手技（切開，剥離，縫合）の習得が必要である（CHAPTER 7, 8を参照）．

（1）被覆歯肉の切除
▶残根が歯肉で覆われていて歯根膜腔がわからない場合，歯肉をメスや電気メスで切除して，歯根膜腔を明らかにする．

（2）歯肉骨膜弁の挙上
▶歯肉縁下残根の根面，歯根膜腔，歯槽骨を直視するために必要なことがある．

（3）歯の分割，削除

▶「歯を小さく分割すると，つかみにくくなり，ヘーベルもかかりにくくなるから，大きいままで抜け」「歯をバラバラにしなければ抜けないのは，下手だから」という意見があるが，必要なら分割して小さくして抜くべきである．意図せず結果的にバラバラになった場合は，確かに上手とはいえないかもしれないが，抜歯の戦略として意図的にバラバラにすることは決して下手でも恥ずかしくもない．

▶必要に応じて歯根を分割して小さくすることにより，
①アンダーカット（歯根の湾曲，肥大，開大・離開など）の解消
②歯根と骨の境界（＝ヘーベルの挿入部）の明示
③歯根の癒着面積の減少
④歯を動揺，移動させるためのスペースの確保
などの利点がある．

▶分割したあとに小さな分割片や湾曲部が残遺しても，ルートチップピックや長めのバーなどを用いて，後述するようなアプローチを加えれば，容易に抜歯することが可能である．

▶歯の原型を保ったまま抜くことが上手な抜歯ではない．大きいままで抜くことにこだわってはならない．

Point 4　歯は小さくしたほうが抜歯しやすい

歯を分割することの利点．
①アンダーカット（歯根の湾曲，肥大，開大・離開など）の解消
②歯根と骨の境界（＝ヘーベルの挿入部）の明示
③歯根の癒着面積の減少
④歯を動揺，移動させるためのスペースの確保

（4）骨の削除

▶必要に応じ，歯根周囲，歯頸部から根尖までの頬側歯槽骨，根尖部相当部，アンダーカット部などの骨を最小限の範囲で削除する（骨削除法の詳細は後述）．

難抜歯を解決するための補助的外科処置

術前診査により，鉗子やヘーベルを使う前に補助的外科処置が必要と判断したときは，ためらわずにその処置を加える．また，2分間（実は結構長い）同じ操作を続けて状況に進展がなければ，同じ操作を延々と続けないで，後述するつぎの手（補助的処置）をつぎつぎと繰り出していくことが時間短縮のカギである．どこでつぎの処置に移るかの判断が遅れれば，所用時間が延びる．

表2　難抜歯を解決するための補助的外科処置．
①歯冠隣接面の削除（叢生歯，転位歯，歯根湾曲歯）
②歯冠と歯根の分離（意図的残根化）
③被覆歯肉の切除（歯肉縁下残根歯）
④歯肉骨膜弁の剥離挙上（歯肉縁下残根歯）
⑤歯根膜腔に相当するグループ形成
⑥歯根分割（単根，複根とも）
⑦骨削除
　(1)歯根周囲骨
　(2)歯頸部から根尖までの頬側骨
　(3)根尖相当部
⑧歯根全削去

①歯冠隣接面の削除（叢生歯，転位歯，歯根湾曲歯）❼

▶転位歯は，両隣在歯との位置関係から，鉗子での把持や，ヘーベルの使用が困難なことがある．また，鉗子で把持できても，叢生のため両隣在歯にブロックされて，頬舌的に動揺させることができないこともある．

▶このような場合，隣在歯との接触部分を削除（スライスカット）すると，鉗子・ヘーベルの使用が可能になったり，頬舌的に歯冠を動揺させることが可能となる．

▶また，歯根の近遠心的湾曲がある場合，歯根の湾曲がはずれる向きに歯冠を倒す必要があるが，この歯冠を倒すスペースを確保するために，隣接面をカットする．

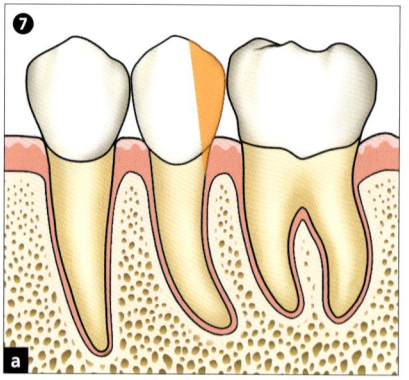

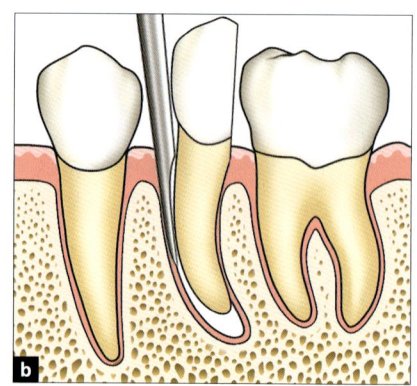

❼歯根湾曲のある歯の隣接面削除．￣5の歯根湾曲を外すためには，歯冠を遠心に倒す必要がある．￣5歯冠遠心部を分割削除してスペースを確保し（a），歯冠を遠心に倒して（b）抜歯する．

②歯冠と歯根の分離（意図的残根化）❽

▶ 複根歯の場合，根分岐部で歯根を分割して単根化を図るとよいが，歯冠長が長い歯冠が残存している場合，根分岐部までの分割距離が遠くて歯根分割が難しいことがある．
▶ そのような場合は，バーで歯頸部を横切して，歯冠と歯根を分離し，意図的に残根化する．この処置により歯根側の断面（髄床底）から歯根分岐部までが近くなり，容易に正確に根を分割することが可能となる．
▶ その他，歯冠がなければ抜歯が容易になるような状況であれば，この方法は有用である．

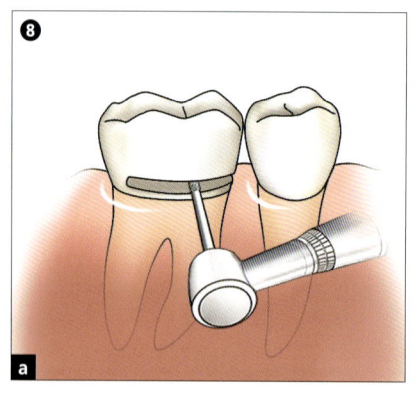

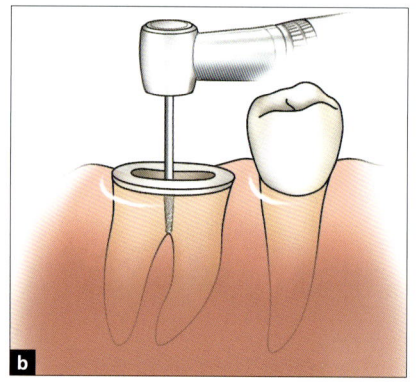

❽歯頸部での歯冠歯根分離（意図的残根化）．
a：歯頸部でカットし，歯冠と歯根を分離．
b：歯冠除去後に歯根を分割．

③被覆歯肉の切除❾

▶ 歯肉縁下残根歯の根面を歯肉が覆っていて，歯根面・歯根膜腔が確認できない場合，面倒くさがらずにメスや電気メスで歯肉を切除し，歯根面，歯根膜腔を明示してヘーベルを使用する．

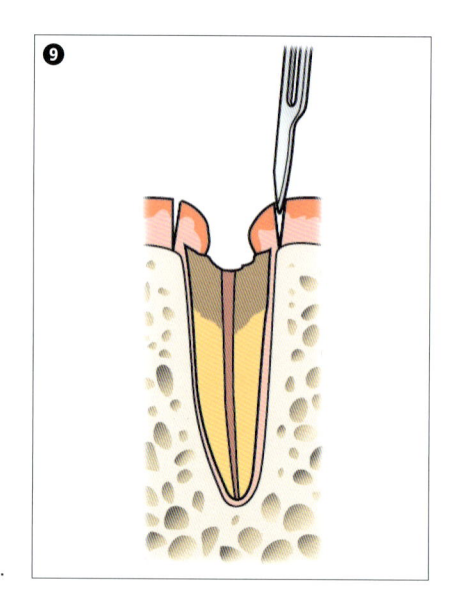

❾被覆歯肉の切除．

④歯肉骨膜弁の剥離挙上❿

▶歯肉縁下の残根歯では，根面や歯根膜腔の明示，歯根周囲骨の露出や削除の目的で歯頸部切開での歯肉骨膜弁の挙上が必要となることがある．

❿根尖部のみの残根の"根切法"による抜歯．歯根端切除術の要領で，根尖部残根を上方へ押し出す．⓱を参照．

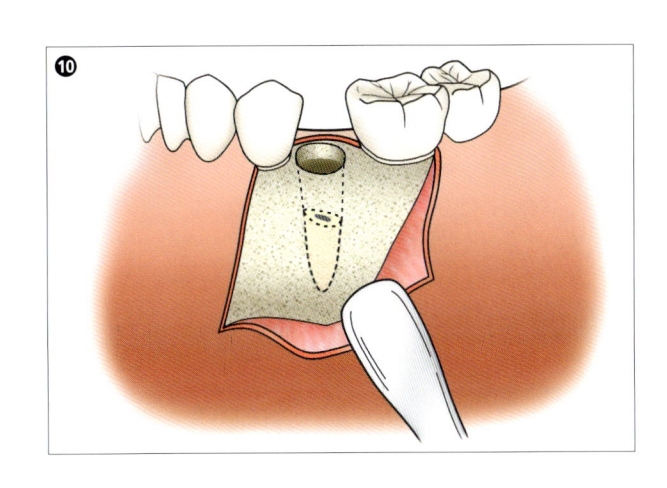

⑤歯根膜腔に相当するグルーブ形成⓫

▶歯根膜腔の狭小化や骨性癒着があってヘーベルが歯根膜腔に入りにくい場合などに，ヘーベルを確実に作用させるために，歯と骨の境目にバーでグルーブを形成する．歯根全周に深く形成すると，骨性癒着部の削去の効果もある．

⓫歯根膜腔に相当するグルーブ形成．確実にヘーベルを歯根と骨の間に挿入するために，バーでグルーブを形成する．骨性癒着部の削去の効果もある．

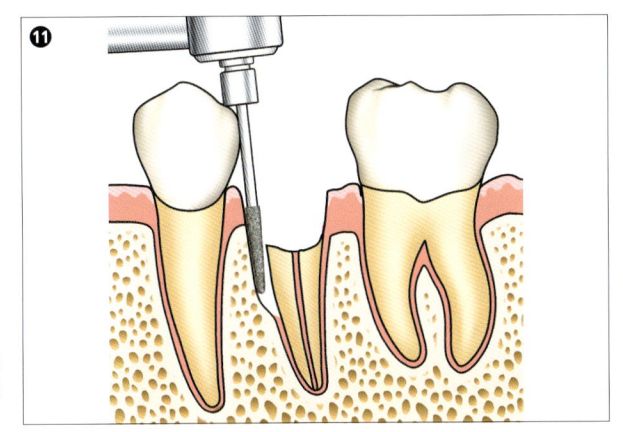

⑥歯根の分割⓬〜⓮

▶大臼歯は歯周病で動揺があれば鉗子で抜歯することが可能であるが，歯周病のない骨植のよい大臼歯の残根歯は，鉗子やヘーベルを使う前に，バーでヘミセクション，トリセクションの要領で歯根分割して単根化する⓬．骨植のよい複根歯は迷わず分割する．

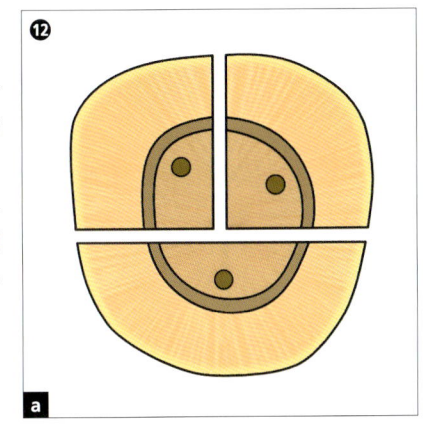

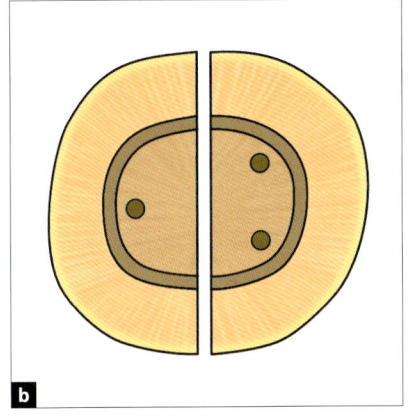

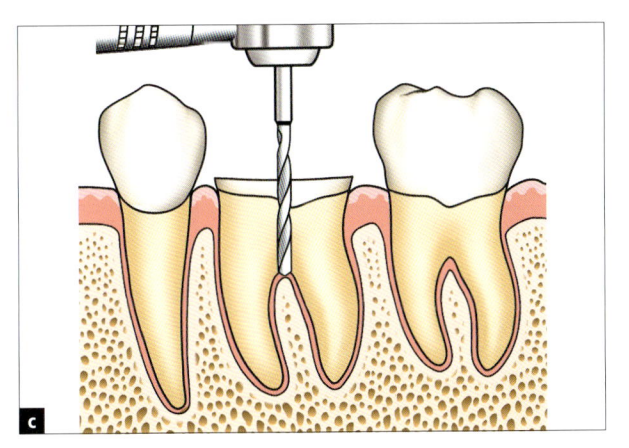

⓬複根歯の歯根分割．
a：上顎大臼歯の分割法．
b：下顎大臼歯の分割法．
c：歯根分岐部で分割し，単根化する．

- ▶また，単根歯であっても，歯根の湾曲・肥大・癒着がある場合は，分割してよい❸．
- ▶教科書的には頰側の隅角部を残すため，頰舌方向にバーを進め，近心側片，遠心側片に分割することが勧められているが，小臼歯の場合には，歯根の形態が頰舌的に2根のことがあるので❹，近遠心方向にバーを進め，頰側片，舌側片に分けるほうがよい．
- ▶単根歯の場合は，まっ2つに分割することにこだわる必要はなく，2片になればよい．分割したそれぞれの分割片で，癒着面積の縮小，アンダーカットの除去，動揺のためのスペースの確保などの効果がある．
- ▶埋伏犬歯など，歯根の長い埋伏歯の抜歯時には，まず歯冠，歯根を分離して，歯根を移動させて"ダルマ落とし"式に歯根を横切しながら除去する❺．

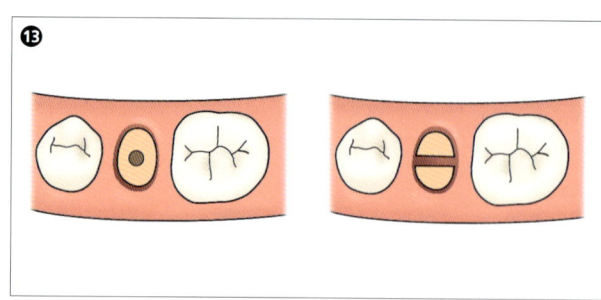

❸単根歯の歯根分割．

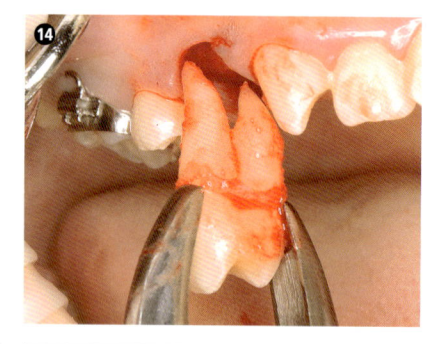

❹2根の第一小臼歯．

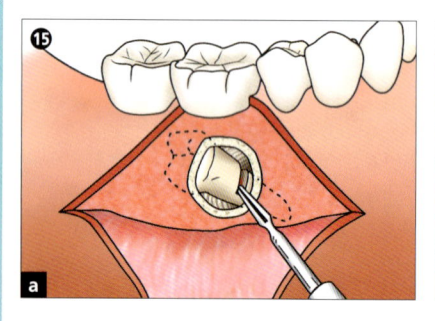

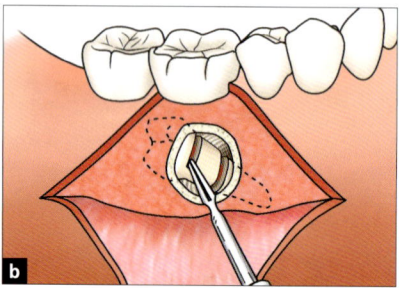

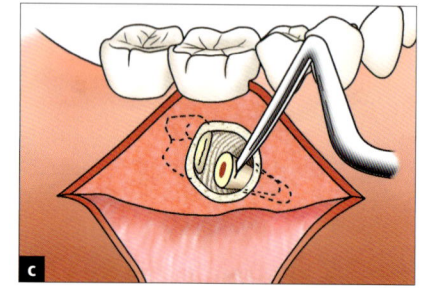

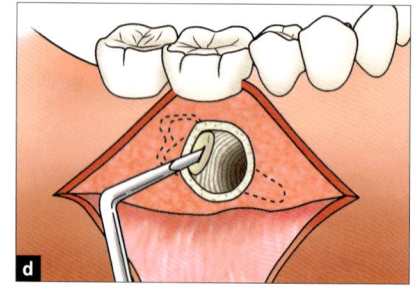

❺埋伏歯の歯根切断による抜歯．歯根を"ダルマ落とし"のようにカットし，小さくして抜歯すると，骨の削除量が少なくて済む．

⑦骨削除

（1）歯根周囲の骨削除❻

- ▶歯根膜腔が狭小化してヘーベルが歯根膜腔に入らない場合や，骨性癒着がある場合，タービンまたは5倍速コントラで歯根と周囲骨の境界部にグルーブを形成する．この処置により，ヘーベルを確実に作用させることが可能となり，また骨性癒着部の削去，歯根が動揺するためのスペースが形成される，などの効果がある．

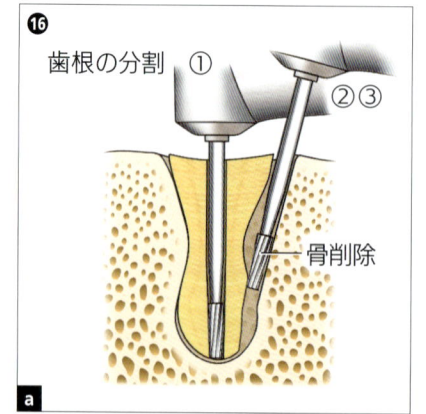

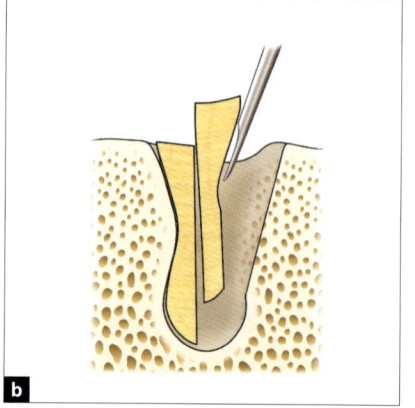

❻歯根肥大歯．歯根肥大歯の抜歯は，①歯根分割，②肥大部の削除，③歯根肥大部より上の骨の削除，などの方法がある．

（2）頬側歯槽骨の骨削除❶

▶ 抜歯する歯の頬側歯槽骨を，歯頸部から根尖部まで縦に削除して，歯根の頬側面を露出させ，歯根を頬側に取り出す❶a, b．歯根の近遠心径と同じ幅で骨削除することを勧める論もあるが，骨削除幅が広いと治癒後に歯槽頂が下がったり，歯肉の頬舌的幅径が小さくなり，審美的な問題が生じやすい．

▶ これを防ぐためには骨削除幅を可及的に狭くする．骨削除幅が小さくスリット状であれば，頬側骨膜がブリッジ状に保たれて抜歯前の状態に近い骨が形成され，歯槽頂の低下，頬舌的幅径の狭小化を防ぐことができる．

▶ この場合，歯根を頬側に取り出すことはせず，骨削除したスリット状のスペース内で，露出した歯根にグルーブを形成し，この部分にヘーベルを当て，マレットでヘーベルを槌打して歯頸部側に押し出して抜歯する❶c．

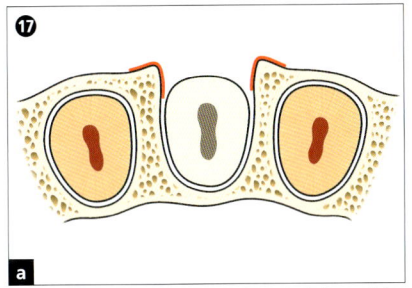

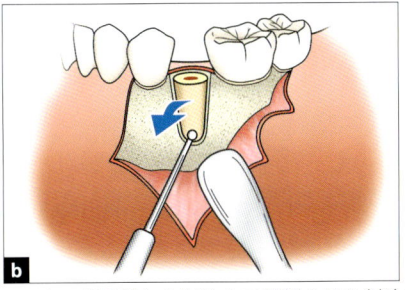

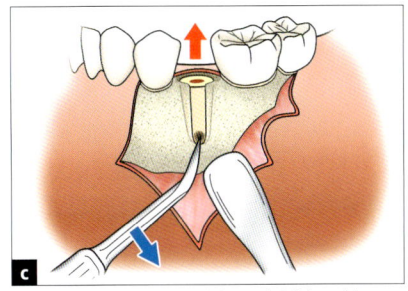

頬側歯槽骨の削除．a：歯根の頬側骨を削除する．b：歯頸部から根尖まで頬側の骨を削除して頬側に出す．c：頬側の骨削除幅を狭くして上方へ押し出す．

（3）根尖部の骨削除（根切法）❶

▶ 根尖部のみが抜歯窩底部に残っている場合，とくに中間欠損の場合などに，歯槽頂からのアプローチで抜歯することが困難なことがある．その際は，歯根端切除術と同様の要領で根尖相当部の頬側骨を開窓し，この開窓孔から根尖を摘出するか，歯槽頂側へ押し出す．

▶ 頬側皮質骨の厚さからみて，上下顎とも小臼歯まではこの処置が可能である．また，上顎大臼歯の頬側根は可能であるが，下顎大臼歯は頬側皮質骨が厚く，下顎骨の頬舌的幅が広いため，根尖への到達が難しい．下顎第一大臼歯の歯根端切除が可能な場合があることを考えると，第一大臼歯までは不可能ではない．

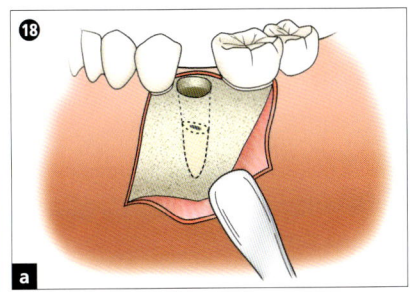

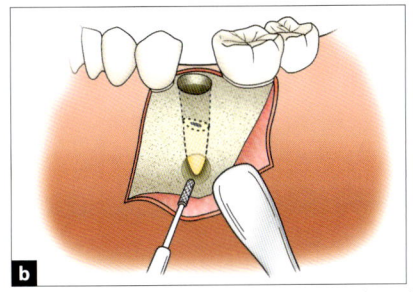

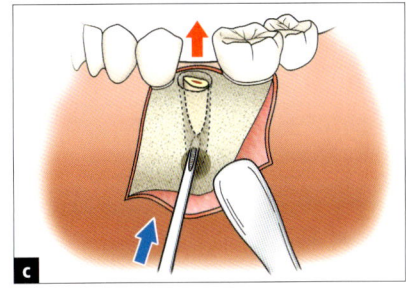

"根切法"による根尖部のみの残根の抜歯．根尖部の骨開窓孔から根尖部残根を上方へ押し出す．

▶ 下顎小臼歯の舌側転位歯の残根は，鉗子での把持が困難で，またヘーベルも使用しにくい．このような歯の歯根は歯列よりも頬側にあることが多いので，CTで歯根の頬舌的位置を確認して，同様のアプローチ（根尖部の頬側皮質骨削除）で抜歯する．歯根をカットして根尖側を除去し，歯根の切断面にヘーベルをあてがい，下方からマレットで槌打して舌側に突き出す❶．

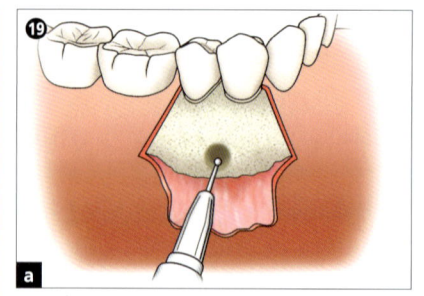

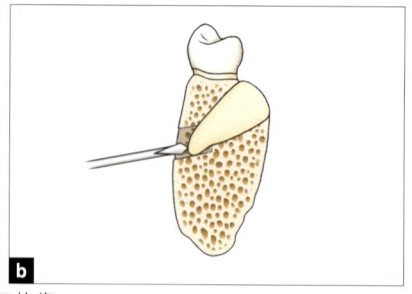

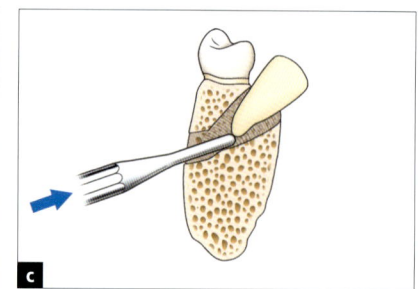

下顎小臼歯の舌側転位歯の"突き出し法"による抜歯．

⑧歯根の全削去⑳

▶骨性癒着が強く歯根と骨の区別がつかない場合や，脱臼歯の再植後の歯根吸収などで，歯根と骨の境目がわかりにくい場合には，歯のみを除去することにこだわらず，歯根をバーで全削去してもよい．

▶本来の歯根径，歯根長よりやや大きめに周囲の歯槽骨を削去する．このとき隣在歯の歯根，下歯槽神経，上顎洞に注意する．

▶一見，乱暴な手技のように思われるかもしれないが，インプラント窩の形成と同様の手技であり，とくに非難される手技ではない．難抜歯の最後の手段である．

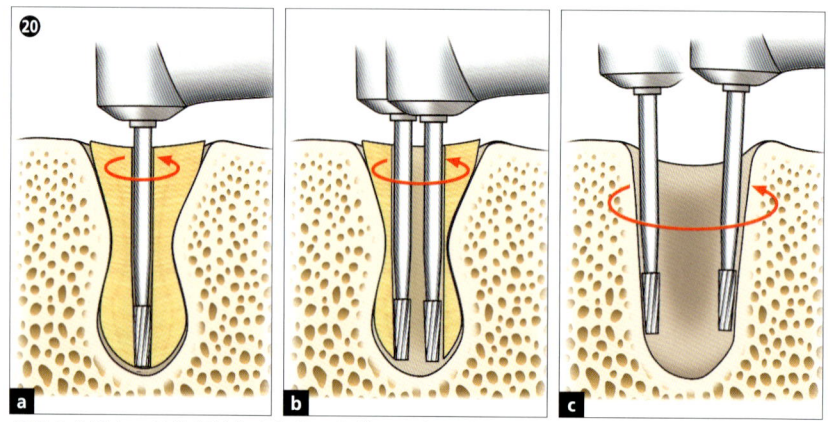

歯根の全削去．骨性癒着歯や歯根と歯槽骨の境界がわからないような歯では，バーで歯根を全削去する．

CHAPTER7
基本手技①
切開・剥離

　この章では手術の基本手技のなかの「切開」と「剥離」に関して，使用する器具の選択，操作法，具体的な手技について述べる．どんなに複雑な手術・大きな手術も基本手技の組み合わせであり，基本手技の習得こそが手術上達の最大のポイントである．難抜歯の場合は，歯肉の切開や剥離・縫合が必要となるため，基本手技を習得しておく必要がある．本章とつぎの章で基本手技をマスターしてほしい．基礎知識を身につけたら，上達のためにはあとはただひたすら実践あるのみである．

切開の基本

①メスの種類と使い分け

▶ 通常ほとんどの切開にNo.15を用いる．
▶ No.11は，尖った先端を使って膿瘍切開時に突き刺すようにして切開する場合や，口唇裂の三角弁の形成などのような小さな切開に用いるのみで，骨の裏打ちのある部分に使うことは少ない．刃部が長いので先端部ばかりに目が行っていると，誤って踵部で口唇や頬粘膜を損傷することがあるので，注意が必要なメスである．
▶ No.12は臼歯の遠心歯頸部などNo.11やNo.15で届きにくい部分や歯肉溝切開に用いる．

❶❷ メスの種類と使い分け．
No.11（尖刃刀）　突き刺して膿瘍切開などに使う．
No.12（弯刃刀）　遠心歯頸部，アンダーカット部などに使う．
No.15（円刃刀）　もっとも多用．ほとんどの切開に用いる．

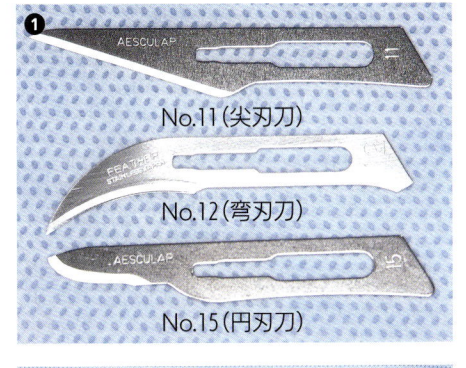

②メスホルダーへのメスのつけ方，はずし方

▶ ピンセットやペアンでメスをつかんでホルダーに着脱する．決して手で持たない❸〜❻．
▶ メスホルダーの先端部の溝に，替え刃メス中央部の中空部分の狭くなった部分を滑り込ませて，セットする．

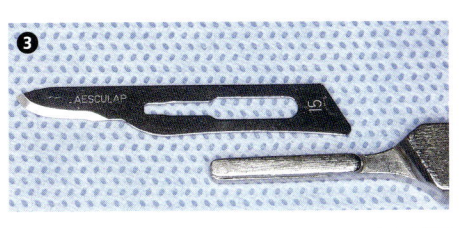

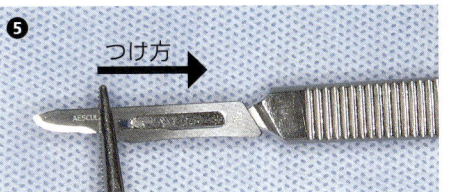

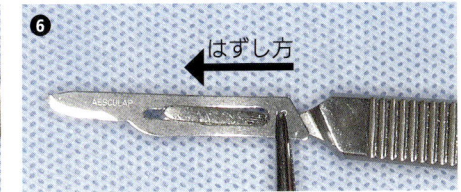

❸〜❻ メスのつけ方，はずし方．

③メスの握り方

▶口腔内の手術はすべて執筆把持法(ペングリップ)で行う．胡弓(バイオリン)把持法や食刀(ナイフ)把持法は，皮膚の長い切開に用いる．

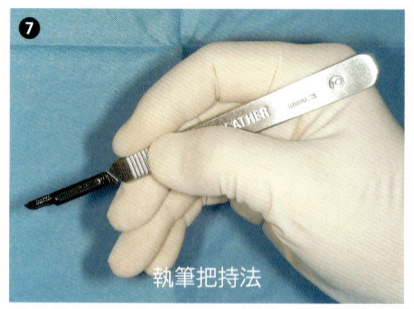

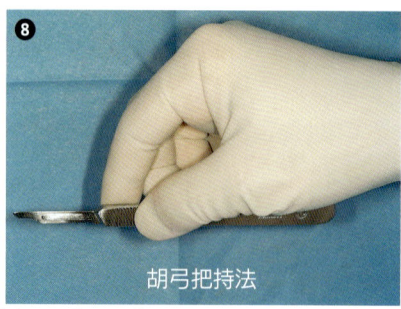

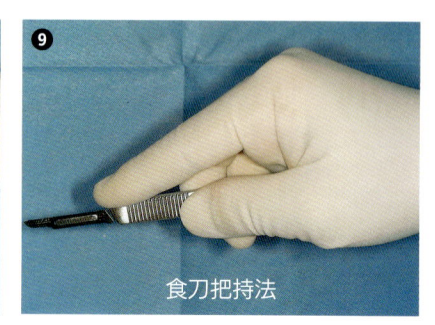

❼ 執筆把持法　❽ 胡弓把持法　❾ 食刀把持法

❼〜❾メスの持ち方．口腔内切開は執筆把持法(ペングリップ)で行う．

④切開線設定の原則

▶切開線設定の原則は，抜歯に限らず口腔外科の小手術や歯周外科手術，インプラント関連手術などすべての手術に共通するので，よく理解しておこう．小手術の際にもっともよく用いられる代表的な2つの切開法❿⓬を取り上げて説明する．

> **Point 1** 切開線設定の原則
>
> （1）血流を考えて基部を広くする❿⓫
> （2）骨欠損部の上に切開線を設定しない⓬
> （3）不潔領域に設定しない(歯間乳頭部は避ける)❿
> （4）縦切開は隅角部に設定する❿
> （5）弧状切開は歯頸部から5mm以上離す⓬
> （6）縫合時に縫いやすいように角やステップをつける⓭
> （7）血管・神経を横断しない⓮
> （8）大きめに設定する
> （9）縫いやすいかどうかも考える

原則1　血流を考えて基部を広くする❿ 1

▶血流は歯肉頬移行部側から歯頸部側に向かっているので，十分な血流を確保するために基部が広い台形にする．これを守らないと歯肉骨膜弁の先端が血流不足に陥って壊死したり，創治癒が遅れたりする⓫．これは歯肉骨膜弁を起こす場合のもっとも重要な原則である．

原則2　骨欠損の上に切開線を設定しない⓬ 1

▶切開線の真下に裏打ちとしての骨がないと，縫合部が動いて不安定になりやすく，また，直下に骨がないため骨面からの血液供給がなく，血流不足になりやすい．歯肉骨膜弁挙上後，骨削除する場合には，手術で生じる骨欠損を見越してそこを避けて切開線を設定する．

原則3　不潔域に設定しない・歯間乳頭部は避ける❿ 2

▶歯間乳頭部には縦切開を設定しない（原則4 後述）．

原則4　縦切開は隅角部に設定する❿ 3

▶歯間乳頭部❿ 2，頬側歯頸部の近遠心的中央部❿ 4には縦切開線を設定しない．歯間乳頭部は，不潔になりやすい位置で，組織が脆弱であり，また縫合時に縫いに

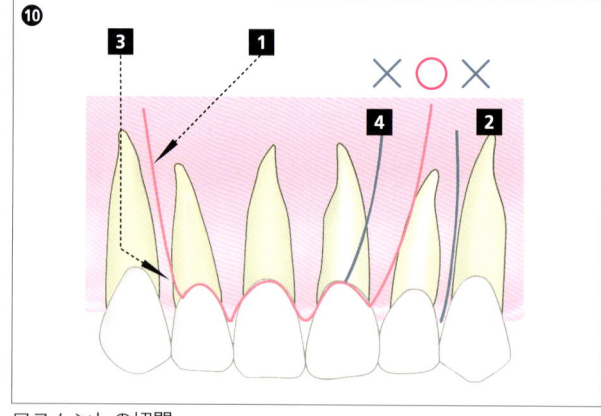

ワスムントの切開．

くいからである．また，頬側の近遠心的中央部は，咬合面からみた場合にはもっとも頬側に突出している部分であり，唇側からみた場合にはもっとも歯頸線が下がった部分であるため，刺激をうけて退縮しやすいからである．誤ったブラッシングによる歯肉の退縮が，唇側の近遠心的中央部でもっとも強いことを考えれば，理解しやすい．

❶

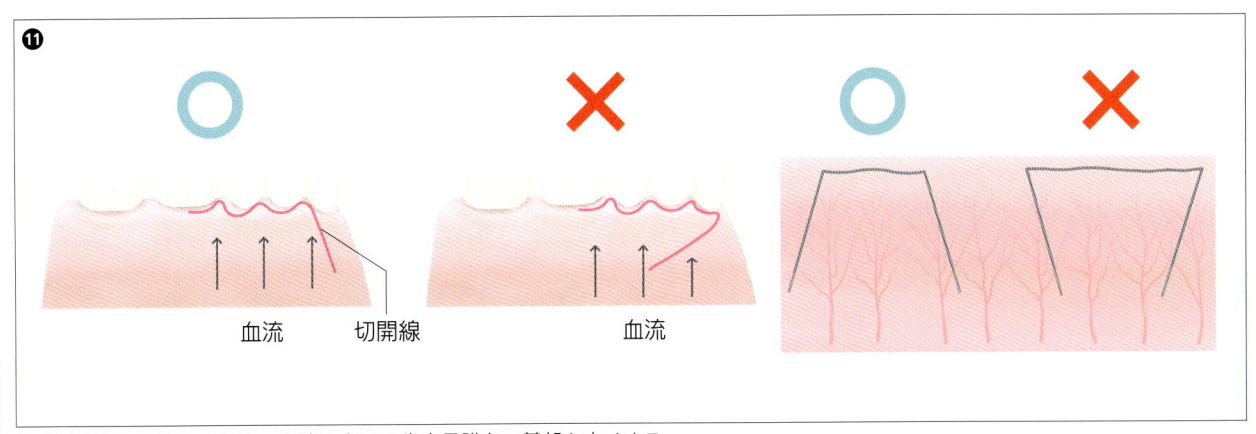

歯肉の血流と切開線の設定．血流を考えて歯肉骨膜弁の基部を広くする．

原則5 弧状切開（パルチの切開）は歯頸部から5mm以上離す ❷ ❷

▶ 歯肉に弧状切開を加える場合，歯頸部側の歯肉の血行と縫合のしやすさを考えて，歯頸部から5mm以上離して設定する．縫合が上手になれば3mm程度まで可．

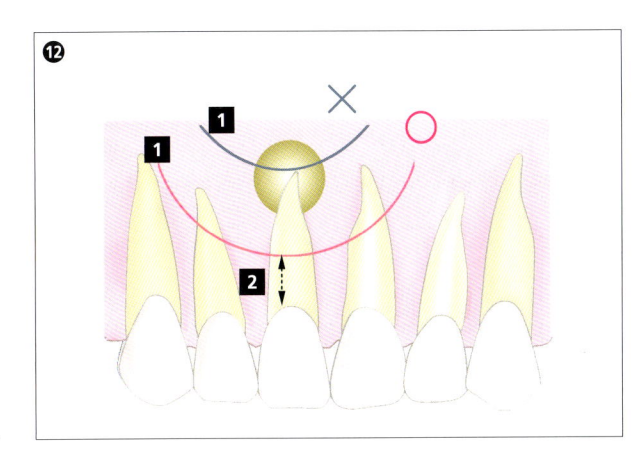

❷パルチの切開．

原則6 縫合のときに歯肉骨膜弁を正確に元に戻しやすいように，角やステップをつける ❸

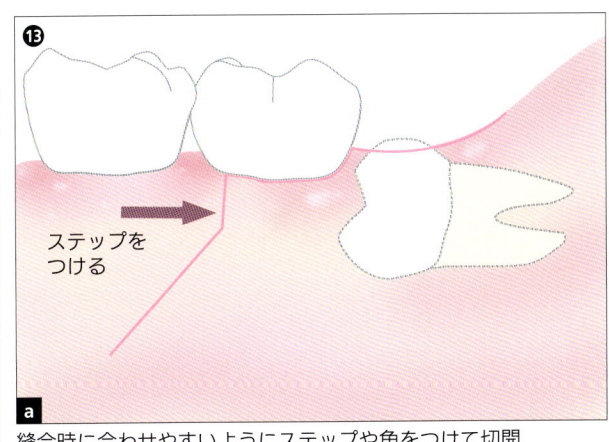

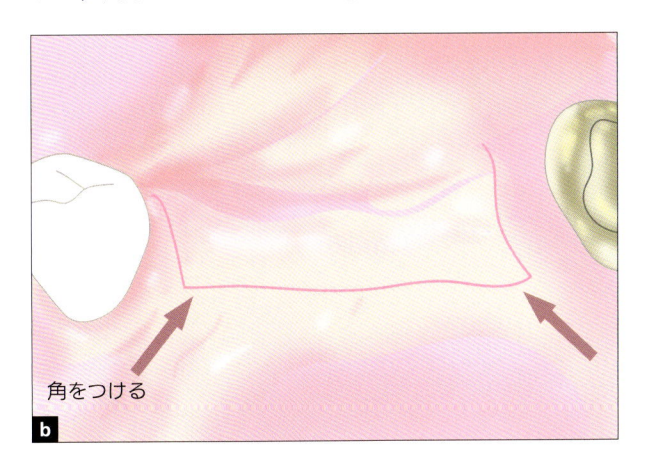

縫合時に合わせやすいようにステップや角をつけて切開．

第7章

原則7　血管・神経を横断しない⓮
▶歯肉骨膜弁挙上の際には縦切開を加えるが，膿瘍切開の切開線は歯列に平行に設定する．その理由は，①血管や神経，唾液腺管などを横切しないため，②縦方向では切開線を延長にする場合に限界があるため，である．

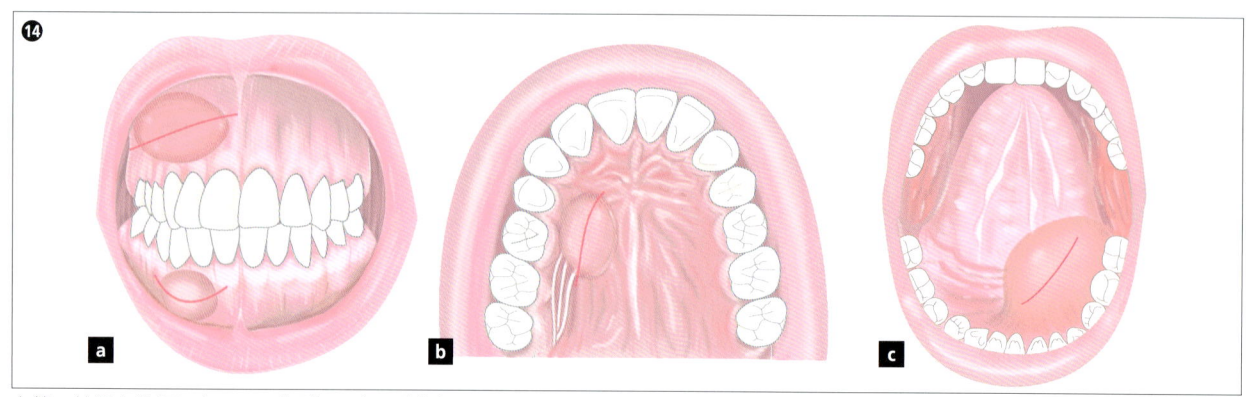

⓮

血管・神経を横切しないで，歯列に平行に（膿瘍の切開）．**a**：歯槽膿瘍の切開は歯列に平行．**b**：口蓋膿瘍の切開は大口蓋動脈・神経を横切しないために歯列に平行．**c**：口底膿瘍の切開は，ワルトン管を横切しないために歯列に平行．

原則8　縫いやすいかどうかも考える
▶切開はできても持針器が入りにくく縫合ができないような部位もあるので，縫合ができるかどうかも考えて設定する．

原則9　大きめに設定する
▶創を小さくして侵襲を小さくすることは大切だが，小さすぎて手術しにくくて時間が長くなったり，術中に周囲の軟組織を損傷するようでは，かえって侵襲が大きくなる．慣れないうちはやや切開を大きめに設定して，上手になるにしたがって小さくしていく．

切開の実際

①不動粘膜部から可動粘膜部へ向けて切開する

▶可動粘膜部から切開し始めると，メスの刃と一緒に粘膜が動いてきれいな切開線になりにくいので，不動部（歯頸部）から可動部（歯肉頰移行部）へ向かって切開する．

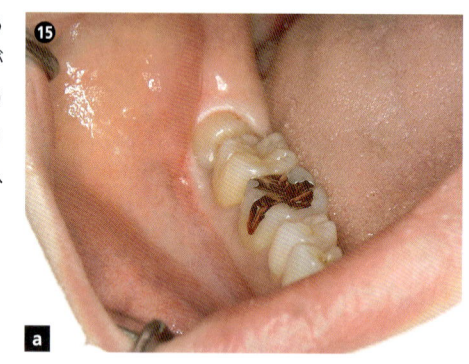

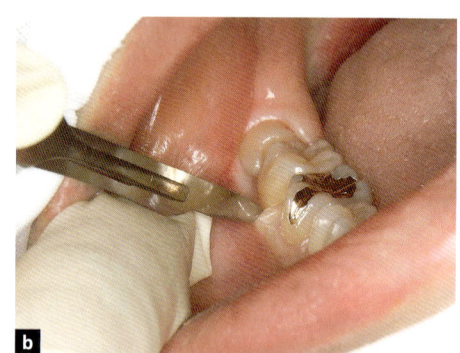

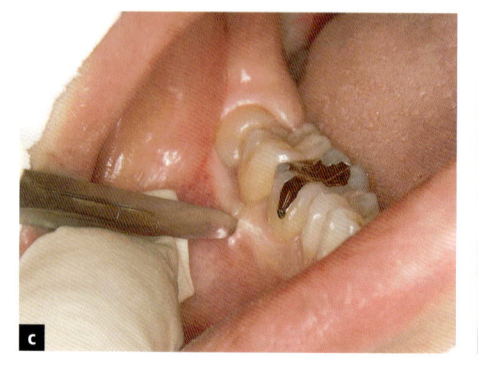

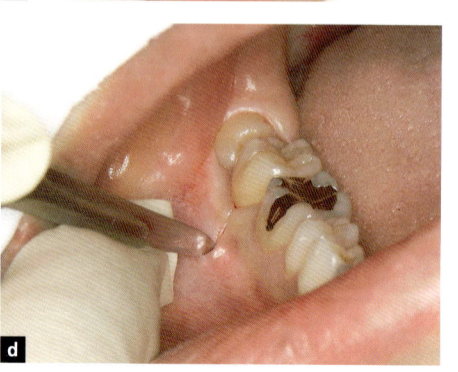

⓯歯肉の縦切開の例．
不動粘膜（歯頸部）から可動粘膜（歯肉頰移行部）へ向けて，切開する．切開の開始部が固定されているので，きれいな切開創になる．

64

基本手技① 切開・剥離　第7章

②可動粘膜部から切開を開始する場合は テンションを加えて粘膜を固定し 緊張させる

▶部位的にやむをえず可動粘膜部から切開を始めなければならないときには，反対側の手で粘膜の切開方向とは逆方向に力を加え，粘膜を緊張させて固定する．粘膜を固定しておかないと，メスと一緒に粘膜が動いてきれいな切開線にならない．

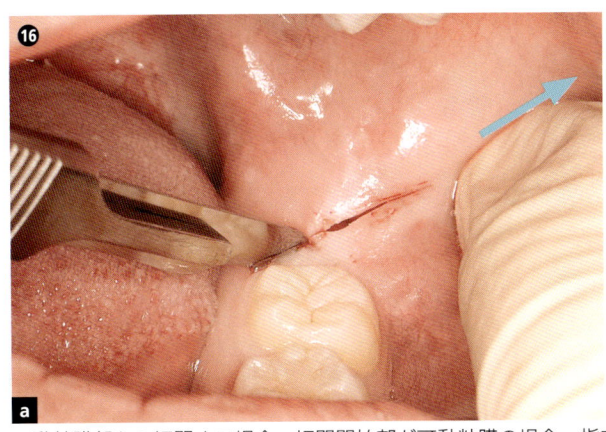

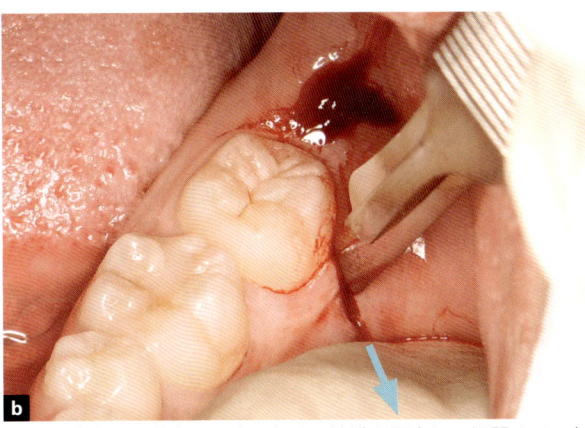

⓰

可動粘膜部から切開する場合，切開開始部が可動粘膜の場合，指で粘膜に切開方向とは逆向きの力をかけて粘膜を固定して切開する．矢印の向きが，指で加える力の向き．

③メスの角度は粘膜に対して 直角

▶メスが粘膜に直角に入らないと，表面に薄くて血流が悪い部分が生じる．この部分は治癒が遅れやすい．

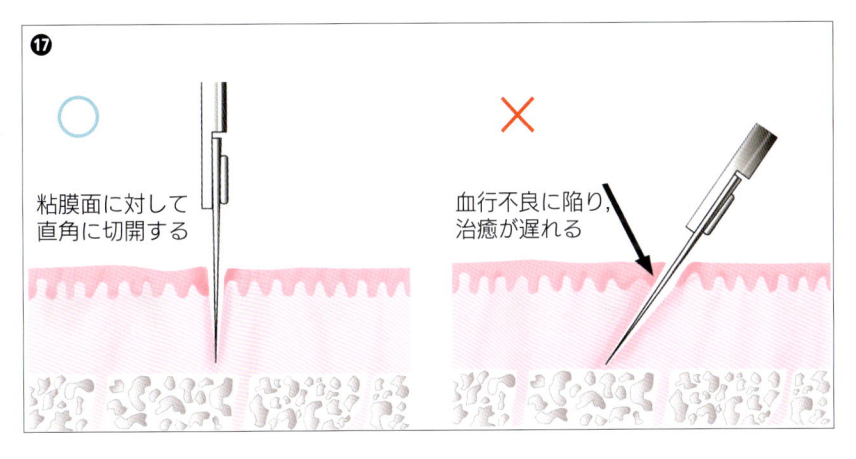

⓱メスの角度．

④円刃刀は寝かせて腹で切る
⑤引いて切る．原則的には 押し切りはしない

▶No.15は，先端部を使って切るメスではない．メスを少し寝かせて丸くカーブした部分（メスの腹とよばれる）を使って引いて切開する⓲．

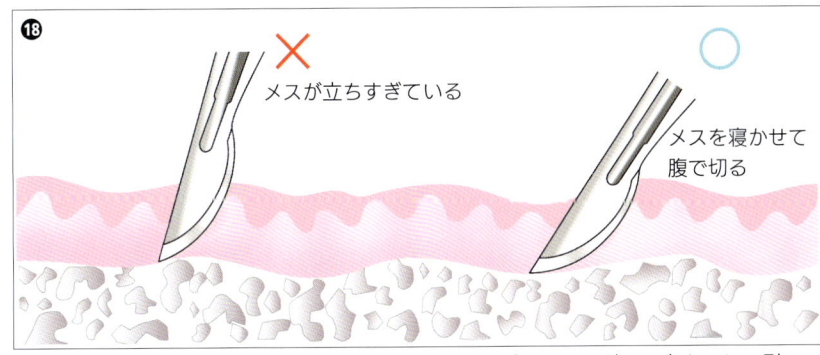

メスの刃部を上向きに使って押し切りすることもあるが，できるだけ下向きにして引いて切る．

⑥刃先を骨に押しつけ過ぎない

▶メス先に力を入れ過ぎない．力を入れて刃先を骨に押しつけると，滑って思わぬ事故につながる．

65

⑦レストをとって，メスの腹で骨面をなぞるようにゆっくりと，正確に切開する

▶歯肉を歯頸部から歯肉頰移行部へ切り下げる場合，メスが滑って想定以上に大きな切開線になったり，頰粘膜を損傷したりすることがある．メスの下側にレストをとって滑らないように動きをコントロールする．切開が速いから上手というものではない．ゆっくりと正確に切開する．

⓳レスト（矢印）の取り方．レストをとってゆっくりと引いて切る．

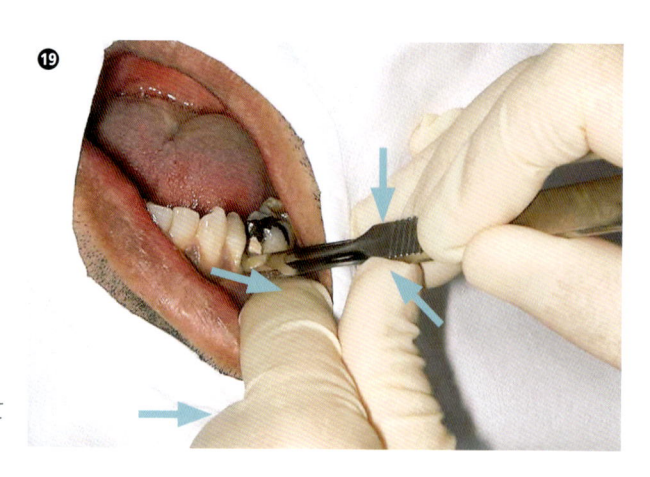

⑧端は立てて，中は寝かせて，また端は立てる

▶軟組織が厚い場合，メスを寝かせたままで切開すると，切開線の両端の深い部分が斜めになって切開が浅くなりやすいので注意する．切開の両端（開始と終了）の部分でメスを立てる．これは外科一般の基本であり，狭い口腔内の小手術ではあまり考えなくてもよい．

⓴メスの角度と動かし方．厚い軟組織の長い創は，端は立てて，中は寝かせて，また端は立てる（イラスト上部）．メスを寝かせたままでは（イラスト下部），粘膜表面の切開と骨膜切開の位置が異なり，粘膜切開の範囲より狭い骨膜切開になる．

⓴ メスを寝かせて入れると端は斜めになりやすいので注意　立てて切り始める　寝かせて引いて切る　メスを引きながら寝かせたままで終わると端は斜めになりやすいので注意　メスを立てて終わる

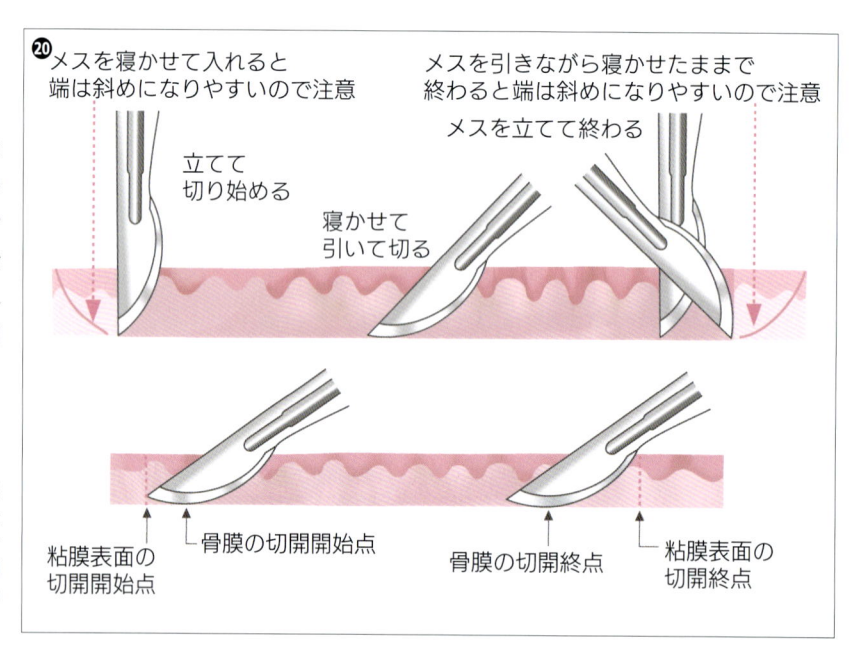

粘膜表面の切開開始点　骨膜の切開開始点　骨膜の切開終点　粘膜表面の切開終点

⑨薄い組織は骨膜まで一気に，厚い組織は2度切りでも可

▶下顎の臼後部など軟組織が厚い部分は2度切りしてもよいが，その際は最深部で切り足して切開線が1本になるようにする．
▶㉑右のように深部に何本も切開線が入ると，組織の損傷が大きく，治癒が遅れる．

㉑ 何本も切開線が加わると組織の損傷が大きい

組織が薄い場合　　組織が厚い場合のよくない切開

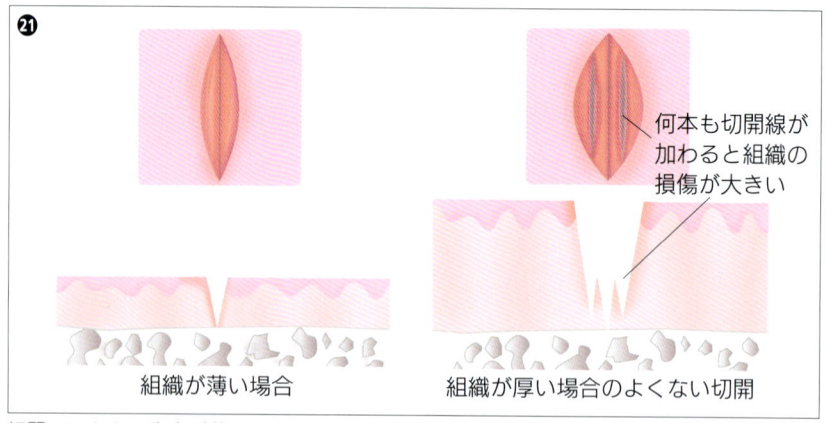

切開のしかた．歯肉が薄い場合は，一気に骨膜まで．軟組織が厚いときは，最深部で2度切りしてもよいが，最深部で切り足ししないと，組織の損傷が大きい．

⑩歯肉頰移行部を超えないほうが腫脹が軽い（オトガイ神経損傷回避，腫脹軽減）

▶歯肉頰移行部を大きく超えると，可動粘膜部の腫張が強く出やすい．また，下顎小臼歯部では，オトガイ神経損傷の危険性もある．

基本手技① 切開・剥離　第7章

⑪きちんと骨膜までメスで切開する

▶骨膜までメスで切開できておらず，剥離子で骨膜を引きちぎったり，破ったりして剥離を始めていることが多い．骨膜のダメージは，腫脹・疼痛・出血・創の治癒のすべての点でマイナスである．

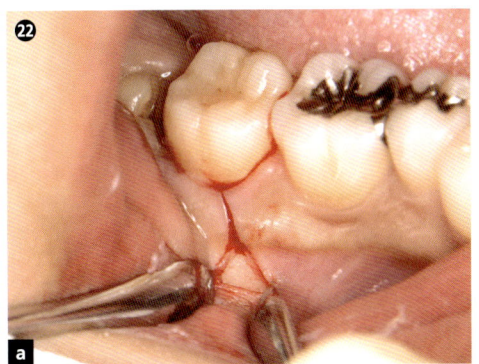

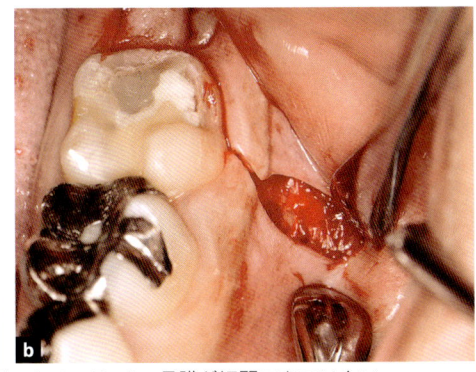

❷

きちんと骨膜までメスで切開する．**a**：骨膜まで切開できている．**b**：骨膜が切開できていない

剥離の基本と実際

①上手な剥離のポイント

（1）骨膜の付着が緩いところから開始する

▶歯肉頰移行部の可動粘膜部は，骨と骨膜の結合が緩く剥離しやすいので，剥離はここから始めると，骨膜損傷の少ない切開になる❷❷．

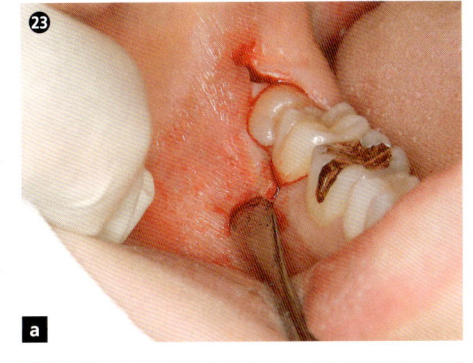

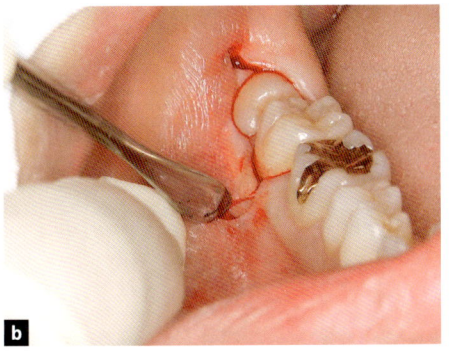

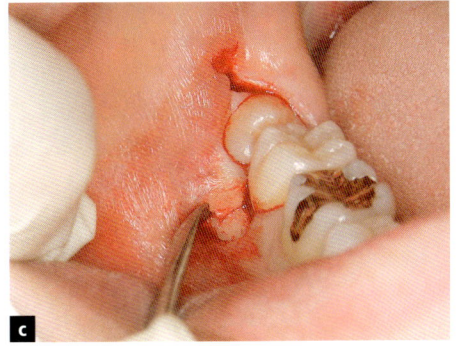

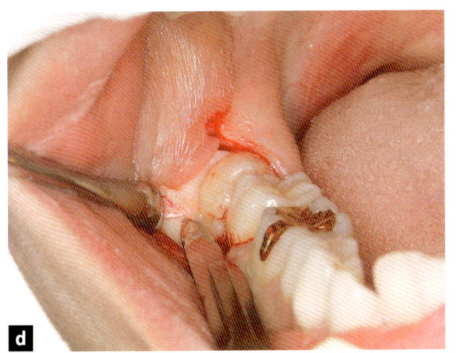

❷歯肉骨膜弁の挙上は，歯肉頰移行部から．

補足　剥離の開始部位はどこか

▶縦切開の剥離の開始部位については，多くの書籍・雑誌に，「剥離は歯肉の縦切開では歯頸部から，または，組織が厚く緻密な部分から開始する」とか「縦切開と水平切開の交わる角から剥離を開始する」と記載されている．しかし，そのような部分は骨膜や環状靱帯の付着が強く，また組織が硬いために，剥離の開始が困難で，歯肉骨膜弁の辺縁が傷みやすい．切開線の交わる角部はとくに組織が傷みやすい．

▶したがって，付着が強く，縫合時にも歯肉骨膜弁の位置決めに重要な部分である歯頸部または角部から剥離を開始しないほうがよい．歯が欠損した大臼歯部の歯槽頂切開部から剥離を開始する場合，歯肉が厚くて硬く，抜歯窩に癒着しているので非常に剥離が難しいことをよく経験する．このような場合も縦切開の歯肉頰移行部側から剥離して歯槽頂に上がっていけば，剥離が容易で，歯槽頂の歯肉は傷まない．

67

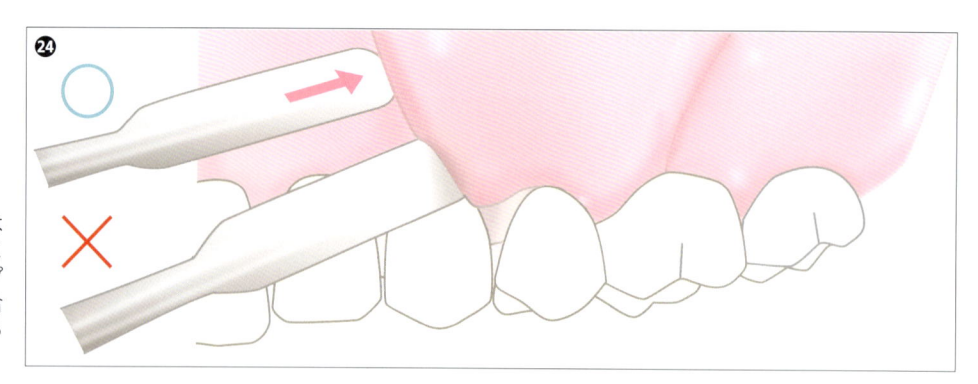

第7章

❷❹剥離の開始部位．歯頸部は環状靭帯の付着が強く，ここから剥離を始めるとフラップの角部分が痛みやすく，縫合したときにきれいに合わせることが難しくなる．

（2）剥離子の湾曲した先端を骨側に向けて剥離する（剥離子の先端の向きに注意）

▶正しい剥離子の向き，使い方は，湾曲した先端部を骨面に押しつけて，骨表面をこそぐようにして骨膜を剥離する❷❺❷❻．絶えず剥離子の先端で骨を触りながら剥離する．骨面から骨膜や囊胞壁などを引きはがしたり，引き上げるのではなく，押しはがす，押し上げる感じで剥離する❷❼．

（3）歯肉が厚く硬くて歯肉骨膜弁を起こしにくい場合

▶剥離子の先端を骨膜下に入れた状態で，先端を骨に対する支点にして，剥離子の先端とは逆側を上に持ち上げて，テコの作用で歯肉骨膜弁を剥離，挙上する．

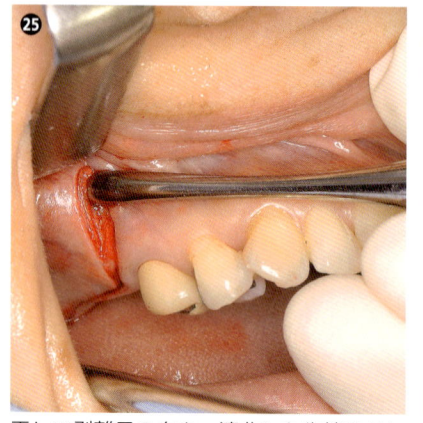

❷❺正しい剥離子の向き．湾曲した先端を骨に向けて用いる．

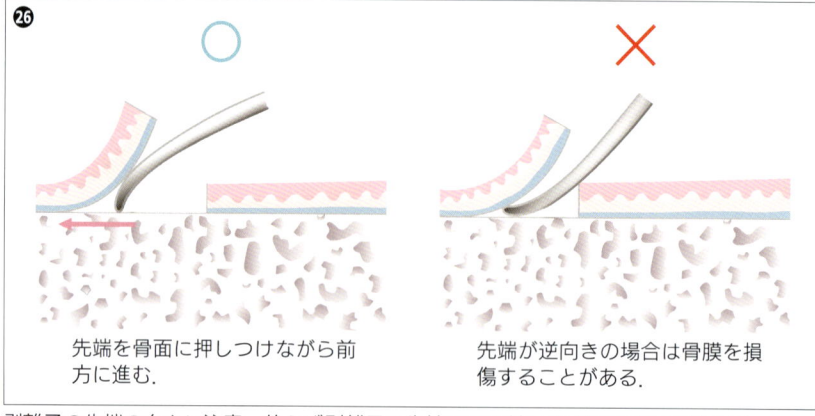

❷❻剥離子の先端の向きに注意．絶えず剥離子の先端で骨を触りながら剥離子を進める．

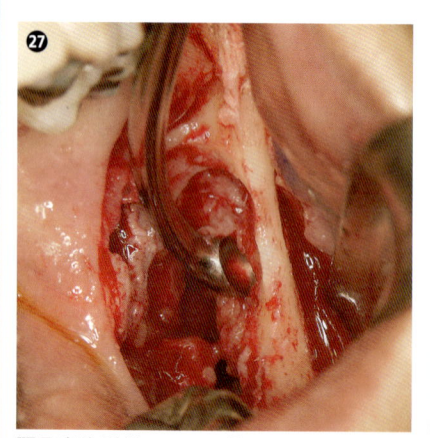

先端を骨面に押しつけながら前方に進む．

先端が逆向きの場合は骨膜を損傷することがある．

❷❼顎骨囊胞剥離の正しい鋭匙の向き．鋭匙は先端の刃部を骨面に向けて剥離する．

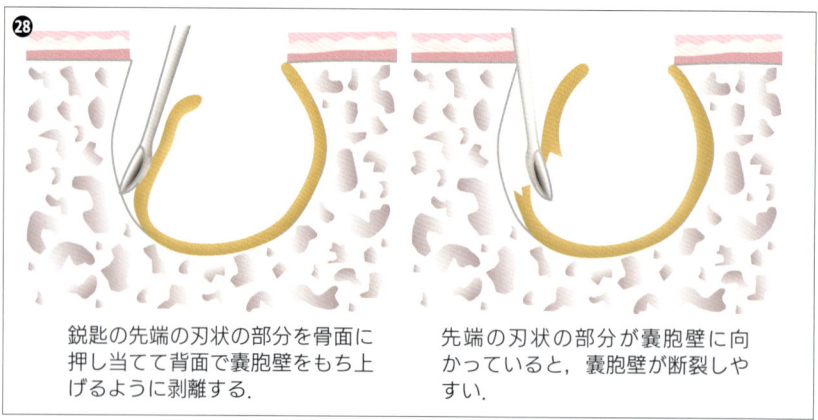

❷❽鋭匙の先端の向きに絶えず注意．鋭匙の先端で骨を触りながら剥離．逆向きに使うと囊胞壁が断裂しやすい．

鋭匙の先端の刃状の部分を骨面に押し当てて背面で囊胞壁をもち上げるように剥離する．

先端の刃状の部分が囊胞壁に向かっていると，囊胞壁が断裂しやすい．

（4）歯頸部はメスで環状靱帯を切離する

▶歯肉骨膜弁を起こす際に，付着の強い環状靱帯部分は，メスを骨面に平行に寝かせて骨面に沿って滑らせて切離する㉙．剥離子で引きちぎらない．

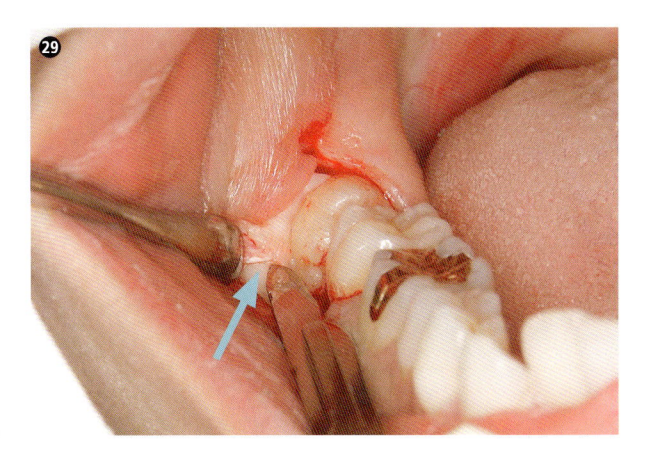

㉙環状靱帯（矢印）はメスを寝かせて骨面に沿って滑らせて切離する．

②剥離法の種類

（1）剥離子で剥離㉚
（2）ツッペルで剥離㉛㉜

▶ツッペルとは，剥離の際に用いる小さく巻き込んだガーゼの小塊．鉗子でつかんで骨面をこするようにして剥離する．軟らかく均一な圧で鈍的に組織を剥離することができる．

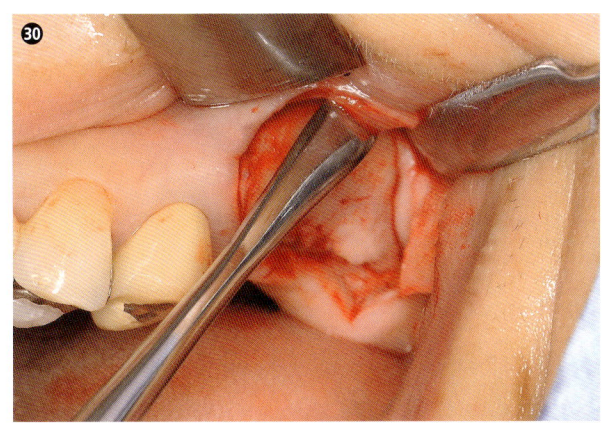

剥離子での剥離．

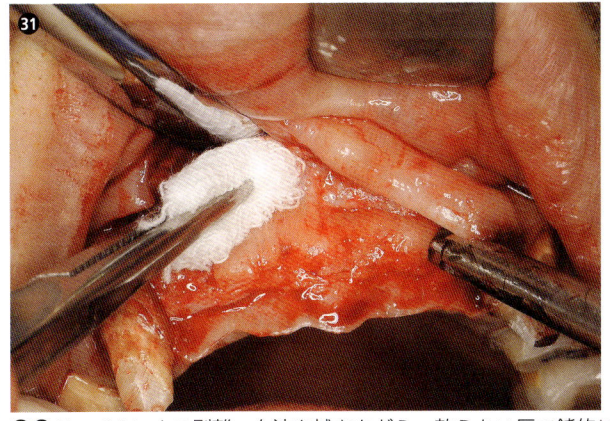

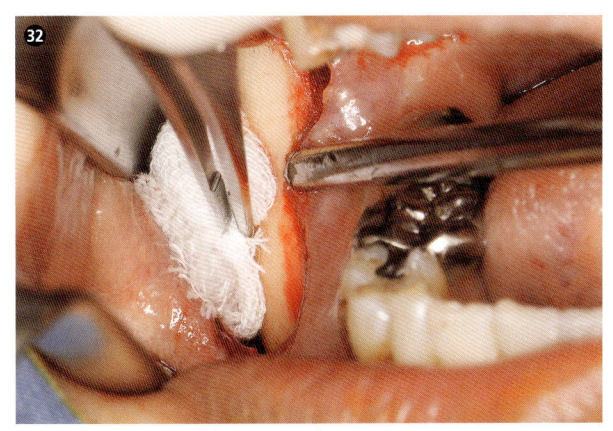

㉛㉜ツッペルによる剥離．血液を拭きながら，軟らかい圧で鈍的に，広い範囲を効率よく剥離することができる．

CHAPTER8
基本手技②
縫合・結紮・抜糸

　基本手技のなかでは縫合を苦手とする歯科医師が多い．切開して歯肉骨膜弁を挙上すれば手際よく抜歯できるのに，縫合が苦手なので切開をしないですまそうとしているようである．縫合が苦手な理由は，縫合針の選択や持針器の使い方，糸の結び方などの基本をきちんと習っていないからではないかと思われる．縫合は手術の最後のステップで，創の治癒に大きな影響がある．本章でポイントを学んで，繰り返し練習して苦手意識をなくしてしまおう．ポイントを学んだら，ただひたすら繰り返し練習するしかない．

縫合に用いる器具・材料

縫合には，持針器，縫合針，縫合糸，ピンセット，糸切り用はさみを用いる．

縫合針の種類と使い分け

縫合針は，形状，断面の形態，糸を通す穴の有無によって種類がある．

①形状

▶まっすぐな「直針」と，曲がった「湾針(わんしん)」に大別される❶．一般的には湾針が用いられる．直針は，歯間乳頭部を頬側から舌側に貫通させて縫合するときに用いる❶b．

▶湾針の湾曲の程度に種類がある(強湾針，弱湾針❷)．弱湾(3／8)の針もよく使われているようだが，口腔内の

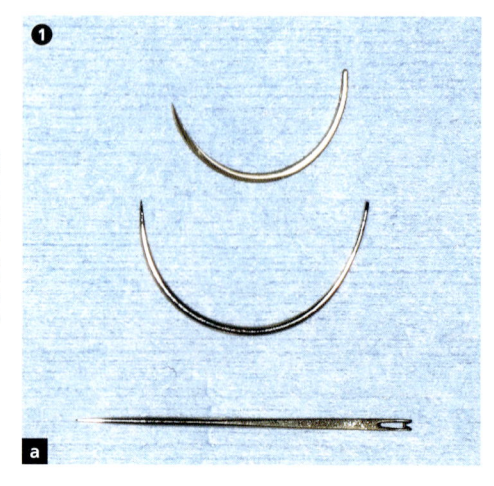

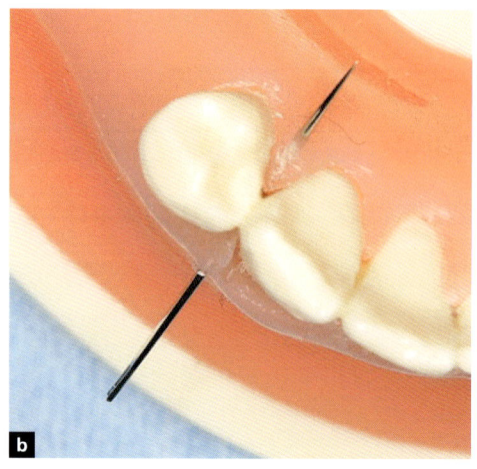

❶
a：縫合針の形態による種類と大きさ．縫合する部位やスペースにより縫合針の大きさを選ぶことも，上手に縫合するポイント．口腔内では，歯間乳頭部を頬舌的に縫合する場合は，大きいサイズの湾針か直針が縫いやすい．
上：湾針(1号)
中央：湾針(3号)
下：直針
b：直針の使い方．

❷

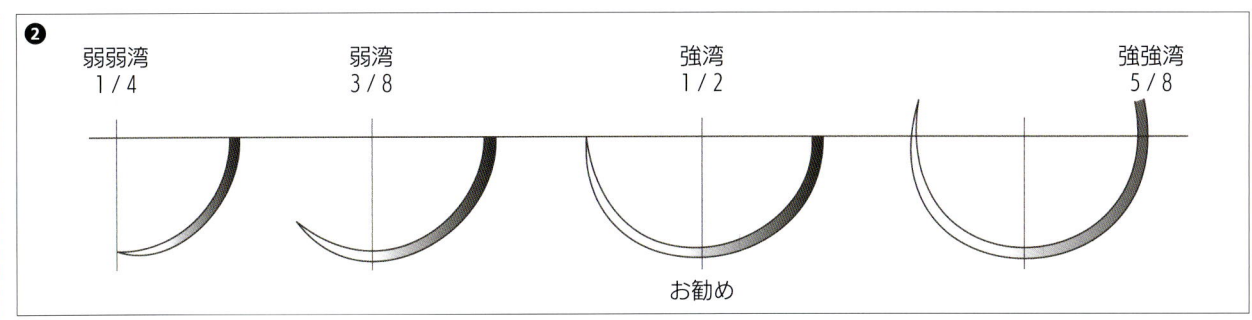

弱弱湾	弱湾	強湾	強強湾
1／4	3／8	1／2	5／8

お勧め

縫合針の湾曲の種類．創部に合わせて縫いやすい針を選択する．

- 縫合では強湾（1／2）がもっとも縫いやすい．
▶ 各湾曲ごとに針の大きさの大小がある❶aので，部位とスペースに応じて縫合針の大きさを選択することも上手に縫合するポイントである．

②断面の形態

▶ 先端部の断面の形によって，円形の「丸針」と，三角形の「角針」とに分けられる❸．
▶ 丸針は組織を損傷しにくいので，薄くて脆弱な組織（頰粘膜，口唇粘膜など）の縫合に用いる．
▶ 角針は三角形の頂点で組織が切れるので，口蓋粘膜や付着歯肉などの硬くて厚い組織を縫合する場合に用いる．
▶ 角針には「三角針」と「逆三角針」がある❹．

▶「三角針」は針の湾曲の内側に頂点（角）があり，ここで組織が切れるため，糸を締めたときにそのまま組織が切れてしまいやすいので，あまり用いられない．
▶ これに対して「逆三角針」では針の湾曲の内側が平坦になっているために，糸を締める向きには組織が切れにくいので，「逆三角針」を用いるほうがよい❹．

❸

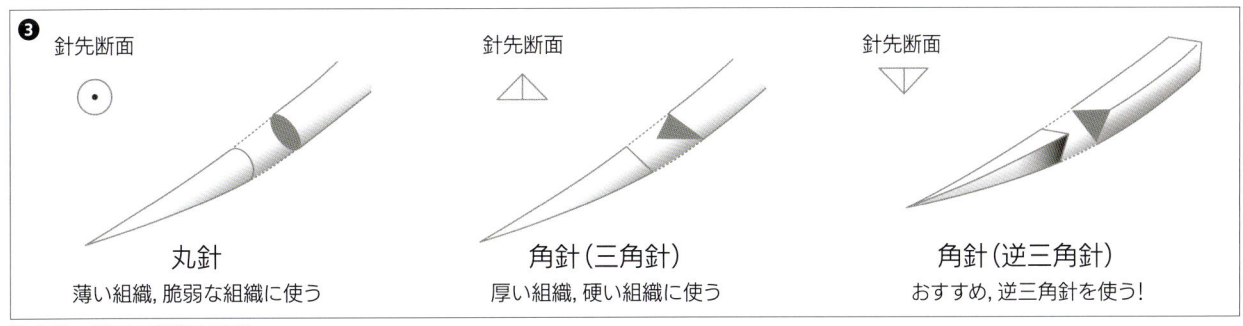

針先断面　　　　　針先断面　　　　　針先断面

丸針　　　　　　角針（三角針）　　　角針（逆三角針）
薄い組織，脆弱な組織に使う　厚い組織，硬い組織に使う　おすすめ，逆三角針を使う！

縫合針の断面の種類と特徴．

❹

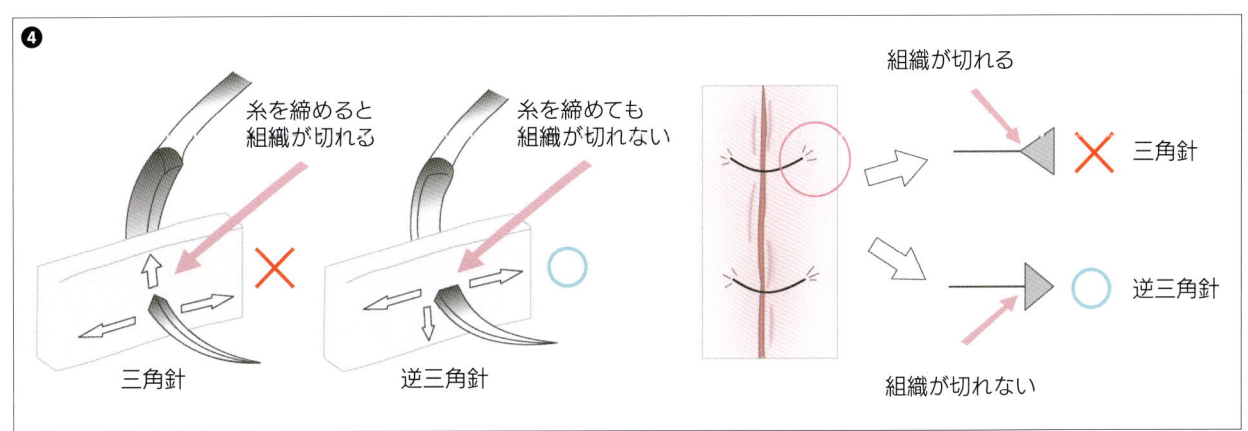

糸を締めると組織が切れる　糸を締めても組織が切れない　　組織が切れる

三角針　　　　逆三角針　　　　　　　　　　　×　三角針

　　　　　　　　　　　　　　　　　　　　　　〇　逆三角針
　　　　　　　　　　　　　　　　　　　組織が切れない

「三角針」では糸を締めたときに組織が切れやすい．

③弾機孔の有無

▶針と縫合糸の関係で，針の後端に糸を通す穴（弾機孔）があるものと，針と糸がつながっているもの（無傷針，糸つき針❺）がある．弾機孔付きの針は，縫合のたびに針に糸を通す必要がある．糸つき針はその必要はないが，糸を締める操作（結紮　けっさつ）は，器械結び（後述81ページ参照）で行う．

❺弾機孔の有無による種類．左端は弾機孔に糸を通して縫う針．右2つは糸付きの針（無傷針，糸付き針）．

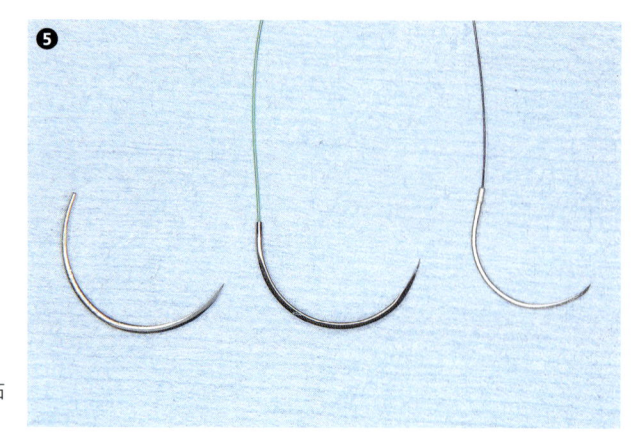

縫合糸の種類と使い分け

①種類

▶縫合糸の種類の分類に，
（1）吸収性か，非吸収性か
（2）天然糸か，合成糸か
（3）単一線維（モノフィラメント＝1本の繊維）か，複数繊維（ポリフィラメント＝複数の繊維を編んだり，撚ったりして，1本の糸にしたもの）か
の3つがある（表1）．

▶吸収性縫合糸は，数か月で組織の中で吸収されてなくなるので，抜糸は不要であるが，非吸収性縫合糸は吸収されずに残るので，抜糸が必要である．

▶また，素材により天然素材と合成素材に分類され，線維の数により，1本のモノフィラメント（単一糸）と複数の線維からなるポリフィラメント（編み糸，撚り糸）に分類される❻．

表1　縫合糸の種類．

吸収	吸収性	カットグート，PGA（ポリグリコール酸：デキソン®）PDS（ポリジオキサノン：バイクリル®）
	非吸収性	絹糸，ナイロン糸
素材	天然	絹糸，カットグート
	合成	ナイロン，PGA，PDS など
繊維❼	モノフィラメント	ナイロン，PGA，PDS など
	ポリフィラメント	絹糸

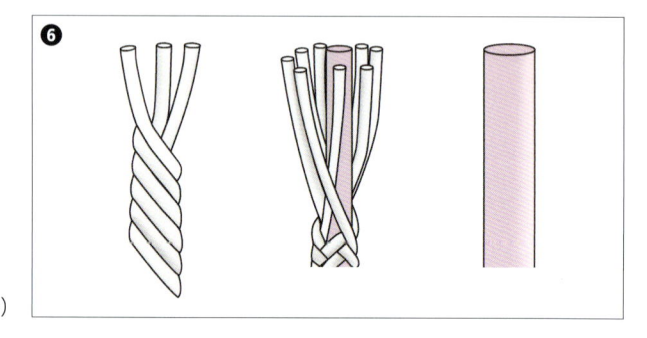

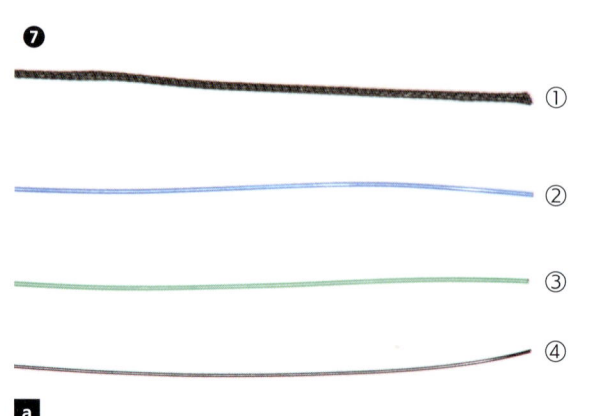

❻
①撚り糸（ポリフィラメント）
②編み糸（ポリフィラメント）
③単一繊維（モノフィラメント）

▶よく用いられるものは絹糸（非吸収性，天然素材，撚り糸）とナイロン（非吸収性，合成素材，単一糸）である．

▶糸の太さには，1-0（イチゼロ），2-0（ニゼロ），3-0（サンゼロ）と番号がついており，前の数字が大きくなるにつれて糸は順番に細くなる❼．

❼糸の種類と大きさ．
①絹糸（3-0）
②ナイロン糸（4-0）
③ストレッチナイロン糸（4-0）
④ナイロン糸（5-0）

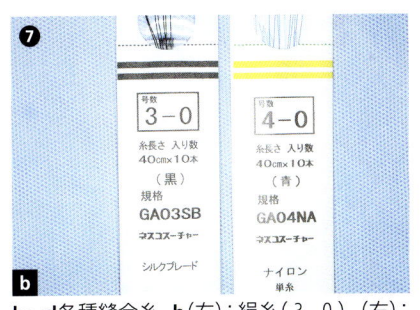

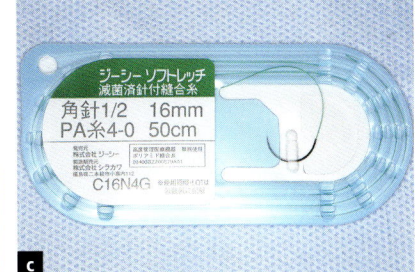

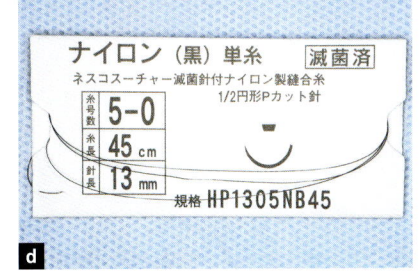

b〜d各種縫合糸．b(左)：絹糸(3-0)．(右)：ナイロン糸(4-0)．　　c：ソフトナイロン(4-0　針付き)．　　d：ナイロン糸(5-0　針付き)．

②使い分け

▶口腔外科の手術では，素材では絹糸とナイロンを，太さでは3-0，4-0，5-0の糸を用いることが多い．手術の内容，縫合する部位・組織，抜糸までの期間などで使い分けるが，抜歯やその他の一般的な小手術では4-0の絹糸が用いられることが多く，創の治癒が審美的に重要な部位やインプラント関連手術では4-0やそれよりも細いナイロン糸が使われることが多い．

▶代表的な糸であるナイロン糸と絹糸の特徴を以下に挙げる．

(1)ナイロン糸(モノフィラメント)

・組織の炎症性反応が小さく，創の治癒がよい．
・単一線維なので清潔である．
・摩擦が少なく，緩みやすく，ほどけやすいので，3〜4回結紮する必要がある．
・きつく結ぶと組織が切れやすい．

(2)絹糸(ポリフィラメント)

・天然糸，撚り糸であるため，周囲組織の炎症性反応がナイロン糸より大きい．
・抗張力が強い．
・腰が軟らかく扱いやすい．
・結びやすく，ほどけにくく，緩みにくい．
・撚り糸であるため，撚った間隙があり，不潔になりやすい．

持針器の種類と使い方

①種類

▶持針器には，「マチュー」「ヘガール」「カストロビージョ」などのタイプがある．口腔外科の分野では「ヘガール」❽が，歯周外科の分野では「カストロビージョ」頻用される❾．それぞれの特徴があるので，使い慣れたタイプを使用すればよい．本書ではヘガール型の使い方について説明する．

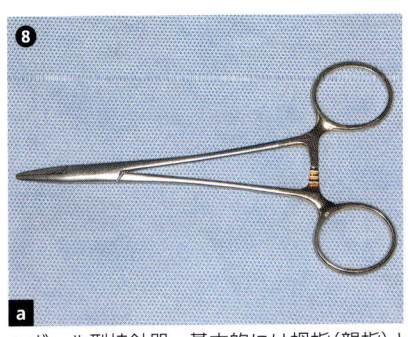

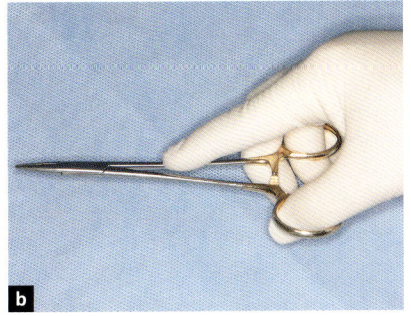

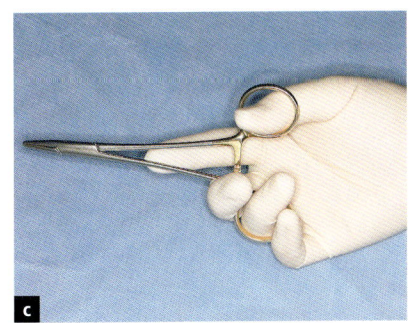

ヘガール型持針器．基本的には拇指(親指)と，薬指または中指を指輪に入れて，人差し指を軸に添える．

❾カストロビージョ型持針器．ペングリップで，持ちやすく縫いやすい．歯周外科領域でよく用いられている．

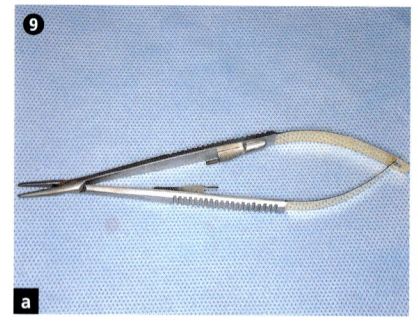

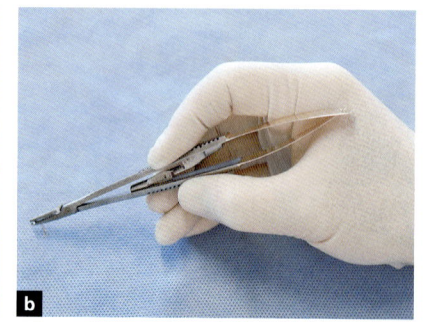

②持ち方，使い方

▶持針器の持ち方には指輪に指を入れる「フィンガーグリップ」❿と，指を入れない「パームグリップ」⓫がある．「フィンガーグリップ」は，指輪に親指と薬指を入れる．中指は薬指の指輪に添え，人差し指は❽❿のように添えて軸を固定する．上手に縫合するには，針を粘膜に直角に入れる必要がある（後述⓳）が，縫合する位置によってはフィンガーグリップでは粘膜に直角に針が入りにくい場合がある❿．そのような場合は「パームグリップ」⓫で握る．また場所によっては逆手のフィンガーグリップがよい場合もある⓬．

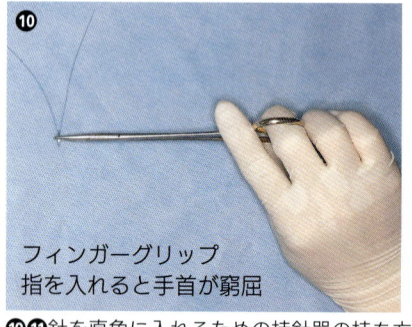

フィンガーグリップ
指を入れると手首が窮屈

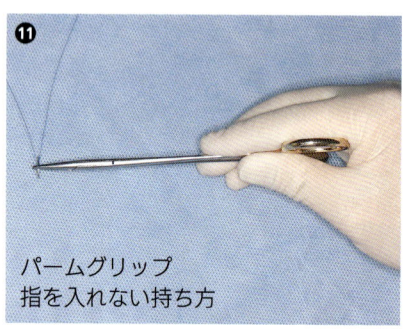

パームグリップ
指を入れない持ち方

逆手のフィンガーグリップ

❿⓫針を直角に入れるための持針器の持ち方．粘膜面に直角に針を入れるのが縫合のポイント．

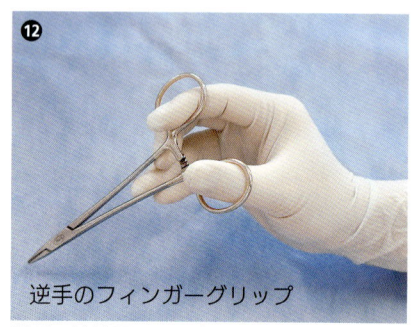

逆手の持針器のもち方．

▶パームグリップのほうが持針器の延長線上に手首があり，また手首の自由度が大きいので縫いやすい⓭．
▶術者が創の延長線上に，創に正対して座ると縫合が容易である．このとき前腕は創と平行になり，持針器につけた縫合針は創に対して直角になるので縫合しやすい⓮．
▶創と持針器を平行にすることが上手に縫合するためのポイントである⓮⓯．

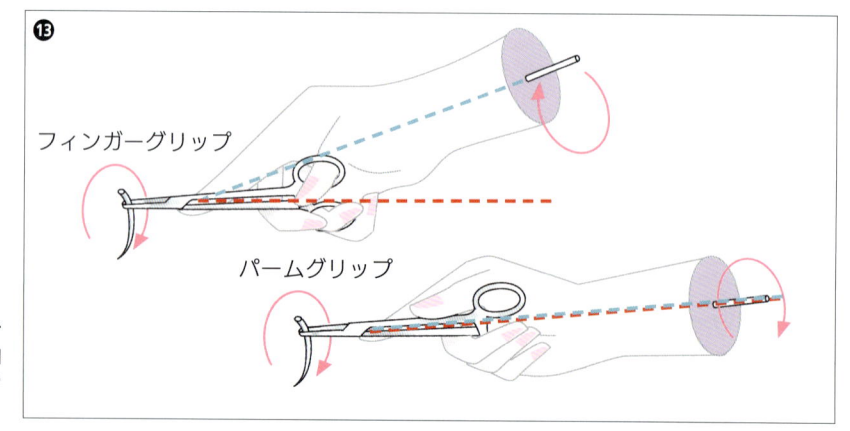

⓭フィンガーグリップとパームグリップでの動かし方．パームグリップは持針器の軸と手の軸が同一線上にあるので，縫合しやすい．

基本手技② 縫合・結紮・抜糸 第8章

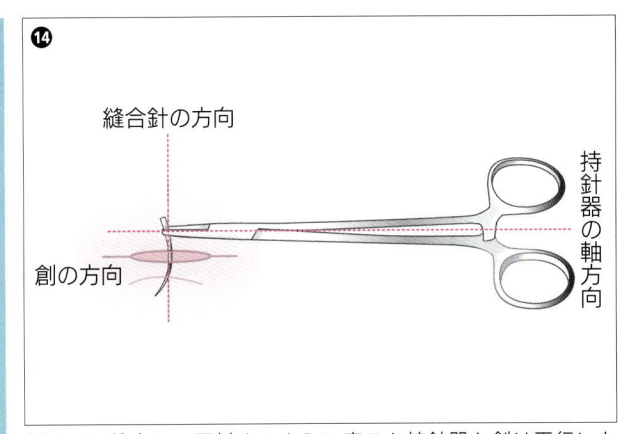

❶

創の延長線上に，正対するように座ると持針器と創は平行になり，縫合針と創が直角になる．創に対して持針器を平行に（＝創と縫合針を直角に）することが上手に縫合するポイントである．

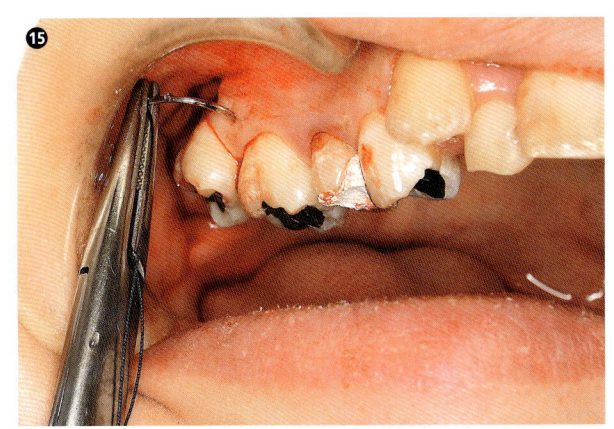

❶

上顎智歯部の縦切開の縫合は難しいが，創に対して持針器が平行になるようにもっていくと縫合しやすい．

③針の持ち方

▶弾機孔に近いほうから1／3の部分を，針と持針器が直角になるようにもつ❶．

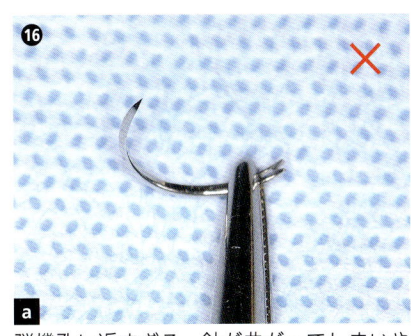

❶

a
弾機孔に近すぎる．針が曲がってしまいやすい．

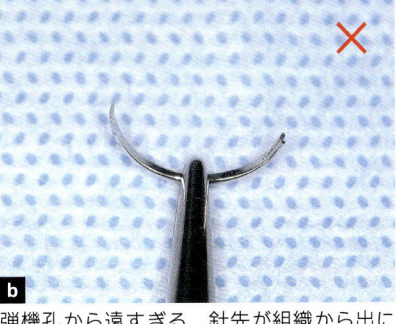

b
弾機孔から遠すぎる．針先が組織から出にくい．

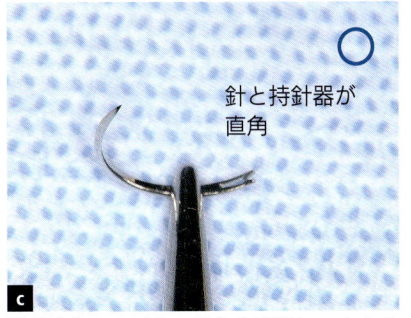

c
弾機孔から1／3の部分を直角につかむのが原則．

針と持針器が直角

ピンセットの種類と使い分け

①先端は曲か？　まっすぐか？

▶縫合には，先の曲がったいわゆる歯科用ピンセットは用いない．先端のまっすぐな「マッカンドー型」か「アドソン型」が使われることが多い❶．ピンセットで，縫合糸，縫合針，軟組織などをつかんで縫合する．

②有鉤タイプか？　無鉤タイプか？

▶先端に鉤のついた有鉤タイプと，鉤のない無鉤タイプがあり，糸と縫合針は無鉤タイプでなければつかみにくいので，一般的には無鉤タイプが使われる．有鉤タイプは滑りやすい軟組織や，強くつかむと傷んでしまうような脆弱な組織をつかむ場合に用いられる❶．
▶縫合針の刺入時・引き出し時に，ピンセットをうまく使うと，縫合しやすい❶．

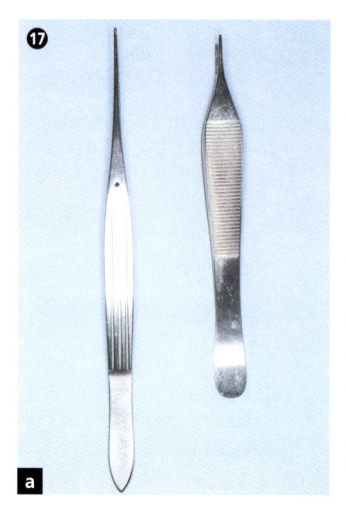

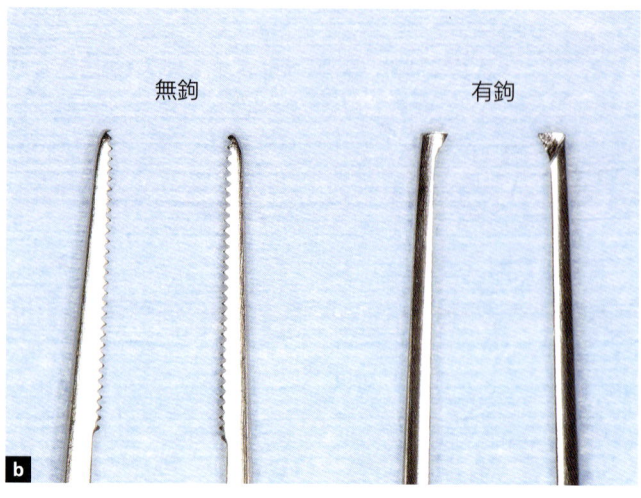

❶
a：ピンセットの種類.
左：マッカンドー型.
右：アドソン型.
b：先端の形態.

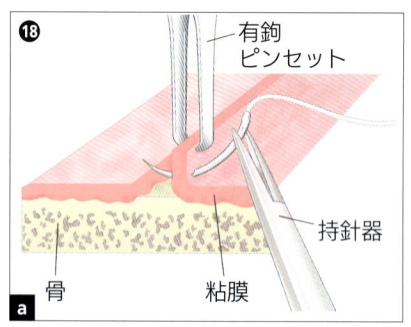

無鉤　　有鉤

❸
a：組織をつかんで針を刺入.
b：反対側の組織を剥離してピンセットで持ち上げて針を刺入.
c：針をつかんで引き出す．先端部分をつかんではならない．

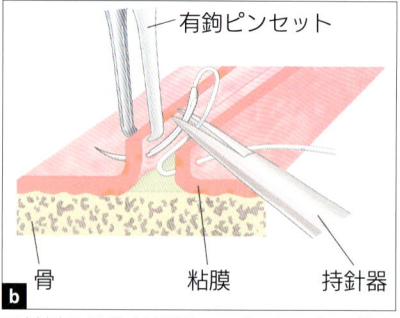

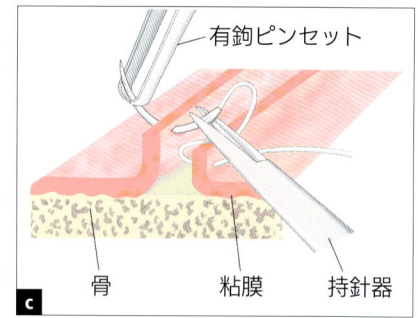

縫合の実際

①刺入角度

▶針が粘膜表面に対して直角になるように刺入する❾．この角度で刺入するためには，ヘガール型持針器ではパームグリップで持つほうがよい．フィンガーグリップの場合は手首を強くねじる．角度が浅くなると骨膜をきちんと拾うことができないため，糸を締めると組織が切れやすく，また創の断端同士がぴたっと合いにくい．

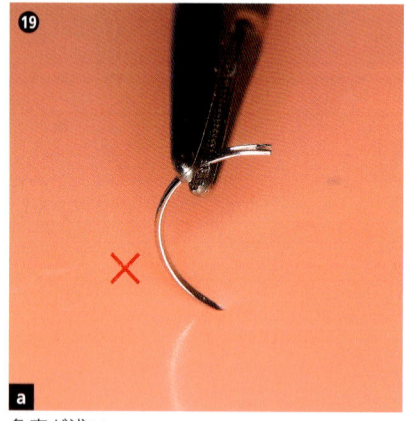

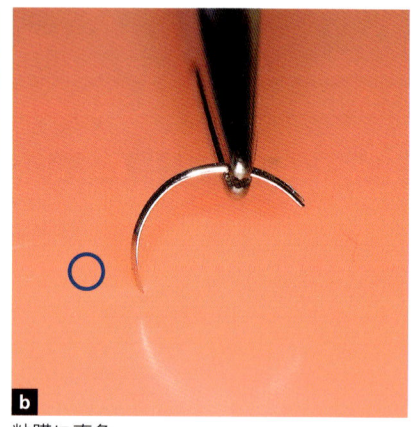

❾
a：角度が浅い．
b：粘膜に直角．

②組織・骨膜の拾い方

▶骨膜まできちんと針を通すことが，組織が切れない上手な縫合のポイントである．
▶組織に直角に刺入して骨膜まで拾い，まず1回針を出す❷．
▶反対側の組織を少し剥離すると，骨膜をきちんと拾うことができる㉑㉒．

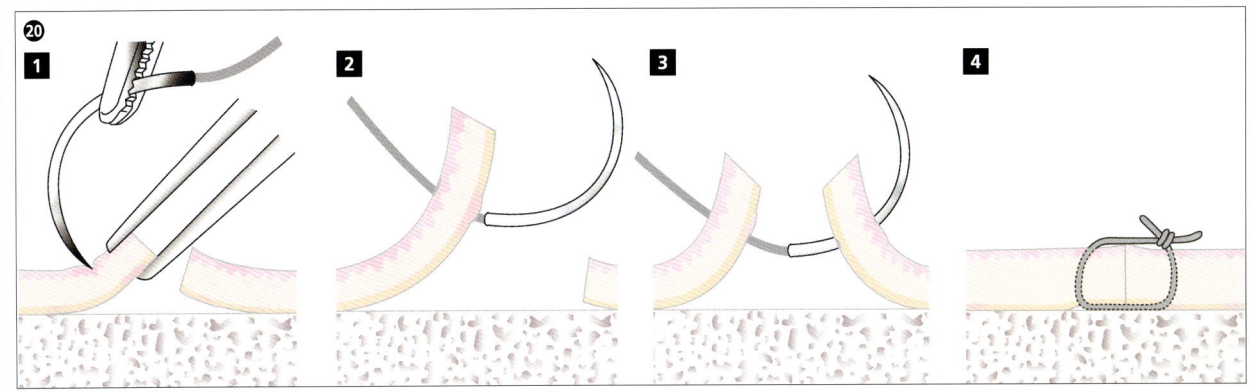

⑳

1 刺入角度は粘膜に直角＝針をかぶせるように立てて，刺入．
2 骨膜まで拾って，いったん針を出す．
3 反対側を少し剥離して骨膜に直角に刺入し，針の湾曲に沿って，円を描くようにだす．
4 骨膜まで拾っているので，創の断端は全面で接触している．創がきれいで，治癒も早い．

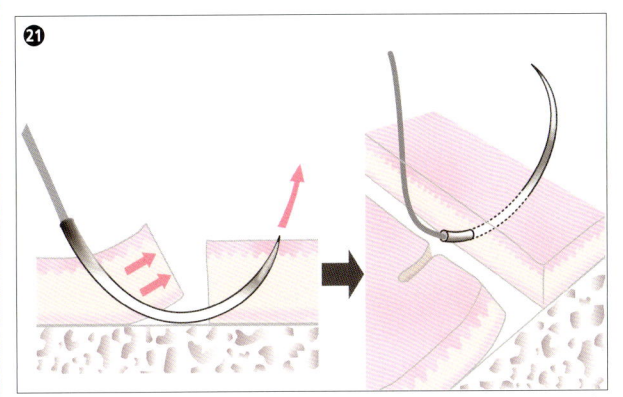

㉑

剥離側できちんと針を出さずに，反対側を剥離しないままで一気に通そうとすると，組織が切れたり，反対側のフラップの骨膜を拾いにくい．

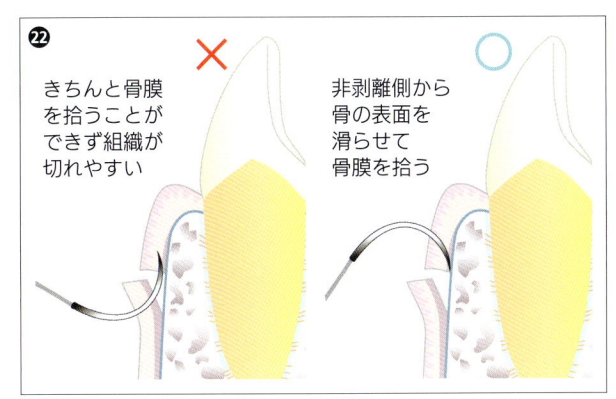

㉒

きちんと骨膜を拾うことができず組織が切れやすい

非剥離側から骨の表面を滑らせて骨膜を拾う

反対側の組織が剥離できないときの針の刺入．パルチの切開など反対側の組織をあまり剥離したくない場合や，剥離できない場合に，剥離側から刺入すると，非剥離側の骨膜を拾いにくく，組織が切れやすい(左)．この場合は非剥離側から先に刺入する．直角に刺入して骨に針先を当てて骨表面を滑らせると，きちんと骨膜を拾うことができる(右)．

③針の出し方

▶針の湾曲に合わせて，クルッと回して組織から出す㉓．組織から出た縫合針をピンセットでつかんで組織から引き出す．針の引き出し方が湾曲の円周にあっていないと組織が切れやすい．

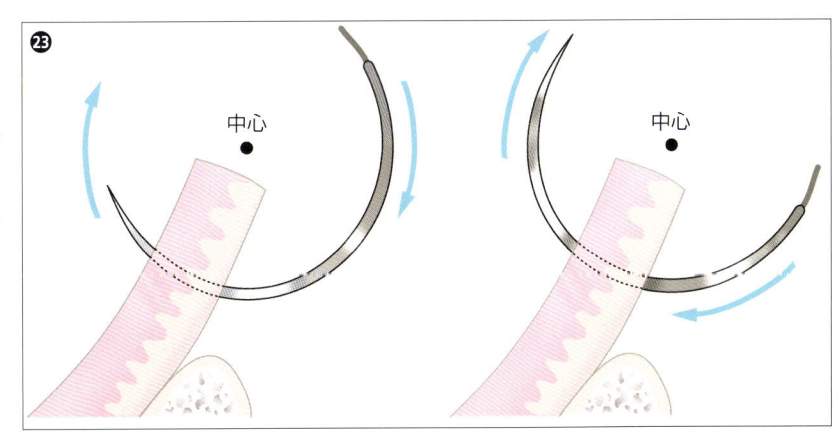

㉓

中心

中心

針の出し方．

④創の合わせ方

▶創をきちんと合わせるコツは，
　①粘膜面に直角に刺入する
　②骨膜まで拾う
　厚い組織の場合，
　③切開線からの距離を等しくとる
　④表面からの深さを等しくとる
　である❷.

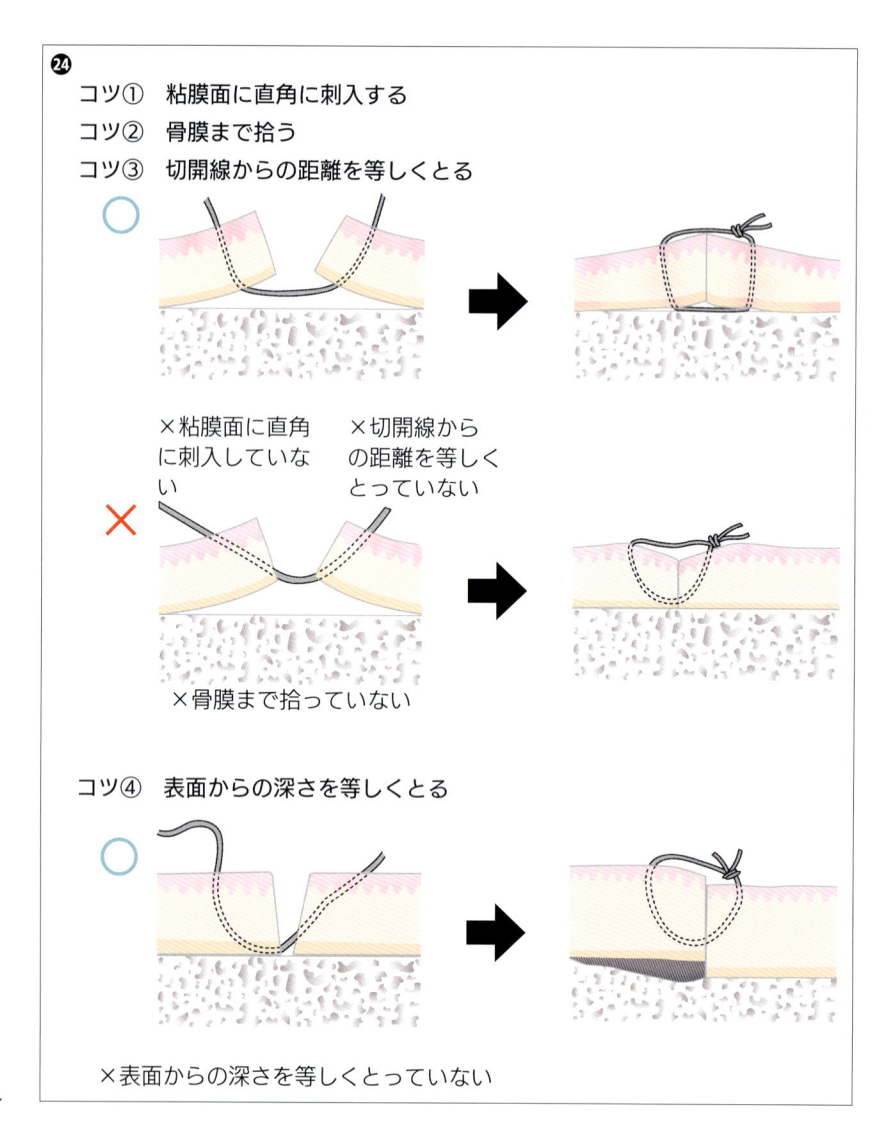

❷ コツ①　粘膜面に直角に刺入する
　コツ②　骨膜まで拾う
　コツ③　切開線からの距離を等しくとる

○

×粘膜面に直角に刺入していない　×切開線からの距離を等しくとっていない

×

×骨膜まで拾っていない

コツ④　表面からの深さを等しくとる

○

×表面からの深さを等しくとっていない

❷創の合わせ方．

⑤可動粘膜の長い創の上手な縫合法

▶可動粘膜はいったん切開すると縮んだり変形したりするので，縫い終わってみると端が余ったり，足りなかったりすることがある．創の端にピンセットの先端を挿入して創をピンと引っ張ってやると，自然に創面が一致してきれいに縫合できる❷❷.

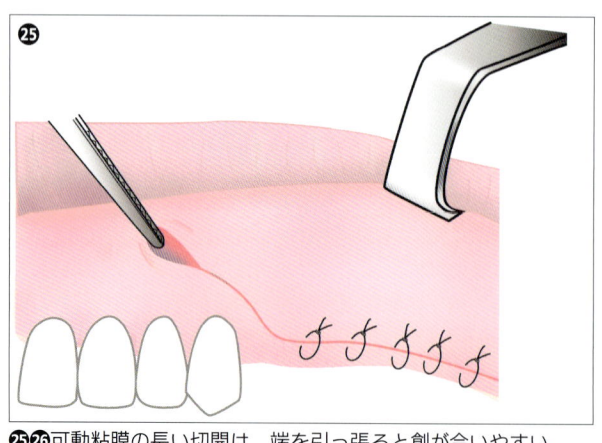

❷❷可動粘膜の長い切開は，端を引っ張ると創が合いやすい．

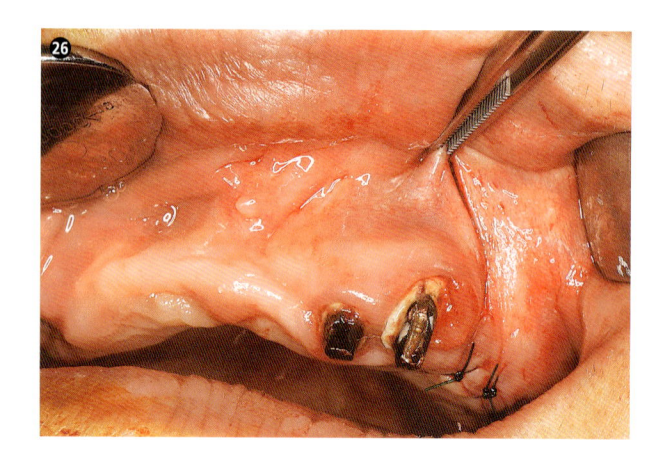

⑥糸の数

▶糸の数が多すぎたり，糸の間隔が狭くなると，組織が虚血に陥り，治癒が遅れる．

⑦糸を締めすぎない

▶縫合は組織の固定である．創縁が接触して動かない程度の締め方でよい．創が哆開(しかい：創が開くこと)しないようにとギュウギュウに糸を締めているのをみることがあるが，締めすぎると，組織が虚血に陥り，かえって治癒が遅れる．

⑧単結節縫合，垂直マットレス縫合，水平マットレス縫合の使い分け

▶創の状態により縫合法を使い分ける㊷．通常は単結節縫合でよい．
▶マットレス縫合は，創面の密着度が高まるので，組織の緊張が強くて創が開きそうな場合や，絶対に哆開(しかい：創が開くこと)させたくない場合に用いる．
▶マットレス縫合には，垂直マットレス縫合と水平マットレス縫合がある．垂直マットレス縫合は，組織が薄く，創縁の断面どうしの接触面積が小さい場合，水平マットレス縫合は，組織が厚く，創縁の断面どうしの接触面積が大きい場合に用いる．

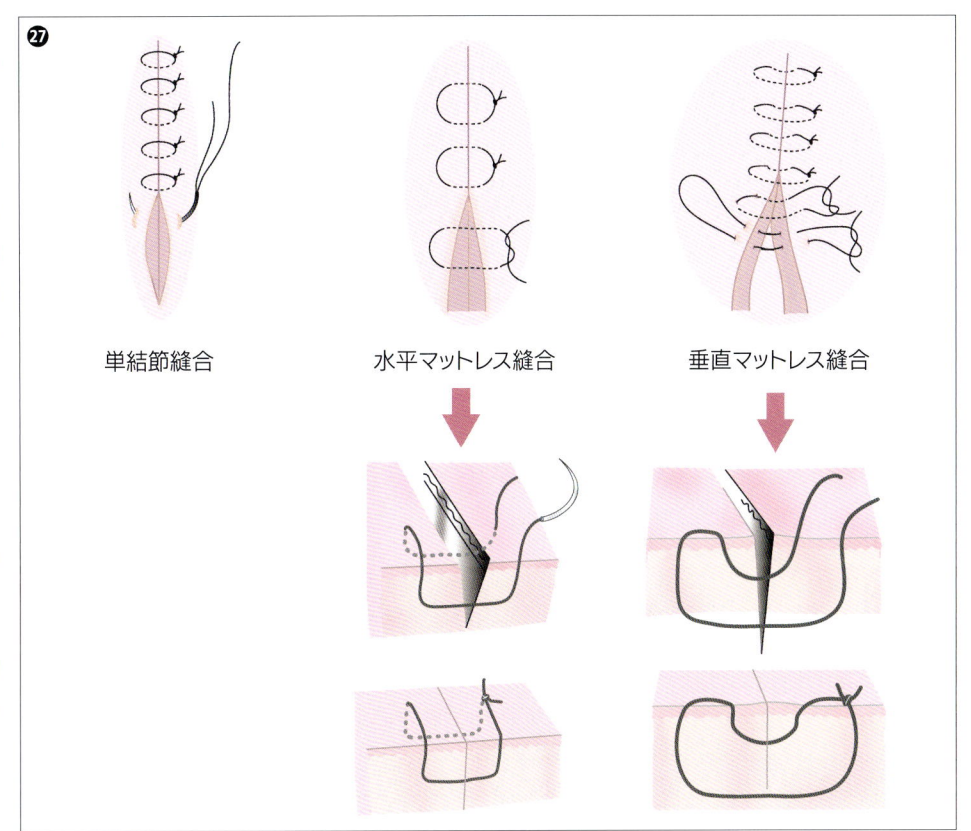

㊷ 単結節縫合　水平マットレス縫合　垂直マットレス縫合

おおまかには，組織の厚みが薄い場合は垂直マットレス縫合，厚い場合は水平マットレス縫合を用いる．

結紮法

①結紮法の基本

＊❷〜❸は下間正隆・著『カラーイラストでみる外科手術の基本』東京：照林社，2004より引用・改変．

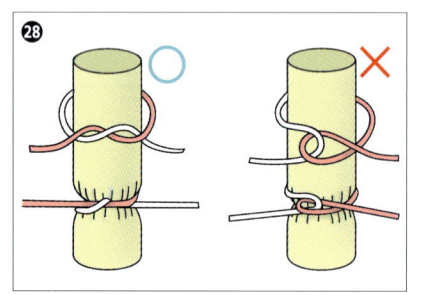

❷ 緩まない結び方．
○：右側の赤い糸を左側に，左側の白い糸を右側に引っ張ると，糸は締まる．
×：右側の赤い糸を右側に，左側の白い糸を左側に引っ張ると，糸は絡まるばかりで締まらないうえに，切れてしまいやすい．

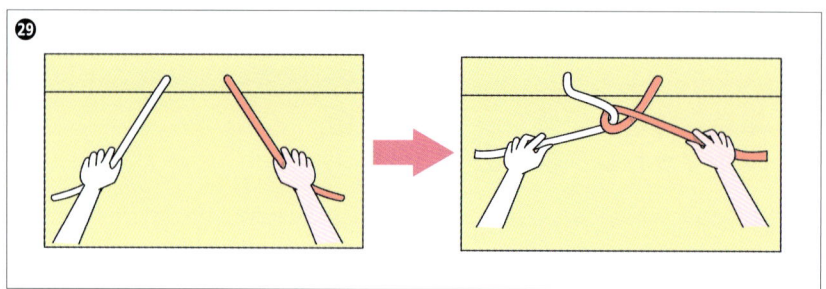

❷ 結紮糸のループ面が，結紮する人間の身体の水平面上にある場合，糸を左右に牽引して結紮すると，糸がねじれるだけで締まらない．つまり，右側の糸は左側へ，左側の糸は右側へ引くことが，糸が締まるための基本．

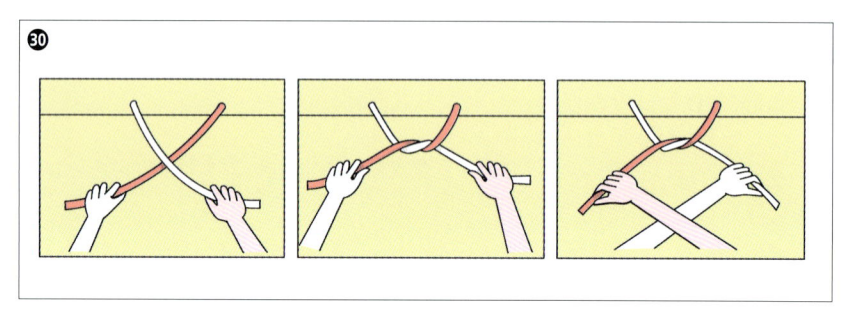

❸結紮糸をよく締めるための3つの方法．
①結紮の前に糸を交叉させておく．
②結紮中に左右の糸を持ちかえる．
③結紮の最後に両手を交叉する．

②外科結び❸

＊❸❷は覚道健治，ほか編．『起こりうる問題点と解決法 歯科臨床研修マニュアル』京都：永末書店，2002より引用・改変．

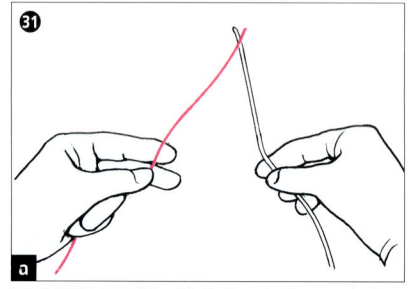

❸
a：両手親指と示指で縫合糸を把持し，赤糸の末端を左手の中指と薬指にはさみこむ．このとき赤糸と白糸が交叉していることに注目．

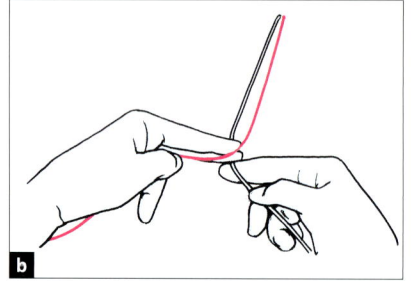

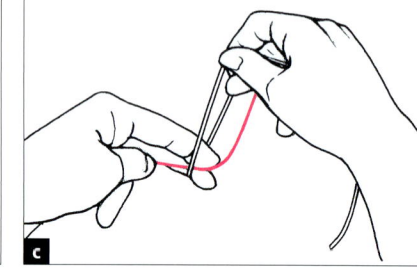

b, c：白糸を左手中指の側縁に沿わせながら示指方向に回転させる．

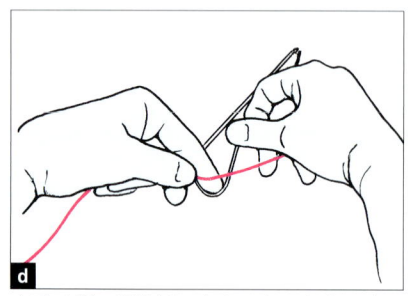

d：左手示指の指掌部で赤糸の上に白糸を交叉させ，その交点を左手親指で把持し，白糸を左手示指の指先で回転させる．

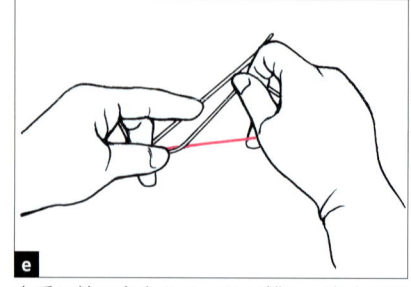

e：右手に持つ白糸をいったん離し，赤糸の周りに右回りに回転して絡んでいる白糸を再度把持する．

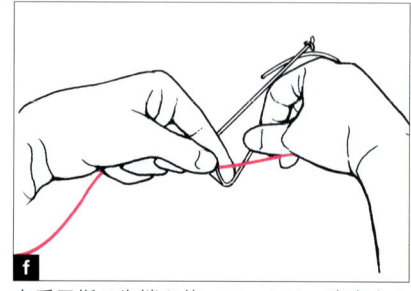

f：左手示指の先端を使って，もう一度赤糸の周りに右回りに白糸を回転させて絡ませる．

基本手技② 縫合・結紮・抜糸　第8章

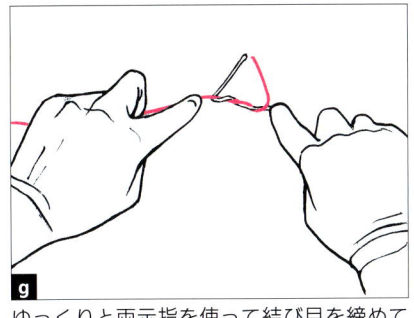

g ゆっくりと両示指を使って結び目を締めていく．二重に巻きついているのに注目．

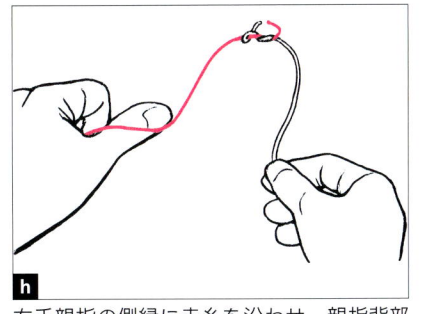

h 左手親指の側縁に赤糸を沿わせ，親指背部で緊張させながら把持し，右手の親指と示指で白糸を把持する．

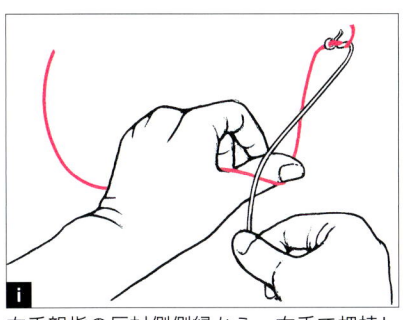

i 左手親指の反対側側縁から，右手で把持している白糸を左手親指の指背部で交叉させる．

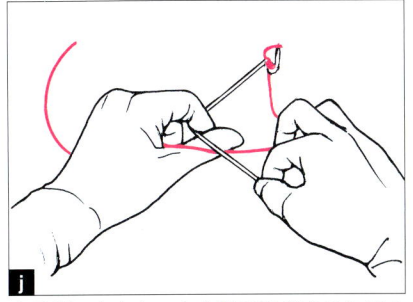

j 左示指で白糸を，右中指で赤糸をそれぞれ外側に牽引する．

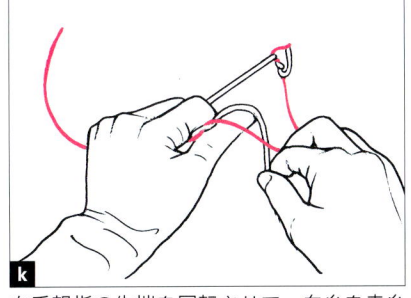

k 左手親指の先端を回転させて，白糸を赤糸に左回り（下から上へ）に回転させながら絡ませる．

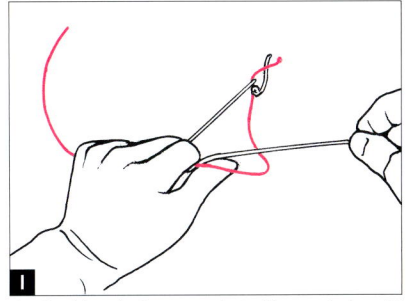

l 右手に持つ白糸をいったん離し，赤糸の周りに右回りに回転して，絡んでいる白糸を再度把持する．

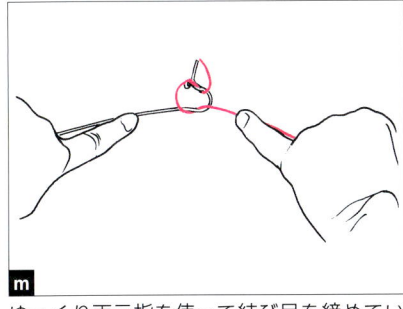

m ゆっくり両示指を使って結び目を締めていく．

n 外科結びの完成．

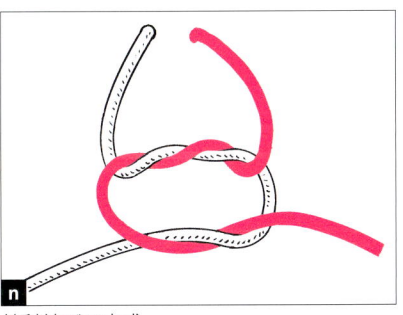

③機械結び㉜

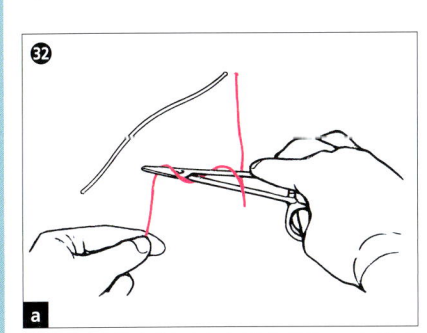

a 縫合糸の片方（赤糸）を引き出し，白糸を10cm程度の長さにし，赤糸を2回持針器の先端部に巻きつける．

b もう一方の縫合糸（白糸）の先端を，赤糸を巻きつけた持針器の先端部で把持する．

c 持針器を後方にゆっくり引き抜く．

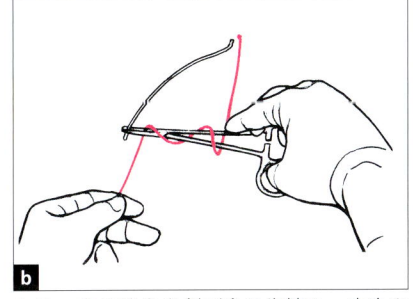

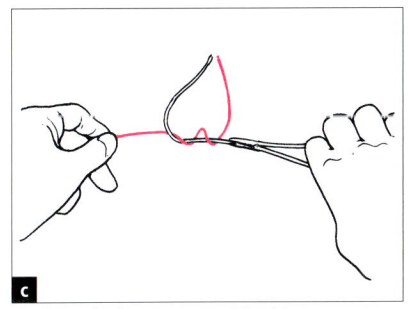

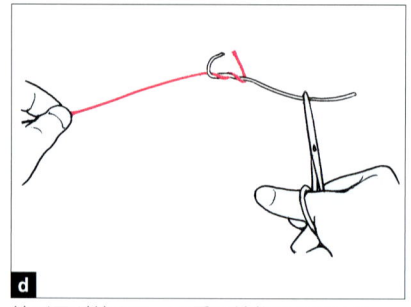

d	e	f
結び目が締まり，二重に結紮されている．	持針器の先端を開放し，逆方向にもう1度持針器の先端に赤糸を巻きつける．	白糸の先端を把持する．

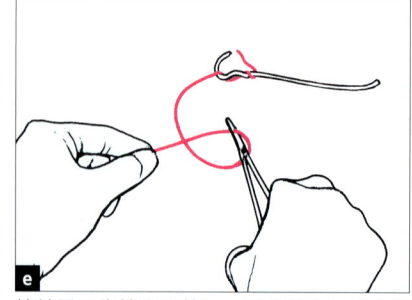

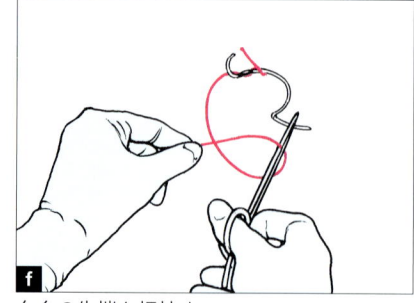

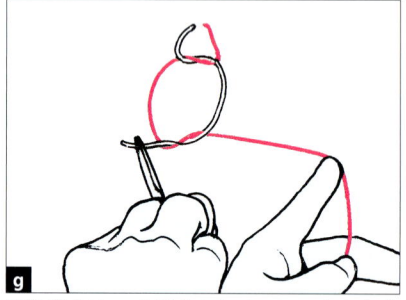

g	h
持針器をゆっくり引き抜く．このとき左右の手は交叉することに注意．	左手示指でゆっくりと締めていくと，外科結びが完了する．

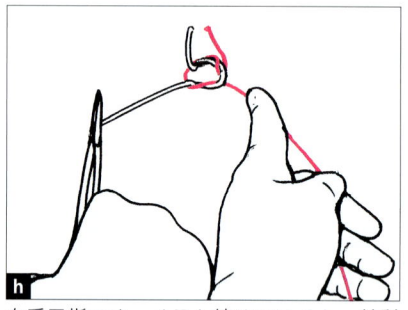

抜糸法

抜糸のポイント

▶ 口腔内の創の抜糸には，先端の細い眼科用はさみ❸を使うことが多い．
▶ 創の治癒は1週間程度で終了するので，通常は術後1週間で抜糸する．抜糸を遅らせるほど治癒がよいというものではない．長く置きすぎると異物として作用する．
▶ 抜糸のしかたが誤っていると，創が哆開したり，感染することもあるので注意する．
▶ 組織の外にあった不潔な部分が組織内を通らないように，組織内に埋まっていて不潔ではない部分を少し引きだして，粘膜面の直上で糸を切って抜くと，不潔な部分が組織内を通らない❸．

❸ 抜糸に用いる眼科用はさみ．

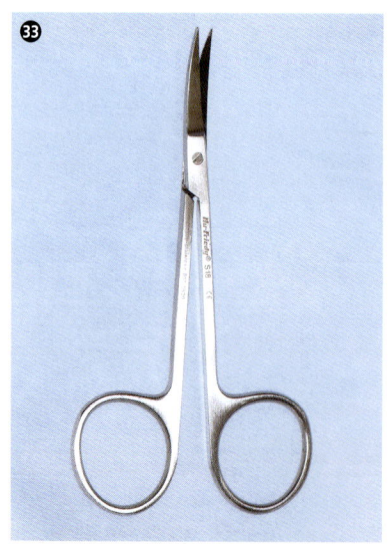

❸ 抜糸のしかた．組織のなかに埋まっている部分を少し引きだして粘膜表面で切る．

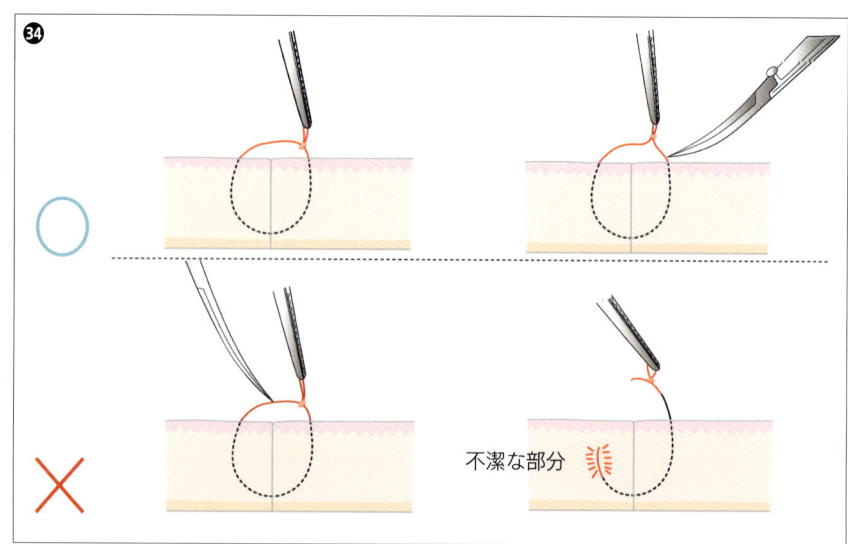

不潔な部分

CHAPTER 9

残根歯（単根歯，複根歯）の抜歯

　日常の歯科診療のなかで，抜歯が必要となる歯の状態はいろいろであるが，もっとも頻度が高いのが残根抜歯であると思われる．ここでも，「つかめる歯質（形，硬さ，量）が残っているなら，まず鉗子」の原則は変わらないが，実際には鉗子でつかめない状態の残根が多く，ヘーベルで抜歯することが多い．高齢者の小臼歯部の残根で，両隣在歯が残っている場合や，歯質が脆弱な歯肉縁下の残根などは，簡単そうにみえて意外に難しいものである．

残根歯の抜歯について

　CHAPTER 5のヘーベル抜歯の内容と重複する部分も多いのでポイントのみ記載する．**残根歯抜歯のポイントは，ヘーベル抜歯の基本である「ヘーベルの先端をきちんと歯根膜腔に入れる」「歯根膜腔にヘーベルが入りにくい場合は，グルーブ形成して歯根膜腔に相当するヘーベルの挿入部を確保すること」である**．また，歯根や歯根膜腔を露出させるために，被覆歯肉を切除したり，歯肉骨膜弁を挙上するなど，CHAPTER 6で述べた「難抜歯を解決するための補助的外科処置」を加えると，さらにスムーズに抜歯できることが多い．

エックス線写真の読影のポイント

　歯根の数，太さ・長さ・形態，湾曲の有無とその方向，肥大の有無，歯根膜腔の状態（狭小化・消失），骨性癒着の可能性，根尖病変の有無（抜歯窩の掻爬や病変摘出の必要性の有無）などをきちんと読影する．

残根歯の抜歯の問題点

残根抜歯が難しくなる問題点はつぎのようなものである．

①歯肉が歯根面を覆っている

▶歯根膜腔がわかりにくい．

②残存歯質が軟らかい

▶歯質の破折を起こしやすい．ヘーベルが効きにくい．

③歯根膜腔が狭小化している，歯根が骨に癒着している

▶ヘーベルが歯根膜腔に入らない．

残根歯の抜歯の問題点の解決法と抜歯のポイント

CHAPTER 6 の「難抜歯を解決するための補助的外科処置」を加えると，易しくなることが多い．

Point1 残根歯の抜歯の基本

つかめる量・形態・硬さの歯質が残っている場合は，抜歯鉗子で抜歯する．

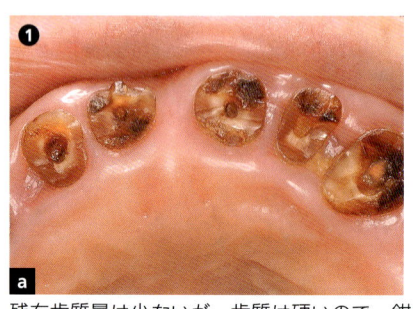

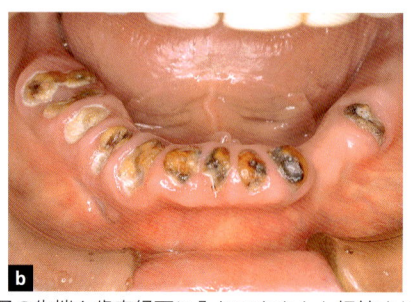

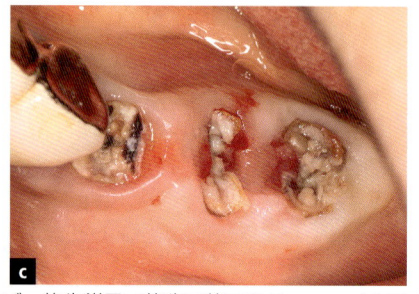

❶

残存歯質量は少ないが，歯質は硬いので，鉗子の先端を歯肉縁下に入れてきちんと把持すれば，抜歯鉗子で抜歯可能である．ヘーベルで抜歯する前にまず抜歯鉗子の抜歯を試みてよい．

Point2 被覆歯肉を切除して歯根膜腔を明示する

歯肉が被っている場合は，面倒くさがらずにメス・電気メス・レーザーなどで被覆歯肉を切除して，歯根と歯槽骨の境界をきちんと露出させ，歯根膜腔を確認してヘーベルを確実に歯根膜腔に挿入する❷．

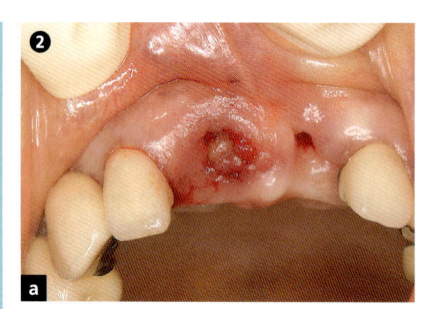

❷

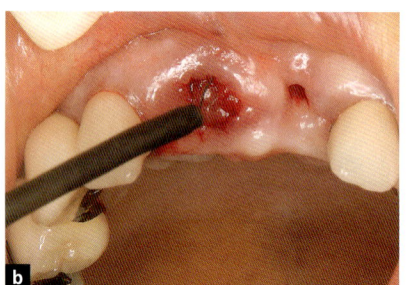

a：歯肉縁下の残根歯で歯質がよくわからない．
b：電気メスで歯肉を切除．
c：被覆歯肉をきれいに切除して歯根膜腔を明示した． 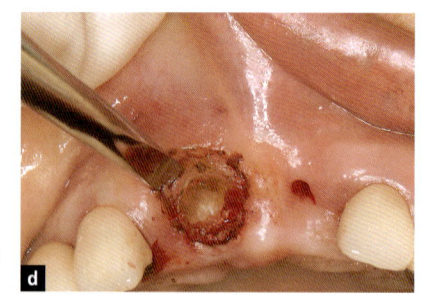
d：歯根膜腔に確実にヘーベルを挿入した．
e：容易に抜歯できた．歯肉・歯槽骨の損傷も少ない．

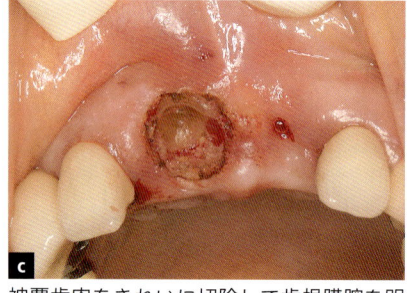

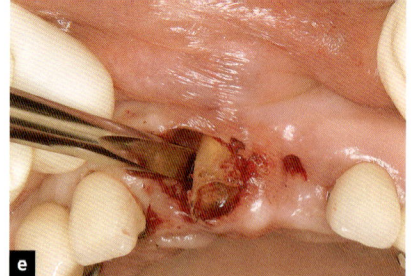

Point3 軟化歯質は除去して硬い歯質のみにする

残存歯質が軟らかい場合は，ヘーベルで加えた力がきちんと伝わらなかったり，歯質が破折したりしてさらに抜歯が難しくなりやすい．ラウンドバーやエキスカベータで軟化歯質を除去して硬い歯質のみにしてからヘーベルを使う❸．

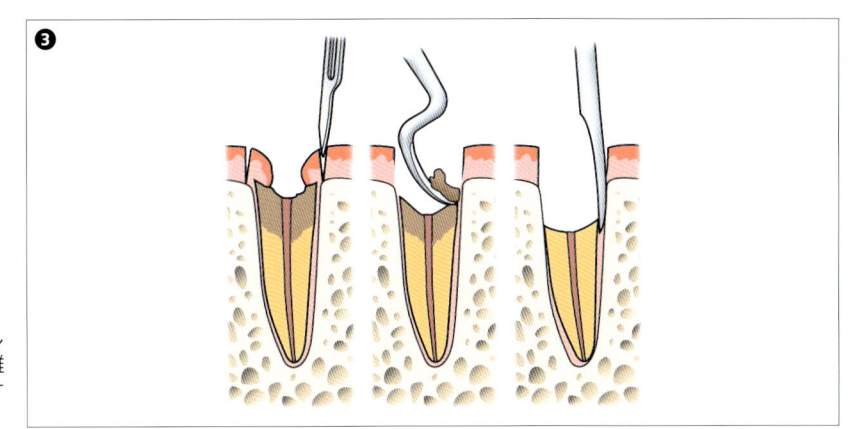

第9章 残根歯（単根歯，複根歯）の抜歯

❸被覆歯肉を切除し，軟化歯質を除去して，確実に歯根膜腔を出す．処置としては難しくはない．面倒くさがらずにきちんとするかどうかの問題．

> **Point 4** 歯根膜腔がわからない場合は，歯肉骨膜弁を挙上し，グルーブ（溝）を形成する
>
> ①被覆歯肉を切除しても歯根膜がわかりにくい場合は，歯肉骨膜弁を挙上して歯と骨の境界を明示する
> ②歯根膜腔が狭小化していたり，歯根と骨が癒着していたりして，歯根膜腔がはっきりとわからない場合は，バーで歯根と歯槽骨の間に歯根膜腔に相当するグルーブを形成してヘーベルを用いる❹～❻．とくに上顎では歯根を上顎洞に落とし込まないためにも，この処置は重要である❼

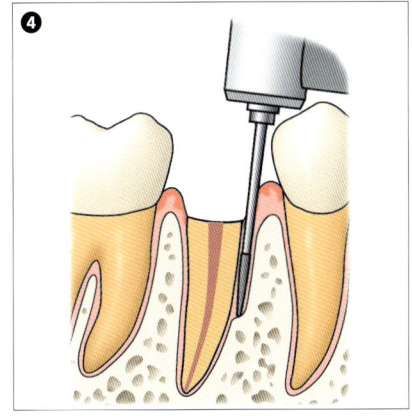

ヘーベル挿入スペースの形成．
・ヘーベルを有効に作用させるためのグルーブを歯根と骨の境目に形成する．
・十分な深さが必要．
・グルーブの幅が広すぎると効果減となるので注意．

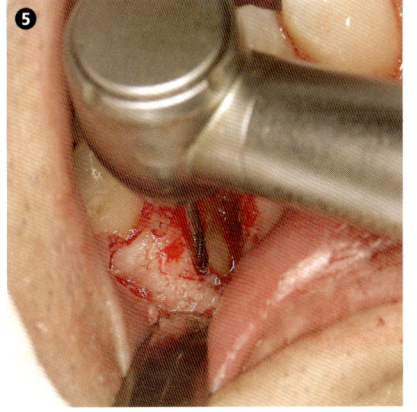

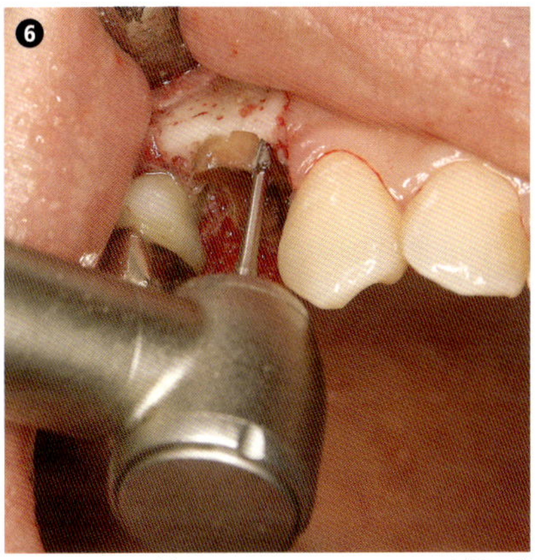

❺❻歯根膜腔がはっきりしないときや，狭くてヘーベルを挿入できないときには，迷わず歯根膜腔に相当するグルーブを形成する．

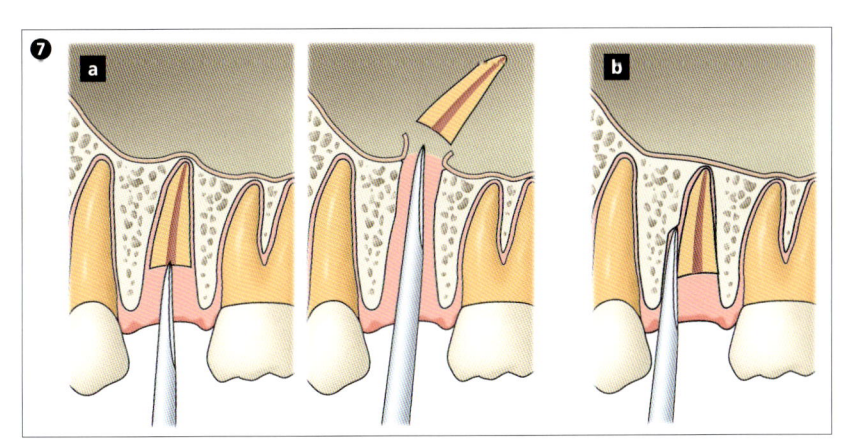

❼
a：上顎洞への歯根迷入はヘーベルで歯根を押しているために起こる．
b：ヘーベルを作用させるグルーブを歯根と骨の間に形成してヘーベルを用いることにより歯根迷入を防げる．

Point5 歯根の癒着や湾曲，歯根肥大がある場合

単根歯であっても，歯根の癒着や湾曲があって抜けないときは，さっさとバーで分割する❽．「抜歯は鉗子とヘーベルでするもの」という考えを捨てて，タービンで歯根分割・骨削除などの補助処置を加えることが，早くて上手な抜歯のポイントである❾〜⓬，⓭．

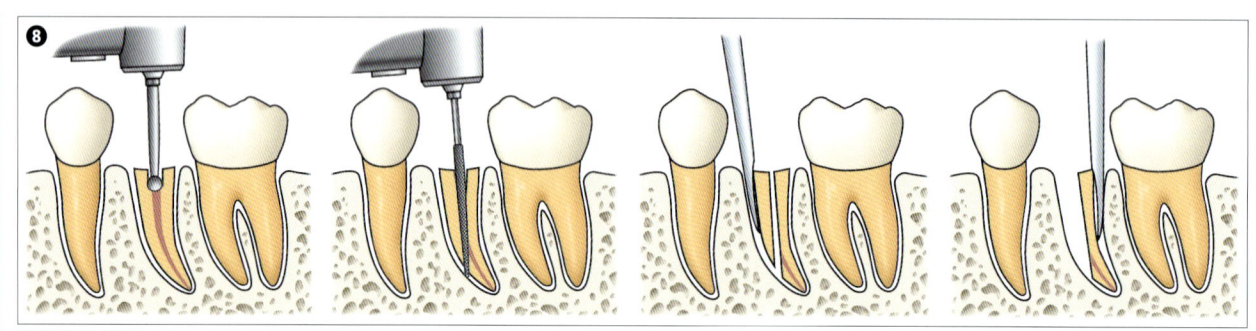

❽ 単根歯の分割．
- 歯根の湾曲・肥大・癒着がある場合は，単根歯でも分割する．
- 歯髄腔に沿って，根尖までバーを進めて分割．必ずしもまっ2つでなくてもよい．
- 癒着面積が半減して容易に動揺し，また，湾曲のアンダーカット解消のスペースができる．

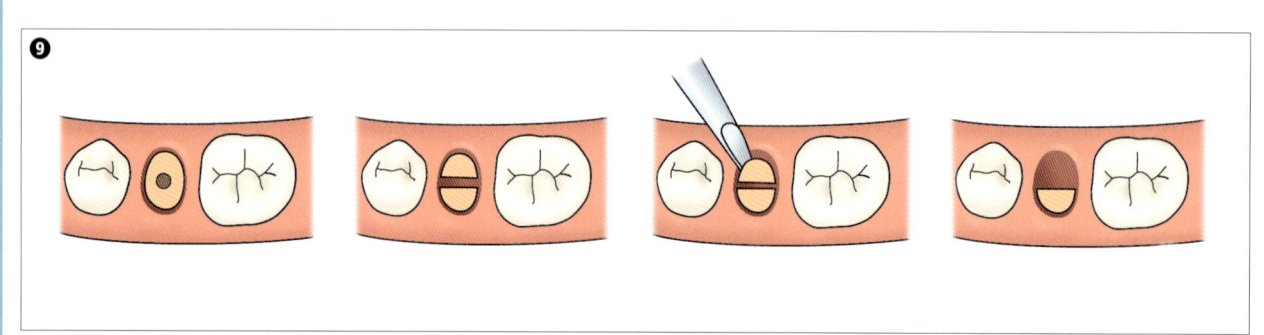

❾

教科書的には❽のように，歯根を近心片・遠心片に分割し，それぞれ近心隅角部，遠心隅角部にヘーベルを挿入することになっている．しかし，小臼歯では歯根が扁平な場合があり，近心片・遠心片に分割するよりも，❾のように頰側片・舌側片に分割するほうが抜歯が容易である．とくに上顎では，⓬のように頰側根・口蓋側根の2根のことがあるので，こちらの分割線のほうがよい．

単根歯でも分割する

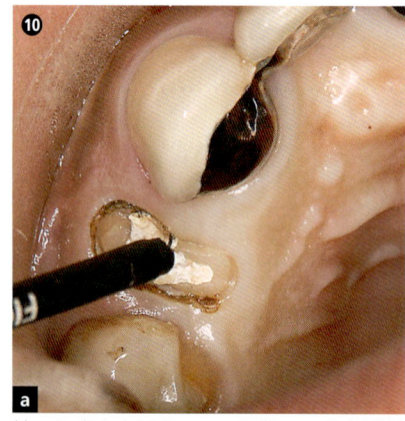

❿
a 被った歯肉を電気メスで切除して歯根膜腔を明示する．
b 歯根の形態を考えて頰側・口蓋側に分割した． 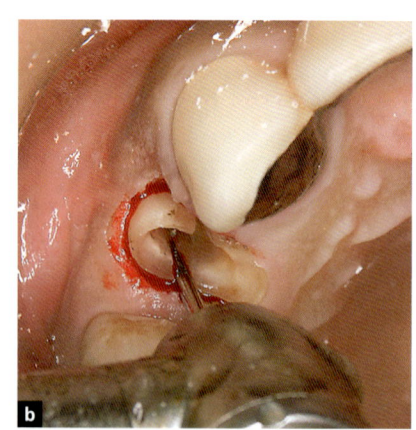
c 分割部にヘーベルを挿入して回転させると，2つの分割片は容易に動揺する．

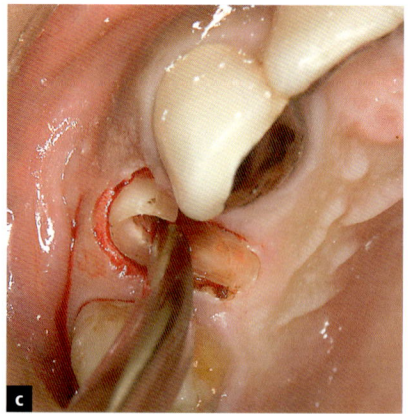

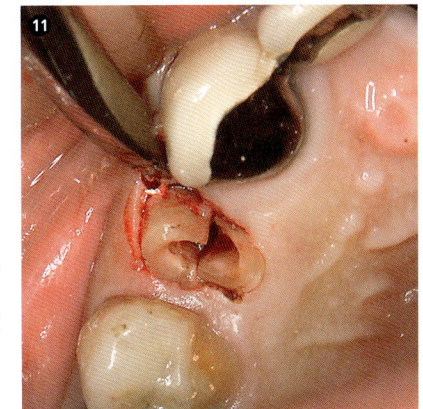

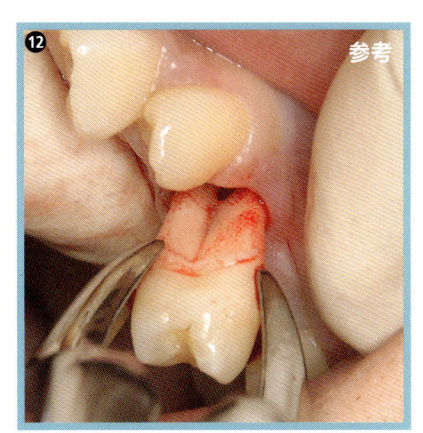

残根歯（単根歯，複根歯）の抜歯　第9章

⓫頬側隅角部にヘーベルを作用させて抜歯する．
⓬参考．写真のように上顎小臼歯は頬側根，口蓋根の2根であることがあるので，歯根を分割する際は，頬側片・口蓋側片に分割するほうがよい．

歯根肥大歯は，肥大部・周囲骨を削除

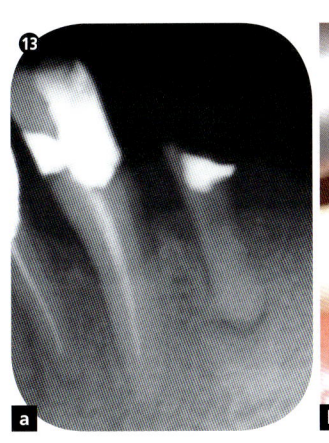

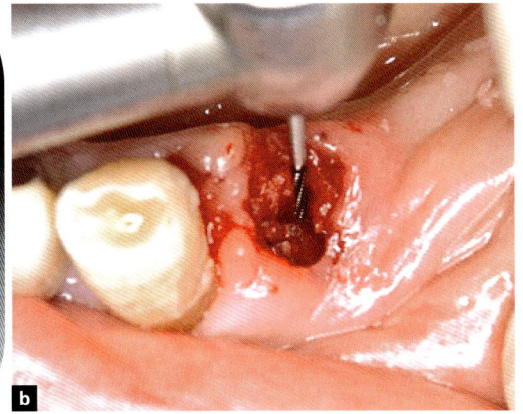

⓭
a：わずかだが歯根の肥大がある．開業医で1時間かけて抜けなかったため紹介され，当院を受診．
b：肥大部・周囲骨を削除して，抜歯．

Point6 複根歯は分割して単根化

歯周炎で動揺の強い複根歯は別として，鉗子でつかめない複根歯の残根や骨植のよい複根歯の残根は，迷わず最初から分割する⓮〜⓱．分割の要領はヘミセクションやトリセクションと同じである．

複根歯の分割

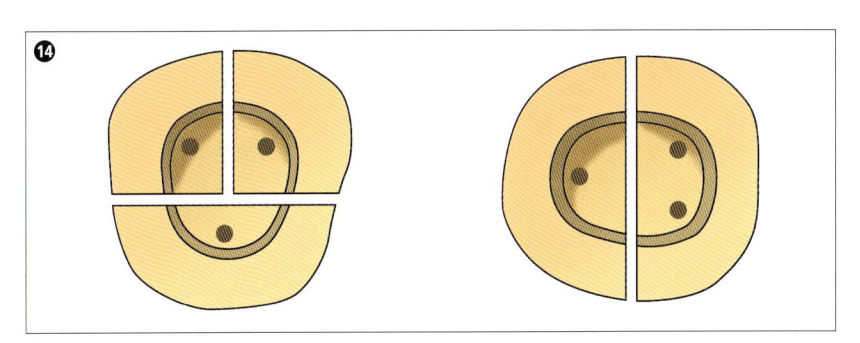

⓮複根歯の残根は分割してヘーベルを使う．

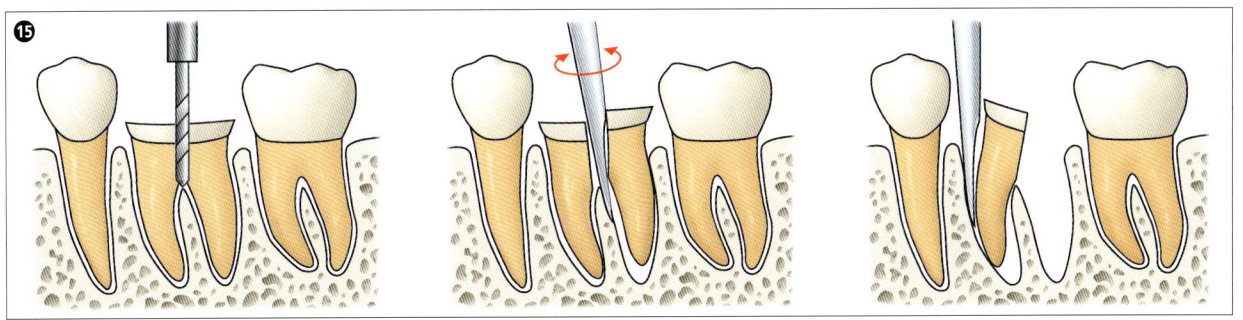

⓯ 分割部分にヘーベルを入れて回転させると，容易に動揺させられる．根分岐部より下方には中隔の骨しかないので，恐がらずに分割してよい．

7| 残根歯の分割

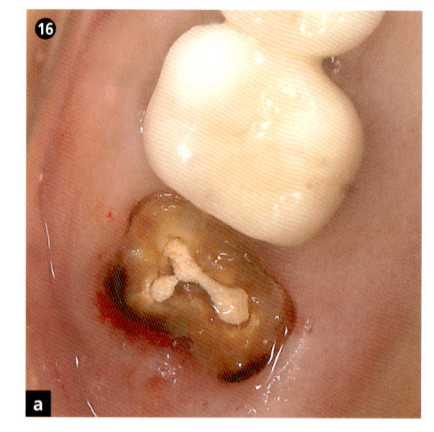

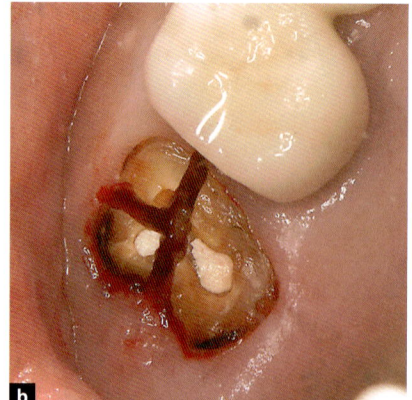

a：7| 残根歯．
b：7| 残根歯の分割線．

|7 残根歯の分割

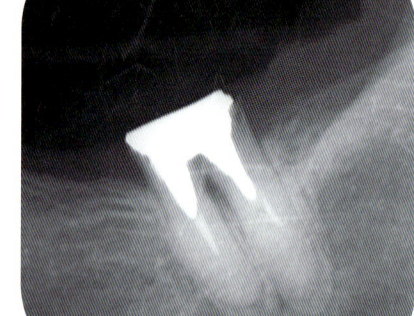

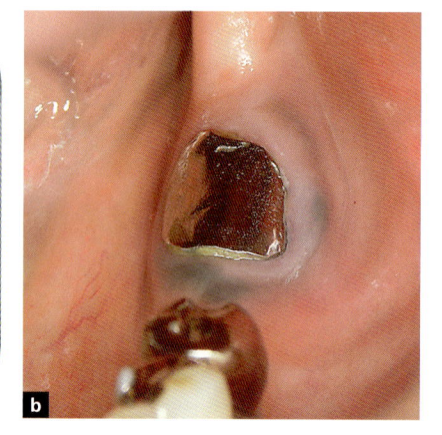

❶
a：歯根は長くて肥大しており，骨性癒着も疑われる．
b：根面板がセットされた|7残根歯．このままヘーベルを使っても，抜歯は困難．

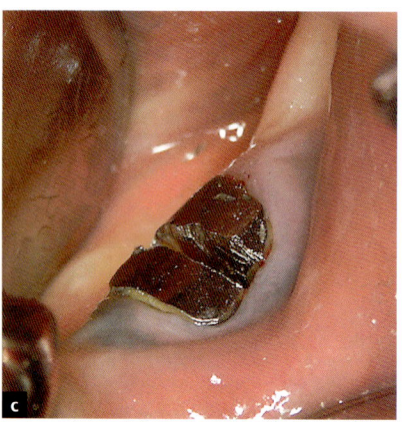

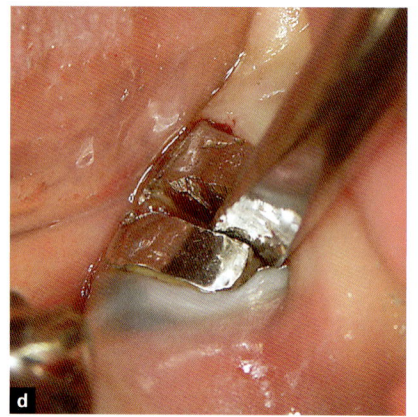

c：バーにより根分岐部で分割した．
d：分割部にヘーベルを挿入して左右に回転させると，それぞれの歯根が容易に動揺する．

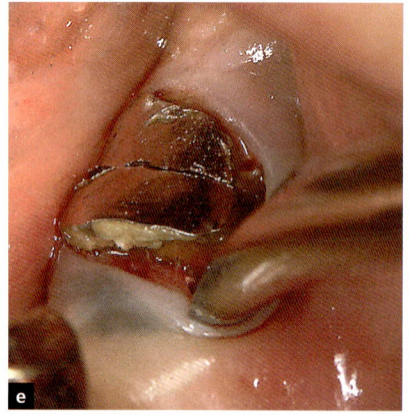

近心頬側隅角部にヘーベルを作用させる． 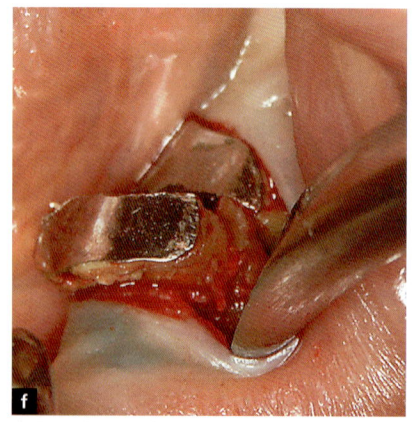　容易に脱臼し，挺出してきた． 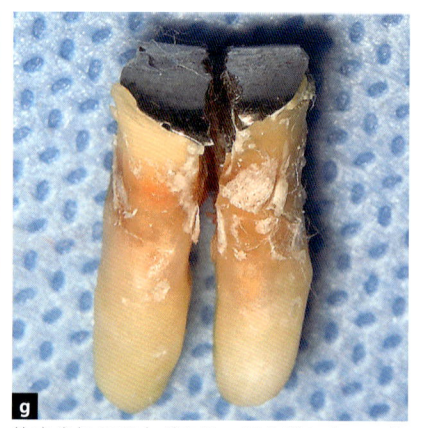　抜去歯根の肥大があり，根分割しないで抜歯することは困難．

第 9 章 残根歯（単根歯，複根歯）の抜歯

Point 7　歯肉縁下の残根歯や，抜歯スペースのない残根歯の抜歯は合わせ技

歯肉縁下の残根歯の抜歯は，①被覆歯肉を切除，②歯根膜腔を明示，③ヘーベルを挿入するグルーブを形成あるいは歯根分割，④グルーブにヘーベルを挿入して脱臼させて抜歯する⑱⑲．

⑱ 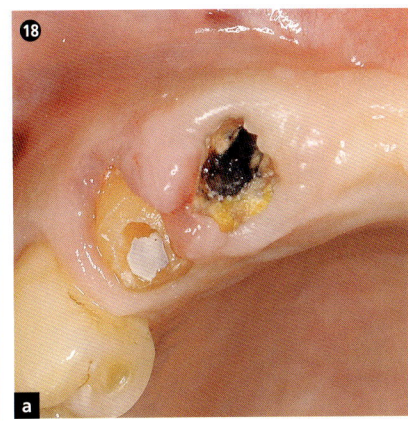
a　歯肉縁下の残根歯で歯根膜腔が不明瞭． 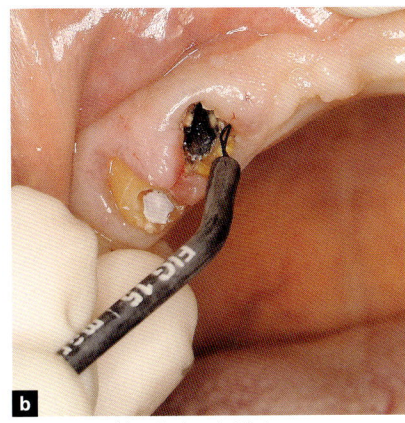
b　電気メスで被覆歯肉を切除する． 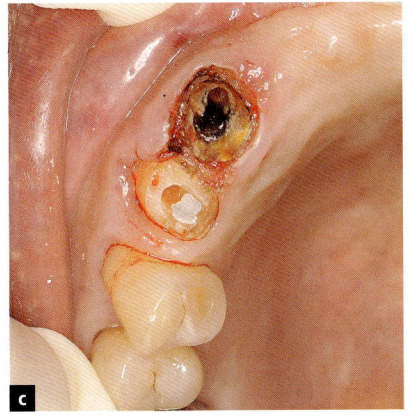
c　被覆歯肉を切除して歯根膜腔を明示した． 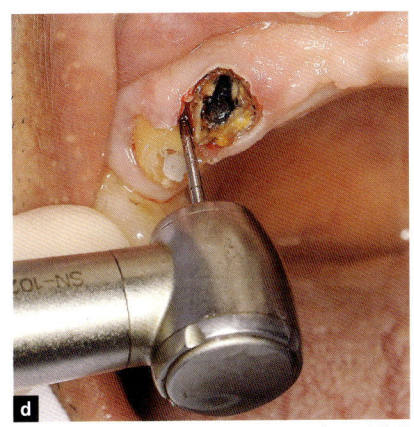
d　ヘーベルを挿入するスペースをバーで形成する． 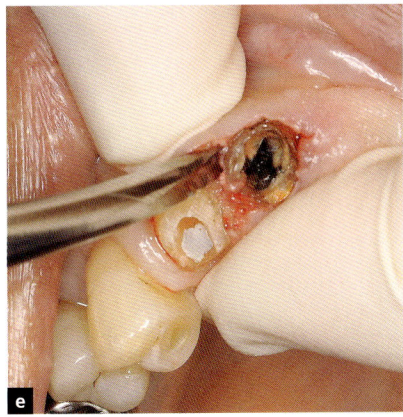
e　バーで形成したグルーブに確実にヘーベルを挿入する． 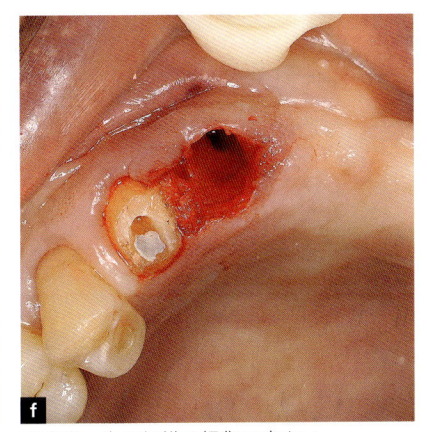
f　抜歯窩．歯周組織の損傷は少ない．

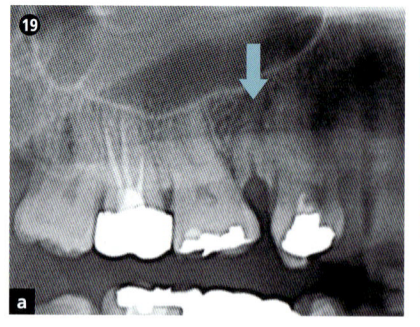

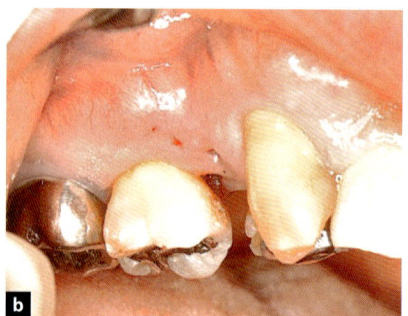

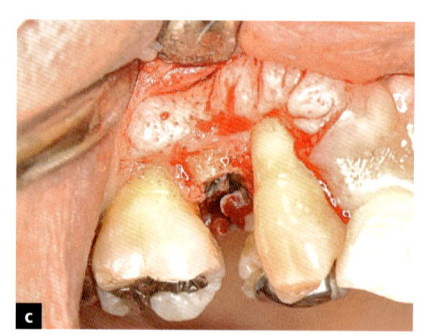

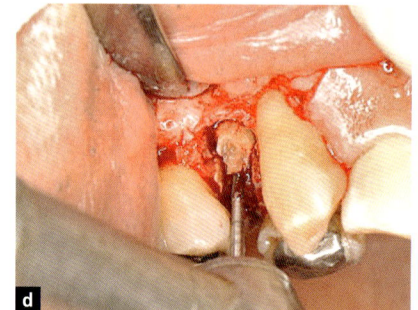

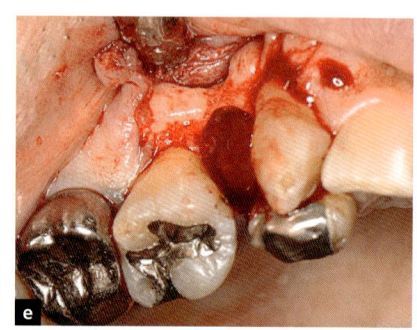

⓴抜歯スペースのない5⏌の歯肉縁下の残根.
a：5⏌の残根.
b：5⏌の抜歯スペースがない.
c：歯肉骨膜弁を挙上.
d：歯根膜腔に相当するグルーブを形成し，歯根を分割.
e：頬側の歯槽骨をわずかに削除しただけで抜歯できた.

Point8 根尖部だけの残根や根尖部が破折して残存したときは，歯根端切除術の要領で除去する

下顎の大臼歯以外は頬側皮質骨がさほど厚くないので，歯根端切除術の要領で，唇側・頬側の根尖相当部の皮質骨をラウンドバーで開削して抜歯すると容易である⓴㉑．下顎大臼歯は頬側皮質骨が厚いので無理だが，上顎大臼歯の頬側根は可能である．歯根端切除術が可能な部位ならこの方法で抜歯することができる．

根尖部残根の抜歯①

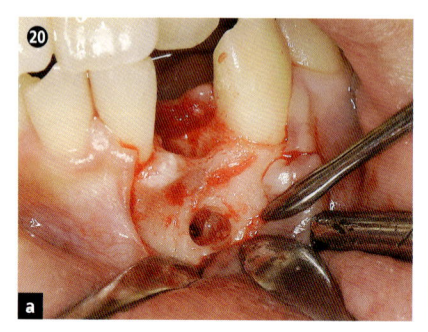

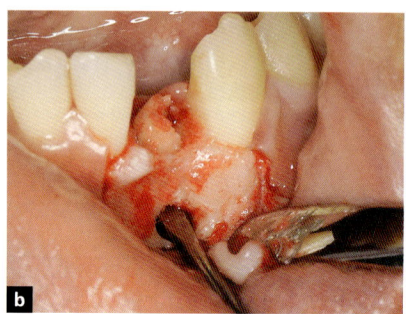

⓴2⏌の根尖部が破折して残った症例．根尖部が破折して残り，抜歯窩からの除去が難しい場合には，歯根端切除術の要領で，根尖部の皮質骨をラウンドバーで開削してルートチップピックで除去する．

根尖部残根の抜歯②

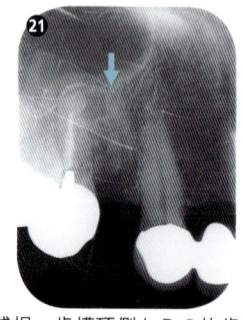

㉑
a：骨内の残根．歯槽頂側からの抜歯は困難．両隣在歯は傾斜しており，抜歯スペースがない．
b：4⏌歯肉縁下の残根． 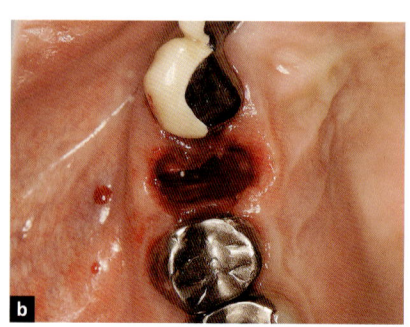
c：頬側歯肉骨膜弁の挙上．

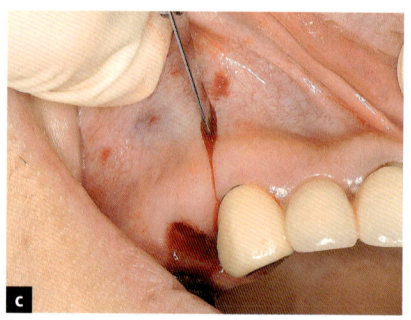

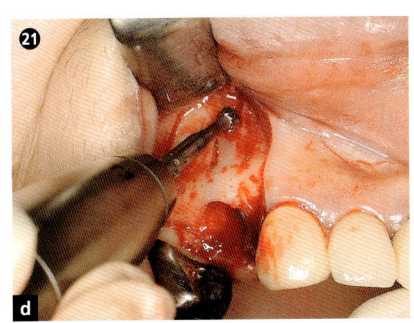

残根歯（単根歯，複根歯）の抜歯　第9章

㉑
d：根尖部の骨削除． 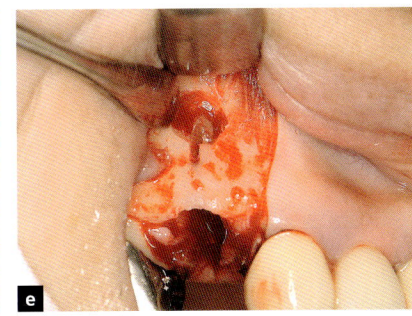
e：根尖の露出． 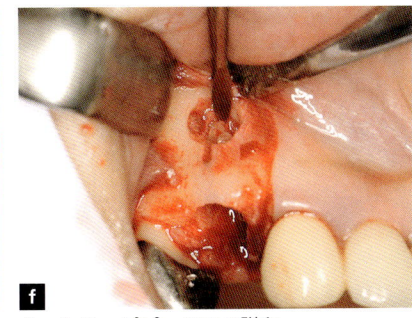
f：ルートチップピックでの脱臼．
g：抜歯窩からの摘出． 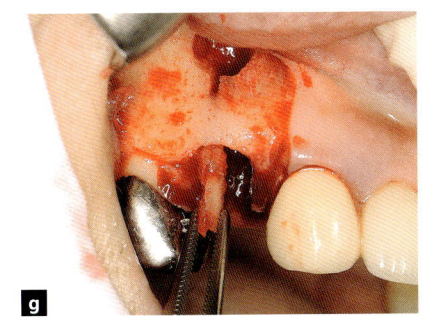 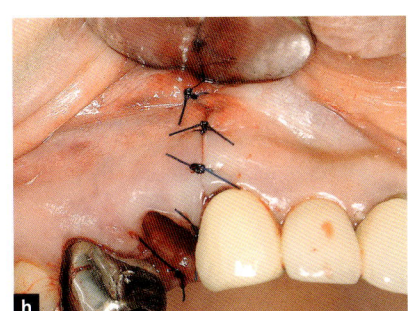
h：近心のみの縦切開で抜歯可能．

Point 9　最終手段として歯根を全削去する

①再植歯で，歯根の外部吸収があり，歯根と歯槽骨の境界がまったくわからない場合
②歯や骨との癒着が強くてどうしても抜歯できない場合
③根尖部だけが残っていてインプラントのためにどうしても歯根を除去する必要がある場合
などでは，歯根を残さないために，タービンやストレートハンドピースで歯根を全削去してもよい．
このとき，隣在歯の歯根や下顎管の損傷，上顎洞への穿孔などを起こさないように注意する．インプラント窩形成と同じことであり，筆者は必ずしも乱暴な術式であるとは思わない㉒

㉒歯根吸収歯（⊥）の歯根削去．
a：脱落後の再植歯．
b：抜歯前のデンタルエックス線写真．歯根の吸収が進み，歯根と骨の境界が不明瞭．
c：歯頸部で破折していたので歯冠部を除去．
d：歯根と歯槽骨の境界がはっきりしなかったのでバーで削去した．
e：歯根削去後のデンタルエックス線写真．

91

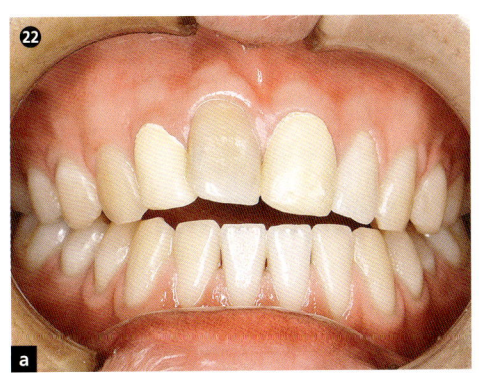

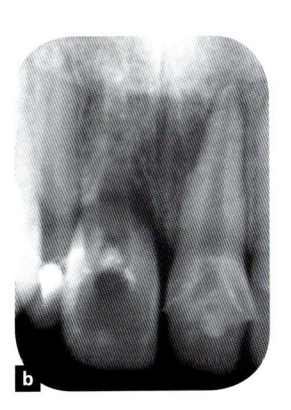

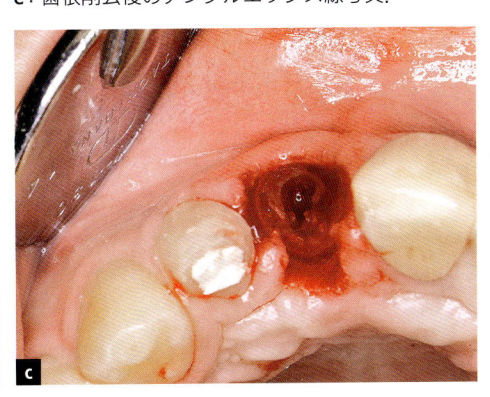

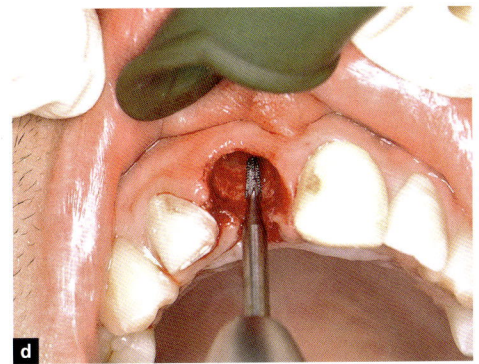

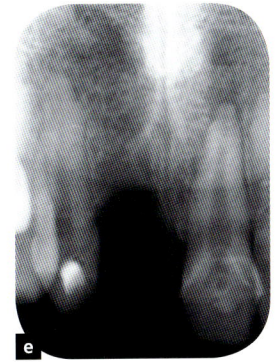

Point 10 まとめ 残根抜歯の効果的な補助的手段とは

①被覆歯肉を切除して歯根膜腔を明示する
②頬側歯肉骨膜弁を挙上して歯根膜腔を明示する
③バーで歯根膜腔に相当するグルーブを形成してヘーベルを挿入する
④複根歯は分割して単根化する
⑤複根歯で根分岐部までが遠い場合は，歯頚部で横にカット（意図的残根化）して歯根分割する㉓㉔
⑥単根歯でも歯根分割してよい
⑦埋伏歯の歯根分割の場合だけではなく，残根抜歯でもタービンを使うと手際よく抜ける
⑧最終手段として，歯根を全削去してもよい

歯冠の大部分が残っていて骨植のよい大臼歯の抜歯

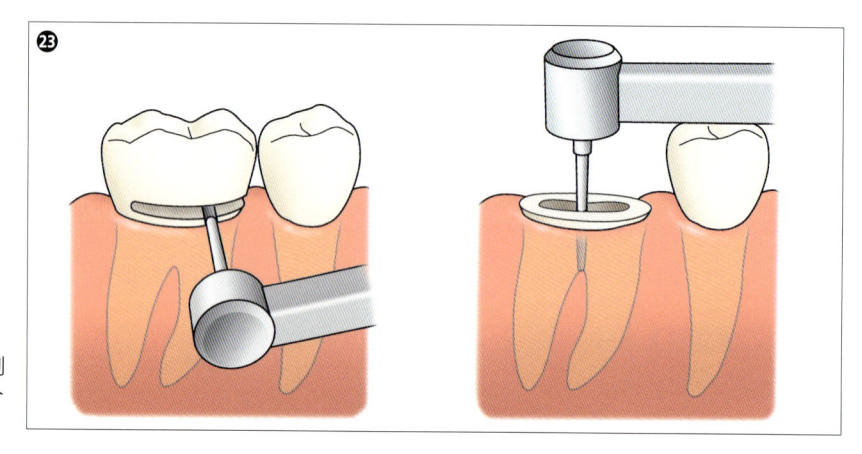

㉓複根歯で根分岐部までが遠く，歯根分割しにくい場合は，まず歯頚部で横にカット（意図的残根化）してから，歯根分割する．

㉔ 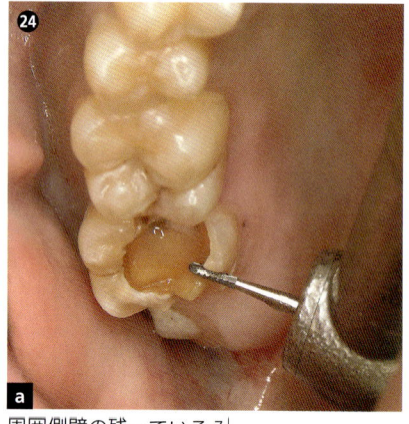
a 周囲側壁の残っている 7̲． 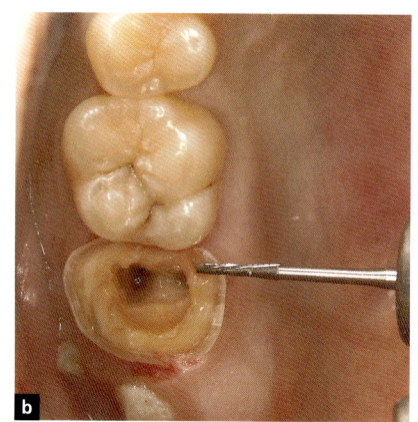
b 歯頚部で歯冠部をカットして根分岐部までの分割をしやすくした． 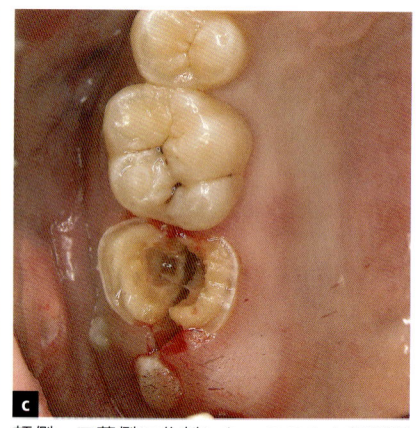
c 頬側，口蓋側に分割した．このあと頬側根を近心根，遠心根に分割して抜歯した．

残根抜歯① 単根
【movie 3】症例1 残根抜歯（単根）
【movie 4】症例2 残根抜歯（単根）
【movie 5】症例3 残根抜歯（単根）
【movie 6】症例4 歯根端切除術の要領でグルーブ形成（CHAPTER 13❺参照）

残根抜歯② 複根
【movie 7】症例1 残根抜歯（複根）
【movie 8】症例2 残根抜歯（複根）
【movie 9】症例3 残根抜歯（複根）
【movie10】症例4 残根抜歯（複根）3根に分割

CHAPTER 10

上顎埋伏智歯の抜歯

上顎埋伏智歯（半埋伏，完全埋伏）の抜歯のステップを詳細に解説する．上顎智歯は萌出した単根歯であれば簡単に抜歯できるが，埋伏歯で歯根が破折して残ったりすると，もっとも難しい抜歯になるので注意が必要である．第二大臼歯遠心部への潜り込みによるアンダーカットが大きくても，埋伏歯の歯冠をタービンで分割しないで，頰側へ向けて出すことが最大のポイントである．

なお本抜歯法は，2019年に作製された日本歯科医師会生涯研修ライブラリーに，動画No.1901「安全で手際の良い上顎埋伏智歯抜歯」として収録されているので，ご覧になれる方は一度ご覧いただきたい．

上顎埋伏智歯の抜歯時のポイント

上顎埋伏智歯の抜歯では，歯冠分割すると歯質が少なくなりヘーベルをかけにくくなるので，**歯冠分割しないで抜歯することが最大のポイントである**．咬合平面側に向かって真下に出すのではなく，頰側に出すことが重要である．下に向かって出そうとするから第二大臼歯の歯冠遠心がアンダーカットになるのであって，頰側に出せばアンダーカットにはならない❶．また，第二大臼歯の遠心歯頸部付近の骨をヘーベルの支点としてうまく使うこともポイントである．

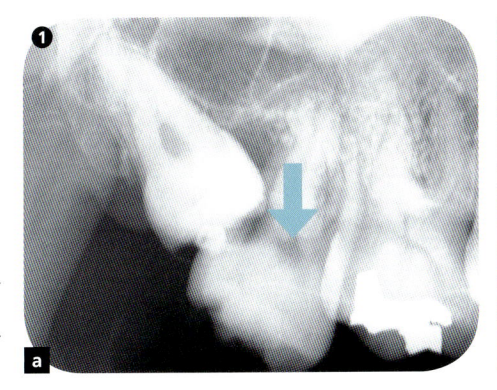

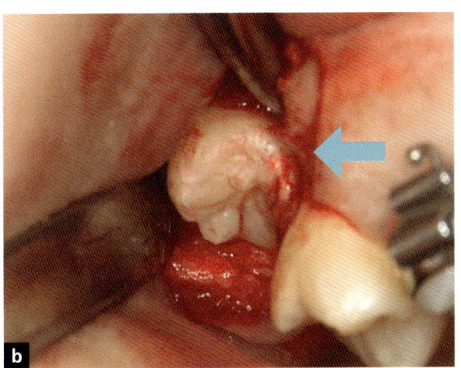

❶アンダーカットの解消法．
a：真下に向けて抜けばアンダーカットになる．
b：頰側に向けて抜けばアンダーカットにならない．

Point1 上手な上顎埋伏智歯抜歯のポイント

①第二大臼歯遠心部のアンダーカットがあっても歯冠を分割しない
- 上顎埋伏智歯は，分割して歯が小さくなると抜歯しにくくなるので，分割しない．

②骨削除は丸刃骨ノミで
- コントラアングルまたはストレートハンドピースのラウンドバーでもよいが，丸刃骨ノミを勧める．
- 丸刃骨ノミを歯根と骨の間に入れて槌打すると，歯根周囲の骨が拡がって，アンダーカットが大きくても抜けやすくなる．

③閉口させて口角を牽引して，歯列に対して直角に頰側からヘーベルを挿入する
- 第二大臼歯の骨植がよければ，遠心歯頸部や骨削除後の歯槽骨をヘーベルの支点にしてよい．

④咬合平面に向かって出すのではなく，頰側に向かって出す

エックス線写真の読影のポイント

歯根の湾曲状態，第二大臼歯遠心への潜り込み状態（アンダーカット），上顎洞底との関係，上顎結節部の状態など，を観察する❷❸．

❷❸ともに第二大臼歯遠心部のアンダーカットが大きく，一見歯冠分割しなくては抜歯できないようにみえる．しかし，2本とも歯冠分割せずに頬側へ歯冠を出すことにより抜歯した．タービンによる歯冠分割は非常に難しい．

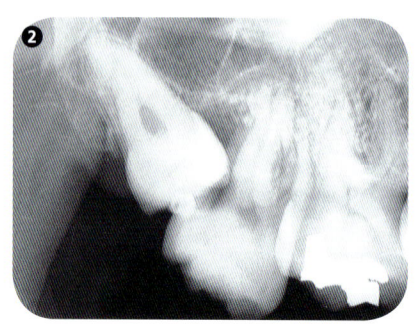

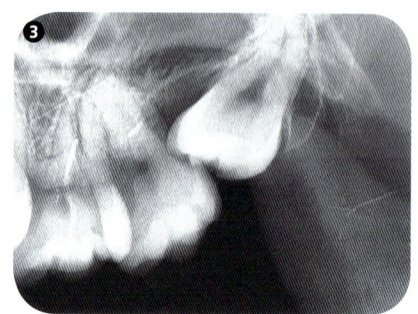

上顎埋伏智歯の抜歯時の問題点

①術野および視野が狭く，直視・直達が困難である

▶器具が届きにくく，操作もしにくい．
▶大きく開口させると，頬部軟組織の緊張が強くなり，口腔前庭部が狭くなって操作がしにくい❹a．
▶口を閉じ気味にして，口角を後方に引いて，できるだけ真横から直視・直達しやすくする❹b．

❹
a：口を大きく開けさせると頬部軟組織が緊張して臼歯部のスペースが狭くなり，抜歯操作がしにくい．
b：口を閉じ気味にさせ，口角を後方に引いて，頬側から歯列に対して真横の方向からヘーベルを入れる．

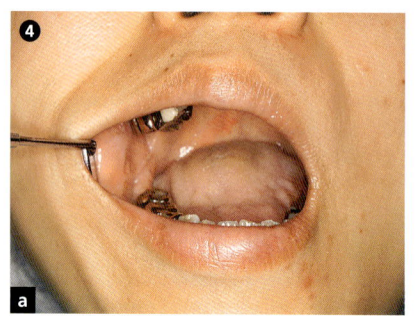

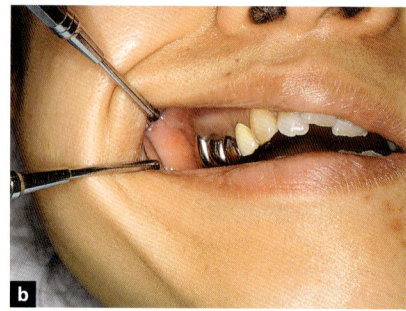

②上顎洞への穿孔の可能性がある

▶上顎洞へ穿孔するおそれがあれば説明しておく．また，穿孔時には穿孔部閉鎖ができるような準備をしておくことが必要（完全埋伏歯の場合は，「テルプラグ®」を填入して歯肉骨膜弁を元に戻して縫合するだけでよい）．

上顎埋伏智歯の抜歯時の局所麻酔

▶浸潤麻酔の位置は，頬側歯肉頬移行部，臼後部（上顎神経後上歯槽枝のブロック）❺〜❼，口蓋側である．
▶上顎神経後上歯槽枝のブロックの刺入点は，第二大臼歯の頬側咬頭の遠心への延長線上の付着歯肉と可動粘膜の移行部である．

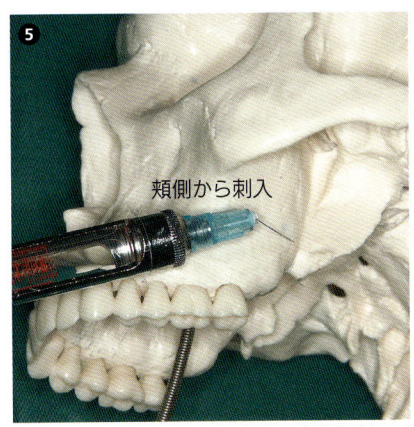

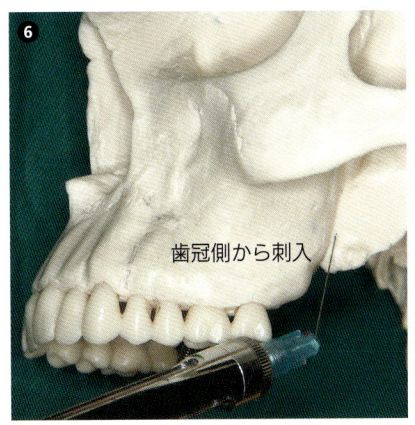

❺❻上顎埋伏智歯の浸潤麻酔．上顎結節の上方で，上顎神経後上歯槽枝をブロックする．

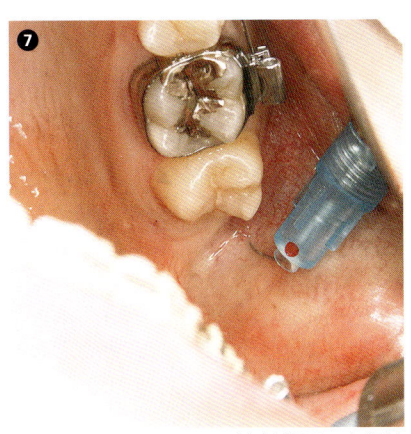

咬合面側からみたときの注射位置．上顎結節の後方で，第二大臼歯の頬側咬頭の延長線上（第二大臼歯の真後ろではなくやや頬側）で，上方に向かって30G針の3分の2程度を刺入する．

上顎埋伏歯の抜歯の手順

①切開

▶ 縦切開は，縫合のしやすさと術野の大きさを考えて第二大臼歯近心隅角部に設定❽し，フラップの基部が広くなるように前方に向かう．
▶ 遠心切開は，第二大臼歯の遠心口蓋隅角から始まって，45°口蓋側へ向かう❽❾．

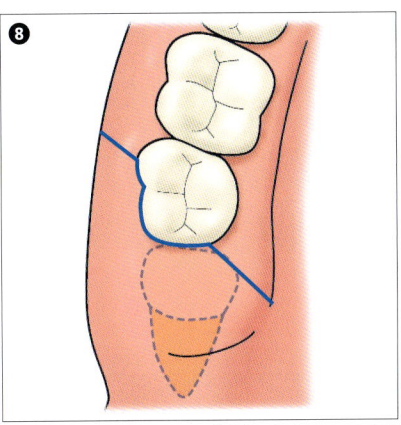

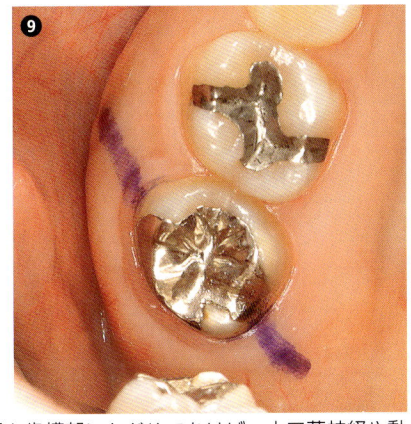

❽❾切開線の位置．口蓋側へ向かっても切開を歯槽部にとどめておけば，大口蓋神経や動静脈を損傷する心配はない．

第二大臼歯の遠心真後ろに切開を加えない理由

▶ 第二大臼歯の遠心の頬舌的中央に切開線を設定してきちんと切開するためには，メスの刃をNo.15からNo.12に交換する必要がある．またこの部分は，縫合はできるが，抜糸時にはハサミが入りにくく抜糸しにくい．さらに術野の広さとして不十分になりやすい．この3点を解決するために，切開線は，第二大臼歯の遠心口蓋隅角から始まって45°口蓋側へ向かう．ちょうど頬側歯肉の縦切開線を，対角線のように口蓋側に延長した形になる．この部分の切開で，大口蓋動静脈や神経を損傷することはないので安心してよい．

②剥離

▶ 縦切開部分は，歯肉頬移行部側から歯頚部側へ剥離を進める（歯頚部より歯肉頬移行部側のほうが，骨と骨膜の付着が緩く，骨膜下でのフラップ挙上が容易であるため）である．
▶ 第二大臼歯頬側から遠心，口蓋へと回り込むように剥離する．第二大臼歯遠心の歯肉は厚くて硬く，剥離・挙上が少し難しい．遠心切開からも剥離を進めて第二大臼歯遠心のもっとも付着が強いところで，頬側からの剥離と口蓋側からの剥離を連続させる❿．

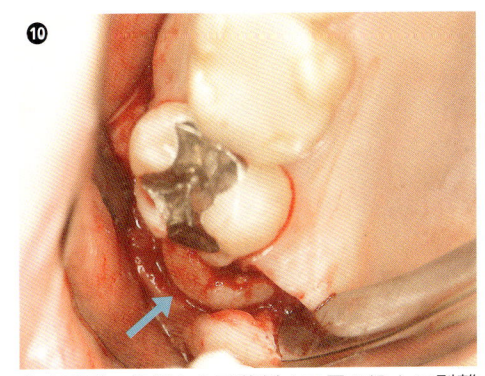

歯肉剥離．頬側から口蓋側まで回り込んで剥離し，歯肉骨膜弁を挙上する．

③骨削除・歯冠露出

▶ 閉口気味にして口角を牽引する．ほとんどの器具を口角付近から出し入れするため，口角の皮膚，粘膜がこすれて傷つきやすいので口角にワセリンや軟膏を塗って保護する．

▶ 埋伏智歯の歯冠相当部の頬側皮質骨を，丸刃骨ノミかストレートハンドピースにつけたラウンドバーで除去する⓫⓬．ラウンドバーで削去する場合は，バーの柄の部分での口唇，頬粘膜の損傷に注意する．この部分ではスペースが狭くコントラアングルハンドピースは使いにくい．

▶ 頬側皮質骨，歯槽頂の骨を削除して，**埋伏歯の近心頬側隅角部の歯頸部を露出させるのがポイント**．露出させた歯頸部に，歯列に対して直角になるように真横からヘーベルを挿入する．

⓫ 骨削除の範囲
近心頬側隅角部の歯頸部まで出すことがポイント
歯肉骨膜弁の挙上．

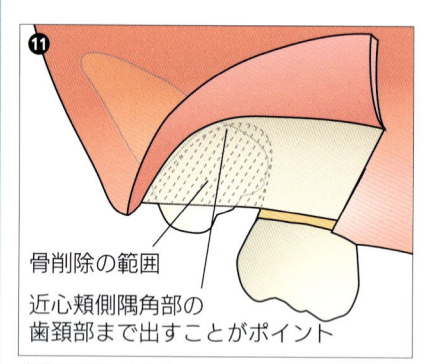

⓬ 丸刃骨ノミで骨削除して歯冠露出させた後，埋伏歯の近心頬側隅角部の歯頸部にヘーベルを挿入する．

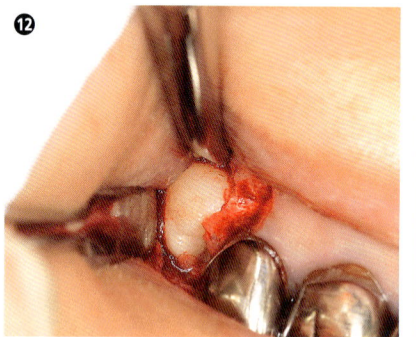

⓭ 上顎の埋伏智歯の頬側歯槽骨の除去には丸刃の骨ノミが使いやすい．歯冠部の骨を除去したあと，骨ノミの刃を歯根膜腔に挿入し，歯根に沿って根尖に向けて槌打すると，歯根周囲の歯槽骨が拡がって，脱臼しやすくなる．歯根部の骨削除は必要ではなく，拡げるだけでよい．

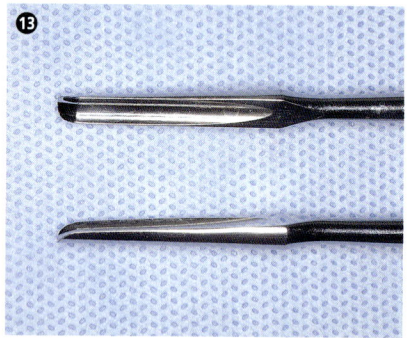

> **Point2** 骨削除・歯冠露出のポイント
>
> 埋伏歯の近心頬側隅角部の歯頸部を露出させる．

④ヘーベルによる脱臼

▶ 歯冠部，近心頬側隅角部の歯頸部を露出させたら⓮a，丸刃骨ノミで歯根面に沿って軽く槌打して歯根と骨の境目のスペースを拡大させる⓮b, c．丸刃骨ノミで歯根膜腔を拡大するようなイメージで骨を拡げる．必ずしも歯根部の骨を除去する必要はなく，骨が拡がればよい．臼後部の骨は軟らかいので容易に拡がる．

▶ 口を閉じ気味にして，口角を後方に牽引し，歯列に対して直交する方向(真横)からヘーベルを挿入する⓮d．

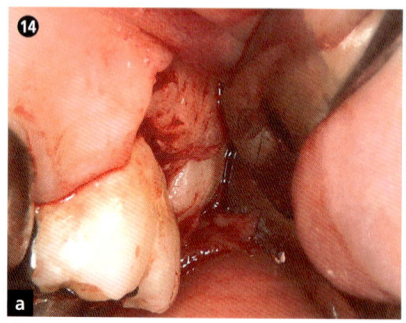

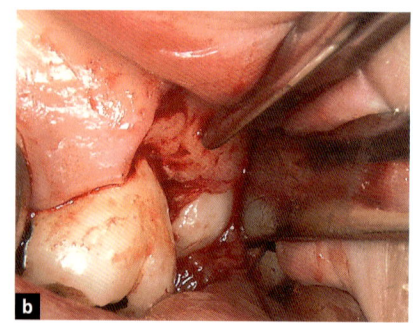

⓮
a 歯肉骨膜弁の挙上．
b 丸刃骨ノミで歯槽骨を除去して埋伏智歯の近心頬側隅角部歯頸部を露出させる．
c 丸骨ノミの刃先を歯根膜腔に入れて歯根に沿って根尖側に進めて，歯根周囲の歯槽骨を拡げる．歯根周囲の骨削除の必要はない．

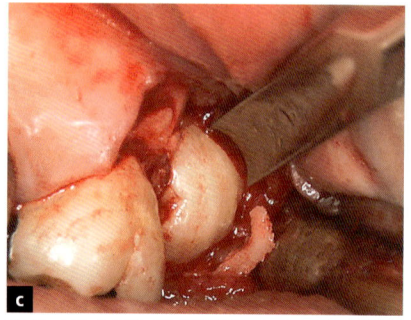

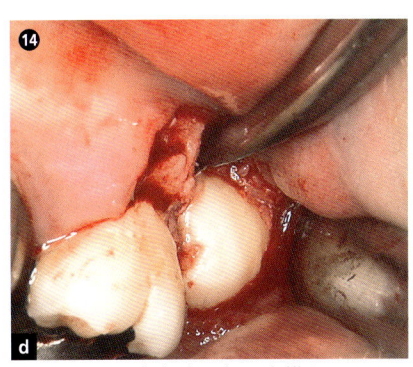

第10章 上顎埋伏智歯の抜歯

智歯の近心隅角部歯頸部に真横からヘーベルを挿入する．

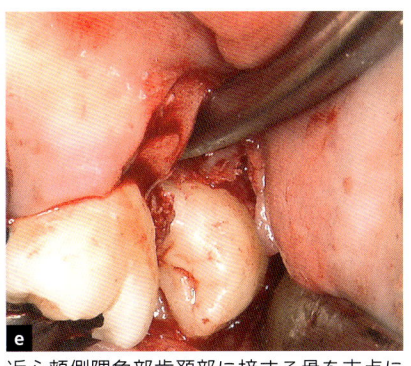

近心頬側隅角部歯頸部に接する骨を支点にして歯冠を起こして頬側へ出すようにヘーベルを動かす．この操作で支点にした部分の歯槽骨が骨折を起こすことはない．

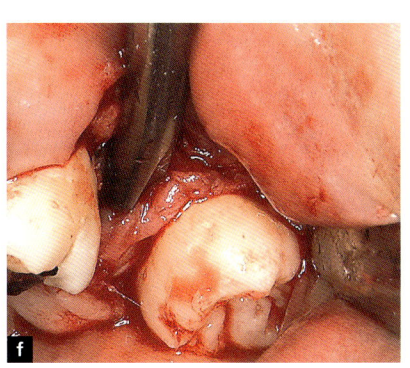

歯冠は頬側，遠心に向かって出てくる．

▶ 露出させた近心頬側隅角部の歯頸部にヘーベルを挿入して，歯冠を遠心へ起こすように先端部を回転（輪軸作用）させる⑭e, f．第二大臼歯遠心のアンダーカット量が大きい場合は真下の咬合平面側に出すのではなく，**頬側に出すようにヘーベルを使う**．頬側に向かって抜歯すれば第二大臼歯遠心のアンダーカットは問題にならない．このときに第二大臼歯の骨植がよければ第二大臼歯の遠心歯頸部や骨削除断端の骨をヘーベルの支点にしてよい．筆者の経験では，この方法で第二大臼歯が動揺したり，歯槽骨が折れたことはない．
▶ 骨を拡げるようなつもりでヘーベルでゆっくりと歯頸部を持ち上げながら頬側へ引き出すと歯槽骨が拡がって頬側に向かって脱臼する．
▶ 患者の年齢が高い場合や，骨が菲薄な場合に，上顎結節の一部が破折して歯根に付着して出てくることがあるが，よほど高い位置（上方）での骨折でなければ，実際はまったく問題はない（高い位置で折れると出血が多いことがある）．
▶ 第二大臼歯の遠心に歯冠が食い込んでいてアンダーカットが大きくても，決して歯冠をタービンで分割しないでそのまま頬側へ出すことが最大のポイントである⑭f．

Point3 ヘーベルによる脱臼のポイント

第二大臼歯の遠心に埋伏智歯の歯冠が潜り込んでいてアンダーカットが大きくても，決して**歯冠をタービンで分割しない**で頬側に出す．頬側へ出す際の骨の削除は，埋伏智歯の近心頬側隅角部の歯頸部が露出すれば十分で，頬側歯槽骨を根尖まで削除する必要はない．

臨床の疑問1 なぜ歯冠のアンダーカット部分をタービンで分割しないのか？

▶ アンダーカット部分の歯冠をタービンで分割除去するように記載された書籍もあるが，実際は非常に難しく，またその必要もない⑮．

理由
① 術野が狭く盲目的になりがちで，正確な分割操作をしにくい．
② 歯冠分割にはタービンが必要だが，直視しにくい狭い術野・視野でタービンを使うと，軟組織の巻き込みや気腫を起こすおそれがあり，危険である．
③ 分割して残存歯質が小さく少なくなると，ヘーベルを作用させる部分が小さくなって非常に抜歯が難しくなる．歯冠部分が残っているからこそ，ヘーベルがかかりやすい．

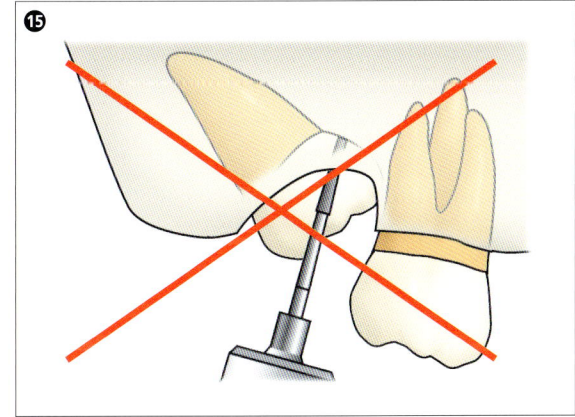

タービンで歯冠分割はしない．

④下方に抜歯しようとするからアンダーカットになるのであって，頰側に向かって出せば，アンダーカットは問題にならないので，歯冠分割は不要である．頰側に出すといっても，頰側の骨の削除は近心隅角部の歯頸部が露出する程度で十分であり，頰側歯槽骨をすべて削除する必要はない．筆者はすべての上顎埋伏智歯を歯冠分割せずにこの方法で抜歯している．

萌出している上顎智歯の抜歯はとても簡単

▶萌出している上顎智歯の抜歯は，第二大臼歯の骨植がよい場合は，第二大臼歯の遠心歯頸部をヘーベルの支点にして，智歯の歯冠を遠心に向かって押さえこむようにヘーベルを回転させると，容易に脱臼する⓰〜⓲．

⓰ ヘーベルの断面

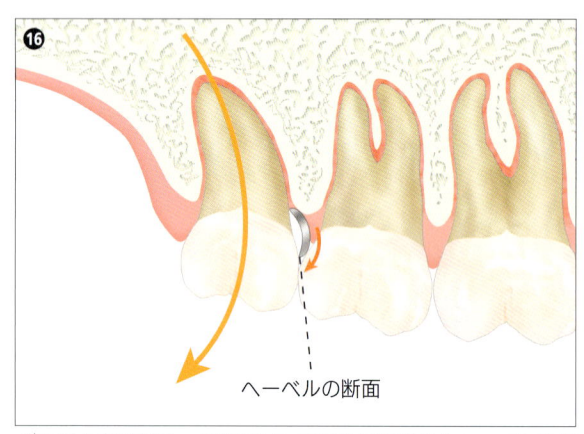

8|の近心歯頸部に，歯列に対して直角に頰側からヘーベルを挿入し，歯根の湾曲に沿うようにヘーベルを遠心に向けて回転させる．このとき第二大臼歯の骨植がよければ，第二大臼歯の遠心歯頸部を支点にしてもかまわない．

⓱

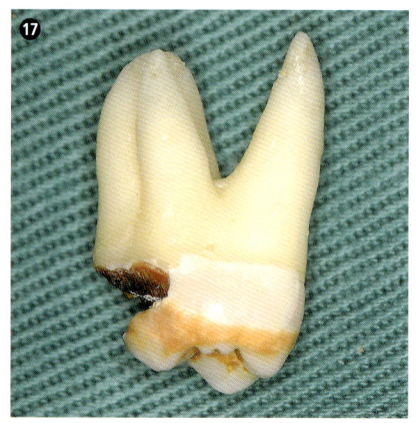

無理に強い力を加えると，写真のような口蓋根は破折しやすい．加える力をゆっくりと徐々に大きくして，歯槽骨を拡げながら抜歯する．

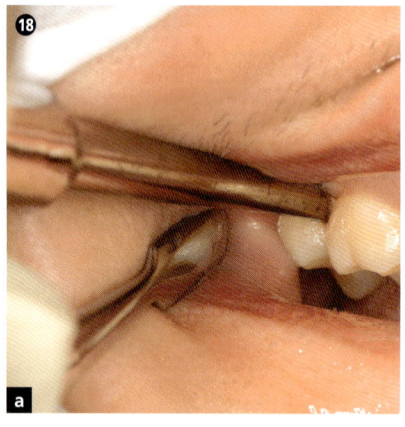

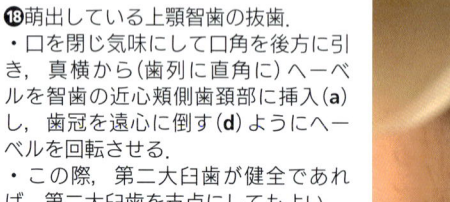

⓲萌出している上顎智歯の抜歯．
・口を閉じ気味にして口角を後方に引き，真横から（歯列に直角に）ヘーベルを智歯の近心頰側歯頸部に挿入（a）し，歯冠を遠心に倒す（d）ようにヘーベルを回転させる．
・この際，第二大臼歯が健全であれば，第二大臼歯を支点にしてもよい．
・歯根の湾曲にしたがって歯冠を遠心に倒すようにヘーベルを動かす．
・上顎智歯は歯根の湾曲の方向により，歯冠が遠心へ向かいながら脱臼する．
・ヘーベルの回転方向をまちがわないように注意．

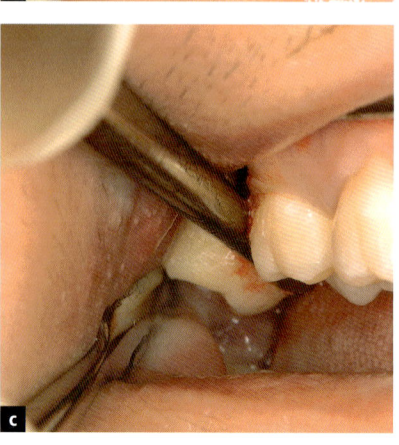

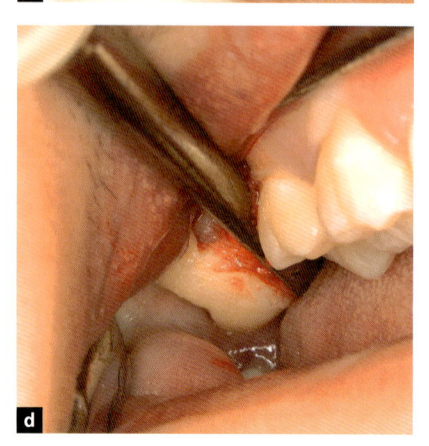

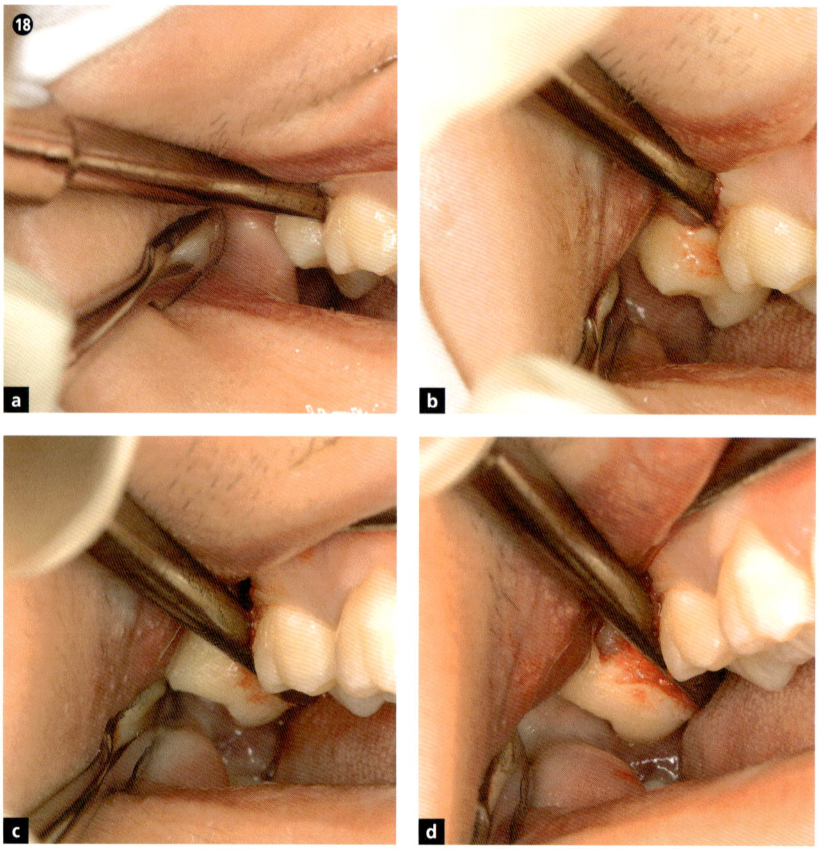

▶単根歯であれば容易に脱臼する．抵抗がある場合は，複根歯，歯根の開大があることが多い．このときは無理に強い力を加えず，ヘーベルの力を強めたり弱めたりを繰り返しながら，ゆっくりと徐々に歯槽骨を拡げるようにヘーベルを動かす．無理に強い力を加えると，歯根破折のもとである．

臨床の疑問2　上顎埋伏智歯の抜歯の骨削除になぜ丸刃の骨ノミがよいのか？

理由
①上顎大臼歯部の皮質骨は薄く，骨質も粗で，骨ノミで楽に落とせる．
②丸刃骨ノミの刃先の丸く湾曲した形が歯根に沿いやすく，歯根膜腔に沿って槌打することにより，歯根周囲の骨を拡げることができ，脱臼させやすい．
③タービン，コントラアングルはハンドピースの角度からみて使用しにくい．患者が丸刃骨ノミの槌打の音や衝撃をいやがる場合は，ストレートハンドピースにラウンドバーをつけて削除してもよい．

上顎埋伏智歯の抜歯の実際

上顎埋伏智歯の抜歯の実際をステップバイステップで示す．

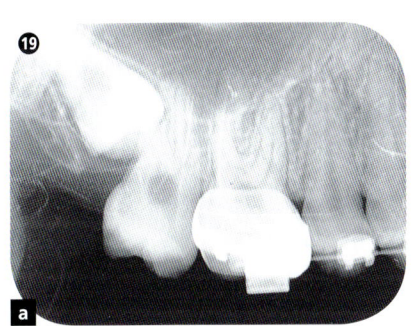

a 術前のデンタルエックス線写真．
b 第二大臼歯の歯肉頬移行部，上顎結節後方，口蓋側に局所麻酔注射をする． 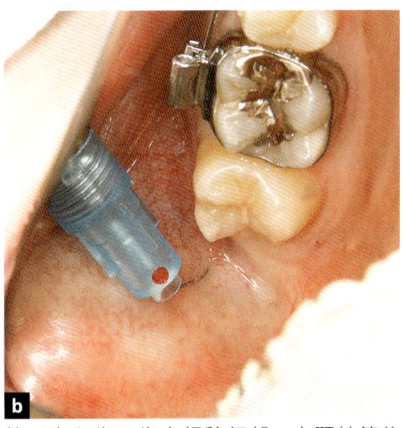
c 第二大臼歯の頬側近心隅角部に縦切開を加える． 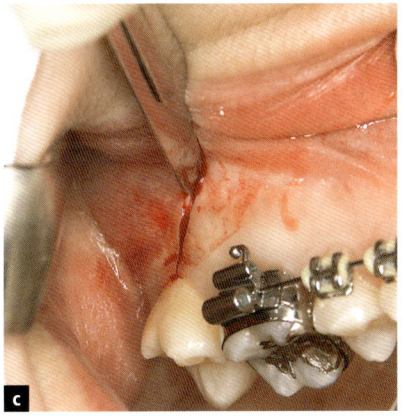
d 口蓋側遠心部隅角部に切開を加える． 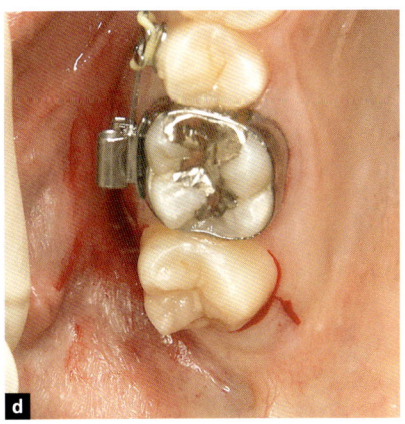
e 頬側歯肉骨膜弁を挙上する．

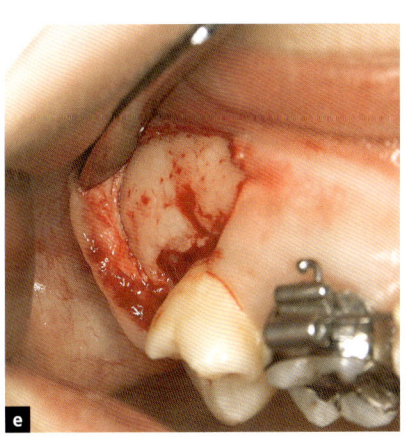

第10章

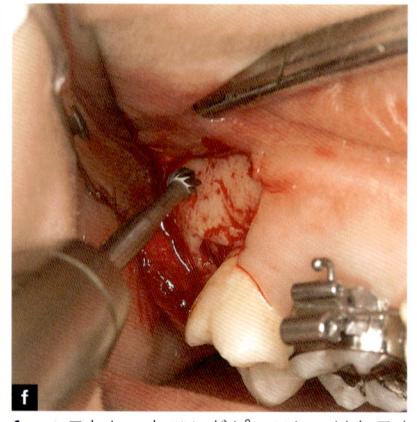

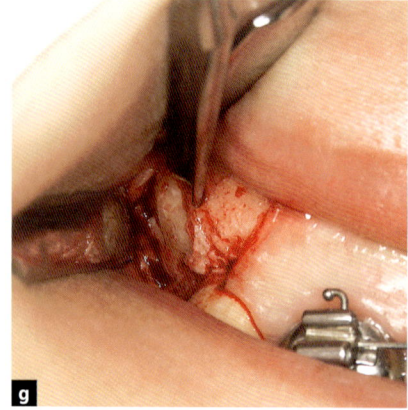

f, g：ストレートハンドピースにつけたラウンドバーまたは丸刃骨ノミで，埋伏歯の頬側皮質骨を削除する．

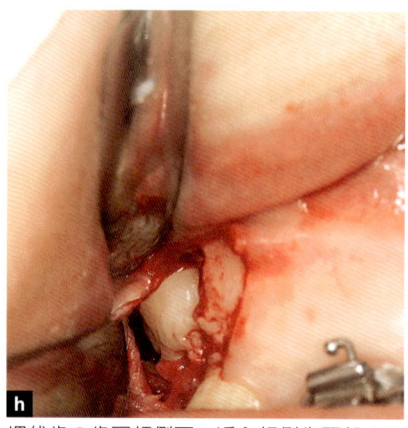

埋伏歯の歯冠頬側面，近心頬側歯頸部まで露出させる．このあと丸刃骨ノミを歯根に沿って根尖側へ槌打し，歯根部の歯槽骨を拡げる．歯槽骨が拡がれば抜けるので，骨を除去する必要はない．

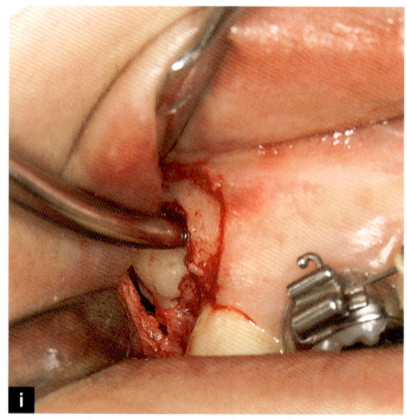

i：埋伏歯の近心頬側隅角部歯頸部に，歯列に直角の方向からヘーベルを挿入する．

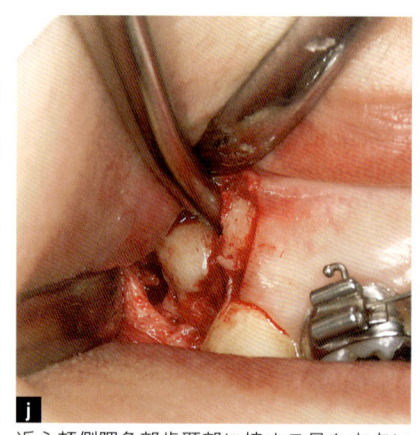

j：近心頬側隅角部歯頸部に接する骨を支点にして歯冠を頬側へ出すようにヘーベルに力を加える．

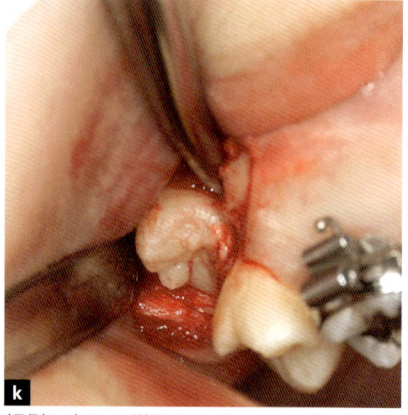

k：頬側へ向けて脱臼させる．アンダーカット部分の歯冠をタービンで歯冠を分割しなくても抜歯は可能である．

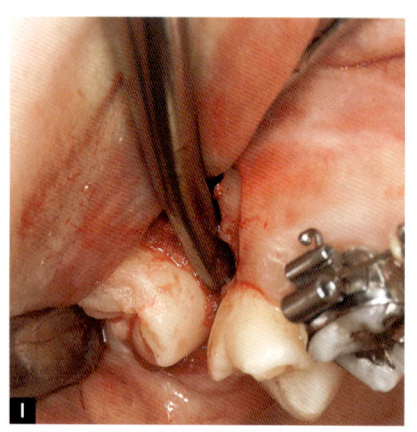

l：埋伏歯は頬側へ向けて取りだす．

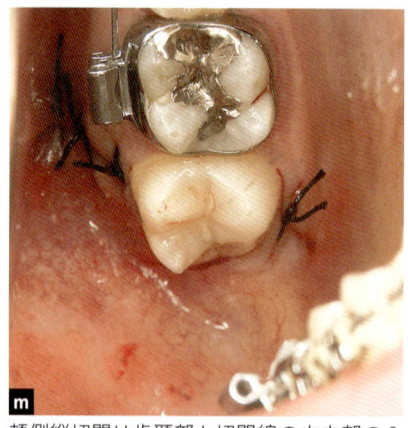

m：頬側縦切開は歯頸部と切開線の中央部の2か所を，口蓋側は歯頸部1か所を縫合する．

上顎埋伏智歯の抜歯時のトラブルの種類と対処

①上顎洞への穿孔

▶ 抜歯前にエックス線写真やCTで埋伏智歯と上顎洞底の解剖学的な位置関係を確認しておく❷⓪.
▶ 穿孔することはやむを得ない場合があるので，そのことは患者に事前に説明しておく．穿孔の有無は，口のなかに空気をためさせて確認する．空気が鼻から漏れないように意識しても自然に漏れるようなら穿孔していると考える．
▶ 穿孔した場合は，テルプラグ®を抜歯窩に填入して縫合する．

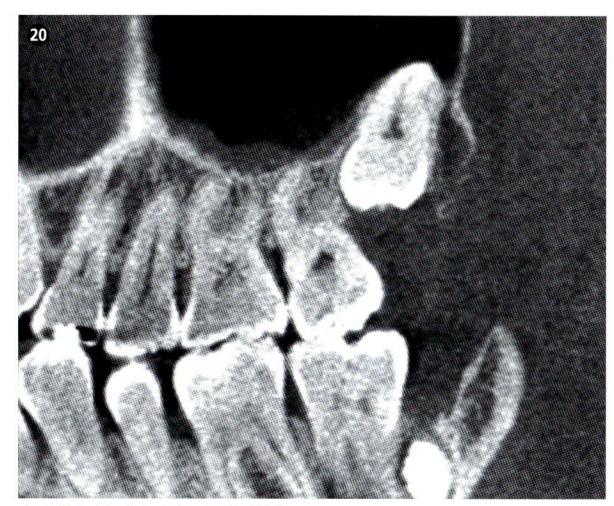

上顎洞に突出した|8 のCT画像．

②上顎洞への迷入

▶ 上顎埋伏智歯が上顎洞内へ迷入した場合，抜歯窩から取りだすことは不可能である．
▶ 第二小臼歯，第一大臼歯付近の上顎洞側壁を開削して直接取りだす（CHAPTER20「上顎洞への穿孔」参照）．

③歯根の破折

▶ 破折して歯根が残った場合の摘出は，非常に困難である．無理をすると上顎洞へ穿孔したり，落とし込んだりする危険があるので，摘出不可能なら残しておいてもよい．
▶ どうしても除去したければ口腔外科専門医へ紹介する．
▶ 歯根を破折させないためには，ヘーベルで脱臼させる際に，力を加えたり緩めたりして，歯槽骨を徐々に拡げながら脱臼させるとよい．また，湾曲した根尖が残った程度であれば，術後の経過に問題なく治癒する（下顎埋伏智歯の歯冠除去術と同じことである）．

④上顎結節の骨折

▶ 折れた骨片が比較的大きく，骨膜が付着している場合は骨片はもとに戻して，止血をきちんと確認して歯肉を縫合する．骨片が小さかったり，骨膜が剥がれて遊離している状態であれば，除去する．骨と埋伏歯が癒着していて分離できない場合は，やむを得ず骨も一緒に除去する❷①.
▶ 術後に開口障害が出現することがあるので，説明しておく．
▶ 骨折を起こさないためには，歯根の破折を防ぐ場合と同様に，一気に強い力を加えないことが重要．歯槽骨を拡げるつもりで，ヘーベルの力を強めたり弱めたりを繰り返しながら徐々に振幅を大きくしていく．

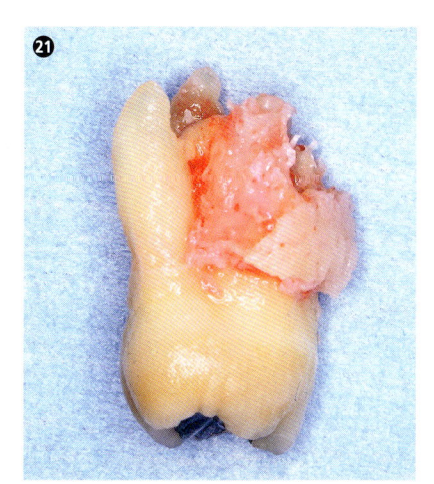

上顎結節部の骨折．

⑤出血

▶埋伏位置が深く，歯槽骨の骨折が上顎洞後壁の上方まで及ぶと，後上歯槽動脈が損傷されて思わぬ出血を生じることがある．

▶まずすべき止血処置はガーゼ圧迫であるが，この部分での出血は，出血点の直視による確認が難しく，また上顎結節の後壁が消失している場合には，ガーゼ圧迫も十分にきかないことがあるので，止血に難渋することがある．

▶動脈性出血や出血量が多く自分で止血できない場合は，血管内カテーテルによる塞栓術が必要になることがあるため口腔外科専門医に紹介する．

Point 4 上顎埋伏智歯抜歯のまとめ

①上顎第二大臼歯遠心のアンダーカット除去目的でのタービンでの歯冠分割はしない
②頬側に向かって出せば，アンダーカットの処理は不要
③丸刃骨ノミで埋伏歯の近心頬側隅角部歯頸部が露出するよう頬側の骨を除去する
④丸刃骨ノミを歯根に沿って槌打して，歯根周囲の骨を拡げる．拡げるだけでよく，除去する必要はない
⑤埋伏歯の近心頬側隅角部歯頸部に真横からヘーベルを挿入する
⑥近心頬側隅角部歯頸部に接している部分の骨を支点にして，埋伏歯の歯冠が頬側に向かって出てくるように，ヘーベルに力を加える
⑦一気に強い力を加えると，上顎結節の骨折を起こしやすいのでゆっくりと骨を拡げるつもりで徐々に力を加える

上顎智歯抜歯

【movie11】上顎萌出智歯抜歯① ヘーベル
【movie12】上顎萌出智歯抜歯② 脱臼鉗子
【movie13】上顎埋伏智歯抜歯①
【movie14】上顎埋伏智歯抜歯②

CHAPTER 11
下顎埋伏智歯（半埋伏歯，水平埋伏歯）の抜歯

　下顎埋伏智歯の抜歯は，腫脹や疼痛などの術後症状が強く出たり，出血やドライソケット，下歯槽神経の鈍麻などのトラブルも多く，できれば抜歯が得意な開業医や病院の歯科口腔外科に全例紹介したいところかもしれない．とはいえ止むを得ず自分で抜かなければならないこともあり，多少時間がかかっても自分で抜けるようになりたい歯科医師も多いことと思われる．本章を熟読して，下顎埋伏智歯の抜歯をマスターしていただきたい．

下顎埋伏智歯の抜歯の原則

　手術を安全に行うための大原則は直視・直達であり，この原則は下顎埋伏智歯の抜歯でも同様である．埋伏歯は歯肉や骨に覆われていて見えにくく，また到達しにくいので，歯肉骨膜弁を挙上し，必要最低限の骨を削除して埋伏歯が見える状態，到達可能な状態にすることが必要である．そのため，切開・剝離・縫合といった外科の基本手技を習得しておかなければならない（基本手技はCHAPTER 6～8を参照されたい）．

上手に抜歯するポイント

①歯を分割したり，骨を削除することにより，抜歯に抵抗する形態を開放・除去する

▶ 埋伏歯は萌出歯とは異なり，歯全体あるいは歯冠・歯根の大部分が骨の中に埋まっているので，骨外に取り出すためには最低限の骨削除，歯の分割が必要であることは明らかである．

▶ 埋伏智歯の第二大臼歯遠心部のアンダーカット，歯冠の最大豊隆部，歯根の湾曲・開大・肥大などを開放・除去し，歯根周囲の骨を削除して歯が動くためのスペースを確保する必要がある．

②ヘーベルを上手に使う

▶ 抜歯鉗子で把持できないのでヘーベルで抜歯することになる．しかし，角度的に歯軸方向にはヘーベルを入れられないことが多く，通常のヘーベル操作とは異なる使い方が必要である．

▶ また，歯軸に沿って根尖側に向かって強い力を加えると，歯根が押し込まれて，根尖部で下歯槽神経を圧迫して知覚鈍麻を生じやすいので，ヘーベル操作に工夫が必要である．**下顎埋伏智歯の抜歯により発生する知覚鈍麻のほとんどがこの歯根の押し込みによる神経圧迫である．**

術前診査

①患者の状態

▶開口量，臼後部スペースの大小，頬粘膜のせり出しの程度，顎関節症状の有無などを観察しておく．開口量が小さく，また臼後部スペースが狭いと，タービンをはじめとする抜歯器具が使いにくく，治療時間が長引くことがあるので，開始前にきちんと評価しておく．また，大開口状態が長時間続くと顎関節症状が出たり，悪化することもある．

②エックス線写真，CT画像の読影

▶エックス線写真の読影法については，CHAPTER 2で述べたが，さらに以下の点に注意して読影する．

（1）埋伏歯の状態

▶埋伏の深さ（歯冠分割時にバーが届く深さか）
▶埋伏歯の歯軸の状態（分割バーやヘーベルが入りやすい角度か）
▶第二大臼歯遠心部でのアンダーカット量（アンダーカットを除去するために必要な，歯冠部削除量の想定）
▶歯根の状態（歯根の数，長さと湾曲や肥大，開大，骨の抱え込みなどの有無
＊ただし，歯根の頬舌的湾曲や根の重なりは，エックス線写真では正確にはわかりにくい）
▶エックス線画像所見から直感的に抜歯の難易度を想定するのに便利な分類があるので，知っておくとよい．

Pell & Gregory分類……埋伏智歯の垂直的な深さと近遠心的な位置による分類❶．

1）近遠心的な位置❶a

▶第二大臼歯遠心面から下顎枝前縁までの距離によるclass分類（class Ⅰ～Ⅲ）で，距離が近いほど埋伏歯が遠心に位置していることになり，骨削除が多く，器具も届きにくく，操作スペースも狭くなるので，難しくなる．

2）垂直的な深さ❶b

▶第二大臼歯の咬合面と埋伏智歯の歯冠の距離（埋伏の深さ）によるposition分類（position A～C）で，埋伏深度が深いほど骨削除量が多くなり，器具も届きにくくなって抜歯が難しくなる．

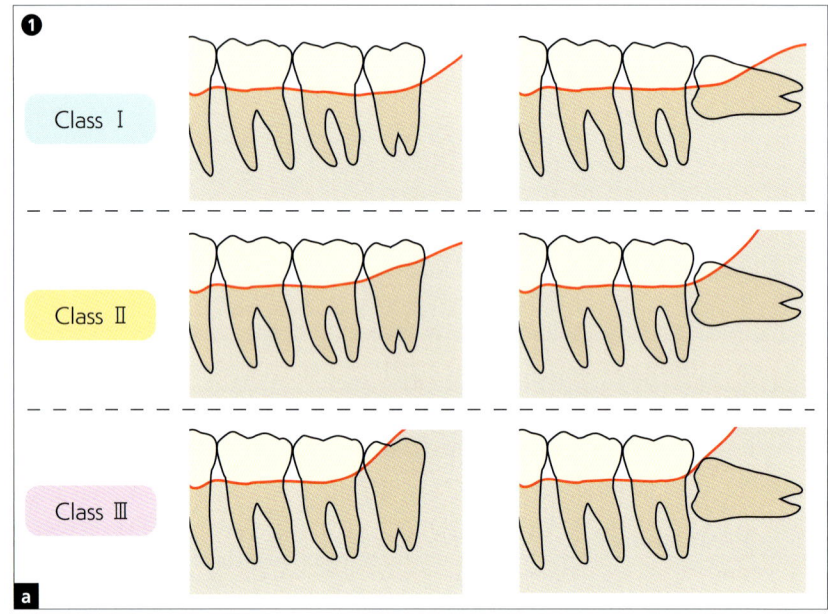

❶
Pell & GregoryのClass分類．

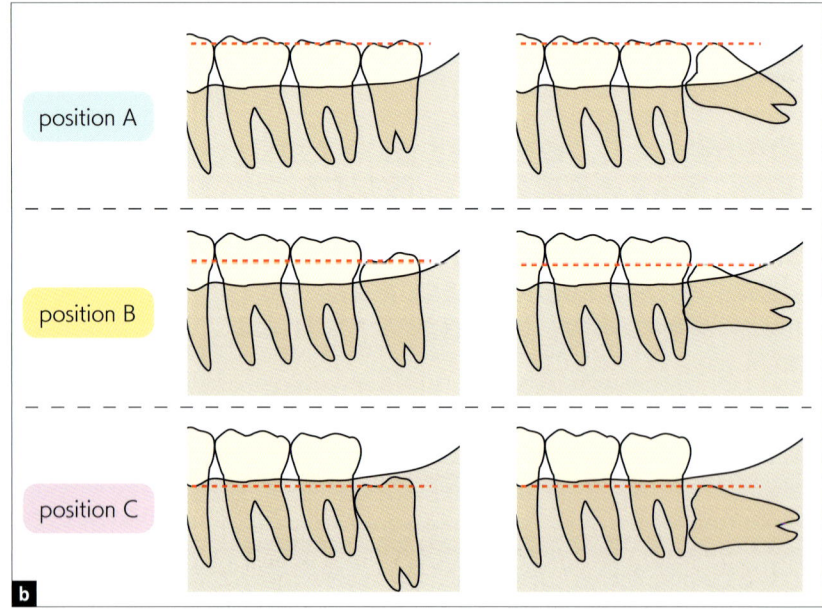

Pell & GregoryのPosition分類．

第11章 下顎埋伏智歯（半埋伏歯，水平埋伏歯）の抜歯

Winter分類……第二大臼歯の長軸に対する埋伏歯の長軸の角度による分類❶c.
▶埋伏歯の傾斜には近心傾斜，遠心傾斜，水平，垂直，頬側傾斜，舌側傾斜，舌側水平，逆生埋伏があり，それぞれの傾斜で抜歯法が異なる．

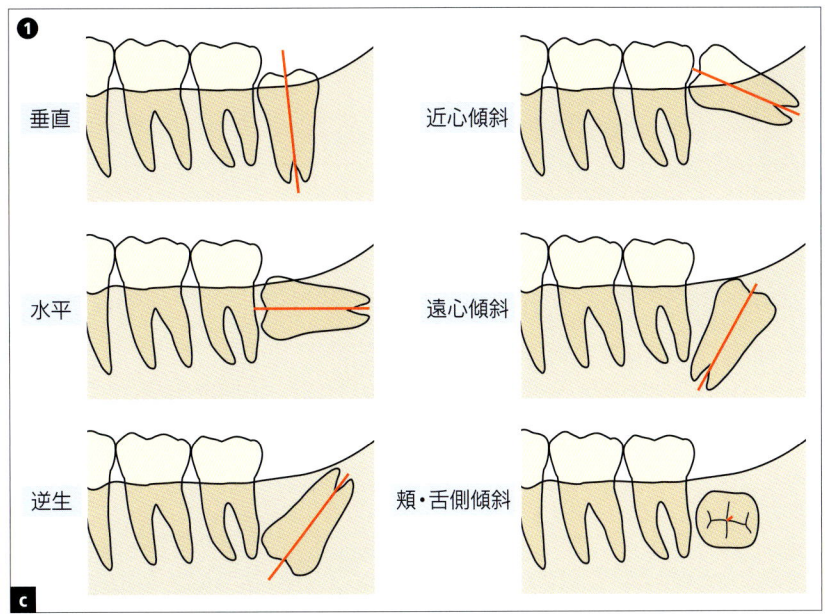

❶ 垂直　近心傾斜
　水平　遠心傾斜
　逆生　頬・舌側傾斜

c
Winter分類．

(2) 下顎管との関係
▶歯根膜腔・歯槽硬線・下顎管壁の消失の有無をみる❷❸．この3つが確認できる場合は，歯根と下顎管の重なりがあっても，実際は頬舌的にずれているので，歯根を根尖側に押し込まないヘーベルの使い方（後述）で，知覚鈍麻の発生は避けられる．
▶抜歯にあたりもっとも注意すべき状態を示す所見は，「darkening of the root（歯根を横切る帯状のエックス線透過性亢進所見〔黒い帯状の所見〕）❹aであり，この所見があると歯根側壁が下顎管で圧迫されて陥凹していたり❹b，下顎管壁が消失していることが多く，下唇の知覚鈍麻が出やすい．しかし，この状態であっても骨，歯根を適切に処理し，ヘーベルをうまく使えば知覚鈍麻がでることはほとんどない．

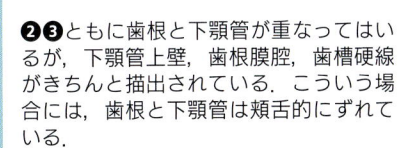

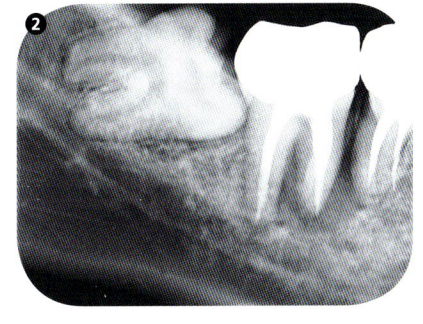

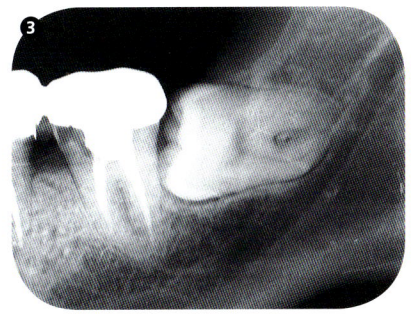

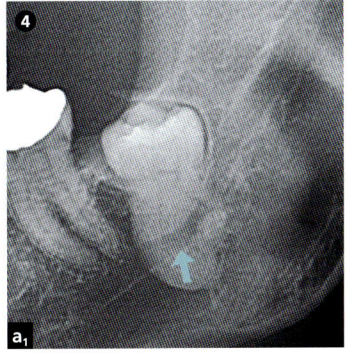

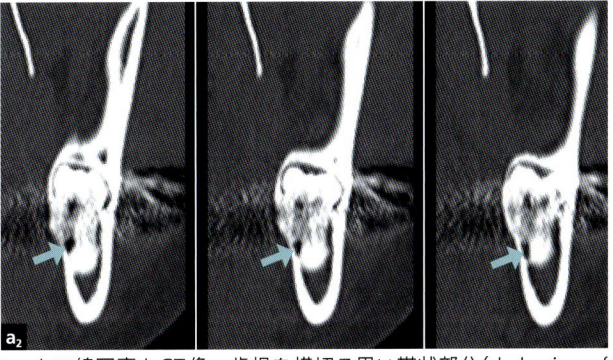

❷❸ともに歯根と下顎管が重なってはいるが，下顎管上壁，歯根膜腔，歯槽硬線がきちんと描出されている．こういう場合には，歯根と下顎管は頬舌的にずれている．

a₁, ₂：darkening of the rootの所見のエックス線写真とCT像．歯根を横切る黒い帯状部分（darkening of the root）が認められる．このような所見がある場合，歯根に下顎管の圧痕（陥凹）があったり，2根管の間を下顎管が走行していることが多い．

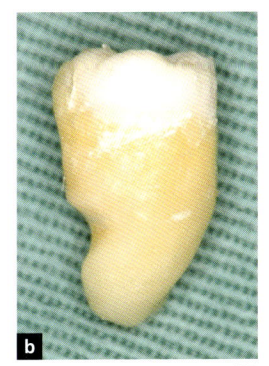

darkening of the rootが認められた歯．歯根に陥凹がみられる（注 aの画像の歯とは異なる）．

105

第11章

▶ 前述した3つの所見が確認できない場合❺aには，CT撮影を行う❺b．
▶ CT画像では，歯根と下顎管の関係だけではなく，**冠状断で舌側の皮質骨の状態も確認する**．埋伏智歯ではその30％で，舌側の皮質骨が非常に薄いか，または消失している❻とする報告もある．そのような埋伏歯では，歯冠分割時にバーが舌側に抜けて舌神経を損傷したり，歯根を舌側に落とし込んだりすることがあるので，注意が必要である．

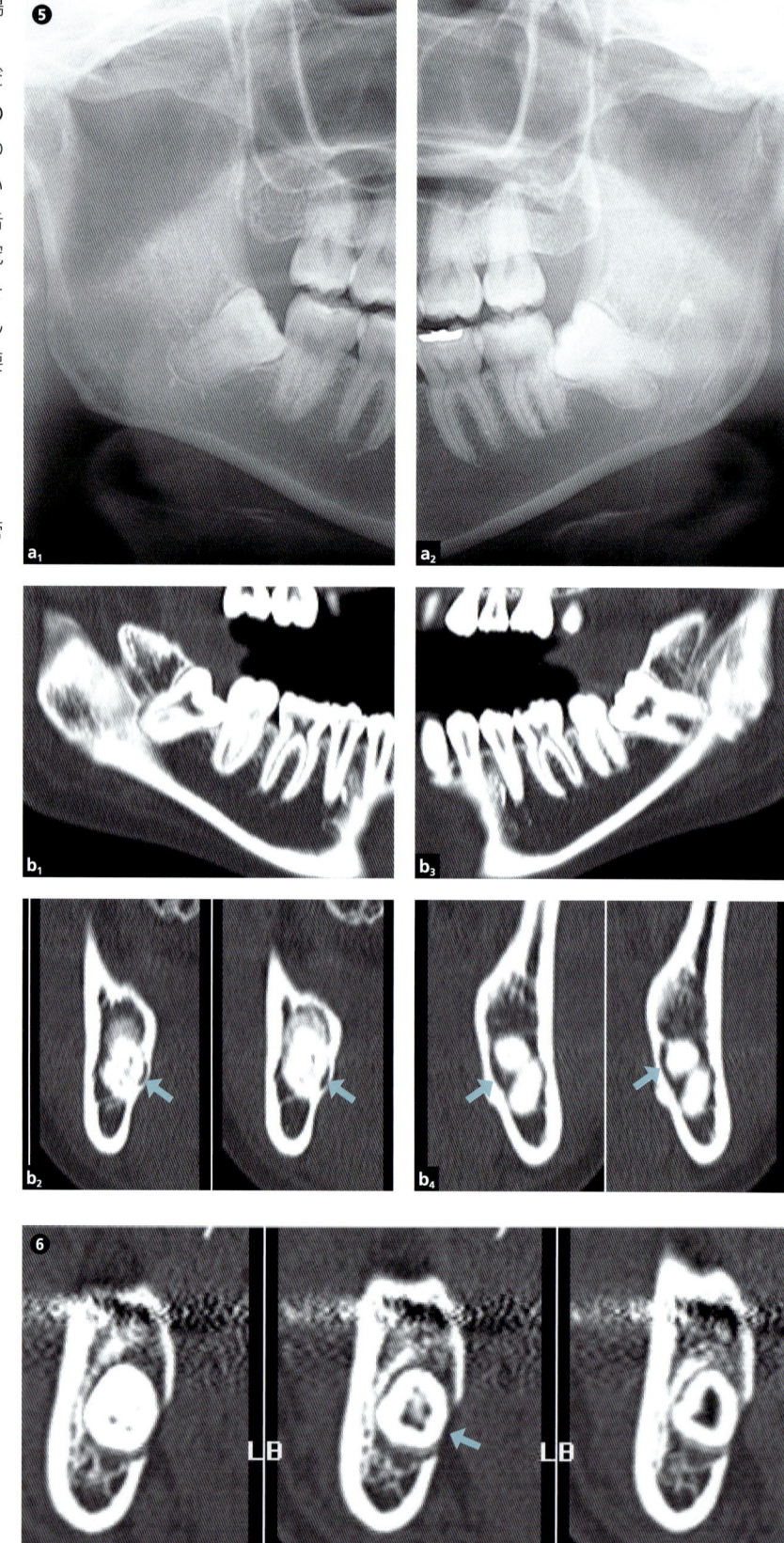

❺ a₁, ₂：8̅|8̅とも歯根の中央部付近を下顎管が横切っている．

b₁₋₄：同一症例のCT画像（矢印が下顎管）．

❻舌側皮質骨が消失している症例．

第11章 下顎埋伏智歯(半埋伏歯，水平埋伏歯)の抜歯

浸潤麻酔(痛くない局所麻酔についてはCHAPTER 3参照)

必ずしも全例で伝達麻酔が必要となるものではなく，ほとんどの下顎埋伏智歯が浸潤麻酔，歯根膜腔注射で抜歯可能である．

①麻酔の手順

▶ 3分間の表面麻酔後，注射時の疼痛軽減のために，まず最初は可動粘膜部にゆっくりと注入し❼a，徐々に麻酔範囲を広げていき❼b，カートリッジ2本を注射する．舌側歯肉にも注射するが❼c，舌神経損傷を避けるために付着歯肉内の刺入にとどめ，下方の可動粘膜内には刺入しない．舌神経は付着歯肉内を走行することはないからである．注射後10分待って歯肉切開を加える．

▶ 歯肉骨膜弁の挙上後に第二大臼歯の遠心面に沿って，歯根膜腔注射をして，埋伏歯の歯冠周辺を麻酔し，骨削除して埋伏智歯の歯根膜が確認できたら，歯根膜腔注射を追加する．

▶ 歯根膜腔注射によりドライソケットが増えるとの説があるが，エビデンスはなく，また筆者の経験でも歯根膜腔注射でドライソケットが増えるという印象はない．

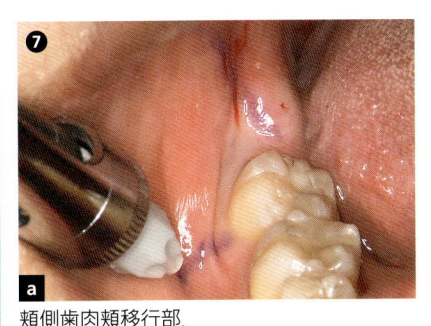

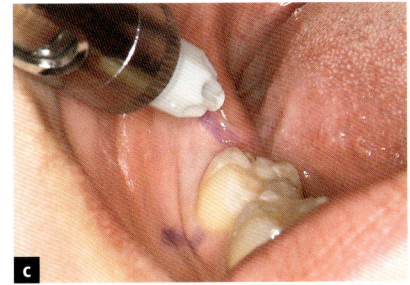

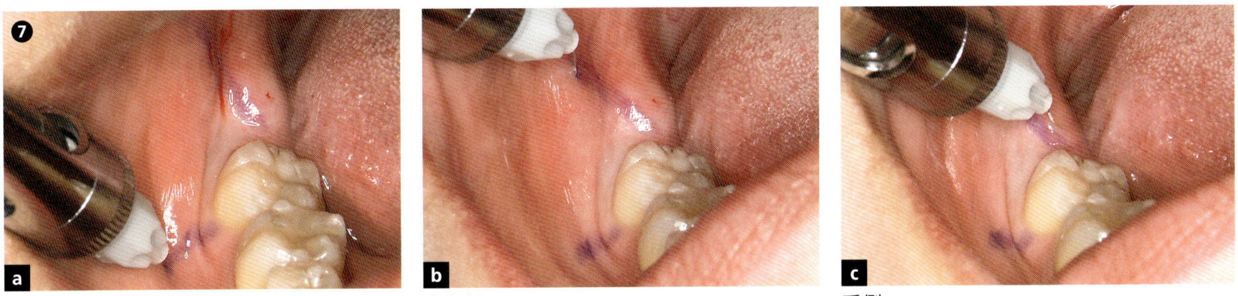

❼
a：頬側歯肉頬移行部．
b：遠心部．
c：舌側．

②浸潤麻酔の効きが悪い場合

▶ 浸潤麻酔の効きが悪い場合は，骨内麻酔(骨髄内注射)を追加する．歯根に沿って歯槽硬線部分をバーで削去して，骨髄を露出させて，その部分から注射針を刺入し，骨髄内にゆっくりと注射する❽a．
▶ また，臼後部の棚状の歯根に近い場所の骨をラウンドバーで穿孔して，骨髄内に注射してもよい❽b．浸潤麻酔が効いているので，この骨穿孔処置は痛くない．完全埋伏智歯でも，浸潤麻酔や歯根膜腔注射，骨内注射で十分に抜歯可能であり，埋伏智歯抜歯で伝達麻酔が必要となることは稀である．

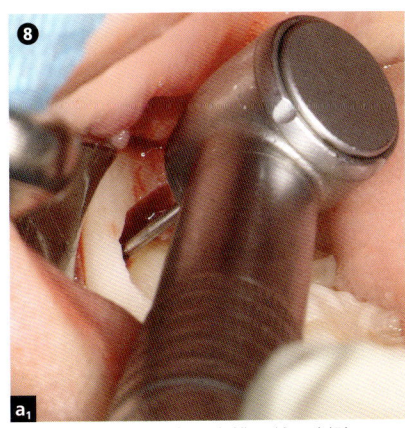

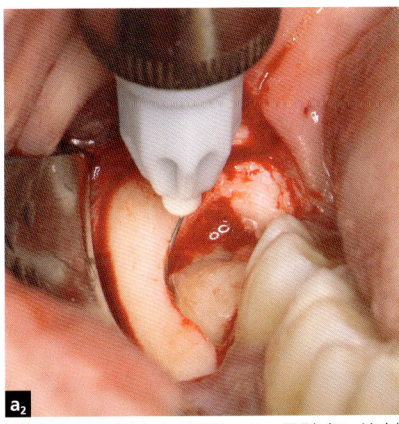

❽
a₁,₂：骨髄内注射①．歯槽硬線を削除して，骨髄内からの出血を確認して，骨髄内に注射する．
b：骨髄内注射②．歯根上方の骨を穿孔し，骨髄内に直接注射する．

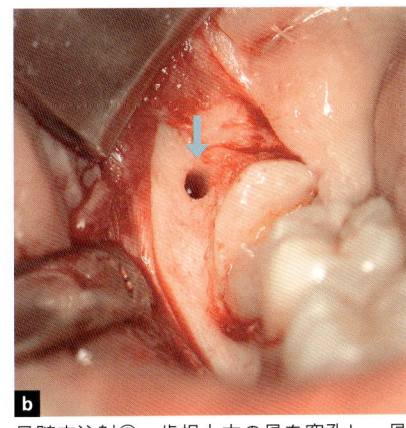

切開線の設計

①遠心切開

▶遠心切開の起始点は舌側遠心隅角部に設定する．

▶必ず触診して，臼後部の骨のある部分に切開線を設定する．通常，第二大臼歯の頬舌的中央部から開始することが勧められている❾aが，その場合，舌側に歯質を残すことがあり，改めて舌側歯肉を剥離しなければならないことがあるので，第二大臼歯の舌側遠心隅角部から開始❾bし，骨上を45°の角度で頬側へ向かう．

▶決してそのまままっすぐ後方(遠心)へ延ばしてはならない．下顎骨は臼後部から後方は外側に広がっており，第二大臼歯後方の歯列延長線上には骨はないので，切開が真後ろに向かい，深くなると舌神経を損傷する危険がある❿．この誤った切開は，舌神経損傷の原因の1つである．

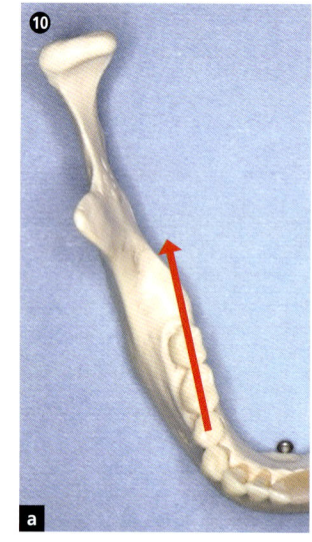

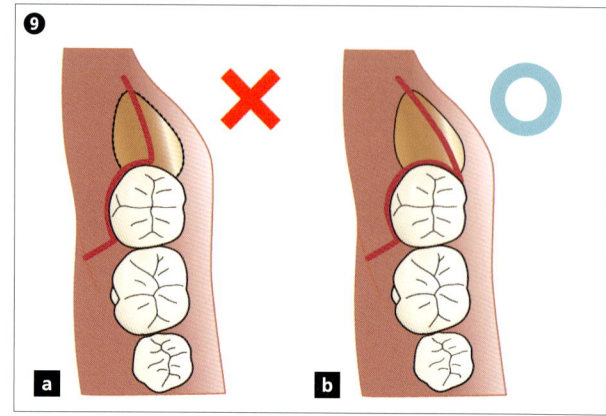

❾遠心切開の起始点の頬舌的位置．

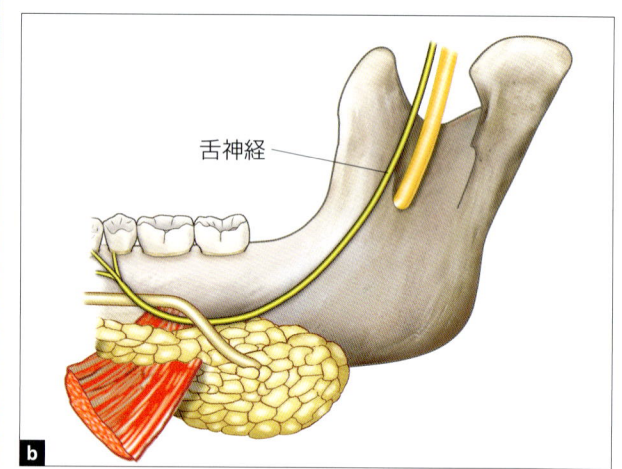

❿遠心切開を歯列の延長線上に設定すると，舌神経を損傷する．

②頬側縦切開

▶頬側縦切開は，第二大臼歯の近心頬側隅角部に設定する⓫(その理由はCHAPTER 7参照)．血流を考えて基部を広くする．

▶頬側の縦切開を加えず，第二大臼歯の歯頸部に沿って歯肉溝内に切開を加えるエンベロープフラップ(CHAPTER 23参照)が推奨されることがあるが，視野・術野の広さ，抜歯器具の操作性のよさから，うまくなるまでは縦切開を加えることを勧める．

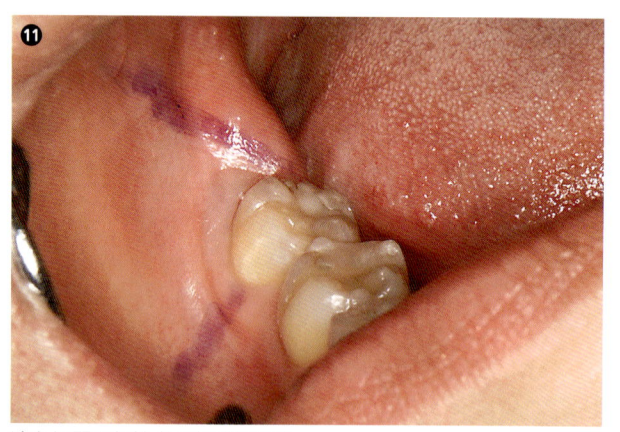

⓫遠心切開の起始点の頬舌的位置．

歯肉切開

①完全埋伏症例の場合⓬

(1)遠心切開

▶遠心切開は，臼後部歯肉が厚いので，必ずしも一気に骨膜まで切開しなくてもよい．最初の切開創の最深部で切開を追加する⓬．

第11章 下顎埋伏智歯（半埋伏歯，水平埋伏歯）の抜歯

▶ まず，手指で骨を触知して，遠心舌側隅角部から外側に向かう❶a, c.
▶ ⌐8抜歯時には遠心側の可動粘膜から切開を開始することになるので，手指で切開方向とは逆に力を加えて粘膜を緊張させて開始する❶b.

（2）頰側縦切開

▶ 頰側縦切開部分は，歯肉が固定されている歯頸部から歯肉頰移行部側へ向けて切開するときれいな切開になる❶d.
▶ 可動粘膜部には入るが，歯肉頰移行部を超えないほうが腫脹が軽い.
▶ 歯肉頰移行部から歯頸部へ向かって切開する場合は，歯肉頰移行部の粘膜に，指で切開する方向とは逆向きの力を加えて，可動粘膜を固定し，緊張させて切開する❸.

❶
a 遠心切開.
b 遠心切開の切開起始部が可動粘膜の場合. 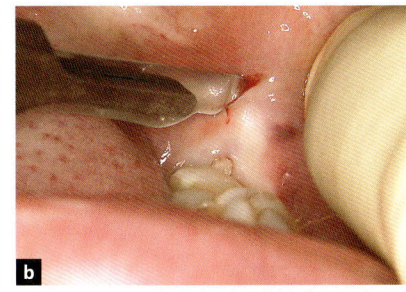
c 骨の上を外側へ. 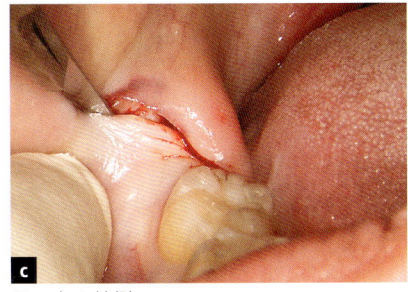
d 頰側縦切開. 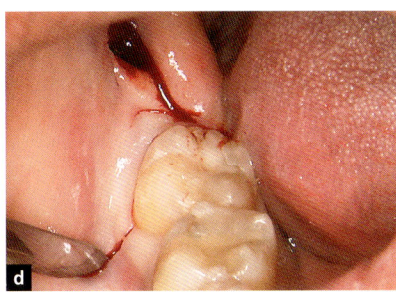
e 骨膜剝離. 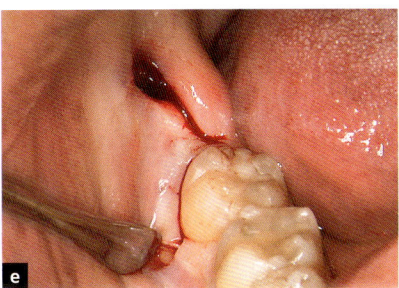
f 環状靱帯の切離. 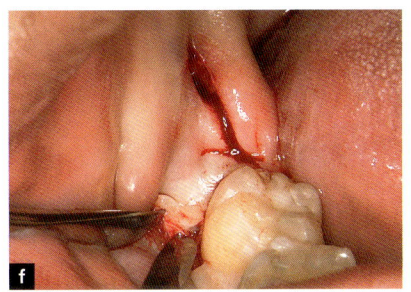
g 歯肉骨膜弁挙上. 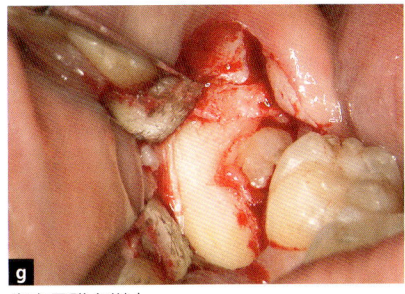
h 歯冠の露出．バーで骨を一部削除. 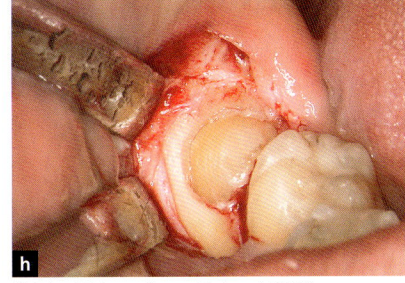

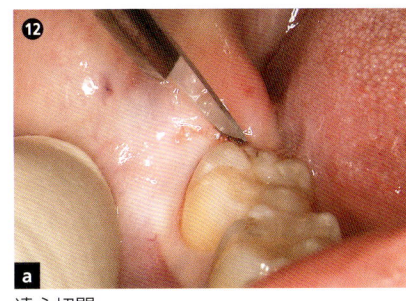

❸ 指で可動粘膜に切開とは逆向きの力を加えて，粘膜を緊張させて切開する.

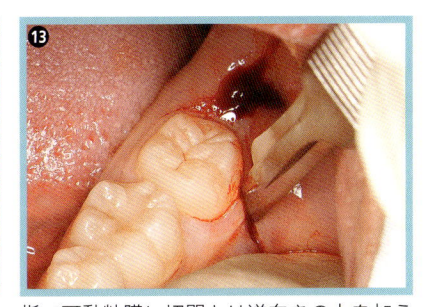

②半埋伏症例の場合❹

▶ 頰側縦切開の位置は，完全埋伏智歯の場合と同様である❹a．遠心切開は半埋伏歯の遠心舌側隅角部から行う❹c.

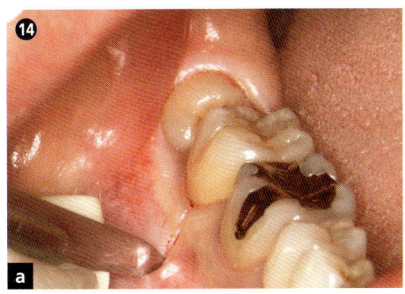

❹
a 頰側縦切開.
b 環状靱帯の切離. 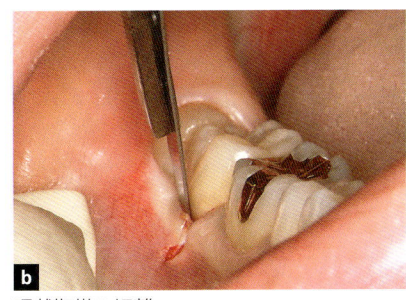

109

第11章

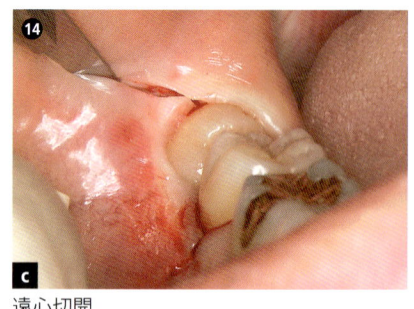

c 遠心切開．
d 骨膜まで切開されている． 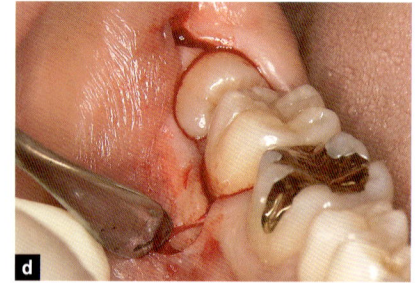
e 骨膜剥離． 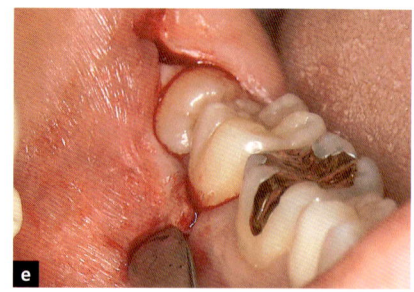
f 歯肉骨膜弁の挙上． 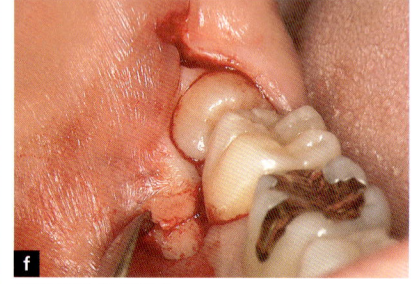
g 環状靱帯の切離． 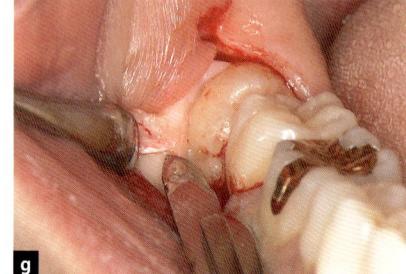
h 歯冠の露出． 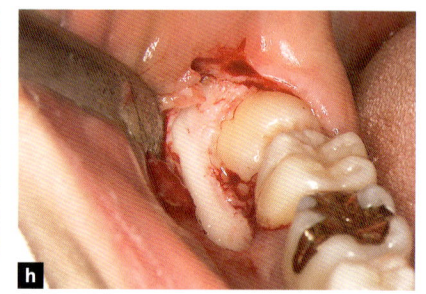

骨膜剥離・歯肉骨膜弁挙上

①骨膜剥離

▶骨膜剥離は縦切開の最下端（歯肉頬移行部）から開始する⑫e⑭d．この部分は骨と骨膜の結合が強くないので，ここがもっとも骨膜を剥離しやすいからである．
▶歯頚部から剥離を開始すると，環状靱帯の付着が強く，歯肉骨膜弁の角部が傷みやすい．
▶この縦切開で，骨膜をきれいに切開できていないとき⑮は，メスで骨膜を切開しなおす．
▶切開線の下端で骨膜下で剥離子を遠心に向けて挿入し，そのまま歯頚部側へ上がって歯頚部で剥離子を起こすと，歯頚部の縦切開部で環状靱帯がきれいにはじける⑭e, f．
▶歯頚部の環状靱帯部分が剥離しにくい場合は，メスを骨と平行にして骨の表面を滑らせるようにして環状靱帯を切離する⑫f⑭g．
▶埋伏智歯の遠心部の歯槽頂は，骨と骨膜の付着が非常に強いので，剥離するというより，メスで骨面から切離するという感触に近い．十分な広さの術野を確保することが大切である⑫g⑭h．

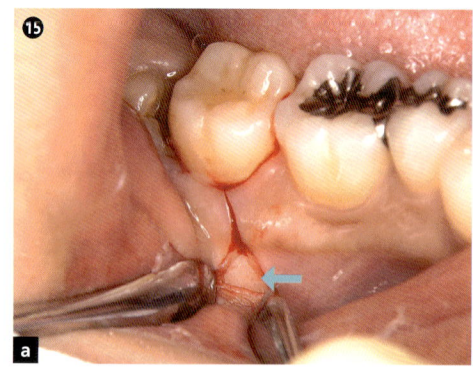

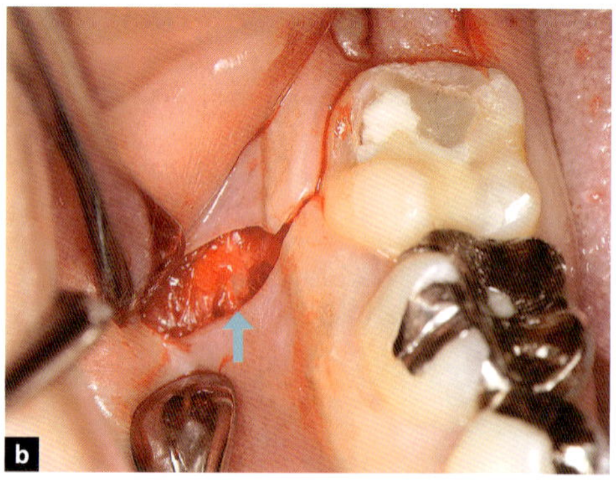

⑮
a：骨膜までメスで切開されている．
b：骨膜までメスで切開されていない．

歯冠の露出，最大豊隆部の開放

①骨の削除

▶ バーで骨を削除して歯冠を露出させる⓬h．
▶ 骨削除はストレートハンドピース，コントラアングルハンドピース，タービンのいずれでもよい⓰．タービンで骨を削除してはならないとする意見もあるが，臨床的には治癒が遅れることはない．歯冠の最大豊隆部と歯頸部が露出するまで骨を削除する⓬h．

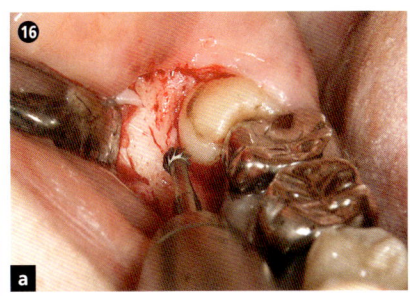

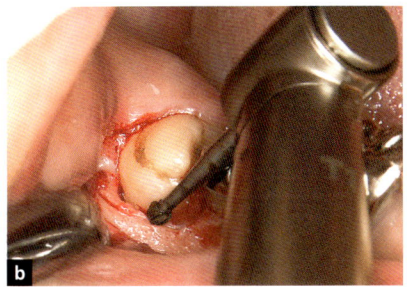

ⓐ ストレートハンドピースによる骨削除．
ⓑ コントラアングルハンドピースによる骨削除．
ⓒ タービンによる骨削除．

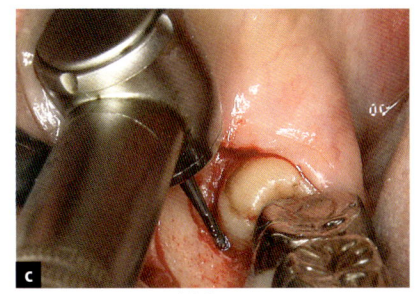

②頬側皮質骨は，埋伏歯の歯冠下端付近まで大きく削除する必要があるか？

▶ ⓱のように，頬側の皮質骨を埋伏歯の歯冠下端付近まで大きく削除することを勧める書籍が多数ある．しかし，術後に頬側の骨が大きく下がり，第二大臼歯遠心根の遠心面が露出して知覚過敏がでたり，遠心の骨量不足により骨植に影響がでることがあるので，⓲のように頬側の皮質骨をできるだけ高い位置に保つことが重要で，歯冠の頬舌的幅のボックス型に骨削除する．
▶ そのためには，バーを⓳のように垂直方向に立てて骨削除し，頬側は歯冠の最大豊隆部より上方の骨削除にとどめる．頬側の骨を削除するというよりは，埋伏歯の上を覆っている骨を除去するというイメージで，歯冠部の骨削除を行う．

⓱誤った頬側の骨の削除．頬側の皮質骨を埋伏歯の歯冠下端付近まで大きく削除することを勧める書籍が多数ある．上顎智歯の抜歯ではCHAPTER 10のように頬側の骨を削除してきちんと歯頸部を露出させることが大切だが，下顎は頬側の骨をできるだけ残す．
⓲頬側の骨の削除のしかた．歯冠幅でボックス型に骨削除する．できるだけ頬側の歯槽骨を下げないように注意する．

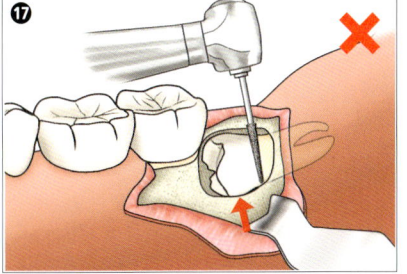

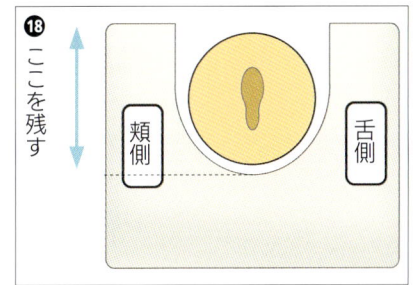

⓲ ここを残す ｜頬側｜舌側｜

⓳
a：最大豊隆部が骨に覆われている．
b：頬側の歯槽骨頂を下げないようにバーを立てて頬側の骨を削除して，歯冠の最大豊隆部を開放する．決して⓱のように歯冠最深部まで頬側の骨を削除しない．

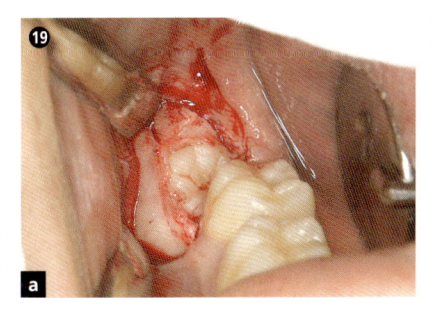

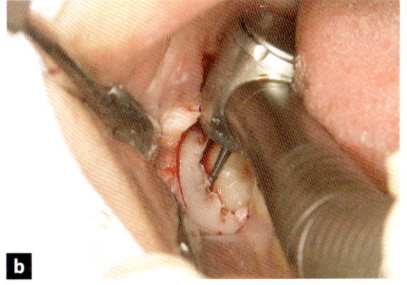

歯冠分割

早くて，安全で，（術者が）怖くない，歯冠分割の最大のポイントは，「バーの先端を見ながら分割する」ことである．「バーの先端が見えるはずがない！」との声が聞こえてきそうだが，分割幅を広くし，術者の視線の延長線方向に分割し，術者の位置や患者の頭の位置・向きを調整すれば，見ることができる．

①分割バーの選択

- バーはやや太めのものが切削効率がよく，また刃部が短いものが深部を切削するときに歯肉を損傷しにくい．筆者は，まず#1557（冠撤去用バー）で届く深さまで分割し，届かなくなったらドイツのブラッセラー社の「インプラントバーXXL」（ヨシダ）に替えて分割している❷．このバーは長いが，刃の部分が短いため，バーの柄の部分が歯肉に接触しても歯肉を損傷しない．また，細いが滅多に折れることはなく，深部の繊細な骨削除や歯根分割，グルーブ形成が可能である．
- ゼクレアは刃部が長く，深部を切削する際に歯肉を損傷しやすいので，注意が必要である．また，バーの破折をおそれて，折れることのないダイヤモンドバーを使用している施設も多いが，バーが折れない安心感があるために操作が荒くなったり，切削時の繊細な感覚が伝わりにくくなったりして，トラブルが生じやすいと筆者は考えるので，ダイヤモンドバーは使用していない．

❷ a #1557　b ゼクレア（短）　c ゼクレア（長）　d インプラントバーXXL（ドイツブラッセラー社製）

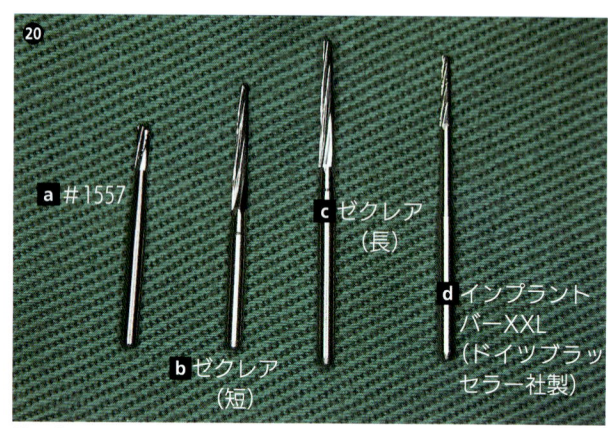

浅い部分は a で切削し，深部は d で切削する．
- b, c は刃部が長いため，深部の切削時に刃部上方で歯肉を損傷しやすい．
- d は深部切削時にも歯肉を損傷しにくい．
- バーの破折防止のためにダイヤモンドバーを用いる施設もあるが切削効率はよくない．

②分割方法

- 従来，歯冠分割時の重要なポイントとして，
  ①歯冠部にアンダーカットを形成しないようにタービンヘッドを遠心に倒して分割する㉑
  ②頬側から舌側に向けて真横に，最短距離で分割する㉒
  ③分割幅が広すぎるとヘーベルで分割する際に空回りしやすいので，できるだけ分割幅を狭くする㉓
  ④歯冠を一塊として分割除去する
  と指導されてきた．
- しかし，臼後部のスペースの問題でタービンヘッドを遠心に倒すことは困難な場合もあり，また，そのようなタービンの角度や分割法ではバーの先端が見えないので，ヒヤヒヤ，ドキドキしながら分割しなくてはなら

㉑ 従来のタービンヘッドを遠心に倒した歯冠分割．

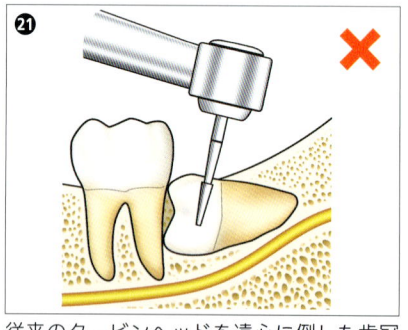

㉒ 従来の歯冠分割の頬舌的方向（黒い線）．

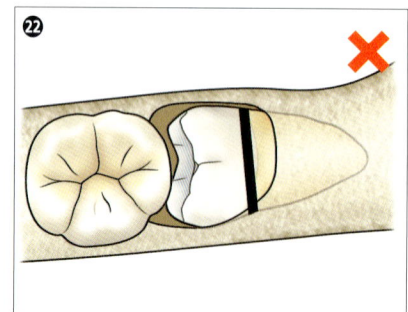

㉓ 従来の分割幅．広くなりすぎないように注意する．㉑〜㉓は従来勧められている歯冠分割法であるが，これではバーの先端を直視できないので，危険で難しい．

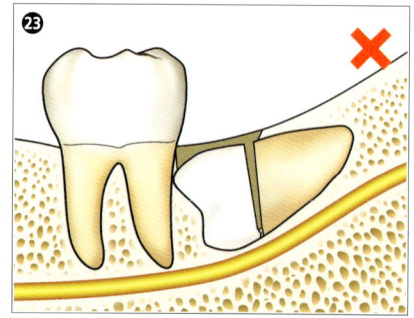

下顎埋伏智歯（半埋伏歯，水平埋伏歯）の抜歯　第11章

ず，分割不十分で時間がかかったり，削除しすぎて出血や舌神経損傷などのトラブルを起こしやすくなる．つまり，従来教えられてきた歯冠分割法を忠実に守ろうとすると，抜歯が難しく，危ないといってもよい．

（1）タービンヘッドの向き

▶まず歯冠を分割することが必要なので，**バーの向きにこだわらずに，とにかく歯冠と歯根を切り離せばよい**．アンダーカットをつくらないタービンヘッドの向きにこだわって時間を要するよりは，まず先に分割を済ませておいて，その後にアンダーカットが解消されるように歯質を削除すればよい❷．

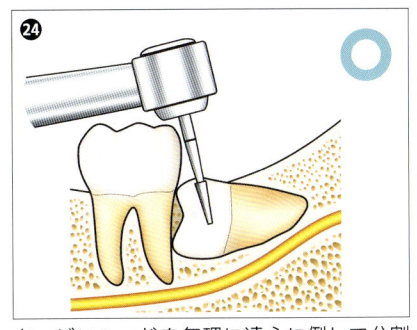

❷ タービンヘッドを無理に遠心に倒して分割する必要はなく，この角度でよい．深部のアンダーカットは分割後に削除する．

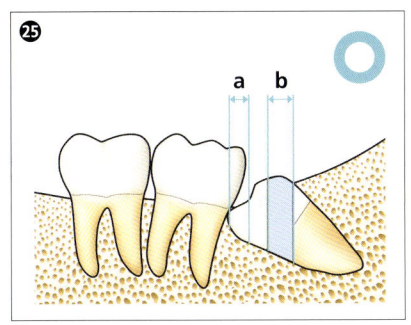

❷ 第二大臼歯遠心部のアンダーカットの解消．

（2）分割幅

▶バー1本分の分割幅では，バーの先端を直視できないし，また，分割した最深部を見ることもできない．しかし，**分割幅を広くすることによりバーの先端を見ながら切削できれば**，安心して効率的に歯冠を分割することができる．

▶また，埋伏智歯の歯冠が，第二大臼歯の遠心に潜り込んでいてアンダーカット❷aになっている場合は，歯冠分割後にこのアンダーカット幅❷bを削除しなくては，歯冠を取り出すことはできない．

▶最初から分割幅を広くすれば，バーの先端を直接見ながら切削し，同時に第二大臼歯部のアンダーカットの除去もできて一石二鳥である❷．「広くしてもバーの先端が見えない」のは「まだ幅が狭い」「術者の位置が悪い」「患者の頭の位置，首の角度の調整が不十分」が原因であることが多い．

▶|8の歯冠分割時であっても，術者が11時に位置に動き，患者の顔を少し右に向けてもらうとバーの先端を直視できる．

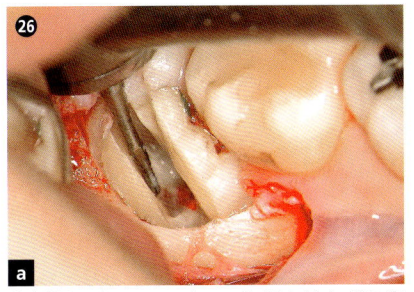

❷a 分割幅を広くしてバーの先端を見ながら歯冠分割する．

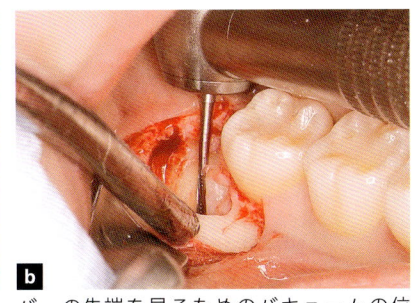

❷b バーの先端を見るためのバキュームの位置．右側の場合，写真のような位置にバキュームを置くと分割時にバーの先端が見えやすい．

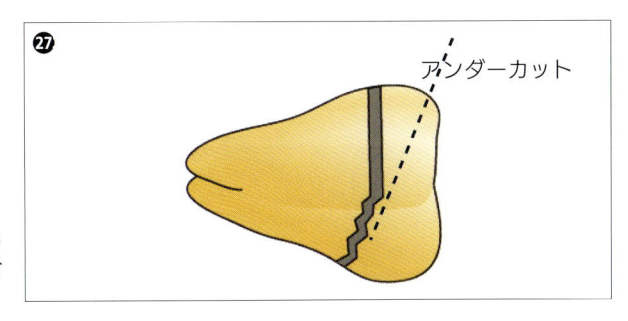

❷ 深部の歯質をできるだけ残さないように分割．

▶また，中途半端に浅い部分だけをバーで削除して残りの深い部分を割って分割すると，深部にアンダーカットをつくって割れることがある❷．アンダーカットにならなかったとしても，割れただけでは歯質同士が接触してこすれるのみで，なかなか歯冠は出てこない．

▶とにかく，**分割幅を広くすることが，安全で手際のよい歯冠分割の最大のポイント**である．

下顎智歯抜歯①
【movie15】|8 萌出智歯抜歯（分割抜歯）
【movie16】|8 萌出智歯抜歯（根湾曲・分割抜歯）
【movie17】|8 半埋伏歯抜歯（遠心傾斜）
【movie18】下顎埋伏智歯抜歯

下顎智歯抜歯②
【movie19】浸潤麻酔が効かないときは骨内注射（❽参照）

113

(3) 分割方向

▶ タービンヘッドを遠心に傾けたり，頬側から舌側まで真横に最短距離で削除しようとすると，バーの先端を見ることはできない．しかし，水平方向も垂直方向も視線の延長線上で分割すれば，バーの先端をみながら分割することができる㉘．

▶ 分割時のバーの動きは振り子状㉙㉚．バーの先端に神経を集中して歯の断面形態に沿うように切削する．

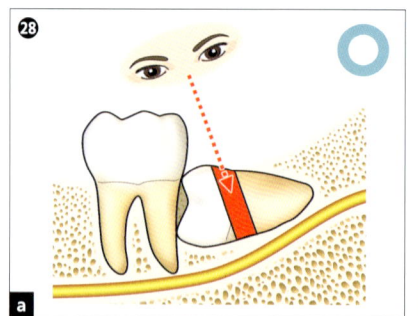

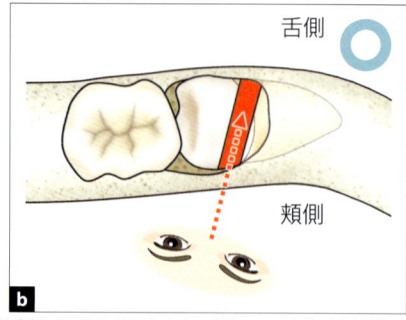

㉘ aの方向に分割し，深部のアンダーカットは分割した後に削除すればよい．また頬舌的にも術者の視線を延長したbの方向に分割すると，バーの先端を直視することができる．

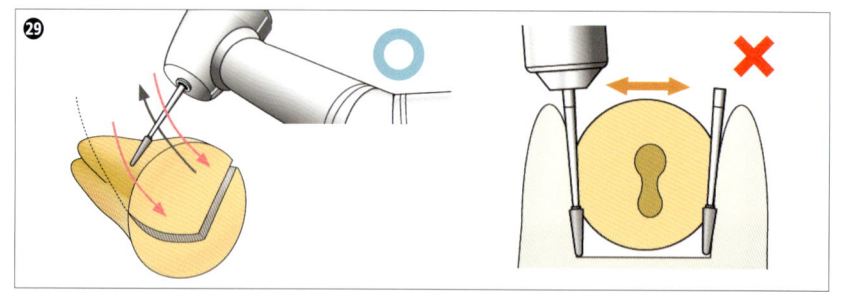

㉙ 左：正しいバーの動かし方(振り子状)．右：誤ったバーの動かし方(真横に動かすと余分に骨を削除することになる)．

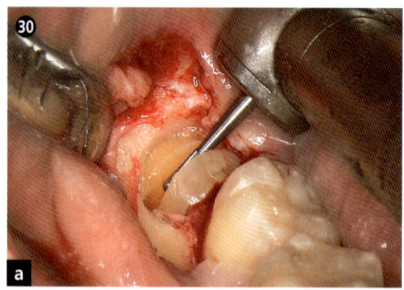

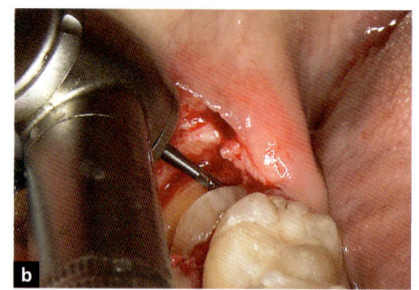

㉚ a タービンヘッドを舌側に倒して頬側を分割．　b タービンヘッドを頬側に倒して舌側を分割．

(4) 歯冠の頬側半分の除去

▶ 歯冠を一塊として分割除去しようとすると，舌側が見えにくく不十分な分割になりがちで，舌側下方1/4が残りやすい．また，舌側皮質骨を超えてバーが舌側に抜けてしまうと，下歯槽神経損傷以上に重大な舌神経損傷をおこしてしまうおそれがある．

▶ これを避けるためには，歯冠を一塊として分割せずに，頬舌的に2分割し，まず頬側半分を除去してしまうとよい㉛㉜．歯冠の頬側半分を先に取り除くと，骨をたくさん削除しなくても最深部，舌側歯質限界(舌側のエナメル質)を直視することが可能となり，安全に歯冠分割することが可能となる㉝．

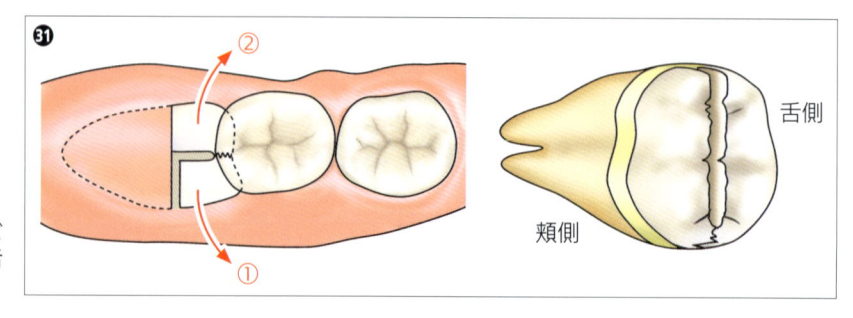

㉛ 歯冠分割は頬舌的中央部付近までにとどめておき，そこから近心側に向かって頬舌的に分割する(左図)．

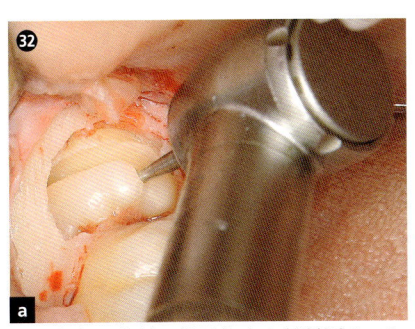

下顎埋伏智歯(半埋伏歯，水平埋伏歯)の抜歯　第11章

a：頬舌方向の分割は頬舌的中央部付近までにとどめておき，歯冠側に向けて分割する．

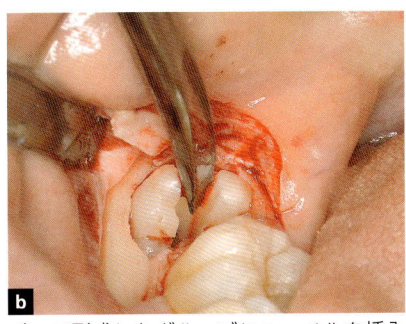

b：バーで形成したグルーブにヘーベルを挿入して頬側半分を分割．

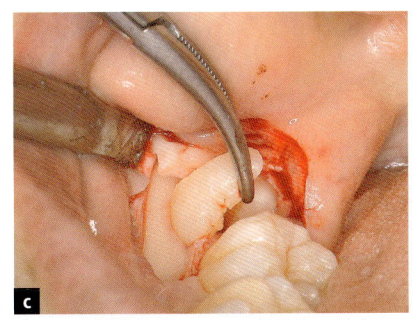

c：歯冠の頬側半分をペアンで把持して除去．

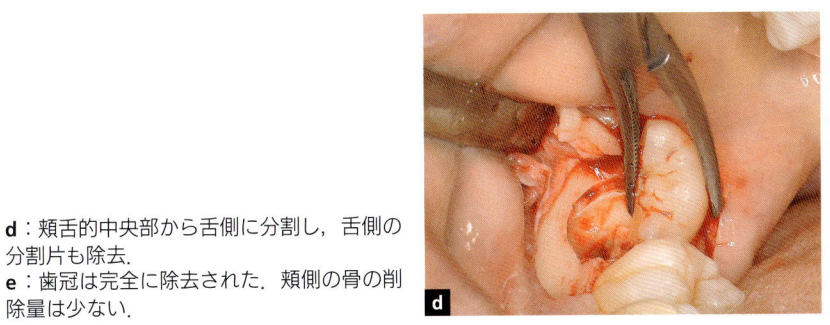

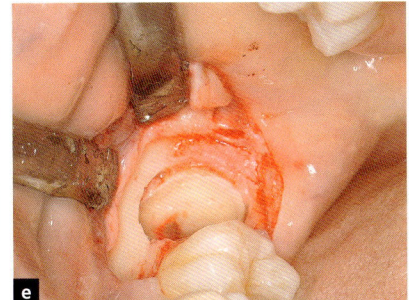

d：頬舌的中央部から舌側に分割し，舌側の分割片も除去．

e：歯冠は完全に除去された．頬側の骨の削除量は少ない．

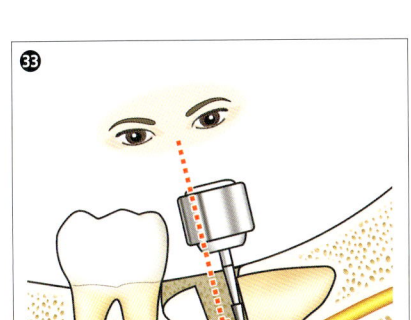

㉝　分割線直下に下顎管がある場合の分割のしかた．バーの先端が見えるように分割幅を広くする．

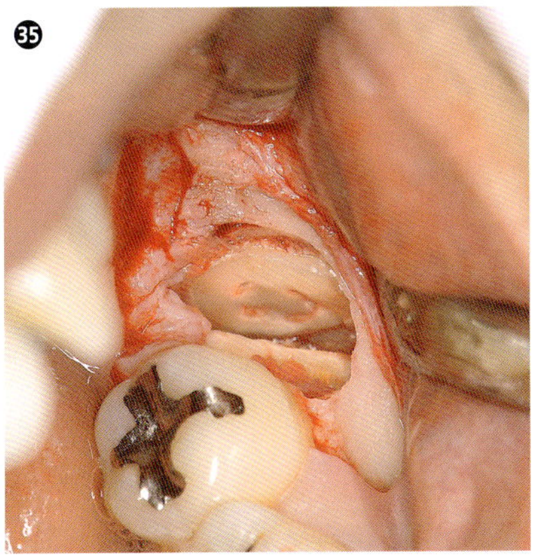

㉞　分割幅を広くして最深部が見えるように削除すると安全で確実．㉟は分割幅を広くしたところで，歯冠分割の直前の状態．CTで舌側に骨が十分あることがわかっていたので，舌側まで分割した．

▶歯冠分割線の直下で下顎管が埋伏智歯に接触しているような場合でも，深部のエナメル質を直視しながら切削し，わずかに最深部を残してヘーベルで分割すると，下顎管を損傷することはない㉝．

▶舌側に骨がない場合でも歯冠の頬側半分を先に除去して，舌側歯質を直視しながら舌側のエナメル質をわずかに残すところまで削除して，ヘーベルで分割する㊱(CTで舌側に骨が十分存在していることがわかっている場合は，舌側エナメル質まで切削してもよい)．

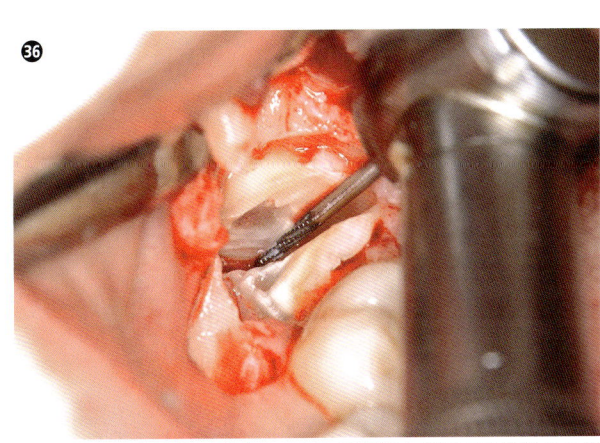

先に歯冠の頬側半分を除去すると，最深部と歯冠の舌側半分の歯質を直視することができる．

115

頬側

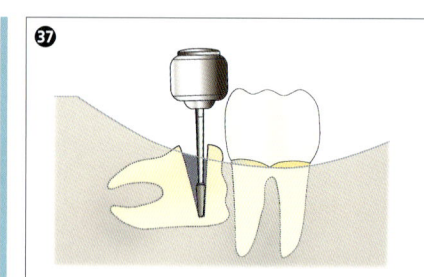

最深部のバーの先端が見えるように
上方が広いV字型に歯質を削除する

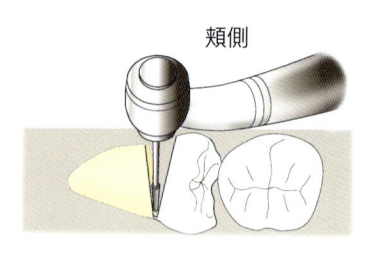

舌側のバーの先端が見えるように
頬側が広いV字型に歯質を削除する

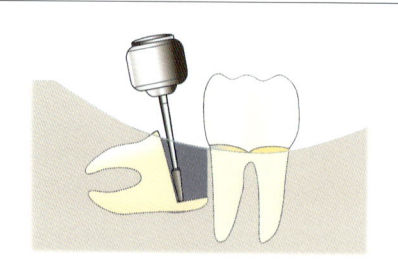

最深部のバーの先端が見えるように
上方から歯冠を削去する

最深部，舌側でのバーの先端が見えないことが歯冠分割が恐い要因である．うまくなるまでは❸のようにバーの先端が見えるように，歯質を削除するとよい．

Point1 「早くて安全な歯冠分割」のポイント

①分割幅を広くしてバーの先端を見ながら分割する
②視線の延長線方向に分割する
③まず歯冠の頬側半分を除去して，歯冠舌側が見えるようにして分割する

ちょっと一言　歯冠分割はタービンか高速コントラか？カーバイドバーかダイヤモンドバーか？

▶タービンにカーバイドバーを使って歯冠を分割すると，バーが破折したり気腫を起こしたりするので，医療安全の面から，5倍速コントラにダイヤモンドバーを使って分割するように変更した大学病院が多いようである．

▶しかし，実際に現場で抜歯しているカーバイドバーの使用経験のある歯科医師からは，「ダイヤモンドバーは分割に時間がかかってイライラする」「なかなか分割できないのでついつい力を入れたり，乱暴になってしまう」「分割時のバーの感覚が鈍くて今何が切れているのかがわかりにくい」「下顎埋伏智歯の抜歯は『時間がかかってあたり前』になってしまう」といった声が聞こえてくる．

▶また，ダイヤモンドバーを使い慣れた若い歯科医師にカーバイドバーを使わせてみると，頻繁にバーを折ってしまう．ダイヤモンドバーは折れないので，タービンの使い方が非常に荒くなっていることを示している．

▶気腫も，きちんとフラップを挙上してきちんと翻転してエアの逃げ道を確保しておけば，そう頻繁に起こるものではない（気腫についてはCHAPTER 23参照）．つまり，適正に用いれば，タービンにカーバイドバーをつけて分割しても，そうそう問題は起こらないのである．

▶批判をおそれずにいえば，5倍速コントラにダイヤモンドバーならトラブルは起きないかもしれない（実際には5倍速コントラによる気腫も頻発している）が，筆者には，事故さえ起きなければよいと医療安全ばかりを重視して技術の向上を捨てているように見える．危ないことを覚えることも教育だと思うのだが……．

ちょっと一言　歯冠分割に時間がかかるのはなぜ？

（1）バーが切れない
▶ バーが切れないと時間がかかり，イライラして押しつけたりしてトラブルのもと．

（2）下顎管の損傷を怖がりすぎている
▶ 歯冠の露出部分とデンタルエックス線写真から，歯冠の大きさを想像し，バーのどの深さまで切削するか，おおよその深さを決めておいて，その深さまでは怖がらずに一気に切削する．また，分割途中に分割溝の部分から見える断面からも歯の大きさを推測する．分割の幅を広くすると深い部分もよく見える．

（3）切削バーの刃の部分ではないシャフトの部分が歯質にあたっている
▶ 歯冠分割に時間がかかるのは，バーを垂直に立てて頬舌的に動かすからである．この動かし方では刃ではない柄の部分が歯質にあたるので効率が悪い．また，垂直に立てて動かすと余分な骨を削除することになる．バーは振り子状に動かす（前述㉙㉚）．

（4）タービンでの分割が中途半端にならないように確実に分割する

ヘーベルによる歯根の脱臼

①ヘーベルを使う前に

▶ 歯冠分割後の歯根を鉗子で把持して抜歯することはできないので，ヘーベルで抜歯することになる．ヘーベルは歯根膜腔に歯根の軸方向に沿わせて使うものと習っているが，分割面側から根尖側に向かう力を加えて歯根を前方に脱臼させることが難しいことは想像しやすいし㊳．埋伏の深度・角度によっては，ヘーベルを歯軸方向に使うことが不可能なこともある．

▶ また，根尖が下顎管に近い場合は，歯軸方向にヘーベルを使うと，歯根を押し込んで下歯槽神経を圧迫・損傷して，下唇の知覚鈍麻を生じる怖れがある㊴．

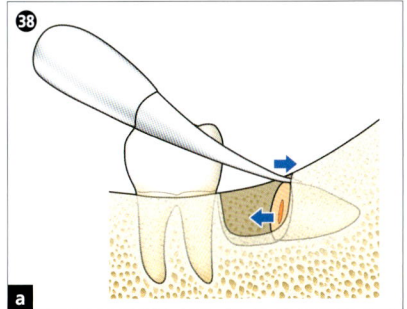

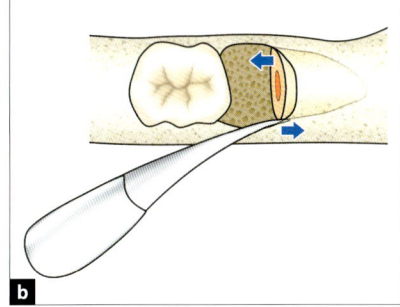

a, b：歯根前方から力を加えて歯根を前方に脱臼させることは難しい．

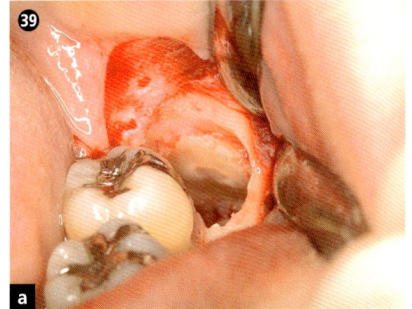

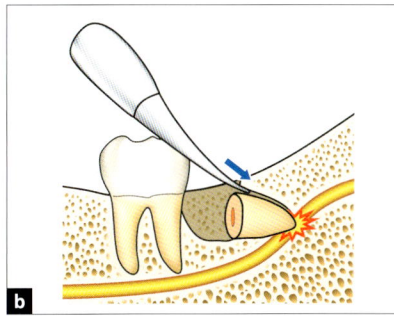

a, b：歯軸方向にヘーベルを使うと歯根を押し込んで知覚鈍麻を起こす怖れがある．

- 歯根による下顎管圧迫を回避するためには，絶対に歯根を押し込まないで，「歯根を前方に引きずり出す」ようにヘーベルを使わなければならない．
- 筆者が名づけた，①頬側グルーブ㊶，②背面グルーブ㊹（グルーブ＝溝）を形成してヘーベルを使うと，歯根を押し込むことなく前方に出すことができる．
- また，歯根に沿って歯根周囲の骨をバー1本分程度削除しておくと，歯根が動くスペースが確保されて脱臼しやすくなる㊵．

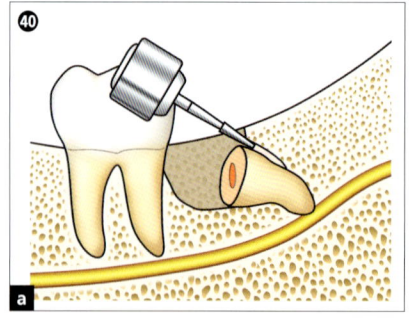

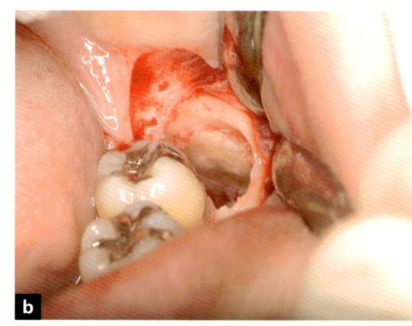

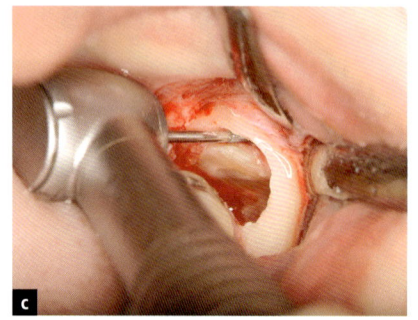

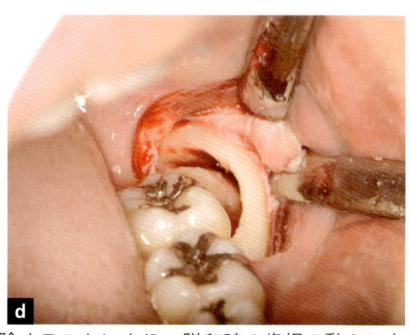

a〜d：歯根周囲の骨削除．歯根周囲の骨を削除することにより，脱臼時の歯根の動きに自由度・余裕をもたせると，根尖部での下顎管への圧が軽減される．

②頬側グルーブの作り方，使い方──知覚鈍麻が出にくいヘーベルの使い方

- 歯冠部除去後に，歯根と頬側皮質骨との境目に，バーを垂直に立てて，歯冠分割面側から歯根面に沿ってグルーブを形成する㊶a, b．頬側グルーブは，埋伏深度が浅い場合に形成しやすく，また有効である．
- グルーブの幅はバー1本分よりもやや広めに，埋伏歯の最大豊隆部より深いところまで形成する．幅が広すぎるとヘーベルが空回りするので，広くなりすぎないように注意する．
- 形成したグルーブにヘーベルを真上から（歯根に対しては直角になる）挿入して歯根が前方へ移動するようにヘーベルを回転させる㊶c, d．このときヘーベルのエッジ（先端ではなく脇）をうまく利用する．
- グルーブの幅が広すぎたり，深さが最大豊隆部より浅かったりすると，ヘーベルが空回りするので，うまくグルーブを形成する㊷．
- 頬側に形成したグルーブ㊷dにヘーベルを歯根に垂直な方向から挿入㊷eする．
- 埋伏歯根が前方へ出る方向にヘーベルを回転させて，ヘーベルのエッジで前方へ出す㊷f, g．
- ヘーベルのエッジがうまく歯根にひっかからない場合には，エッジがひっかかるグルーブを歯根に形成するとよい後述㊸a〜c．

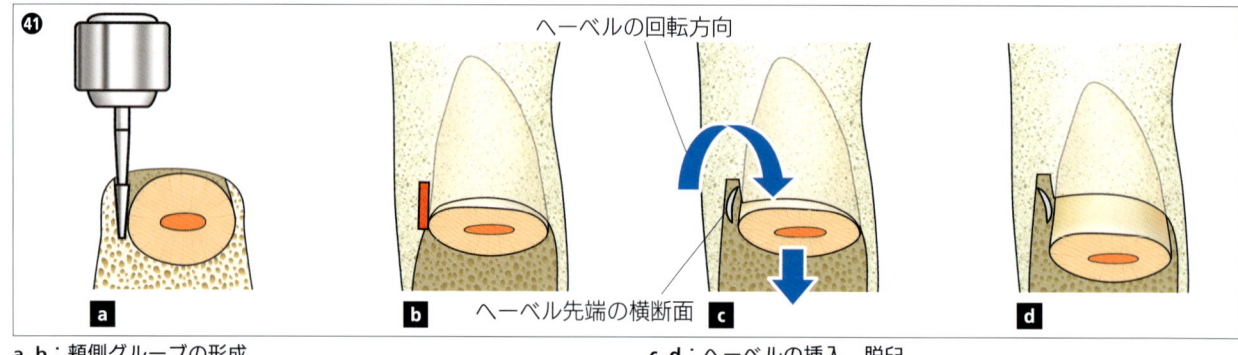

a, b：頬側グルーブの形成．
ヘーベルを有効に作用させるために，頬側皮質骨と歯根との境目にバーでグルーブを形成する．グルーブの幅はヘーベルの刃部の厚みよりもやや広め，深さは最大豊隆部よりも深く形成する．グルーブの幅が広すぎるとヘーベルが空回りするので注意．

c, d：ヘーベルの挿入，脱臼．
真上からグルーブ内にヘーベルを挿入して，ヘーベルのエッジを使って歯根が前方へ移動するように矢印の向きにヘーベルを回転させると，歯根を押し込まない．このヘーベルの使い方により歯根が舌側へ押しだされて舌側の骨が破折するということはない．

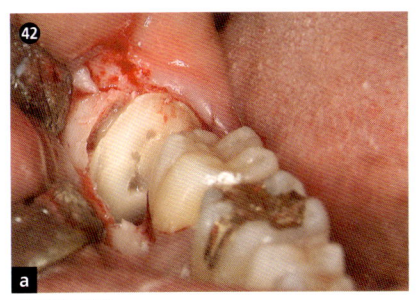

下顎埋伏智歯（半埋伏歯，水平埋伏歯）の抜歯　第11章

㊷
a 歯冠除去後． 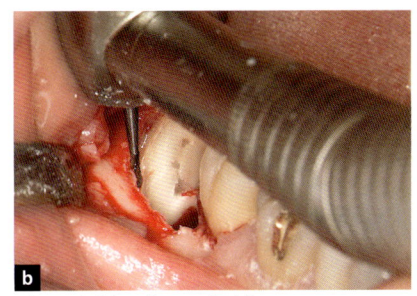
b バーで頬側にグルーブ形成． 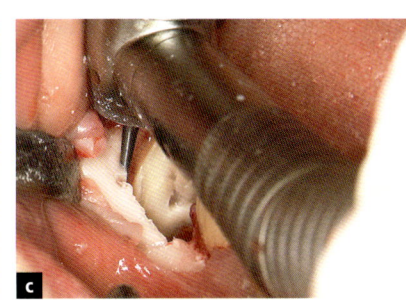
c 深さは最大豊隆部よりも深く． 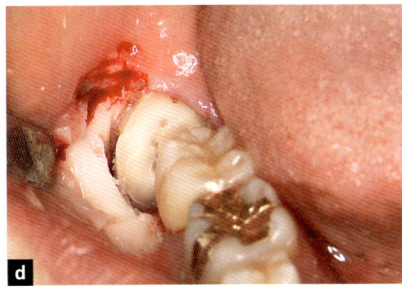
d グルーブ形成終了後． 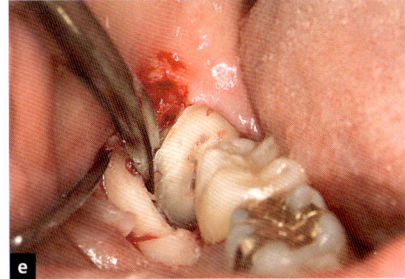
e 真上からヘーベルを挿入． 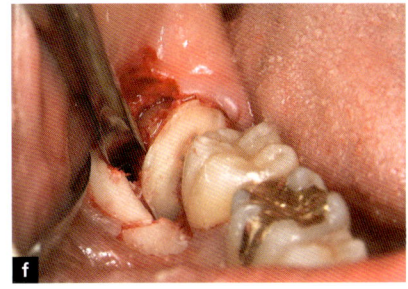
f 歯根が前方へ移動するようなヘーベルの回転． 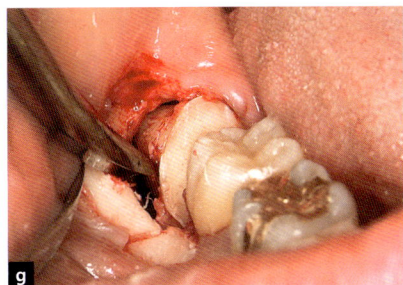
g 歯根が脱臼した． 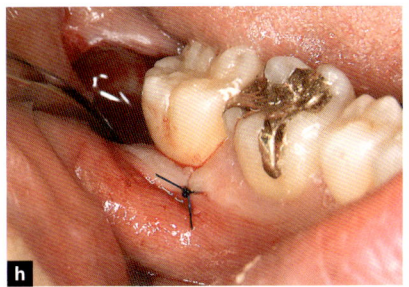
h 縫合．

下顎智歯抜歯③
下歯槽神経・舌神経を損傷しないために
【movie20】分割幅を広く
【movie21】頬側グルーブ形成
【movie22〜24】背面グルーブ形成①〜③
【movie25】もう一度通してみてみよう

▶この方法で，複根歯であっても大きな歯根の離開や湾曲がなければ，容易に脱臼する．

Point2　埋伏深度が浅い場合

埋伏深度が浅い場合は，頬側グルーブをうまく使え！

③ヘーベルのエッジを引っかけるためのグルーブ形成

▶ヘーベルのエッジが歯根にひっかかりにくいときには，歯根側面にエッジを引っかけるためのグルーブを形成するとよい㊸．

▶ヘーベルのエッジがグルーブに引っかかった状態でヘーベルを回転させると，単根歯は容易に前方に脱臼する．ヘーベルはエッジをうまく使え！㊸

119

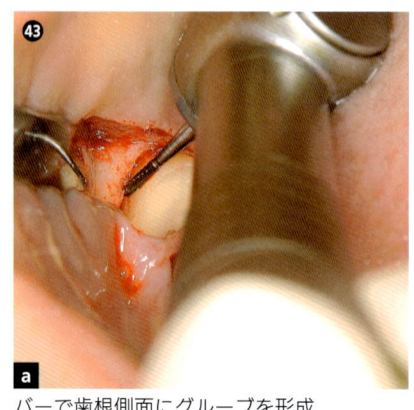

図43
a バーで歯根側面にグルーブを形成.
b ヘーベルのエッジが引っかかるグルーブを歯根に形成／形成されたグルーブ.
c 歯根のグルーブにヘーベルのエッジをかけて前方へ回転／歯根に形成されたグルーブにヘーベルのエッジを引っかけて前方へ脱臼させる.

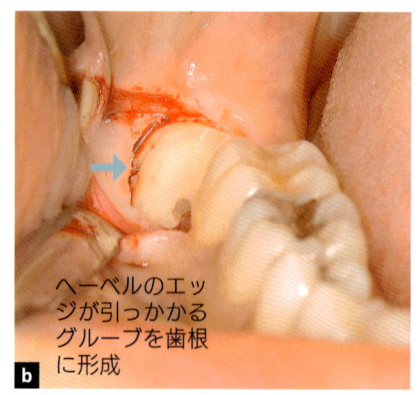

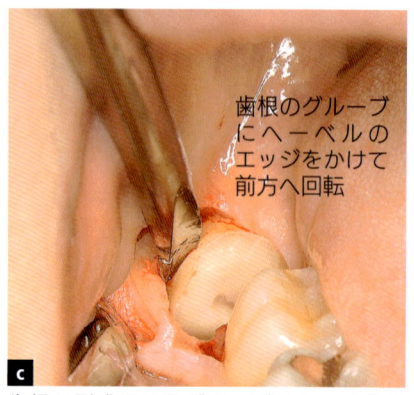

④背面グルーブの形成

▶埋伏深度が深い場合や，根尖のほうが歯冠よりも高い位置にある「逆立ち埋伏歯」の場合には，歯軸方向にヘーベルを入れることは困難であり，また，頬側グルーブでも脱臼しにくいことがある．この場合は，「背面グルーブ」を形成してヘーベルを使って梃子作用で抜歯する❹❹❻．背面グルーブは埋伏深度が深い場合に用いると有効である．

▶歯冠分割後に，歯根を覆っている歯槽頂部の骨を根尖方向に削除して，歯根の背中（背面）を露出させ，上方から歯根の背面（遠心面）にバーでグルーブを形成する．このグルーブにヘーベルを裏向きに挿入するか，先端が逆向きに曲がったヘーベル❹を挿入し，歯根背面の直上の骨削除断端部の骨を支点にしてヘーベルの把持部を遠心に倒すと，梃子の作用で歯根を前方に動かす力が加わる❹．ヘーベルを挿入するのは，歯根膜腔だけとは限らない．歯質に形成したグルーブに挿入すると有効なことがある．

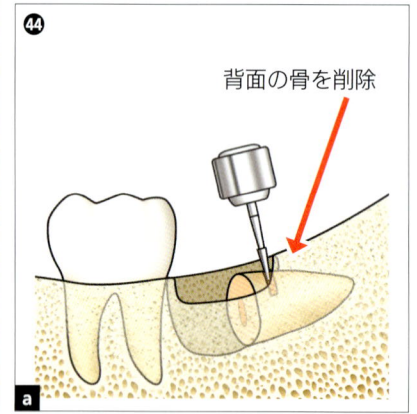

図44
a 歯根の背面にグルーブを形成する．背面の骨を削除
b ヘーベルを逆向きに使って，骨を支点にしてヘーベルを後方に倒す．骨を支点に
c 歯根を前方へ出す．

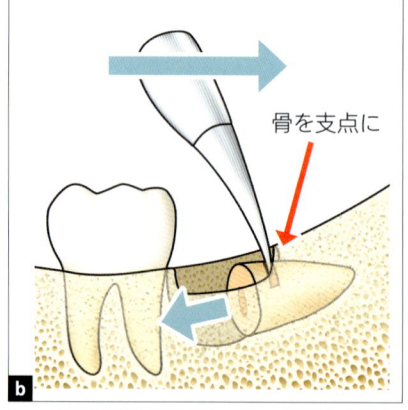

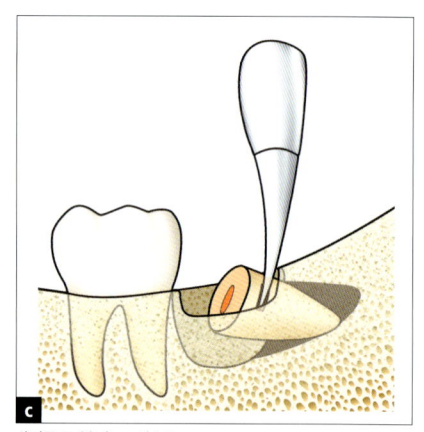

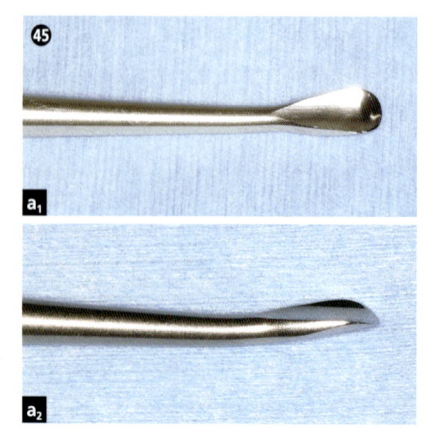

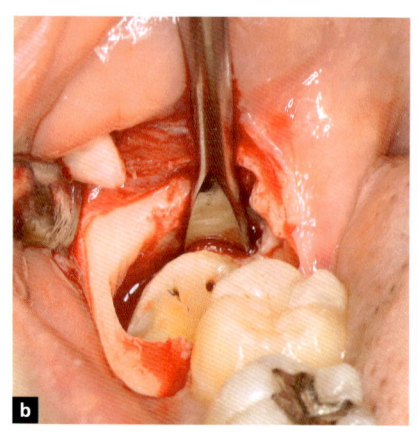

❹逆向きに曲がったヘーベル．通常のヘーベルと比較すると，先端の湾曲部が逆向きになっていて，歯根を前方に出しやすい．

下顎埋伏智歯（半埋伏歯，水平埋伏歯）の抜歯　第11章

㊻
a 歯冠分割終了． 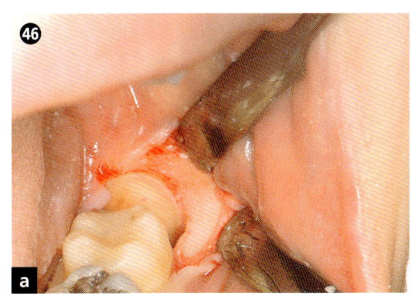
b 歯根背面の骨削除． 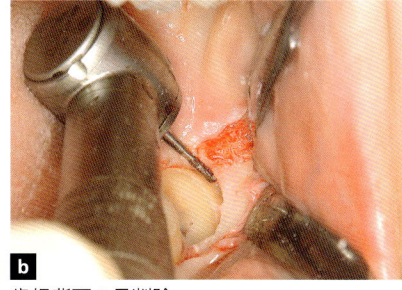
c 歯根背面の露出． 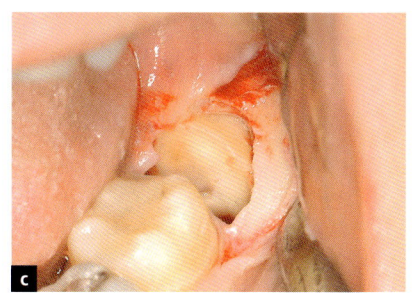
d 歯根背面にグルーブ形成． 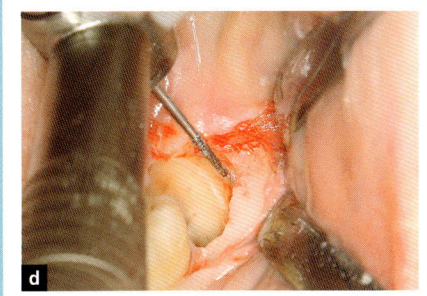
e 歯根背面グルーブ形成終了． 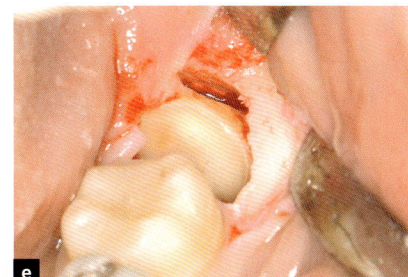
f グルーブにヘーベル挿入． 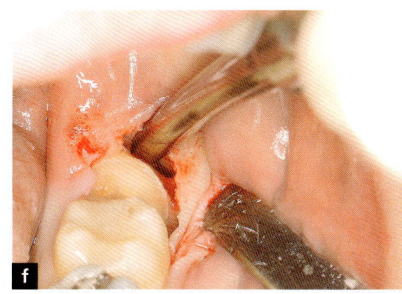
g 歯槽頂部の骨を支点にしてヘーベルを遠心に倒すと，歯根は前方へ脱臼する． 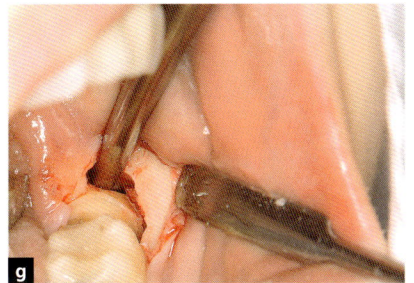

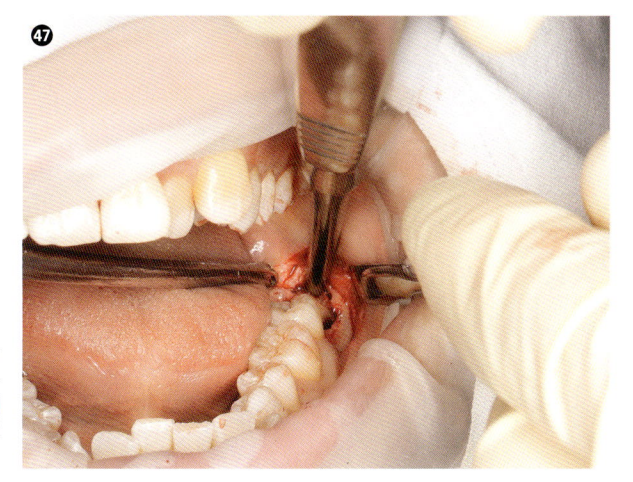

㊼ ヘーベルの把持部を遠心に倒すときのヘーベルの位置．上顎歯列の頬側で倒す（前の写真とは別症例）．

Point3　埋伏深度が深い場合

埋伏深度が深い場合は，背面グルーブをうまく使え！

歯根の分割

①分割断面中央部からの分割か？　上方からの分割か？

▶ 複数根で，歯根の湾曲や開大があり，歯根分割しなければならない場合がある．

▶ 歯根分割の方法として，歯冠分割後の断面の中央から根分岐部を狙う㊽こと

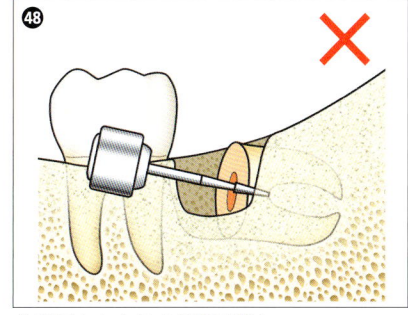

㊽ 分割面中央からの分割は難しい．

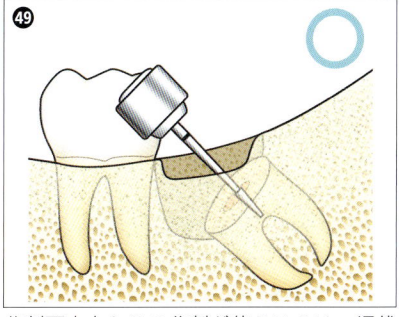

㊾ 分割面中央からの分割が使えるのは，埋伏歯の歯軸が比較的立っている場合である．

121

㊿歯根分割法.
a：教科書的な歯根分割線.
b：筆者の歯根分割線.

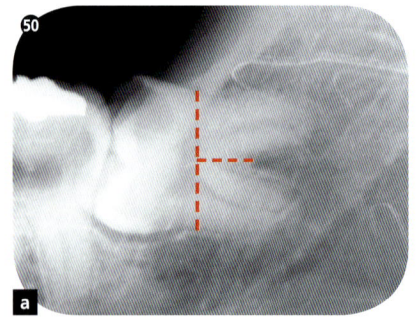

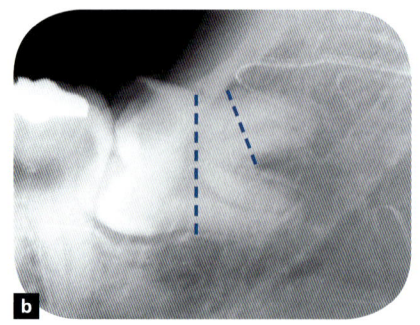

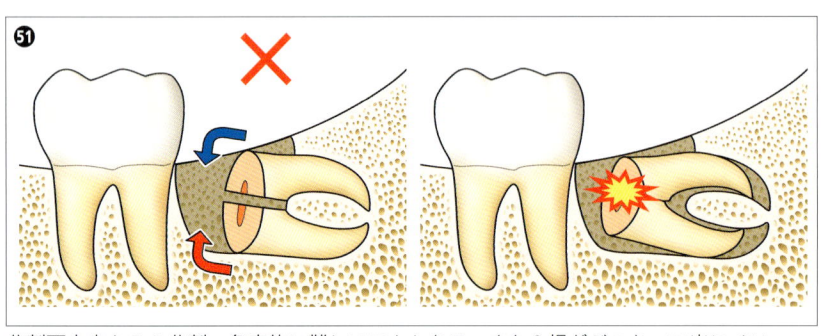

分割面中央からの分割．角度的に難しいこともある．また2根がぶつかって出にくい．

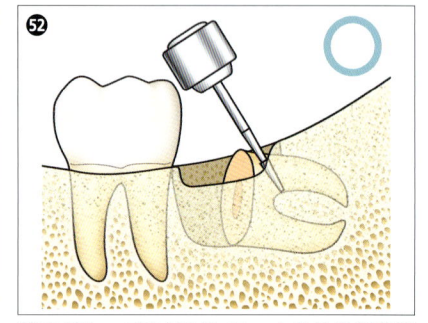

背面グルーブを延長して，上から歯根分割を行う．

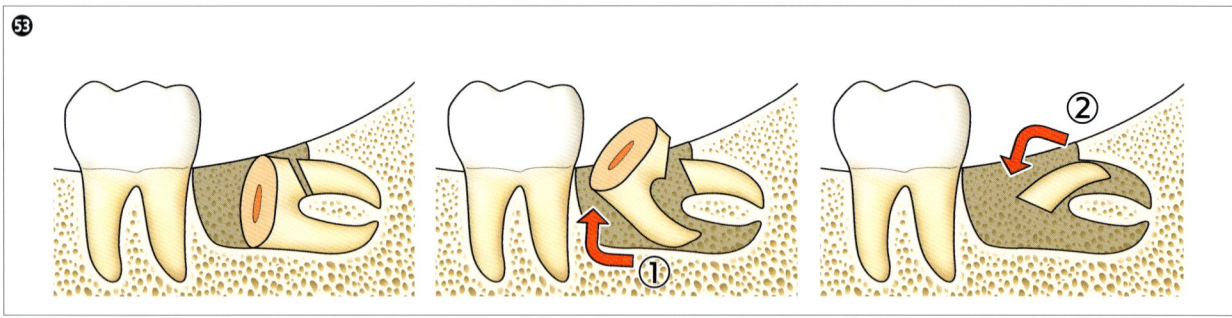

背面からの分割．バーがスムーズに使える．①下方の根から先に除去すると，②上方の根もでやすい．

- を勧める書籍をよく見かけるが，その必要はまったくない．
- また，その方法が使えるのは，埋伏歯の歯軸が比較的立っている場合㊾で，埋伏深度が深かったり，水平に埋伏している場合は，角度的に不可能な分割方法である．
- また，仮に分割断面中央部からの分割が可能であったとしても，歯根を脱臼させる場合には㋛，2つの根がぶつかって出にくい．
- **歯根の分割は，歯冠分割後の断面の中央から根分岐部を狙わなければならないものではなく，歯根が2つに分かれればよいので，前述した背面グルーブを延長して根分割する㋜㋝**．
- ㋛のように，背面グルーブ形成と同じように，遠心根の上面から分割する．この分割は，深部に近心根があるだけで下顎管の損傷の危険はないので，安心して分割してよい．

- 背面グルーブをそのまま斜めに深く形成し，上方の歯根（遠心根）が分割されればよい．
- このときも分割幅を広くすれば，根の断面が見えるので分割できたことがわかる．
- また，分割面を直視できなくても，このグルーブにヘーベルを挿入して2根を分割してもよい．
- 分割終了後は，この分割線に上方から曲のヘーベルを逆向き（裏向き）に使うか，逆曲がりのヘーベルを使って，前述した背面グルーブの要領で，下の根（近心根）から先に抜去する．ヘーベル先端をグルーブ内に挿入し，骨削除断端部の骨を支点にしてグリップ部分を遠心に倒すと，下の根（近心根）が前方に出てくる．
- その後，残った上方の歯根（遠心根）を抜歯する．このときも，そのままではヘーベルが使いにくいので，頬側グルーブか背面グルーブを形成して抜去する．

②グルーブを形成して抜去 54

▶ 歯根を 2 分割したら，頰側にグルーブを形成してヘーベルを使うか(頰側グルーブ)，歯を分割するグルーブ内にヘーベルを裏向きに挿入して下方の歯根を前方に出す(背面グルーブ) 54 a～d．

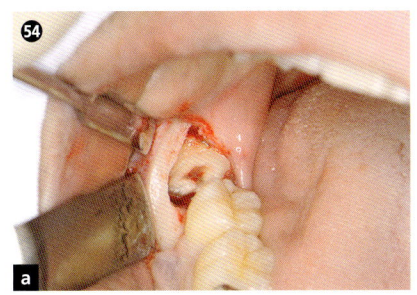

a：歯冠分割後に歯根背面の骨を削除した．
b：歯根背面から根分岐部をねらう． 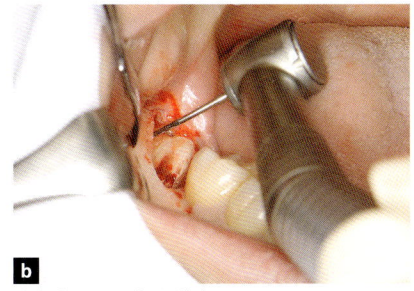
c：根分岐部で分割． 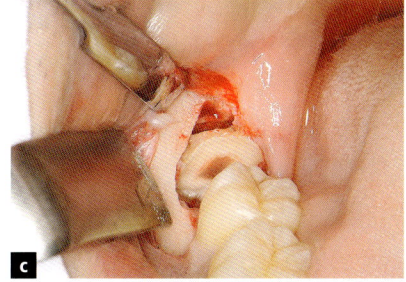
d：分割が終了したらヘーベルを挿入し，遠心に倒すと近心根は前方へ脱臼する． 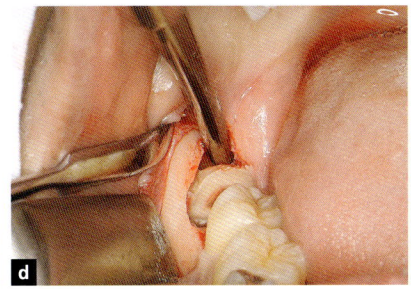
e：背面グルーブで脱臼しにくければ，頰側にグルーブ形成して脱臼させてもよい． 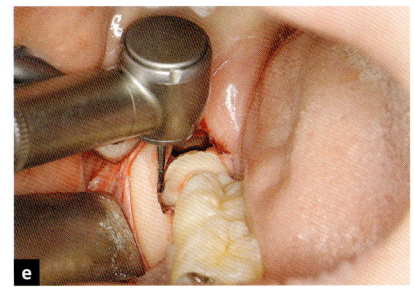
f：近心根の脱臼． 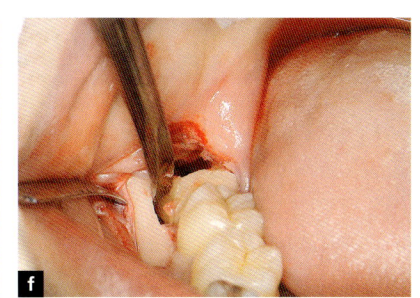
g：遠心根の抜去．
h：遠心根に頰側グルーブを形成．
i：遠心根の抜去．
j：遠心根は下向きに出る． 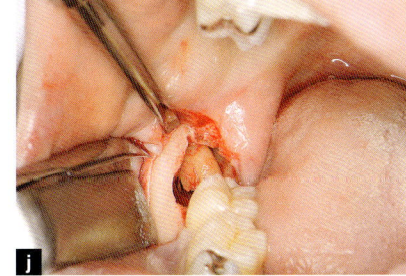
k：歯根を分割して抜去した歯． 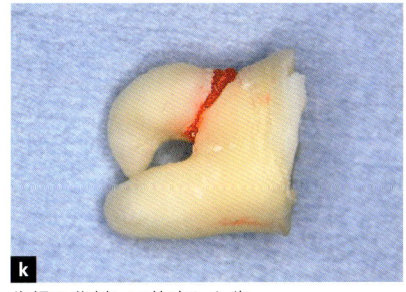

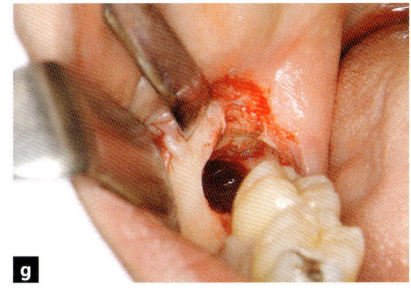

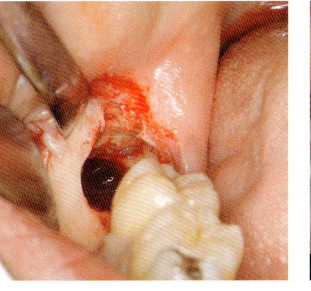

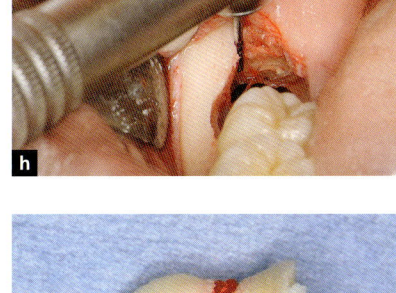

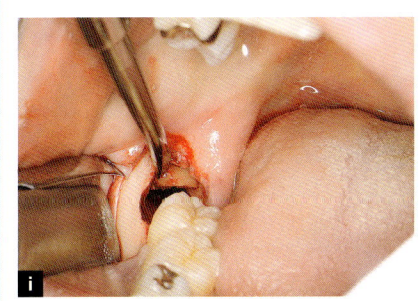

下歯槽神経，舌神経の損傷回避法

　下顎埋伏智歯の抜歯では下歯槽神経麻痺を起こしやすいと考えられているが，根尖が下顎管と接触・交叉している症例がすべて麻痺を生じるものではなく，これまで述べてきたテクニック(というよりは，麻痺回避のためにすべき当然の処置である)を用いれば，darkening of the root の所見があって抜歯後に下顎管が露出しても麻痺が発生することはな

い❺❺.

パノラマエックス線写真やCT画像で，歯根と下顎管の位置関係を分類し，麻痺の発生と関連づけた報告は多数あるが，抜歯の手技を客観的に評価したり，数値化することはできないので，抜歯の「テクニック」と麻痺の関係について論じられることはほとんどない．しかし，**麻痺を防ぐもっとも大きな要因は，「どのようにして抜くか」という「抜歯のテクニック」であることはいうまでもない．CTで根尖と下顎管の位置関係が把握できただけでは，麻痺は防げないのであり，それを踏まえて，どのようにして抜歯するか，が重要**なのである．

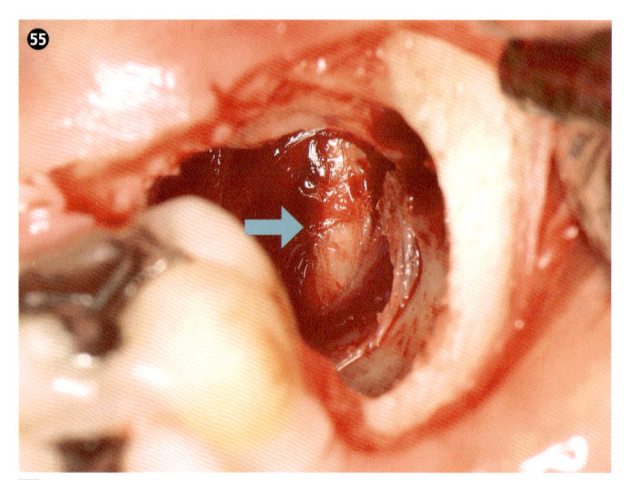

❺❺ 抜歯後に露出した下歯槽神経．歯根を押し込まなければ下歯槽神経が露出しても麻痺はでない．

①下歯槽神経麻痺の原因と回避法

(1)原因

▶下歯槽神経麻痺はなぜ，どのような状況で生じるのかを冷静に考えれば，それほど怖いものではないことが理解できるはずである．埋伏智歯と下顎管の位置関係から麻痺の発生原因を考察すれば，

①器械や器具による下顎管の直接損傷（歯冠分割時のバーによる直接損傷，ヘーベル・ルートチップ・鋭匙などによる直接損傷）

②根尖部での歯根による下顎管の圧迫，損傷（ヘーベルによる歯根の押し込み，湾曲歯根・肥大歯根・骨性癒着歯根の脱臼時の圧迫）

である．実際には，**①の直接損傷は極めて少なく，ほとんどが②の歯根による圧迫である．**

(2)回避法

1．器械や器具による直接損傷の回避法

▶下顎管が，埋伏智歯に接触して走行しているような症例では，歯冠分割時や歯根分割時に直接損傷する怖れがあるが，

①歯冠分割時の分割幅を広くする

②歯冠を上方から深部へ向かって削去しながら分割する（❸❼参照）．

などの**「バーの先端を直視した歯冠・歯根分割」で，バーによる直接損傷を防ぐことができる．**

2．根尖部での歯根による下顎管の圧迫，損傷の回避法

▶**歯根による圧迫は「歯根を押し込まないヘーベル操作」と「歯根周囲の骨を削除し，歯根の動きに自由度をもたせた脱臼操作」で回避できる．**

▶「歯根を押し込まないヘーベル操作」とは，頬側グルーブ，背面グルーブ（前述❹❶❹❹参照）を形成して，「歯根を前方に引きずり出す」ヘーベル操作である．

▶また，「歯根周囲の骨を削除し，歯根の動きに自由度を持たせた脱臼操作」（前述❹⓪参照）とは，**歯根に沿ってバーで周囲骨を削除してスペースをつくる操作で，骨との癒着面積が小さくなる，歯根の動くスペースが形成されて根尖にかかる圧が緩衝される，などの効果がある．また，複根・湾曲歯根・肥大歯根・骨性癒着歯根も，この歯根周囲の骨削除と歯根分割で根尖にかかる圧を小さくすることができる．**

②舌神経麻痺の原因と回避法

(1)原因

▶❺❻に舌神経麻痺の原因と回避法を挙げた．

▶伝達麻酔により舌神経を損傷することがあるため，できるだけ伝達麻酔は避ける．舌神経を損傷しにくい近位伝達麻酔法を用いてもよいが，この方法による舌神経損傷の報告がある．完全骨性埋伏歯であっても十分な量を注

❺❻ 原因	回避法
1．伝達麻酔	→ 浸潤麻酔のみで抜歯
2．遠心切開	→ 下顎骨上を後方頬側へ
3．歯冠分割時のバーでの損傷	→ 分割幅を広くして舌側歯質の限界をよく見る
4．舌側板の破折	→ 歯根を前方へ引きずり出す
5．歯根の舌側への落とし込み	→ 歯根を前方へ引きずり出す

❺❻舌神経麻痺の原因と回避法．

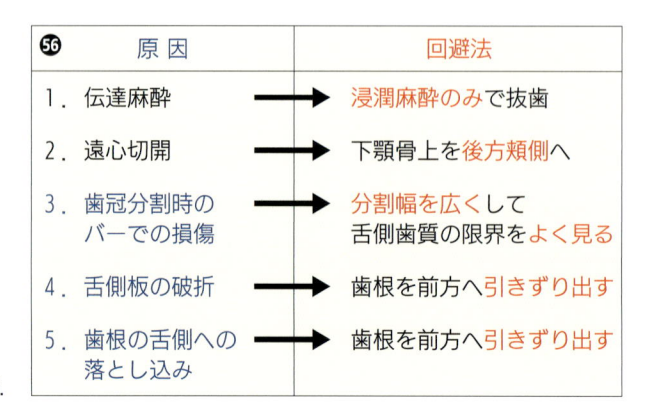

射し，開始までの時間を十分に取れば浸潤麻酔で十分抜歯可能である．奏功不十分な場合は，歯根膜注射や，皮質骨をバーで穿孔しての骨内麻酔を追加するとよい（❽参照）．
▶ 歯冠分割時にバーで直接損傷するおそれがあるのは下歯槽神経ではなく，位置を事前に確認できない舌神経である．バーの先端が見えない状態での盲目的な歯冠分割操作により，舌側皮質骨・舌神経を切断してしまうことがある❺.

▶ これは舌側皮質骨を損傷しないよう「頰側半分を先に除去する歯冠分割」（前述㉛参照）と「バーの先端を直視した歯冠分割」（前述㊱参照）で回避できる．
▶ また，歯根を舌側軟組織内に迷入させることによる舌神経損傷は，CT画像で舌側歯槽骨の舌側形態と厚さ，歯根の位置などを確認したうえで，「歯根を押し込まないヘーベル操作」（前述㊶㊹参照）を行うことで回避できる．

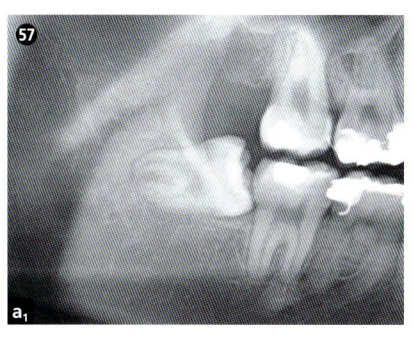

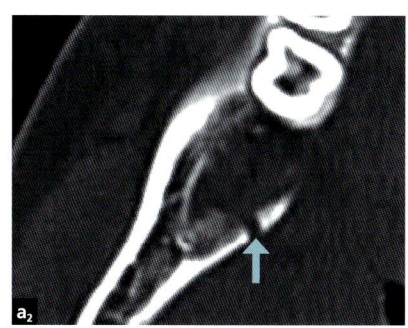

❺
a₁,₂：⑧の歯冠分割時にバーで舌側歯槽骨と舌神経を損傷した（a₂はa₁の抜歯後のCT像）．
b：分割時のバーによる舌側歯槽骨と舌神経の損傷．
c：舌側傾斜した半埋伏の⑧を抜歯したところ，舌神経が露出した．
＊a〜cはそれぞれ別症例．

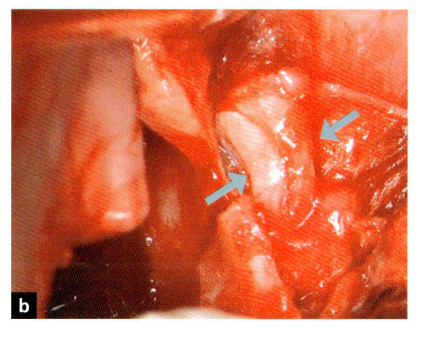

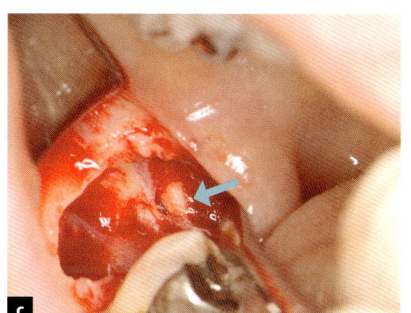

Point 4　下顎埋伏智歯の抜歯時の下歯槽神経・舌神経損傷の回避法

1．バーの先端が見える歯冠分割
①幅を広く
②見やすい方向に
③歯冠頰側半分の除去

2．歯根を押し込まないヘーベル操作
①頰側グルーブ
②背面グルーブ
③背面グルーブによる歯根分割
④歯根周囲の骨削除（歯根に自由度を付与）

---

③2回法，歯冠除去術

（1）2回法
▶ 事前の画像検査で，抜歯により下歯槽神経を損傷するおそれがある場合，これを回避する抜歯法として2回法と歯冠除去術が広く行われるようになってきており，日本口腔外科学会でも多数口演発表，論文掲載されている．
▶ 2回法とは，1回目に歯冠のみを分割除去して歯根は残しておき，3か月程度待機して2回目に歯根を除去する方法である．待機期間中に歯根が前方に移動して下顎管と離れることが画像的に確認されているが，なかには前方に移動しない症例や，2回目の歯根除去時に神経損傷を生じた例も報告されている．必ずしも全例で有効ということではないが，神経損傷の発生率は1回法より低いとされている．

（2）歯冠除去術
▶ 歯冠除去術は，はじめから歯根を抜去しないことを前提

に歯冠のみを除去し，歯根はそのまま置いておく方法である．歯根を除去しなくても，ほとんどの症例で感染することなく良好に経過することが報告されている．
▶この2方法については，筆者は経験がなく，また多くの経験がある施設からの詳細な報告が商業雑誌にも掲載されているので，本書では詳述しない．
▶この2方法は，誰が抜歯しても神経障害を起こさない有効な方法ではあるが（2回法では神経障害の発生例の報告がある），適応された症例のなかには，1回法で麻痺を生じることなく抜歯可能であると思われる症例も多数含まれていることから，この2法の適応基準は絶対的なものではなく，術者の経験・判断・技量により異なるものと思われる．真に神経損傷のリスクが高い症例にこの2法を用いることに異論はないが，**抜歯技術が未熟なために神経損傷を起こすことの方便として安易に行われ，口腔外科医の抜歯の技術が低下することは避けなければならない．**
▶歯根と下顎管が接触・交差していれば，1回法では必ず麻痺を生じるというものではなく，前述した抜歯のテクニックで回避できる．2回法や歯冠除去術で経験を積みながら，一方で同様の症例であっても麻痺を出さないで抜歯できるよう，技量を向上させる努力も怠ってはならない．

遠心傾斜歯の抜歯

▶歯冠が遠心に傾斜している場合は，歯根は❺❽aのようになっている．この歯を抜くには，歯根の湾曲に沿って歯冠を遠心側に倒す必要がある．歯冠を遠心側に倒すために歯冠遠心部分をバーで分割除去してスペースをつくる．その後，ヘーベルを近心頬側隅角部に作用させて，歯冠を遠心に倒すとよい❺❽f．

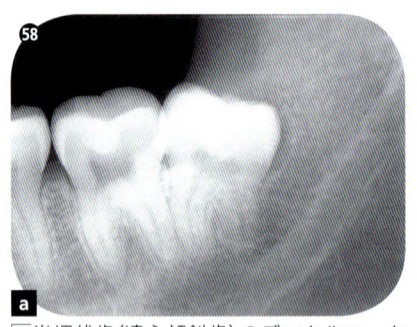

a ｜8半埋伏歯（遠心傾斜歯）のデンタルエックス線写真．遠心傾斜歯で歯冠の遠心半分は埋伏している．歯根の湾曲から，歯冠を遠心側へ倒すことにより抜歯する．

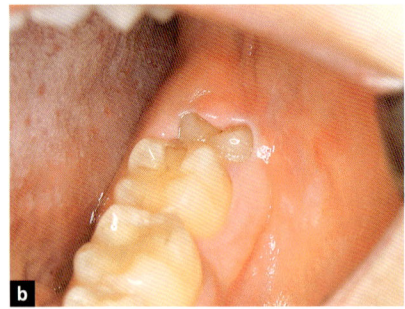

b 同術前．

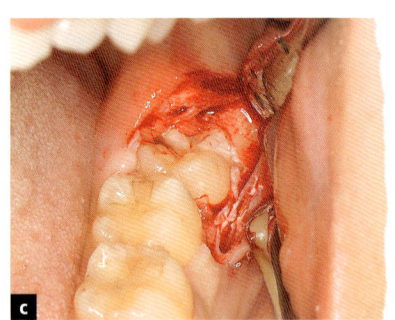

c 被覆歯肉の切開と歯肉骨膜弁の挙上による歯冠の露出．

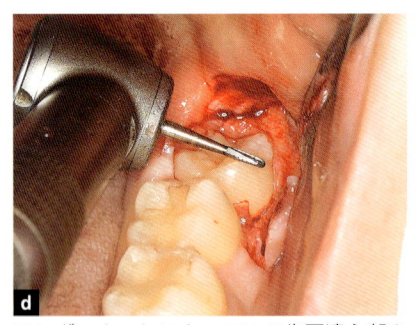

d アンダーカットになっている歯冠遠心部を咬合面から斜めに分割する．

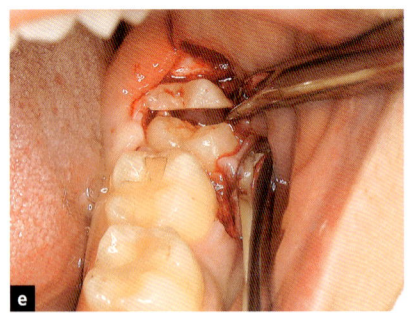

e アンダーカットになっている歯冠遠心部を分割，除去した．

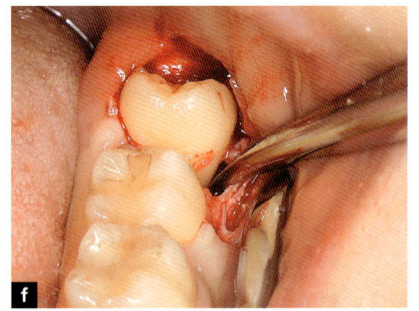

f 歯の抜去．歯根の方向を考えて，近心頬側隅角部にヘーベルを挿入して，歯冠を遠心に倒して抜歯した．

歯胚抜去❺❾

▶歯胚を抜去するには，歯肉骨膜弁を剥離・挙上したあと，骨を削除して歯胚の咬合面を露出させて，丸いケーキを4つに切るように「＋」型に4分割して除去すると，骨削除量が少なくて早い．

第11章 下顎埋伏智歯(半埋伏歯，水平埋伏歯)の抜歯

▶まず，バーで歯冠中央部を頬舌方向に分割する．つぎに遠心側分割片を頬舌的に2分割してそれぞれを除去する．遠心にできたスペースに近心側塊を移動させて，さらに頬舌的に半分に分割して出す．

▶先に遠心側塊を除去するのがポイント．歯根が形成されていないので，遠心側塊を除去してできたスペースに容易に近心側塊を移動させることができる．

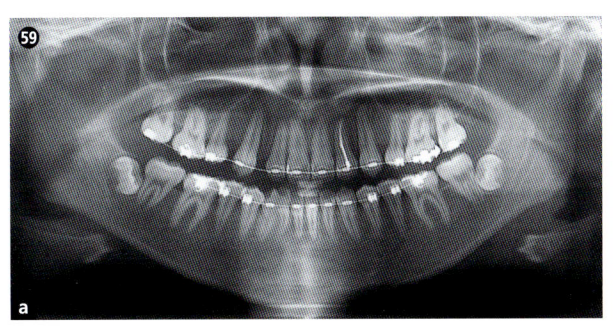

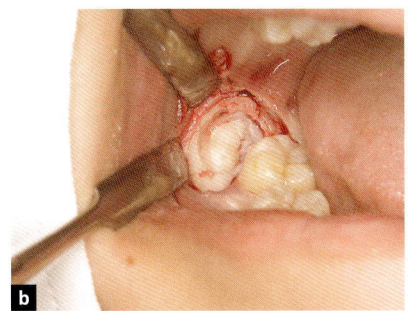

59
a：パノラマエックス線写真．
b：歯肉骨膜弁を挙上し，ラウンドバーで被覆骨を削除して咬合面を露出させる．
c：タービンで歯胚を分割する．
d：歯胚を「＋」字形に4分割した．
e：4分割した歯冠をペアン鉗子で1つずつ除去する．
f：咬合面の大きさ程度の骨削除で抜歯した．

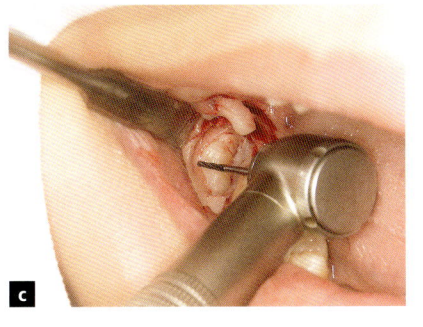

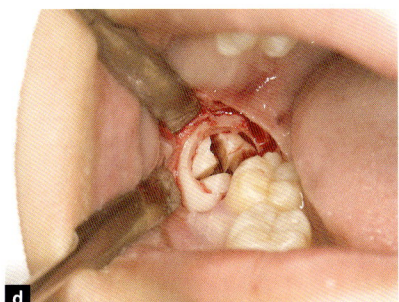

下顎智歯抜歯④
【movie26】歯胚抜歯(59参照)

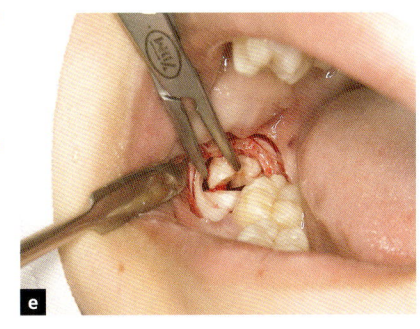

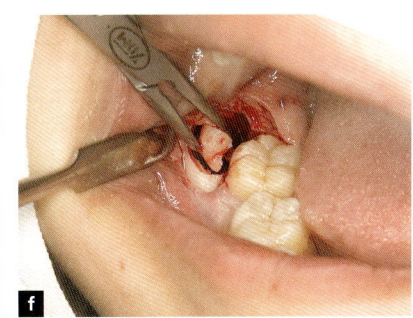

下顎埋伏第二大臼歯の抜歯

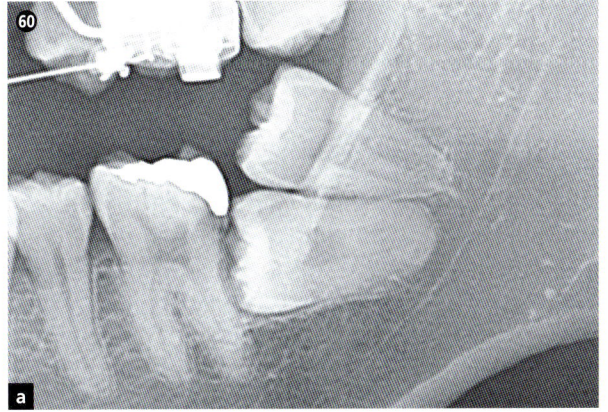

水平埋伏した⌊7を本来の位置に動かすことは困難と判断し，⌊7を抜歯して⌊8を歯列に参加させる方針となり，⌊7の抜歯依頼があった．⌊7は⌊8の直下に埋伏している．

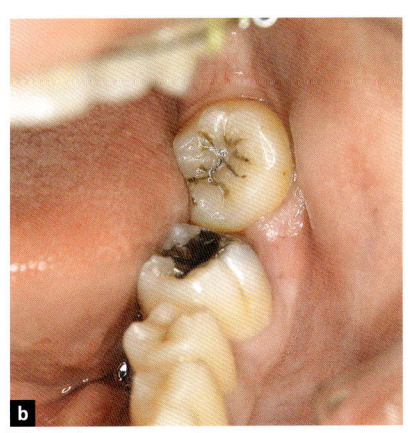

⌊7は抜歯スペース不足．

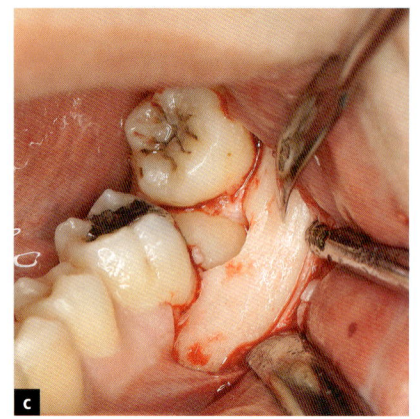

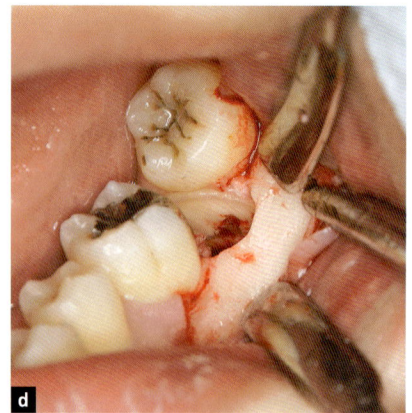

c 歯肉骨膜弁を挙上した．
d まず歯冠を分割除去した．
e さらに歯根を分割した．

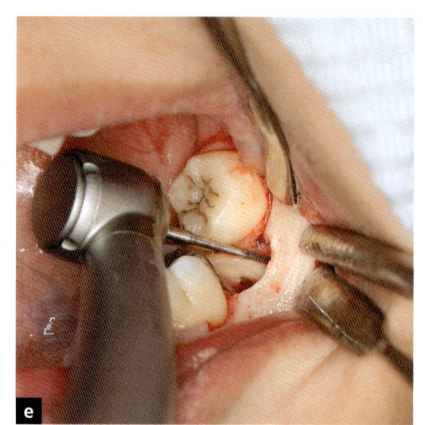

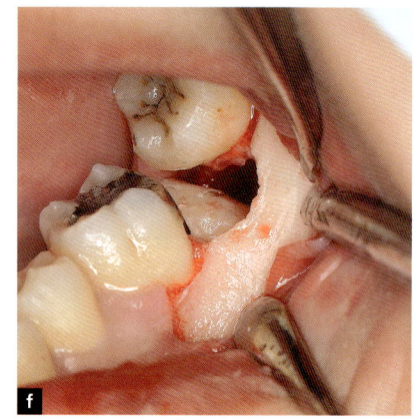

f：根尖を前方に移動させて抜歯した．
g：歯根を分割することにより頬側歯槽骨をほとんど削除することなく抜歯した．

縫合

①閉鎖創か開放創か？

▶術後の創を「閉鎖創」にするか「開放創」にするかについては議論があるが（表1），筆者は「死腔（閉鎖された空っぽの空洞）をつくらない」という外科の原則を守って，第二大臼歯遠心部の歯肉を三角形に切除して開放創にしている❻．筆者は完全閉鎖したために術後に感染したと思われる症例を何例か経験したが，開放創にするようになってからは感染例の経験はない．

▶「開放創」は腫脹・疼痛が軽く，感染もしないが，食渣が停滞しやすい．「閉鎖創」は食渣は停滞しないが，腫脹・疼痛が強く，経験的にはしばらくしてから感染することが多い．

表1　閉鎖創と開放創の経過の比較．

開放創	閉鎖創
・腫脹・疼痛が少ない ・感染が少ない ・長期的に食物が陥入しやすい	・腫脹・疼痛がやや大きい ・食物が陥入しない ・時間経過後に感染することがある ・頬側の剥離部分に硬結を形成しやすい

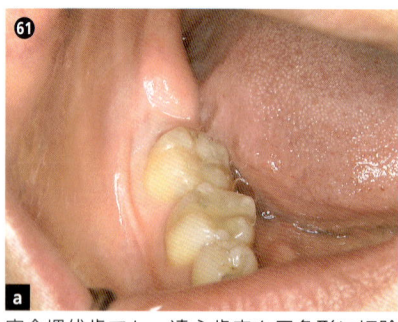

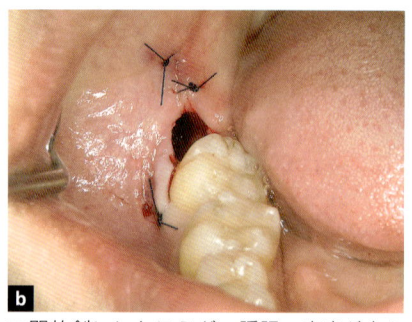

❻ 完全埋伏歯でも，遠心歯肉を三角形に切除して開放創にしたほうが，腫脹・疼痛が小さく，感染のおそれも少ない．閉鎖創は開放創よりも感染しやすい．a：抜歯前．b：抜歯後．

②閉鎖創

▶閉鎖創にするならドレーン❷を留置する（厳密にいえば，ドレーンをいれることは開放創にすることだが……）．ドレーンの位置は，遠心切開部の後端❸と，頬側縦切開部下端❹がある．遠心後端は軟組織が厚いので，翌日除去すれば一次治癒するし，縦切開下端は下に骨の裏打ちがあることからドレーン抜去後の治癒がよい．

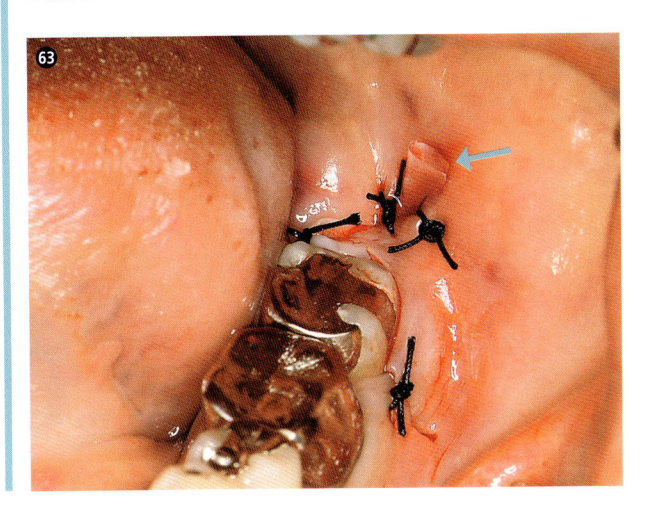

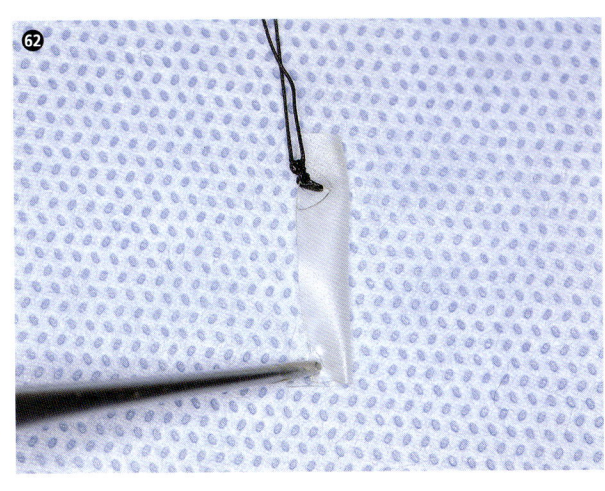

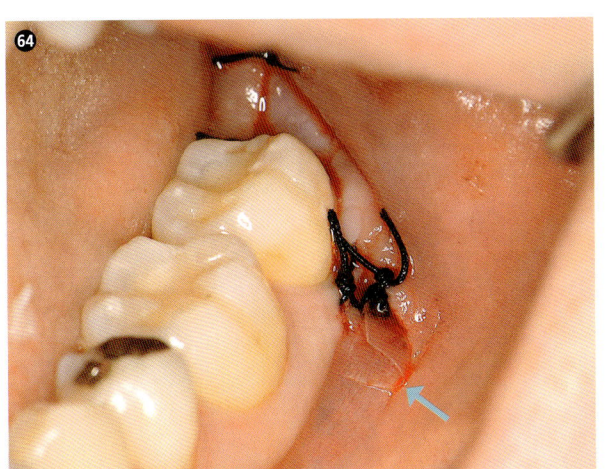

❷❸閉鎖創にするなら，臼後部切開遠心端にドレーンを留置．
❹頬側縦切開の最下点部にビニールドレーンを留置した．ドレーンが紛失しないよう歯肉に縫合する．

Point 4 下顎埋伏智歯の歯根の状況別の問題解決法

①歯根の肥大
・歯根の削除・分割
・歯根周囲骨の削除

②骨を抱きかかえた歯根
・根分岐部を狙って分割する
・歯根の頬側で歯根間に陥入した骨を削除

③歯根の開大
・根分岐部を狙って分割する

④歯根の湾曲
・湾曲がはずれる方向に歯根を動かす
・歯根が動くのに邪魔になる歯質・骨を削除する

⑤多根
・分割

⑥骨性癒着
・歯根の分割
・歯根の全削去

CHAPTER 12
上顎前歯部埋伏過剰歯の抜歯

　通常，「上顎正中埋伏過剰歯」と表現されるが，必ずしも正中とは限らないので，ここでは「上顎前歯部埋伏過剰歯」と表現する．上顎前歯部埋伏過剰歯が上顎前歯の交換異常や歯列不正の原因となっている場合には，抜歯が必要である．抜歯時のもっとも重要なポイントは，永久歯の歯根や歯胚の損傷，誤抜歯を避けることである．そのためには，必要に応じてCT撮影を行い，埋伏過剰歯の位置や永久歯歯胚や隣在歯との位置関係を立体的に把握することが必要である．時期を選べば，ほとんどの症例で外来局所麻酔下で抜歯可能であるが，抜歯が心理的トラウマとなって歯科治療嫌いにならないように，痛がらせずに，安全に手際よく抜歯することが重要である．

どのような所見から上顎前歯部埋伏過剰歯を疑うか？

　表1に示す口腔内所見が認められた場合，埋伏過剰歯の存在を疑ってエックス線写真撮影を行う．

　まったく所見がなく，歯科治療目的のエックス線写真撮影で偶然見つかることも多い．

表1　上顎前歯部埋伏過剰歯の存在を疑う上顎前歯部所見．

- 乳歯の晩期残存
- 永久歯前歯の萌出遅延，萌出位置異常，歯軸の傾斜や捻転
- 正中離開
- 口蓋歯槽部または唇側歯槽部の膨隆

画像検査は何が必要か？

①デンタル・パノラマエックス線写真

▶まずデンタルエックス線写真撮影❶を行う．

▶デンタルエックス線写真だけでは，過剰歯全体が描出されない場合や，永久歯の歯胚の数の確認（＝過剰歯と思われたものが永久歯の歯胚ではないかの確認）が必要な場合は，パノラマエックス線写真撮影❷を行う．

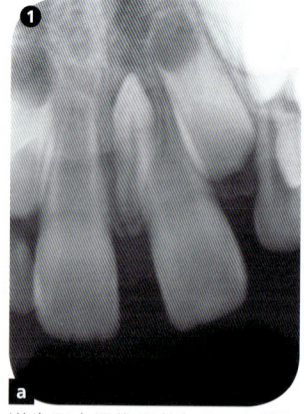

a　逆生正中埋伏過剰歯が正中離開の原因になっている．

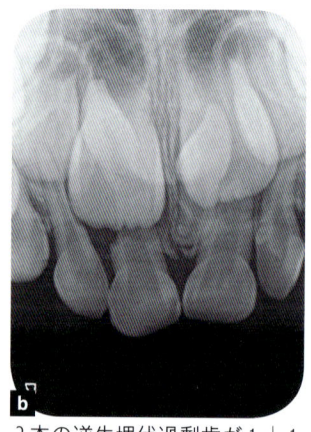

b　2本の逆生埋伏過剰歯が 1+1 歯胚と重なっている．

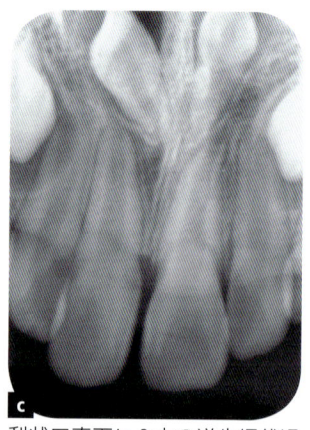

c　梨状口直下に2本の逆生埋伏過剰歯を認める．

上顎前歯部埋伏過剰歯の抜歯　第12章

▶ただしパノラマエックス線写真の特性として正中部は明瞭に描出されないので，読影に注意する．

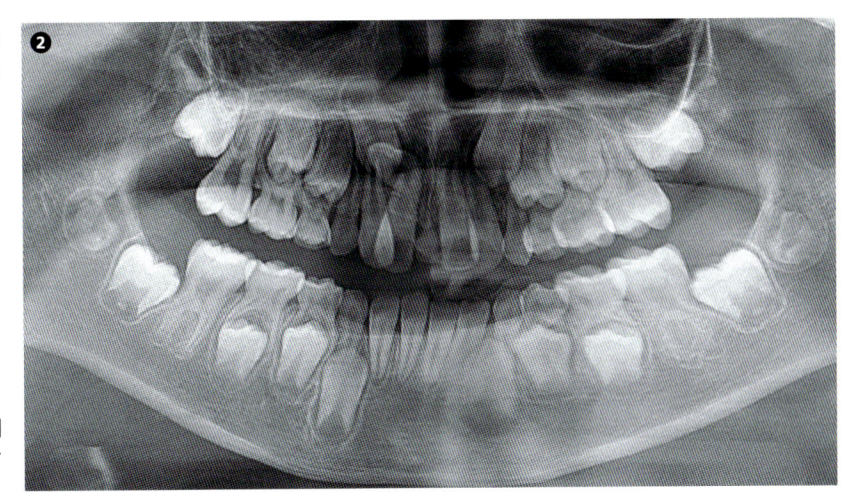

❷パノラマエックス線写真では，埋伏過剰歯の垂直的埋伏深度，永久歯の歯胚の数を確認することができる．

②CT撮影

▶抜歯に際して永久歯の歯根や歯胚，切歯管，鼻腔底との三次元的位置関係や距離を把握したい場合にはCT撮影❸を行う．
▶保護者がCT撮影を拒否する場合は，
　①CBCTの被曝量は少ないこと
　②過剰歯が永久歯や歯列に悪影響を及ぼすおそれがあること
　③過剰歯の抜歯にあたり，永久歯の歯根や歯胚を損傷しないために，立体的な位置関係の把握が必要であること
などを丁寧に説明する．

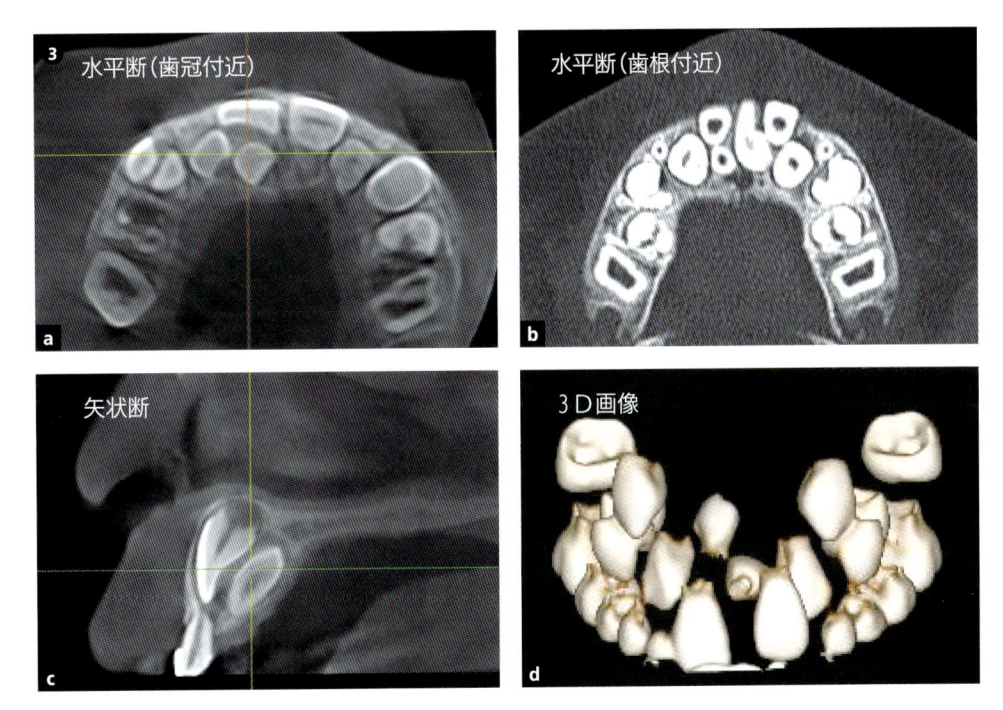

❸ CT画像．
a 水平断（歯冠付近）
b 水平断（歯根付近）
c 矢状断
d 3D画像

CT画像で何をみるか

　CT画像で，表2に示した項目を観察し，抜歯の時期，アプローチ法（口蓋側アプローチか，唇側アプローチか）を検討する．CT撮影は隣在歯の歯根の損傷，歯胚の損傷や誤抜歯などの偶発症の回避に有用である．3D画像を作成すると，さらに立体的な位置関係が理解しやすい❸d．

131

表2　画像検査での観察項目.

観察項目	観察のポイント
①過剰歯の本数，形態	稀に複数本のことあり
②永久歯の歯数，歯胚の数	過剰歯と思われたものが矮小永久歯のことがある
③埋伏位置	永久歯の歯根に対して唇側か口蓋側か，埋伏の深さ
④歯冠の向き	逆生か順生か，唇側向きか口蓋側向きか
⑤直上の被覆骨の厚さ	骨削除量の想定
⑥永久歯への影響の有無	形成障害，萌出障害，歯根吸収，位置異常などを生じていないか
⑦隣在歯の歯根や歯胚との位置関係，距離	過剰歯の抜歯時の損傷リスクの有無
⑧切歯管や鼻腔底との位置関係，距離	切歯管温存の可否，埋伏深度の確認

抜歯の必要性の有無の判断

表3にあげた所見がみられれば抜歯を検討する．順生(歯冠が下向き)の場合は，口腔内に萌出する可能性があるので，隣在歯や歯胚に影響を与えない場合は経過観察でよい．しかし逆生(歯冠が上向き)の場合は，歯列や咬合に影響を与えていなくても将来的に含歯性囊胞を形成したり，時間の経過とともに鼻腔側へ向かって移動して鼻腔底直下に達したり，鼻腔底を穿孔して鼻腔粘膜下に達したりすることがあるので❹，適切な時期に抜歯する．

表3　抜歯が必要となる画像所見.

①永久歯の正常な形成や萌出の障害

②永久歯の歯根吸収のおそれ

③正中離開

④含歯性囊胞形成

⑤永久歯の矯正治療の障害

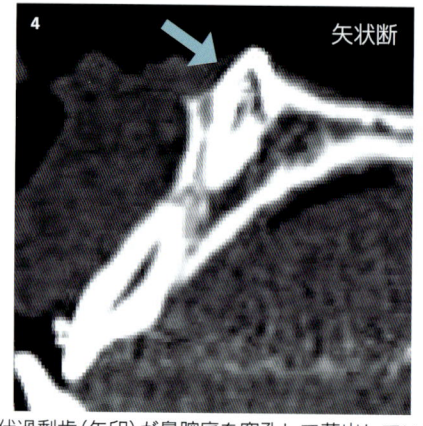

逆生の埋伏過剰歯(矢印)が鼻腔底を穿孔して萌出している．

抜歯の難易度の判断

患者の協力度を別にすれば，**抜歯の難易度には埋伏位置(とくに深さ)と歯冠の向きが大きく影響する**．埋伏深度が深いほど視野が得られにくく，器具の操作も難しい．また，歯冠が鼻腔側を向いていたり(逆生)，後方(口蓋側)を向いている場合も難度が上がる．

抜歯時期の決定

埋伏過剰歯があるからといって，必ずしも急いで抜歯する必要はなく，正常な永久歯列の形成に影響を及ぼしそうになってからでよい．あまり低年齢では，①患児の協力が得られずに全身麻酔下で抜歯せざるを得なくなる，②永久歯歯胚と過剰歯の区別が難しい，③過剰歯が永久歯に及ぼす影響を正確に予測できない，④抜歯の手術侵襲により永久歯の歯根の石灰化・形成不全を起こすおそれがある，などの問題がある．

一般的には患児の協力が得られて局所麻酔下での抜歯が可能であり，永久中切歯の歯根の1/2から2/3が完成して抜歯による歯胚への影響が小さいと思われる時期である，7歳から9歳が勧められている．この年齢であれば，全身麻酔の必要はなく，十分局所麻酔で抜歯可能である．

抜歯の実際

①局所麻酔か全身麻酔か

- 患児の協力が得られれば（＝おりこうさんで抜歯させてくれるなら），埋伏位置が深くても局所麻酔で十分抜歯可能である．
- 局所麻酔注射時に痛がらせないことが重要である．
- 他歯への影響の点から抜歯すべき時期であるものの，患児が泣いたり，暴れたりして局所麻酔下での抜歯が困難である場合は，全身麻酔が必要になることもある．

②アプローチ法の決定

- CT画像を参考にして，口蓋側からアプローチするか，唇側からアプローチするかを判断する．
- 上顎正中過剰埋伏歯のほとんど（80％以上）が口蓋側にあるとされており，圧倒的に口蓋側アプローチが多いが，萌出済み永久歯の根尖よりも高い位置で唇側の骨表面からの深度が浅い場合❺aや，永久歯の歯根間に埋伏している場合❻aには，唇側からアプローチしたほうが抜歯しやすいことがある❺b, ❻b．唇側アプローチでも永久歯の根尖を直接損傷しなければ，失活することはない．

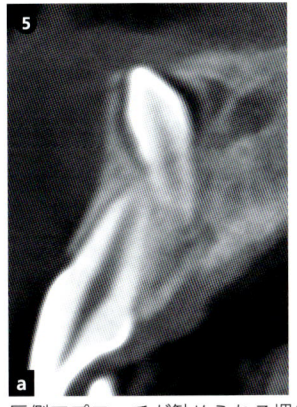

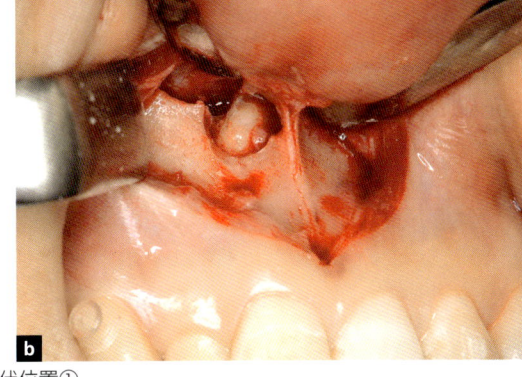

❺唇側アプローチが勧められる埋伏位置①．
a：逆生の過剰歯が1|根尖上方，鼻腔底直下に埋伏している．
b：唇側歯肉に切開を加え，前方から梨状口下縁の骨を削除して抜歯した．

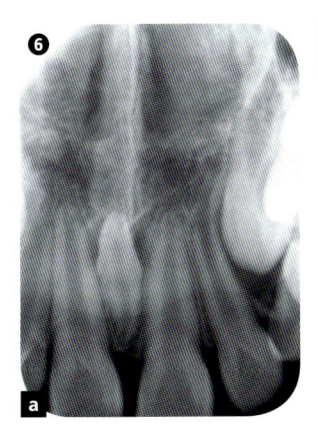

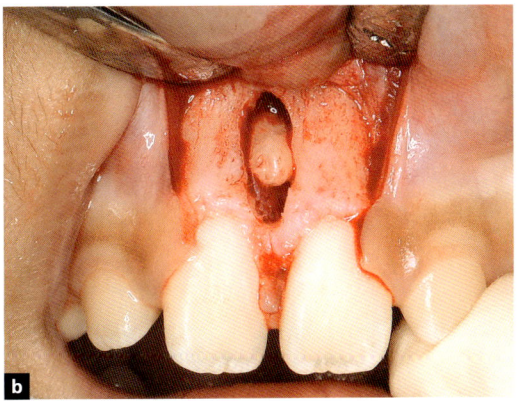

❻唇側アプローチが勧められる埋伏位置②．
a：1＋1歯根間に逆生の埋伏過剰歯を認めた．
b：1＋1歯根を損傷しないよう注意して，唇側から抜歯した．

③口蓋側アプローチの場合

（1）局所麻酔❼

- 小児は局所麻酔注射で強い痛みを与えてしまうと，泣き出したり，恐がったりして，手術時間が延長したり，抜歯中止になりかねない．そのため，局所麻酔注射を無痛的に行うことが重要である．
- 口蓋は歯肉が硬いために注射時の痛みが強いので，口蓋側アプローチであってもいきなり口蓋粘膜に注射してはならない．局所麻酔注射を無痛で行うポイントは，まず唇側の歯肉唇移行部に表面麻酔を行ったあと，可動粘膜直下にゆっくりと注射し，その後は麻酔の効いた範囲の

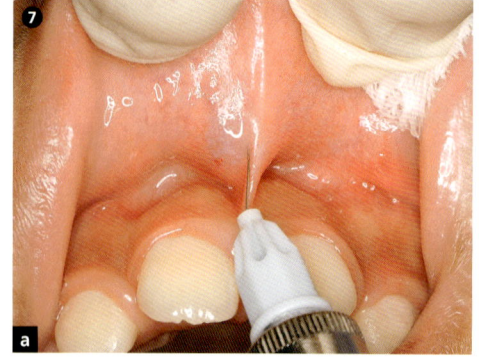

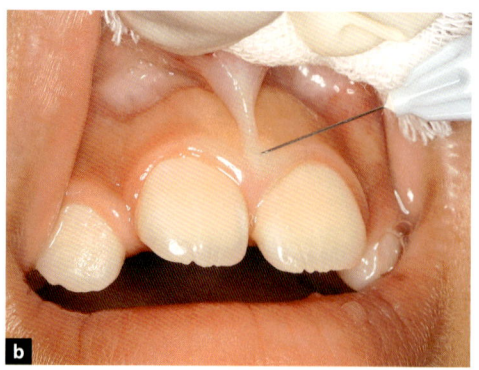

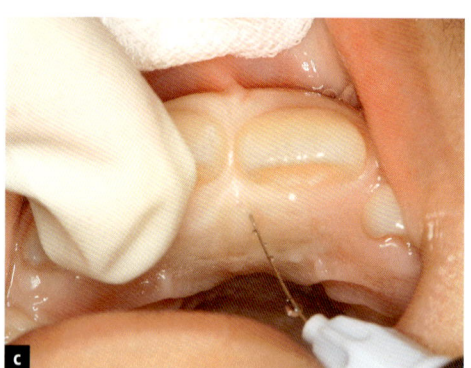

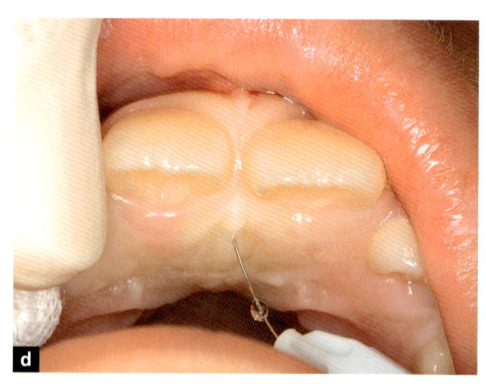

❼
a：まず歯肉頬移行部の可動粘膜部直下に注射．
b：唇側歯間乳頭部に注射．

c：口蓋側歯間乳頭に注射．
d：口蓋粘膜に注射．

最外側に注射しながら，唇側歯肉頬移行部 → 唇側歯間乳頭部 → 口蓋側歯間乳頭部 → 口蓋側歯肉 → 口蓋粘膜の順に麻酔していく（CHAPTER 3 18ページ参照）．

▶最初の刺入位置は口蓋側の切開部位から遠く離れていて無駄に思われるかもしれないが，可動粘膜部は粘膜が変形することにより局所麻酔薬の注入圧が緩衝されて，痛みが少ない．その後は麻酔の効いている範囲内に注射するので痛くない．いきなり硬い口蓋側歯肉に注射すると，痛くて泣き出してしまい，その後の処置ができなくなることがある．

（2）粘膜切開

▶術野を直視しやすくするためヘッドレストを後屈気味に調整し，協力が得られる範囲で首をそらせる．C＋Cまたは 3＋3 の口蓋側歯頸部に沿った切開を加え口蓋弁を起こす**口蓋側犬歯間歯頸部切開**が一般的である❽a, ❾．

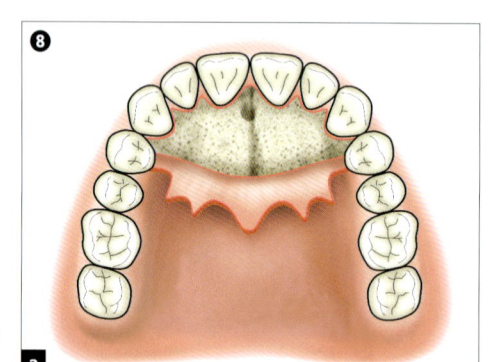

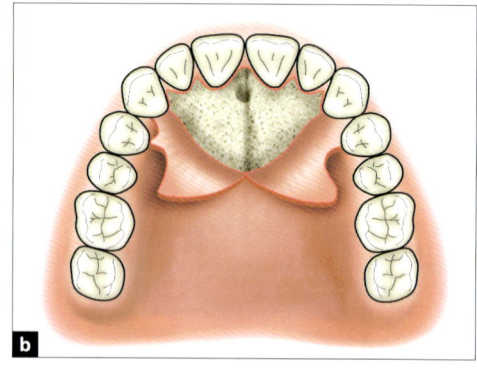

❽切開線の種類．
a：口蓋側犬歯間歯頸部切開．
b：正中に切開を加える観音開き切開．

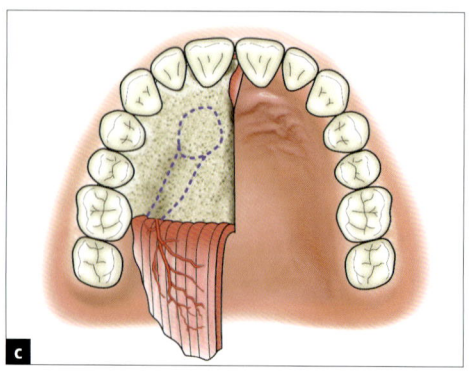

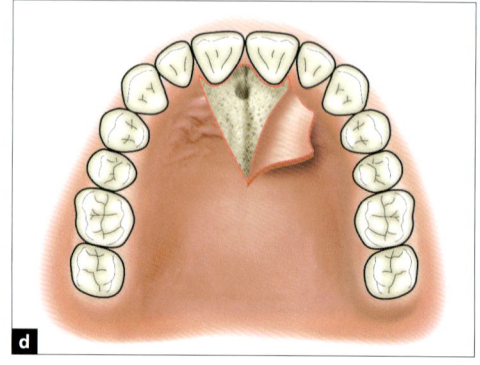

c：口蓋半側挙上切開．
d：筆者が好んで用いる三角形切開．

上顎前歯部埋伏過剰歯の抜歯　第12章

❾口蓋側アプローチ1
（口蓋側犬歯間歯頚部切開）.
a：術前.
b：口蓋側犬歯間歯頚部切開で歯肉骨膜弁を挙上.

c：ラウンドバーによる被覆骨削除.
d：埋伏過剰歯の歯冠露出.

e：小さめのラウンドバーで歯冠周囲骨を削除したあと，モスキート鉗子で把持して抜歯した.
f：過剰歯摘出後.

❿口蓋側アプローチ2
（観音開き切開）.
a：右側の過剰歯の露出.
b：左側の過剰歯の露出.

c：歯冠最大豊隆部の削除.
d：縫合.

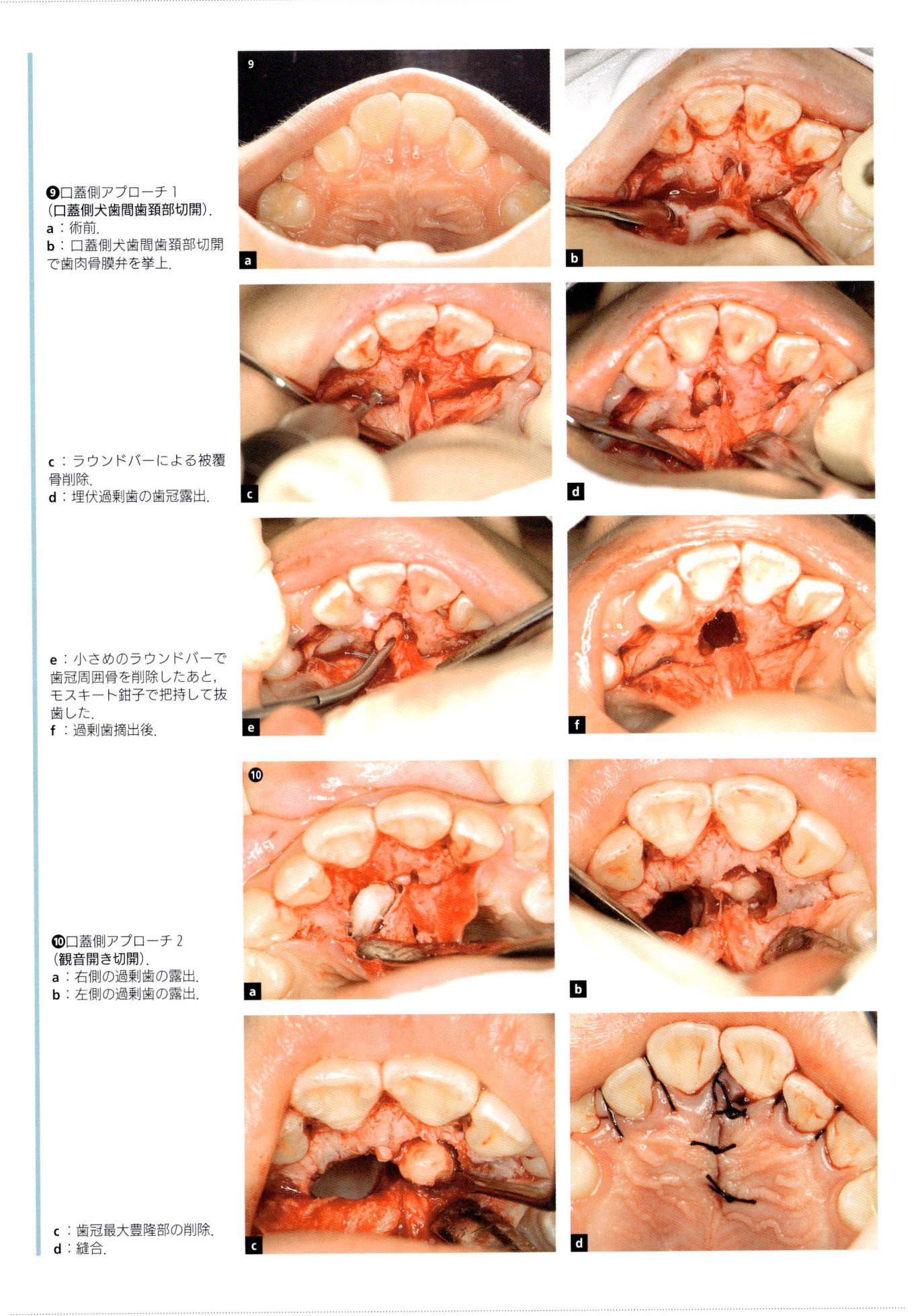

135

⓫口蓋側アプローチ3（口蓋半側挙上切開）
a：口蓋半側挙上の切開線．
b：過剰歯直上の骨の膨隆あり．
c：切歯管内容物の電気メスによる切除．
d：被覆骨の削除，過剰歯の露出．

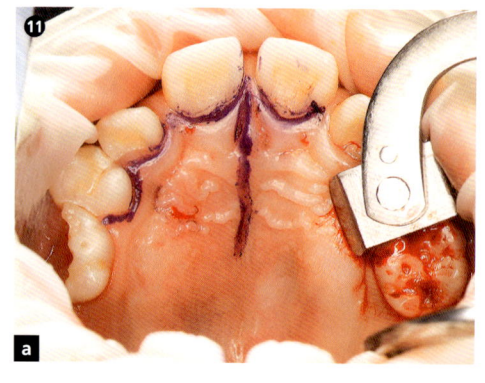

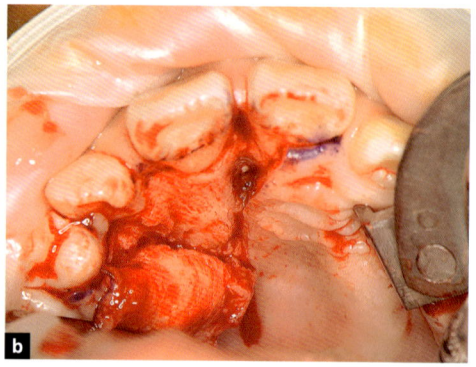

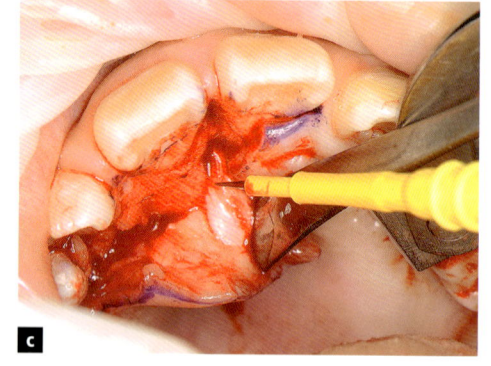

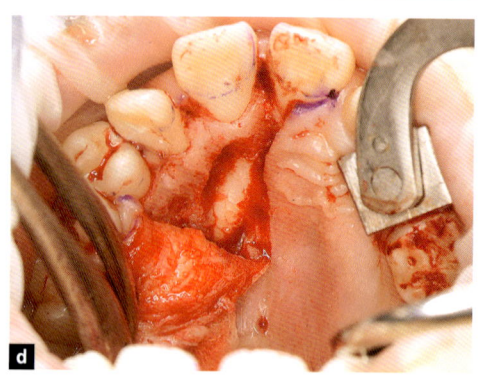

▶しかし実際には，口蓋歯肉は厚くて硬いため，粘膜弁を翻転しにくい．展開しやすくするために正中部に切開を加えて観音開き切開にしてもよい❽b, ❿．

▶この場合，埋伏歯が正中にあると，抜歯後の骨欠損の直上に切開線がくることになり，「創の哆開（創が開くこと）を避けるため，切開線の直下に骨欠損がこないようにする」という外科の原則からはずれるが，口蓋粘膜の場合，血流がよく粘膜が硬くて厚いことから，実際には創が哆開することはほとんどない．

▶また，埋伏位置が正中から偏位している場合には，正中に切開を加えた半側のみの口蓋半側挙上切開（❽c, ⓫）でもよい．切開線の直下に骨欠損がくることを避けるために三角形切開にしてもよい（❽d, ⓬）．この切開はフラップの先端が正中線を超えているため，フラップ先端の血流不足による壊死，治癒不全を懸念する意見もあると思われるが，実際には先端を反対側の中切歯より遠心に設定しなければ治癒に問題はない．

（3）歯肉骨膜弁の剥離・翻転，鼻歯槽神経血管束の処理

▶切歯管内容物の鼻歯槽神経血管束はある程度伸展するので，切離しないで抜歯できれば切離しないに越したことはない⓭．

▶しかし，温存することにこだわり過ぎると，術野が狭くなったり，手術操作が難しくなって手術時間が長くなりやすい．手術時間が長くなると，局所麻酔の場合は小児は泣き出したり体動が多くなって，抜歯中断となりやすいので，温存することにこだわらずに切断してよい．切歯管の内容物である鼻歯槽神経血管束の切断による出血は電気メスや圧迫で十分止血可能であり，また，術後の口蓋前方の知覚障害が問題になることもない．

（4）被覆骨削除，埋伏過剰歯の露出

▶被覆骨の削除は，コントラアングルかストレートハンドピースに装着したラウンドバーで行う．埋伏深度が浅い場合，骨の膨隆が認められることがあるので，その部分の骨を削除する．膨隆がない場合，エックス線画像検査の結果から埋伏位置を想定して直上の被覆骨を削除する．骨を削除しても埋伏歯がなかなか見つからないことがあるが，その際は漫然と骨を削除するのではなく，画像を見直して，過剰歯の位置特定の参考となる画像上の基準を自分なりに設定して，その基準を頼りに焦らずに丁寧に探す．

▶デンタル・パノラマエックス線写真のみで抜歯する場合，垂直方向・水平方向の位置は特定できるが，前後方向の埋伏位置を誤ることがあるので注意する．

▶また，上顎前歯の歯根を損傷しないよう，たえず永久歯歯根の歯軸方向を意識して骨削除する．

▶順生の場合は，ラウンドバーが埋伏歯の歯冠のエナメル質に当たっても歯質が削れないので見つけやすい．

▶逆生の場合は，埋伏歯の根尖部付近の歯根断面が露出してくるので，見逃してしまいやすい．術野をよく洗浄し，注意深く観察すると，中央に点状の歯髄を含んだ周囲の骨とは異なる円形の歯根の断面が確認できる．

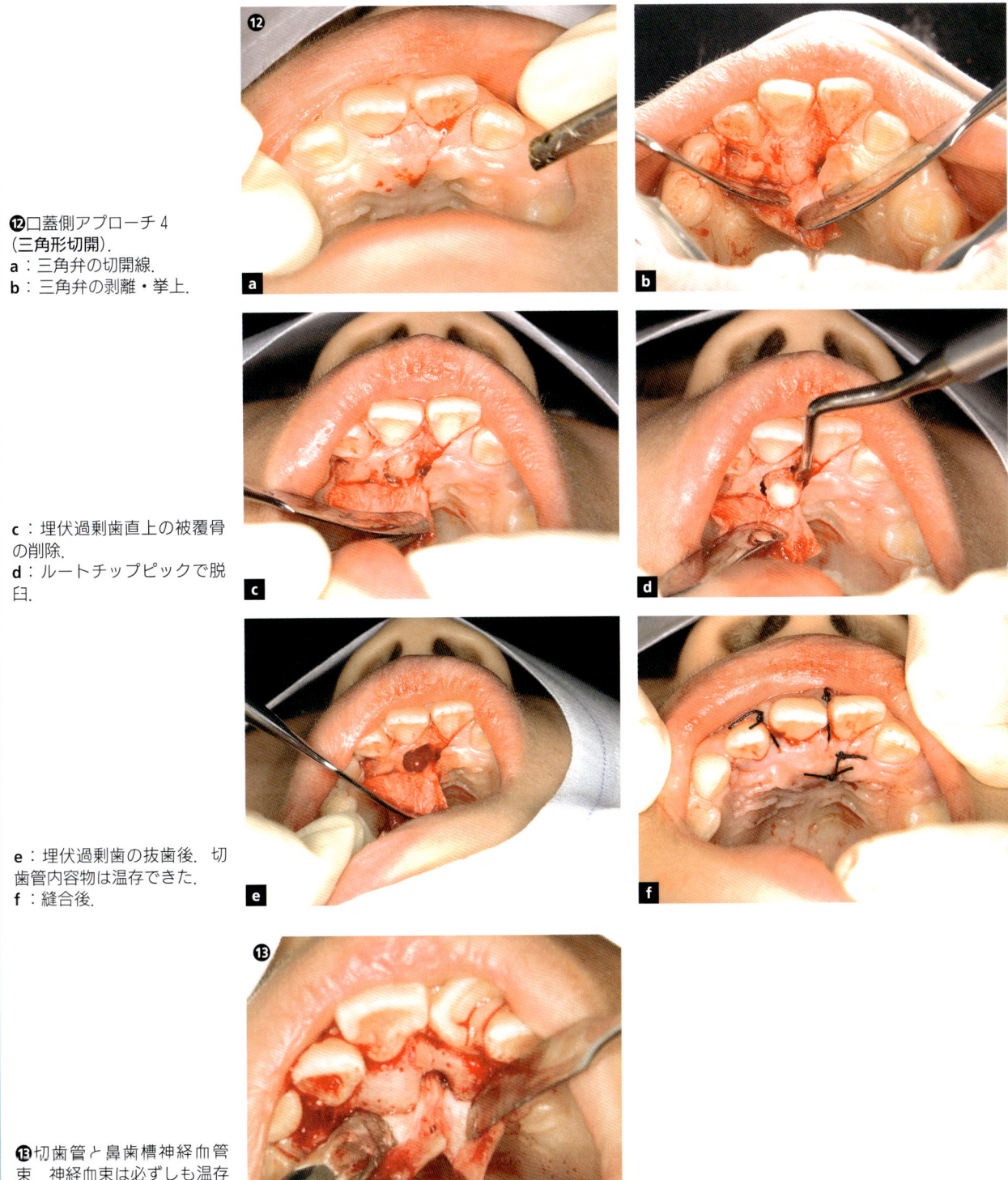

⓬口蓋側アプローチ4
（三角形切開）．
a：三角弁の切開線．
b：三角弁の剝離・挙上．

c：埋伏過剰歯直上の被覆骨
の削除．
d：ルートチップピックで脱
臼．

e：埋伏過剰歯の抜歯後．切
歯管内容物は温存できた．
f：縫合後．

⓭切歯管と鼻歯槽神経血管
束．神経血束は必ずしも温存
することにこだわらなくてよ
い．

（5）埋伏歯の摘出

▶過剰歯の歯冠または歯根が確認できたら，永久歯の歯根を損傷しないように注意しながら，過剰歯の周囲の骨を小さめのラウンドバーで削除してスペースを形成し，細いヘーベルやルートチップピック，モスキート鉗子などで取り出す❾e．
▶逆生歯の場合，深部の歯冠最大豊隆部の周囲の骨を削除してアンダーカットが解消されないと，抜けてこない．

（6）縫合

▶口蓋側の歯肉骨膜弁を元に戻して歯間乳頭部を唇側-口蓋側で定位縫合する．
▶口蓋弁を観音開きにした場合は，縦の切開部分も縫合する．

④唇側アプローチの場合

▶ 永久前歯の根尖より上方の深い位置に埋伏していたり，逆生歯が鼻腔底直下にまで達しているような場合には，口蓋側からのアプローチでは視野・操作性が悪く，抜歯が非常に困難である．このような場合には，CT画像により唇側から到達できる距離であれば，唇側からアプローチする❶❷❸❹❺．

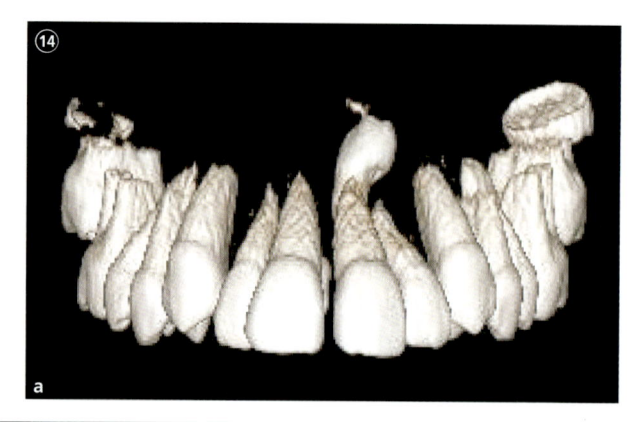

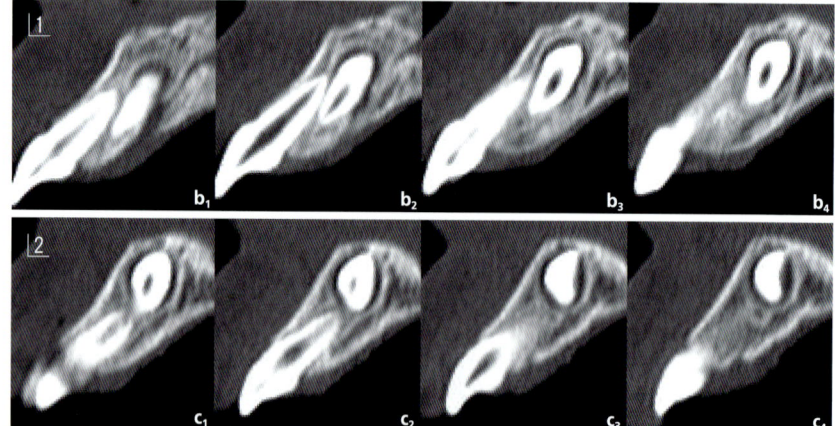

❶❹唇側アプローチ症例．
1̄歯根上方に埋伏する過剰歯．逆生過剰歯の歯根は1̄の口蓋側にあるが，歯冠は2̄の根尖上方，唇側にある．

（1）局所麻酔

▶ 口蓋側アプローチの場合と同様，上顎前歯部の歯肉-頬移行部に表面麻酔し，前鼻棘，梨状口下縁付近まで浸潤麻酔を行う．

（2）粘膜切開，歯肉骨膜弁の剥離挙上

▶ 唇側からアプローチする場合は，Wassmundの歯頸部切開，または上唇小帯を避けた弧状切開やV字型切開を加えて歯肉骨膜弁を挙上し，唇側の歯槽骨を露出させる．鼻腔底直下に埋伏している場合には，前鼻棘，梨状口下縁まで剥離，露出する❶❺a．

❶❺
a：上唇小帯を避けた切開で，梨状口下縁まで骨を露出．
b：歯冠相当部の唇側皮質骨を削除し，埋伏歯の歯冠を露出．
c：タービンで過剰歯の歯頸部でカットし，まず歯冠のみを摘出．
d：まず歯冠を除去したのち，ルートチップピックで歯根を取りだした．

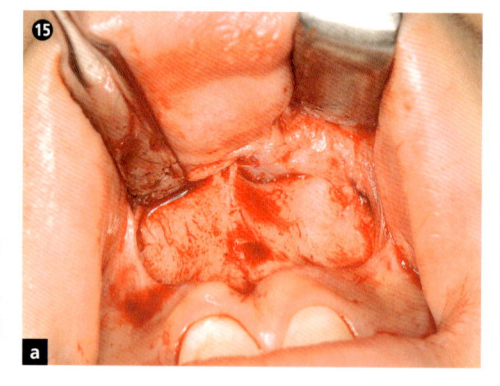

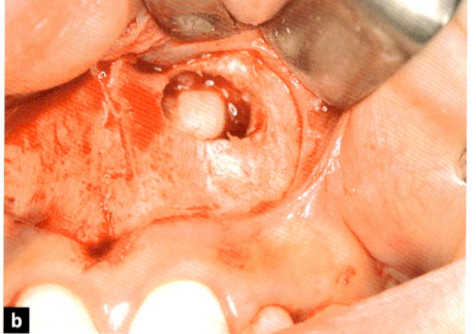

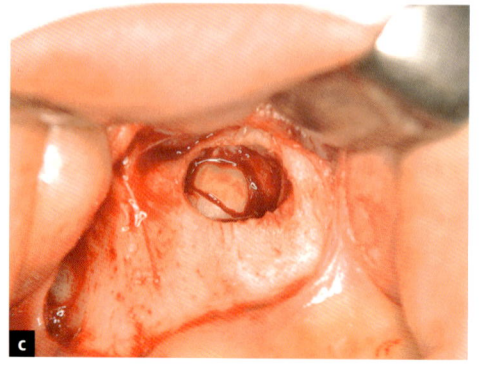

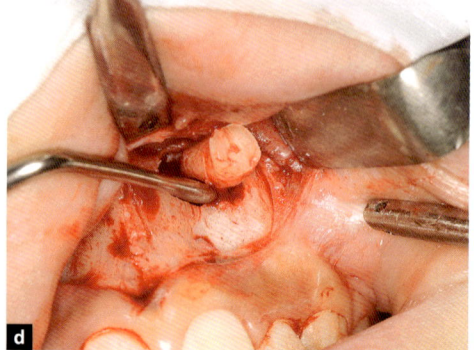

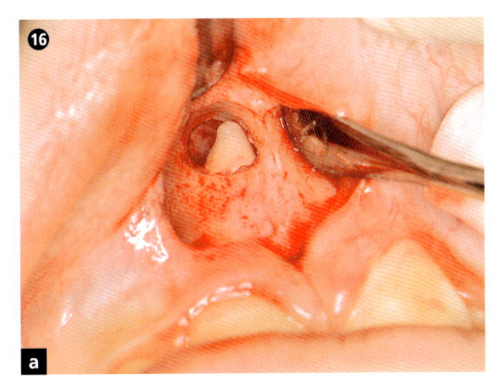

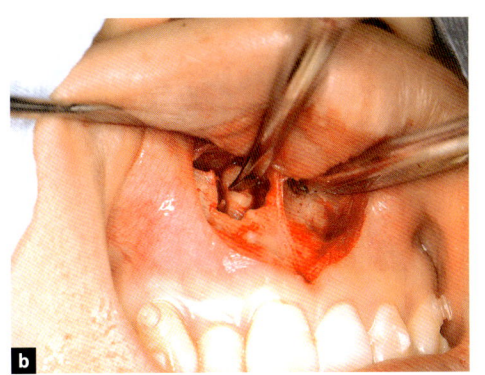

❶❻唇側アプローチ症例．
a：1⎯歯根上方，梨状口直下の逆生埋伏過剰歯．
b：右鼻腔底に萌出した埋伏過剰歯．

（3）被覆削除，埋伏過剰歯の露出

▶過剰歯の位置に相当する部位（永久歯の根尖より上方）の唇側歯槽骨を削除して過剰歯に到達する❶❺b．唇側アプローチではバーの先端を直視して正確に骨削除することが可能であるので，注意して骨削除すれば永久歯の歯根を損傷することはない．また根尖部を直接損傷しなければ，根尖より上方の骨を削除しても，永久歯が失活することはない．

▶過剰歯が鼻腔底直下❶❻a，または鼻腔内に突出している場合には，梨状口から鼻腔内へ向かって鼻腔粘膜を鼻腔底から剥離し，梨状口下縁，鼻腔底の骨を前方から削除して埋伏歯に到達する❶❻b．この部分の骨を削除しても鼻や白唇部の変形を生じることはない．

▶また，エックス線写真で過剰歯が永久前歯の歯根間に位置していて，永久歯歯根と過剰歯の重なりがない場合にも，唇側骨表面から到達可能な深さであれば，歯根を損傷しないように十分に注意しながら，唇側から抜歯することができる（前述❻b）．

（4）抜歯

▶過剰歯を分割せずそのままの状態で抜去できるほどの骨削除ができない場合には，隣在歯の歯根を損傷しないように注意しながら，タービンで埋伏歯を分割する❶❺c．

（5）縫合

▶切開線を縫合する．

術後管理

　抜去歯が永久歯の歯胚でないこと，永久歯の歯根損傷の有無，埋伏位置が深い場合には鼻腔粘膜の損傷や穿孔がないかなどをチェックして，手術を終了する．鼻腔粘膜の損傷・穿孔があれば，鼻出血することがあるが，通常は自然に止血するので，とくに問題はない．

　口蓋アプローチの場合は，創の保護と歯肉骨膜弁を骨に密着させて血腫形成を予防する目的で，あらかじめ保護床を作製しておき，装着する．

偶発症

　もっとも避けなければならないのは，永久歯の歯胚の誤抜歯・損傷，隣在永久歯の歯根損傷である．

①乳歯列期，混合歯列期

▶とくに，乳歯列期，混合歯列期の抜歯では，永久歯歯胚と過剰歯が近接していて，区別がつきにくいことがあるので，十分注意する．単純エックス線写真のみの撮影では，永久歯の歯胚と区別がつきにくいことがある．

▶歯胚の誤抜歯を回避するためには，CT撮影し，必要があれば3D画像を作製して三次元的位置を正確に把握することが重要である．

②永久歯期

- 永久歯期の抜歯では，永久歯歯根の損傷に注意する．
- 口蓋側アプローチの場合は，絶えず萌出永久歯の歯軸を意識して歯根に近づきすぎないように注意して骨削除する．口蓋側の骨削除が大きく深い場合には，口蓋側の骨支持が少なくなり，永久歯の動揺を生じることがあるので，その場合は暫間固定する．

上顎前歯部埋伏過剰歯
【movie27】上顎正中過剰埋伏歯抜歯（口蓋側アプローチ）
【movie28】上顎正中過剰埋伏歯抜歯（唇側アプローチ）

CHAPTER 13

小臼歯の叢生歯，転位歯，半埋伏歯などの抜歯

　矯正治療を開始するにあたり，小臼歯の便宜抜歯を依頼されることが多いが，叢生・転位のある小臼歯の抜歯は必ずしも易しくはない．矯正科医からGPに紹介され，GPから口腔外科に紹介されてくることも少なくない．ヘーベルと鉗子だけで抜歯しようとするから難しいのであって，CHAPTER 6で述べた「補助的外科処置」を加えれば容易になる．

叢生歯，転位歯の便宜抜歯が難しい理由

①叢生のため，頬側の近心，遠心隅角部にヘーベルがはいりにくい．
②鉗子で把持しにくく，把持できても隣在歯にブロックされていて，頬舌的に倒しにくい．
③歯周病の進行がなく，骨植のよい健全歯であることが多い．
④歯槽骨頂を削除しすぎると，歯を移動させてくるための条件が悪くなる．

叢生歯，転位歯の抜歯を容易にするための補助的処置

　矯正治療で歯を移動させて配列するために，歯肉や歯槽頂の骨のダメージ・消失を最小限にすることが重要で，骨をガンガンに削って抜歯すればいいというものではない．そこで，以下の，①隣接面の削除，②舌側突き出し法，③意図的残根化，のような補助的処置を加えて抜歯する．

①隣接面の削除

▶抜歯鉗子で抜歯を試みても，叢生のため両隣在歯にブロックされていて，頬舌的に倒すことができないことが多い．そのような場合は，隣接面を削除し，隣在歯との接触やブロックされた状態を解消して，鉗子やヘーベルを使用する❶〜❸．

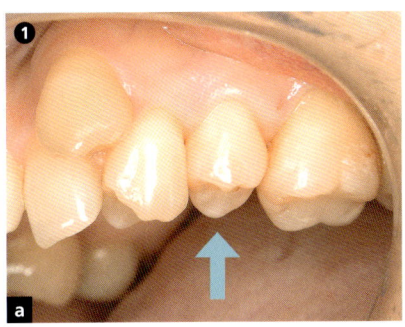

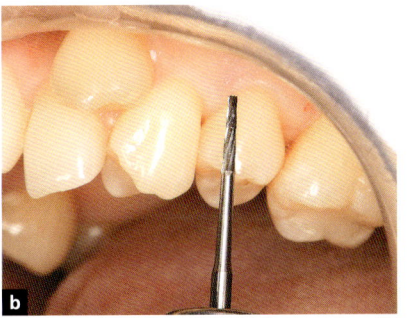

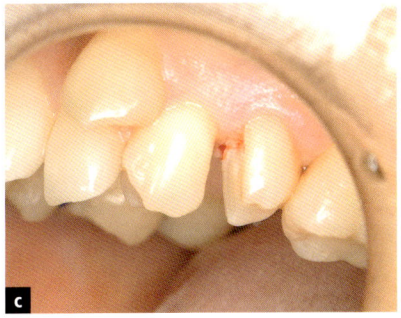

矯正科医より|5|抜歯依頼あり．**a**：叢生のため鉗子で頬舌的に倒すことが難しい．**b, c**：隣在歯にブロックされているので，近遠心隣接面を削除してスペースをつくって鉗子で抜歯．

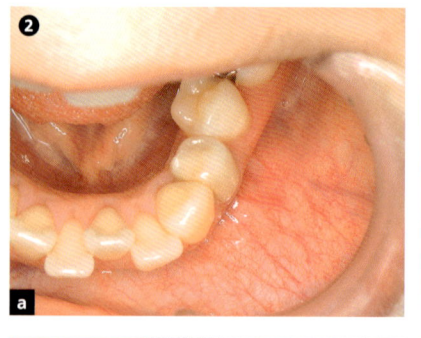

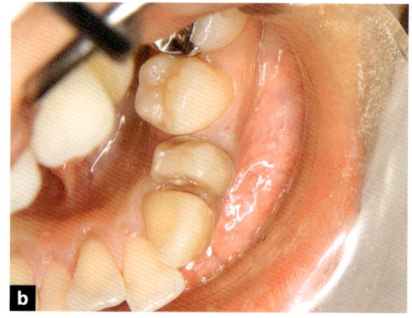

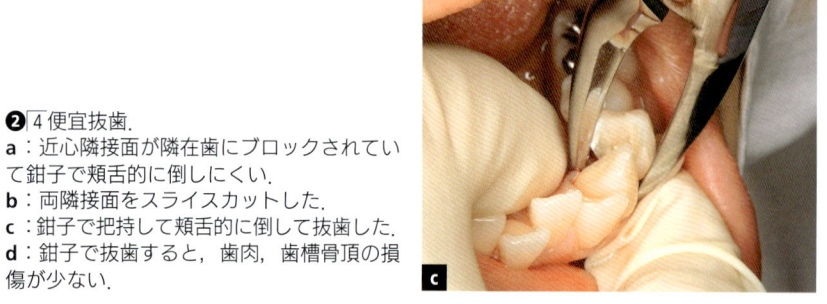

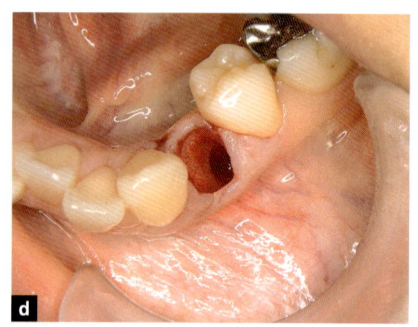

❷ |4 便宜抜歯.
a：近心隣接面が隣在歯にブロックされていて鉗子で頬舌的に倒しにくい.
b：両隣接面をスライスカットした.
c：鉗子で把持して頬舌的に倒して抜歯した.
d：鉗子で抜歯すると，歯肉，歯槽骨頂の損傷が少ない.

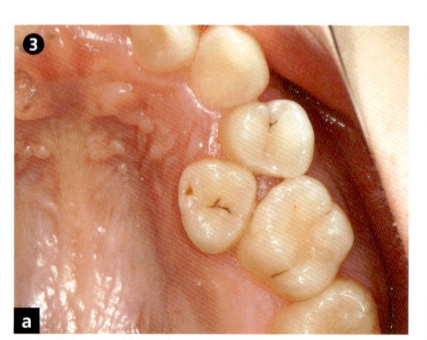

❸
a 口蓋側に転位した|5．このままではヘーベルも鉗子も使いにくい. 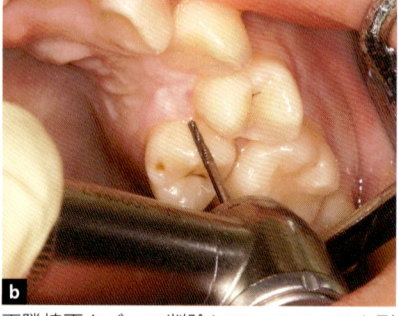
b 両隣接面をバーで削除して，スペースを形成する. 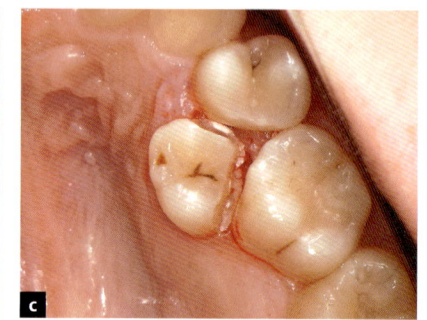
c 隣接面にスペースが形成されて，鉗子，ヘーベルが使えるようになった.
d：鉗子で把持して抜歯する.
e：ヘーベルでも抜歯できる．隣在歯を動揺させないように注意して，ヘーベルを使う.

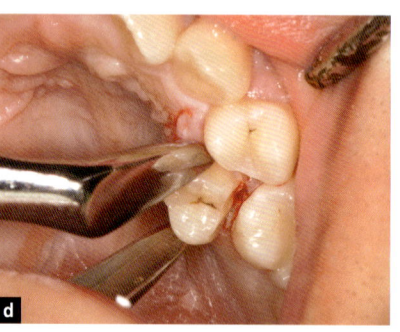

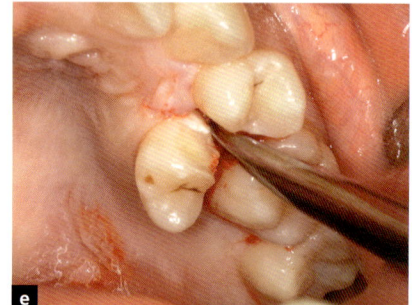

第13章 小臼歯の叢生歯，転位歯，半埋伏歯などの抜歯

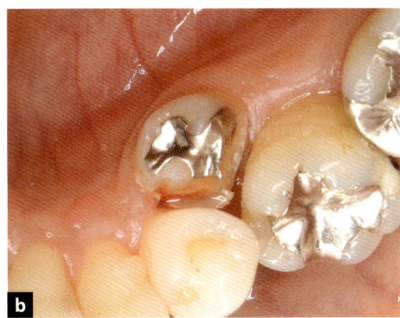

❹
a：舌側転位した|4．
b：両隣接面をバーで削除して，スペースを形成する．

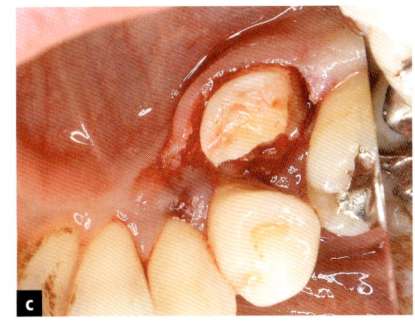

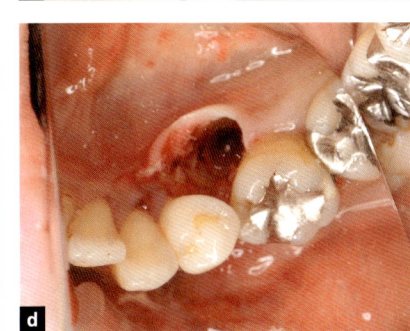

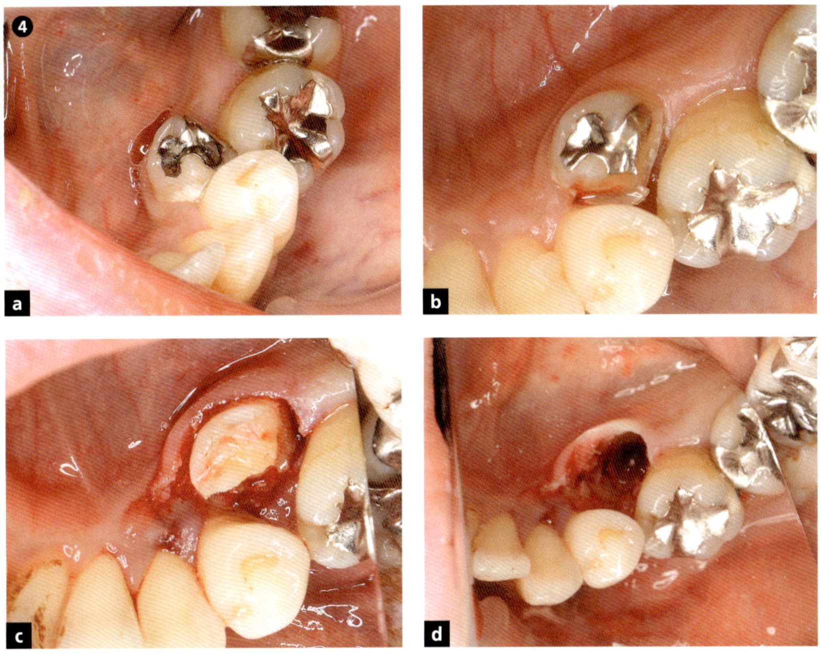

c：スペースが確保されたので，鉗子またはヘーベルを用いることが可能となった．
d：抜歯後．

②舌側突き出し法

▶歯根端切除術と同様の術式で，舌側に突き出す（CHAPTER 6 60ページの「突き出し法」）❶を参照）．

（1）舌側転位歯の残根抜歯の実際
▶小臼歯が舌側傾斜または舌側転位している場合でも，両隣接面を削除してヘーベルをうまく使えば抜歯可能である．しかし，歯冠が崩壊している場合には，鉗子でもヘーベルでも抜歯困難である．この場合，唇側から舌側へ突き出すように抜歯する．

▶舌側傾斜歯や舌側転位歯の場合，歯根は頬側にあること

❺ 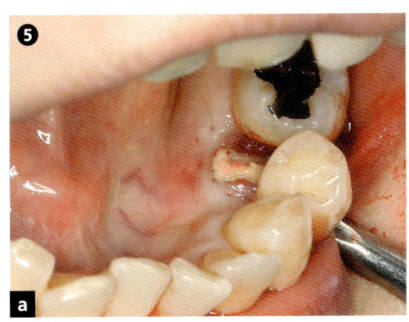
a：|5 舌側転位歯の残根．鉗子での把持，ヘーベルでの脱臼は困難． 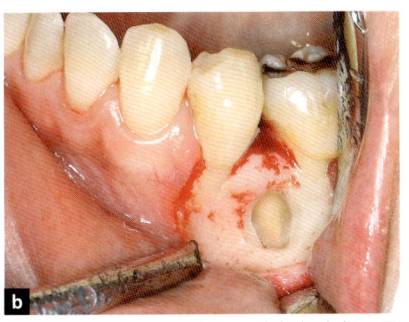
b：頬側歯肉骨膜弁を挙上し，歯根相当部の骨を削除して歯根の唇側面を露出させた． 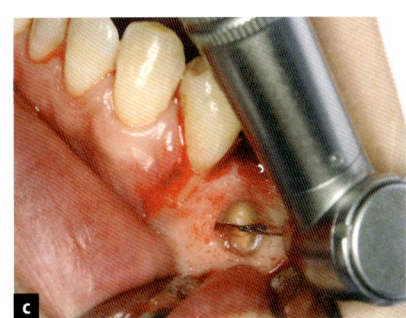
c：歯根をタービンで分割した． 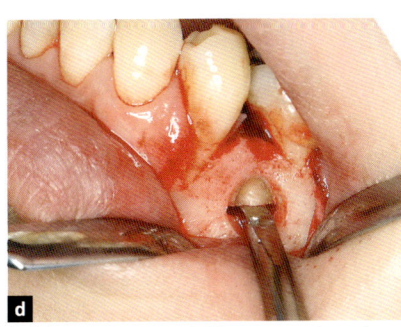
d：分割面にヘーベルを当てて，マレットでヘーベルを槌打した． 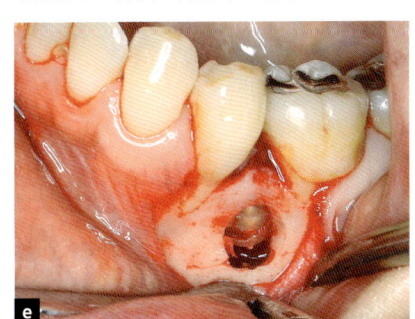
e：槌打により|5 は舌側に突き出された． 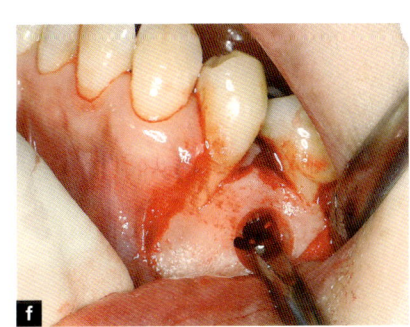
f：残存した根尖側の歯根はルートチップピックで取り出した．

143

が多い（術前にCTで確認しておくとよい）．頬側の歯肉骨膜弁を挙上して，歯根相当部の骨を削除し，歯根の唇側面を露出させる．露出した歯根をタービンで分割し，分割面に骨ノミやヘーベルを当ててマレットで骨ノミやヘーベルを槌打して，舌側へ突き出す❺．
▶分割して残存した根尖側の歯根はルートチップピックで除去する．

③意図的残根化

▶歯頸部で歯冠と歯根に分割して，歯根をタービンで分割して抜歯する（CHAPTER 6 56ページ 意図的残根化❽，CHAPTER 9 86ページ 単根の残根歯の分割抜歯❽を参照）．

（1）抜歯するスペースのない半埋伏歯
▶❻のような半埋伏歯は，このままでは抜歯鉗子もヘーベルも使えない．こういう場合には，歯冠を歯頸部で分割除去しておいて，できたスペースに歯根を出してくる．

▶この場合も，
　①歯肉骨膜弁を起こす
　②歯冠と歯根を分割する
　③ヘーベルを使えるように歯質と骨の境目に歯根膜腔に相当するグルーブを形成する
　④さらに歯根を分割する
といったこれまで述べてきた基本的な操作を加える❻．

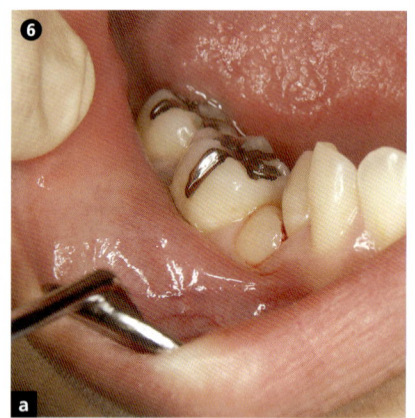

❻ ⑤半埋伏の抜歯．⑤は半埋伏状態で，抜去するスペースがない．

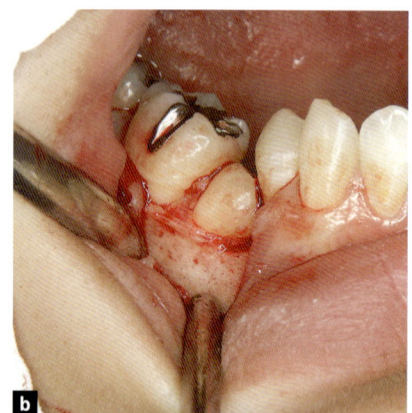

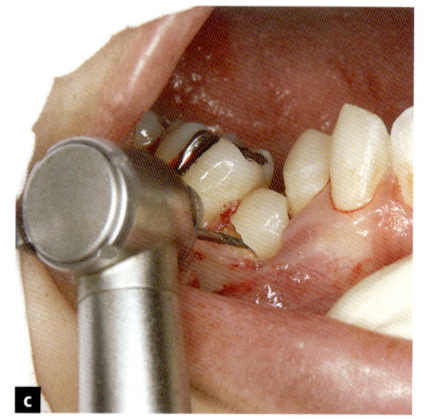

頬側弁を挙上した．

タービンで歯頸部で歯冠を分割した．歯冠をさらに近遠心的に2分割して歯冠を除去．

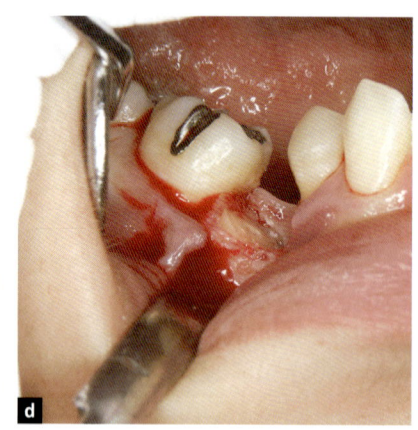

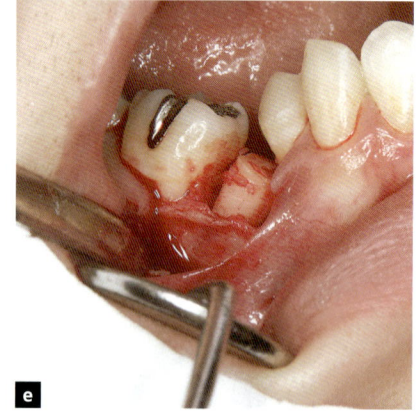

d：歯冠除去後，ヘーベルが使えるように頬側の近心隅角部の歯根と骨の境目に，タービンでグルーブを形成した．
e：ヘーベルで脱臼させた．スペース不足で歯根を完全に取り出せない場合は，(c)の要領で歯根を横に分割して取り出す．

> **Point 1** 抜去するスペースがない半埋伏歯
>
> ①歯肉骨膜弁を起こす
> ②歯質を分割する
> ③ヘーベルを使えるように歯質と骨の境目に歯根膜腔に相当するグルーブを形成する

④小臼歯(部)の埋伏歯

▶小臼歯が埋伏すること❼や，小臼歯部に過剰歯が埋伏していること❽がある．

▶歯肉骨膜弁を挙上し，被覆骨を削除し，歯冠や歯根を分割して抜歯する．

（1）上顎小臼歯の埋伏

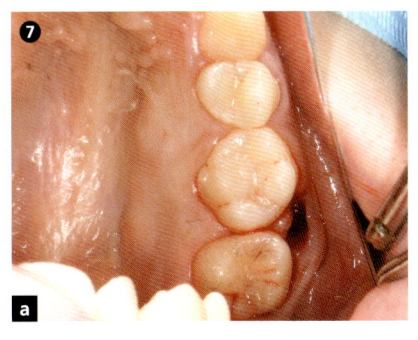

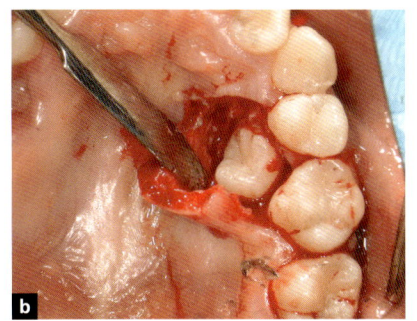

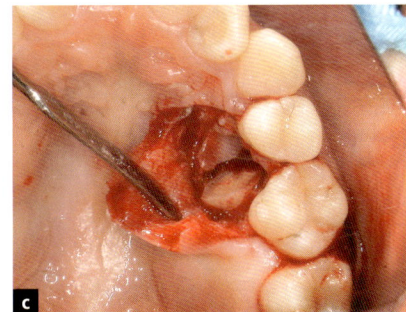

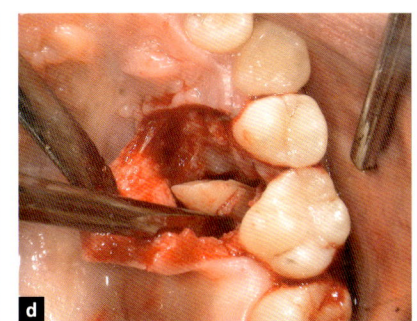

❼
a：口蓋側に|5 が埋伏している．
b：歯肉骨膜弁を挙上して，被覆骨を削除し，歯冠を露出させた．
c：歯冠部をタービンで分割除去した．
d：ヘーベルで抜歯した．

（2）下顎小臼歯部の埋伏過剰歯の抜歯

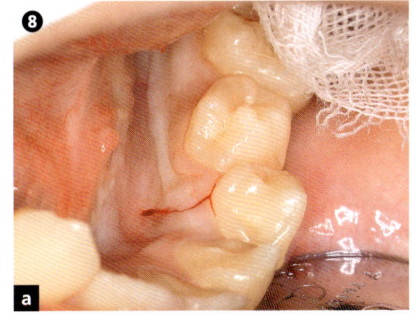

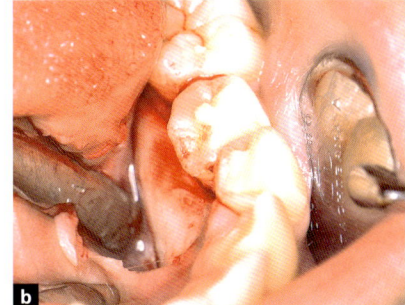

❽
a：|5 6|間舌側の埋伏過剰歯を抜歯するための歯肉切開．
b：舌側歯肉骨膜弁を挙上した．

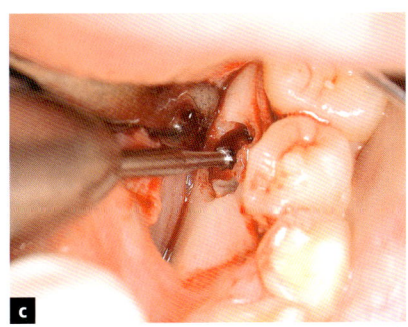

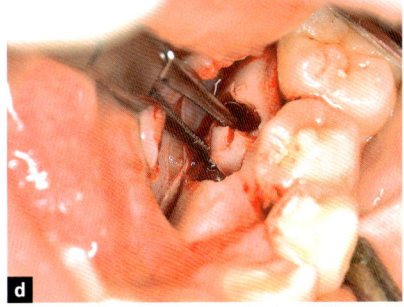

c：被覆骨をバーで削除して埋伏過剰歯を露出させる．
d：埋伏過剰歯をモスキート鉗子で把持して摘出した．
e：抜歯後．

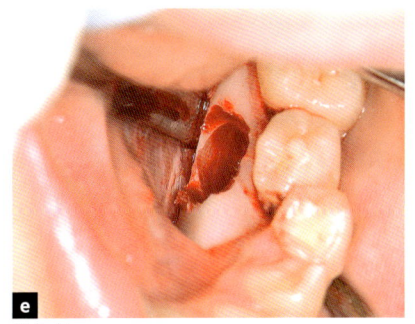

Point2 抜歯で困ったら

タービンで骨削除，歯冠や歯根の削除・分割をする

CHAPTER 14
抜けないときの対応

歯がなかなか抜けずに予想外に時間がかかってしまうことはよくあることで，あせればあせるほど状況は悪くなりがちである．同じ操作を延々と繰り返していないで，面倒くさがらずにCHAPTER 6で述べた歯肉骨膜弁の挙上，歯根の分割，骨の削除などの補助的処置をつぎつぎと繰り出すことが大切である．

はじめに

予定していた時間を過ぎても抜歯できずに，待合室をみると患者が大勢待っている．「しまった，こんな歯に手を出すんじゃなかった」と後悔してもあとの祭り．とにかく頑張って抜くしかない．こういう状況では，ただただ早く終わらせてしまおうと焦ってしまい，操作が乱暴になって出血が多くなり，焦れば焦るほどドツボに……という悪循環に陥りがちである．こういうときに大切なことは，ありふれた表現ながら，**落ち着くこと**である．落ち着いてエックス線写真と術野をよく見て，なぜ抜けないのか，何が問題で抜けないのかを考えることが大事である．

> **Point 1** 抜歯中断症例に共通している問題点
>
> ①歯肉骨膜弁が起こされていない（視野・術野が不十分）
> ②グルーブが形成されていない（ヘーベルの作用点が確保されていない）
> ③分割されていない（歯根の湾曲や開大などのアンダーカットが解消されていない，骨との癒着がある）

①歯が抜けないときに共通することは

▶どうしても抜けずに抜歯途中で当科へ紹介されてくる患者は稀ではないが，そういう症例に共通していることがある．それは，
①歯肉骨膜弁が起こされていない（視野・術野が不十分）
②グルーブが形成されていない（ヘーベルの作用点が確保されていない）
③分割されていない（歯根の湾曲や開大などのアンダーカットが解消されていない，骨との癒着面積が広い）
という点である．この3つの処置がきちんとなされていれば，きっと抜けていただろうと思われる症例がほとんどである．なかなか抜けないときには，この3つの問題点を解決するように試みよう．

対応1　まず落ち着く，休憩する

▶焦って頭に血がのぼっていては，術野がしっかり見えないし，見えていても正確な判断ができない．患者も長時間開口していては辛いので，ちょっと休憩しよう．休んでいてはさらに待合室が混んでくるのではと時間がもっ

たいなく思えるかもしれないが，頭を冷やして冷静な判断ができれば，結果的には早く終わることになる．院長室でコーヒーの一杯でも飲んで再開するくらいの余裕が欲しい．少し休んで気分転換して視点を変えることで展開が変わってくることが多い．「お疲れになったでしょう．少し休んで再開しましょう」といって休憩すると患者も喜ぶ．

対応2　エックス線写真，CT画像を見直す

▶エックス線写真で，歯根の状態（数や長さ，肥大，湾曲，開大，癒着の有無〔癒着していると歯根膜腔が消失している〕）や骨の状態（骨硬化があると骨がたわまず，なかなか抜けないことがある）を再確認する．意外に見落としていることがある．

▶あとどれくらいの歯質が残っているのか，どこが問題なのかを確認するためにエックス線写真を撮影してみる．この術中エックス線写真撮影は術者の頭を冷やし，患者を休憩させるのにも有効である．

対応3　よく見えるようにする（視野・術野の確保）

▶歯肉が歯根を覆っていて，歯，歯根膜腔がよく見えないときには，躊躇せずに歯肉を切除したり，歯肉骨膜弁を挙上したりして歯がよく見えるような状態にする．また，生理食塩液で術野を洗浄して吸引し，ガーゼで術野の血液を拭き取ったり，圧迫止血したりして，きれいな術野にしてよく見ることが大事である．生理食塩液で何度も洗浄すると，血管が冷やされて血管が収縮し，出血の勢いが弱まるので，精神的に楽になる．出血が続いていたり，術野に血液が溜まっていて歯根膜腔がどこなのかもわからない状態で延々とヘーベルを使っているのを見かけることがよくあるが，これではいくら頑張っても抜けない．

▶「よく見ること・見えるようにすること」は，手術の最大の原則であることを知っておこう❶❷．

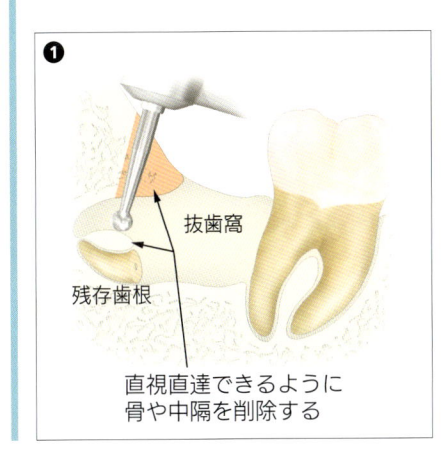

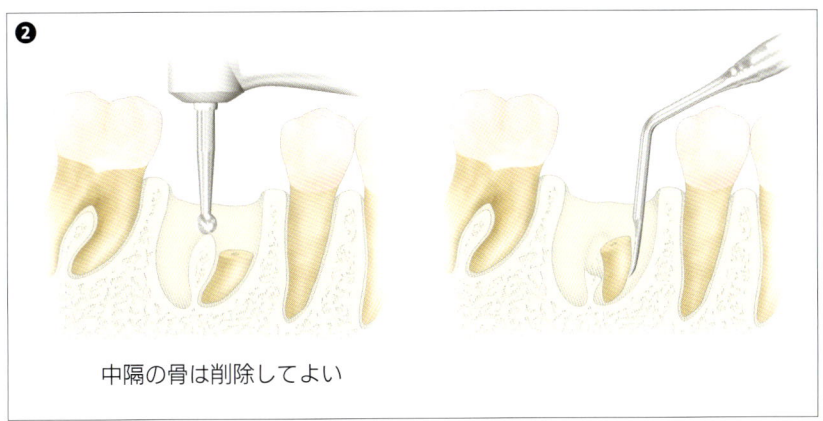

❶ 抜歯窩／残存歯根／直視直達できるように骨や中隔を削除する

❷ 中隔の骨は削除してよい

Point2　手術の原則

よく見ること・見えるようにすることは，手術の最大の原則．
よく見えて操作のしやすい術野をつくることが重要．

Point3　視野・術野の確保のポイント

①歯肉を切除する，歯肉骨膜弁を起こす
②骨削除する（オーバーハング部分のじゃまな骨を削除する）
③術野を洗浄し，ガーゼで血液を拭いてよく見える状態にする

対応4　抜けない原因を考えて，その原因を解消する

▶ヘーベルや抜歯鉗子を正しく使っても抜歯できないときの原因はいくつかあり，各々に対処法がある（問題点の解消法については，CHAPTER 6の「補助的外科処置」参照）．

> **Point4　抜けない原因のチェックポイント**
>
> ①アンダーカットは解消されているか
> ②完全に歯を分割できているか
> ③ヘーベルの位置はよいか（歯根膜腔に入っているか）
> ④ヘーベルで加えた力の向きは，歯根の脱臼方向と一致しているか（力を加えても，力の向きと歯が出る方向が一致していないと抜けない）
> ⑤脱臼させるためのスペースがあるか（たとえば，遠心傾斜した下顎埋伏智歯の歯冠遠心部のカット・除去によるスペース確保や，歯根湾曲歯の湾曲がはずれるスペースの確保）
> ⑥本当に見えているか？（よく見る）

抜けない原因

①アンダーカットの残存

- ▶原因　埋伏歯で，歯冠の最大豊隆部が骨内にある，歯冠が隣在歯の歯頸部に潜り込んでいる，歯冠分割したが完全に分割できずに下方の部分（とくに舌側）が残っている，など．
- ▶対策　骨削除❸，歯質削除❸，歯冠分割，歯根分割

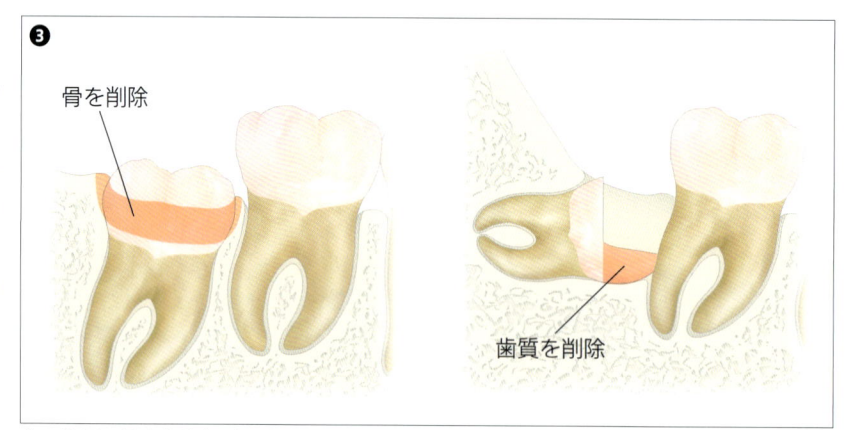

❸
骨を削除
歯質を削除

左：歯冠の最大豊隆部が骨内にある場合，骨を削除してアンダーカットを解消する．
右：下顎埋伏智歯の抜歯では，歯冠の一部が残存してアンダーカットになっていることが多い．よく見て歯冠を削除する．

②歯根の肥大，湾曲，開大

- ▶原因　複数根，歯根の肥大や湾曲，開大があり，骨にひっかかって出てこない．
- ▶対策　歯根の分割（複根歯はまず分割してからヘーベルを使う，単根歯でも分割してよい）❹❺，歯質（歯冠，歯根）の削除，骨の削除

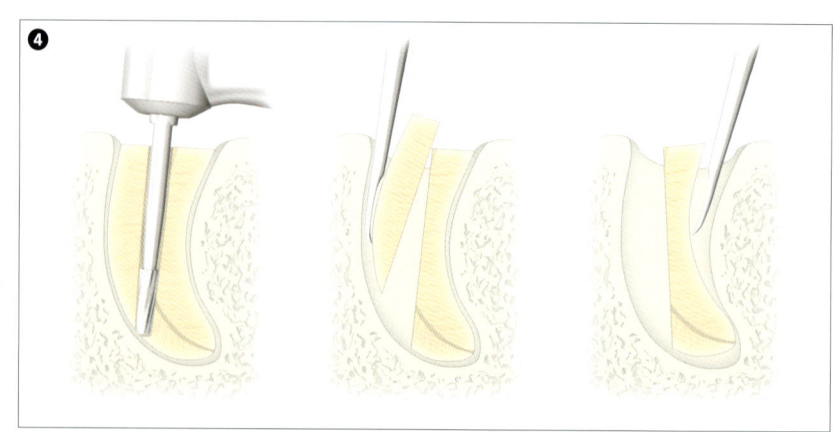

❹

肥大・湾曲がある場合は，単根歯でも歯根を分割する．

第14章 抜けないときの対応

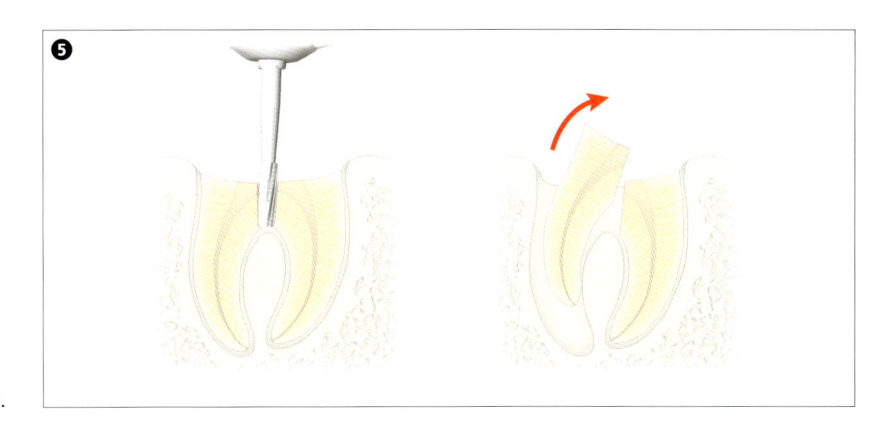

❺複根歯は迷わず分割する．

▶歯根の湾曲がある場合，湾曲がはずれて脱臼しやすくなるように，歯冠の一部や骨を削除してスペースをつくって，歯根の湾曲がはずれる方向にヘーベルで力を加えて湾曲をはずす❻❼❽．

❻左：歯根の湾曲を考えて，歯冠の遠心の一部を分割除去して，遠心にスペースをつくる．右：遠心のスペースを使って湾曲をはずすように，近心にヘーベルを挿入して脱臼させる．

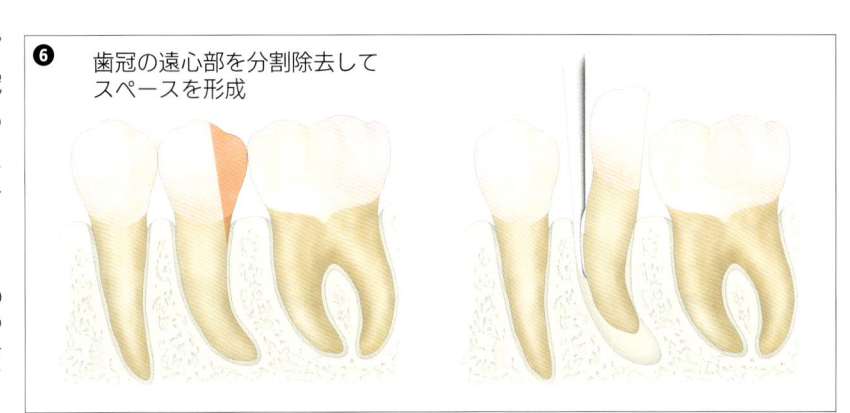

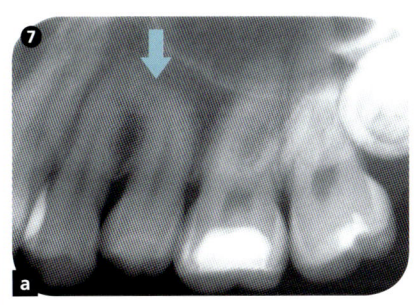

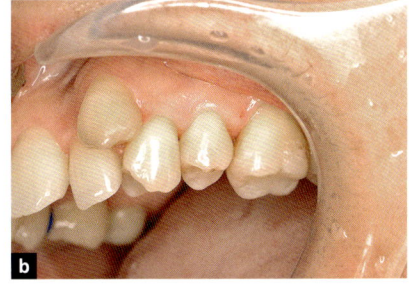

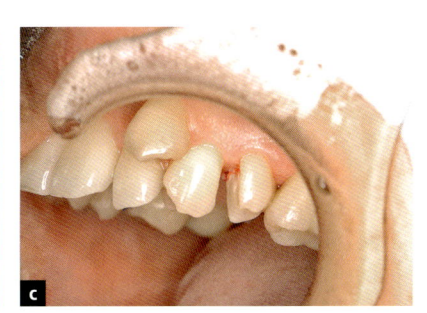

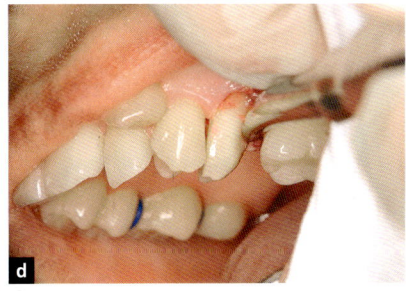

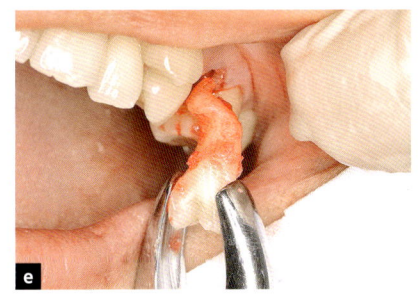

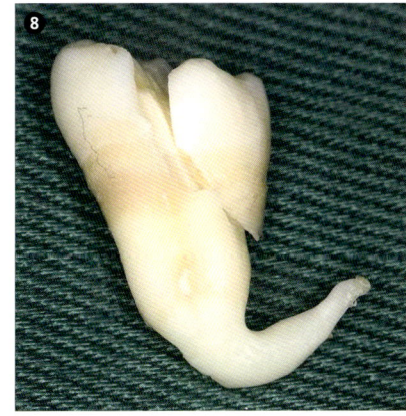

❻歯冠の遠心部を分割除去してスペースを形成

❼歯根湾曲歯の抜歯．
a：|5 は歯根が近心に向かって湾曲している．b：歯根の湾曲を外す向きに歯冠を倒すことができない．c：歯冠の近心側を削除して歯を倒すためのスペースを確保．d：歯根湾曲を外すために歯冠をヘーベルで近心側に倒した．e：歯根破折を起こすことなく抜歯された．
❽歯根湾曲がある萌出している|8．歯根の湾曲がはずれるように，歯冠の遠心を分割除去してスペースをつくり，全体を遠心に倒すようにして抜歯した．

③歯根の骨性癒着
（歯根膜腔の狭小や消失）

- ▶**対策** 歯根を分割するグルーブ❾a, bと，歯根膜腔に相当するグルーブの形成(＝ヘーベルの作用点の確保)❾b．
- ▶癒着が強く抜歯できない場合は最終手段として歯根を削去する(隣在歯の歯根や下顎管を傷つけたり，上顎洞に穿孔しないように注意して，歯根と思われる部分を削りとってしまう)❿．
- ▶癒着のある下顎埋伏智歯は，歯冠分割後にひたすら歯根膜腔にヘーベルを挿入して歯根に沿って歯軸方向に力を加えても，抜歯できないことが多い．水平方向に埋伏している歯根の上方から歯根にグルーブを形成して，歯根直上の骨を支点にして歯冠側に引き出すか(CHAPTER 11 120ページ❹❹参照)，グルーブ部分で分割して癒着の面積を小さくして抜歯する．

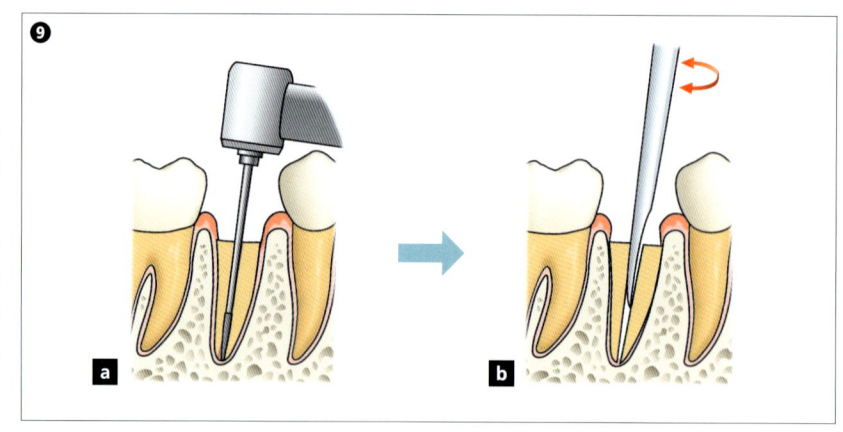

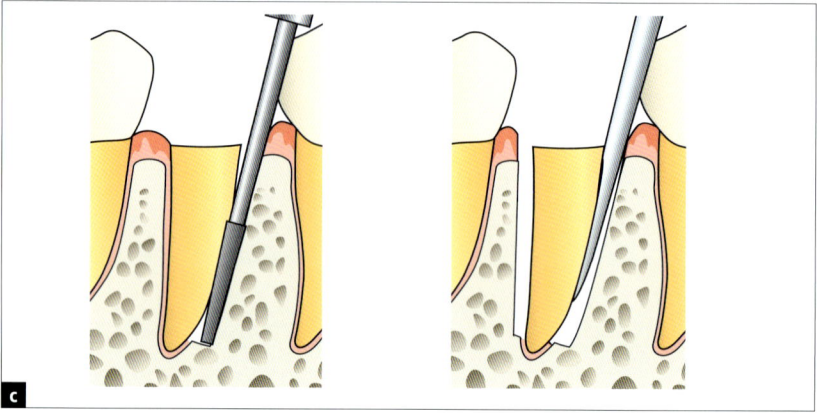

歯根の癒着がある場合の対応①．
a, b：単根歯の歯根を分割する．
c：歯根の周囲骨を歯根全周にわたって根尖近くまでタービンバーで削去している．

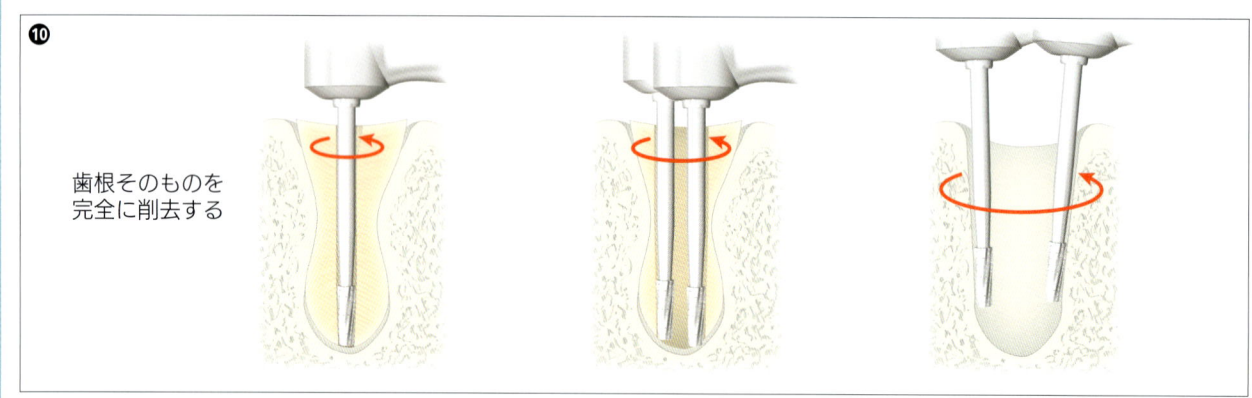

歯根そのものを完全に削去する

歯根の癒着がある場合の対応②．
どうしても歯根が動揺しない場合には，歯根そのものを完全に削去するという手もある．

④歯根が複根で骨を抱えている

- ▶複数の歯根で骨を抱え込んでいるような場合は，そのままでヘーベルを使っても抜歯できない．
  対策 ①根分岐部で歯根を分割する⓫．②歯根の頬側で歯根間に陥入した骨を，根分岐部から根尖に向けて削除する⓬．

⓫

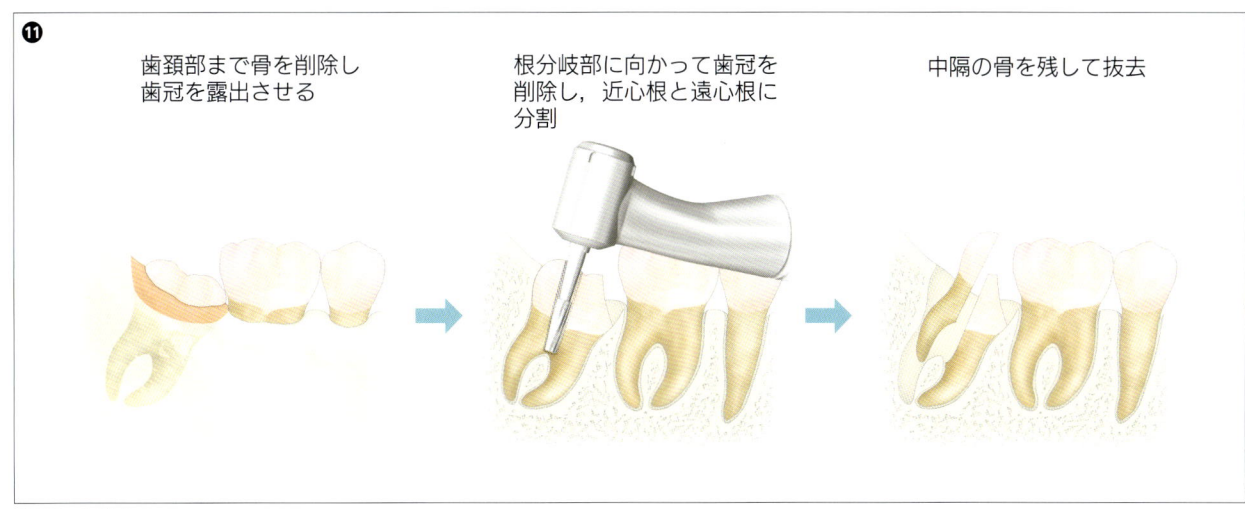

歯頸部まで骨を削除し歯冠を露出させる → 根分岐部に向かって歯冠を削除し，近心根と遠心根に分割 → 中隔の骨を残して抜去

歯根を分割する．

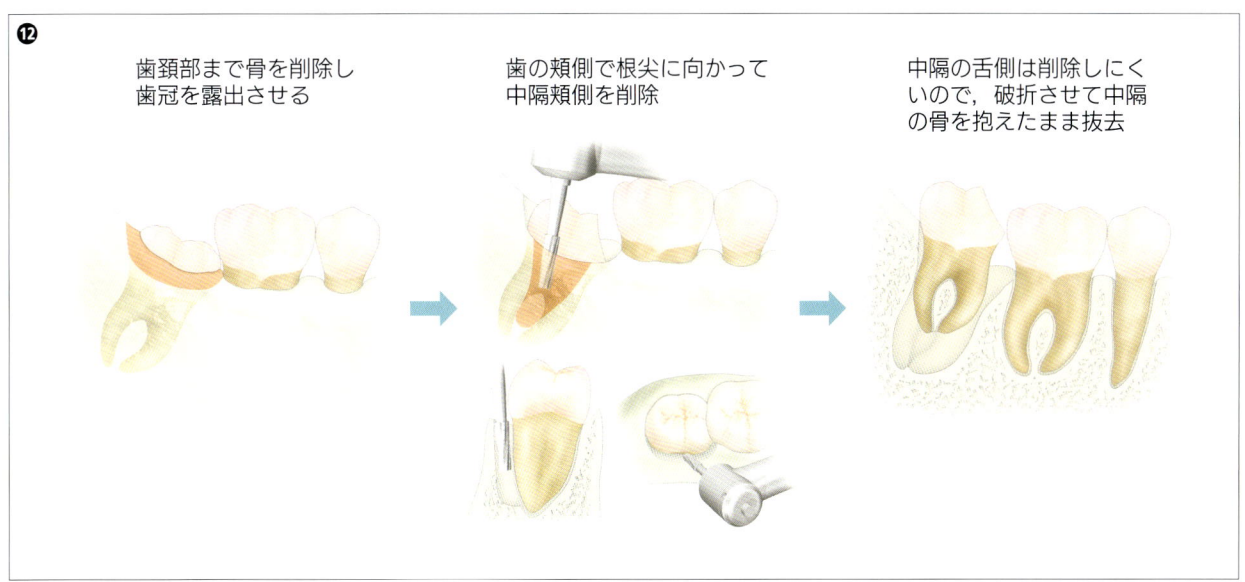

⓬

歯頸部まで骨を削除し歯冠を露出させる → 歯の頬側で根尖に向かって中隔頬側を削除 → 中隔の舌側は削除しにくいので，破折させて中隔の骨を抱えたまま抜去

中隔の骨を，頬側で削除し，舌側では破折させて，中隔の骨を抱えたまま抜歯する．

⑤歯根の頬舌的な複根または湾曲（エックス線写真ではわかりにくい）

▶ 歯根が，エックス線写真で湾曲のない単根に見えても，頬舌的に2根であったり⓭，頬舌的に湾曲している⓮ことがあり，鉗子やヘーベルでの抜歯に抵抗してなかなか抜けないことがある．

▶ 歯根の数や頬舌的な湾曲はCT撮影すると明らかになる．

対策 ①歯根を近遠心方向に分割して2根に分けて抜歯する，②湾曲がはずれる方向に鉗子やヘーベルを使う，③歯根が破折して湾曲した根尖部のみが残った場合，歯根端切除術と同様のアプローチで根尖を抜去する．

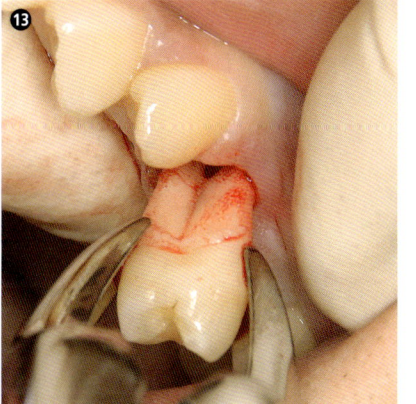

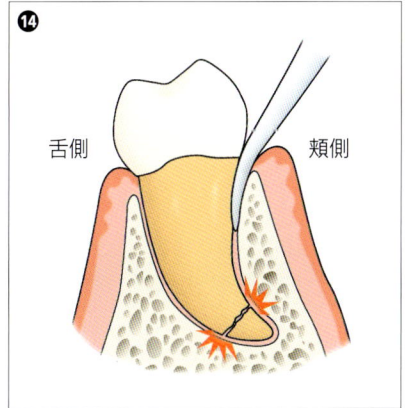

⓭⓮鉗子やヘーベルで歯に力を加えたときに，歯の動きが大きい方向に向けて強い力を加えて，大きく動かす．逆の向きに動かすと，歯根の破折を招く⓮．小臼歯では扁平根，頬舌的に2根のことがあり⓭，歯根分割が有効なことがある．

⑥加えた力の向きが，歯根が出る方向と一致していない

▶なかなか抜けなくて，きっとかなり歯根が湾曲しているに違いないと思っていても，いざ抜けてみると歯根に強い湾曲や癒着はなかったというようなことがある．ヘーベルで加えられた力の方向と歯根の出る方向が一致していなかったためであることが多い．

▶エックス線写真をよく見て，歯が脱臼しやすい方向に力を加える．歯が抜けてくる方向と加えた力の方向が異なっていると，歯根を骨に押しつけるだけの力になってなかなか抜けてこない．

⑦歯根端切除の要領で残存歯根を抜歯する

▶上下顎とも小臼歯までは，唇側・頬側の根尖相当部の皮質骨をラウンドバーで開削して抜歯することも可能である．下顎の大臼歯は頬側皮質骨が厚いので大変だが，上顎大臼歯の頬側根はこの方法が可能である(CHAPTER 6 59ページ⑰参照)．

同じ操作を延々と続けないで，つぎの手(対処法)をつぎつぎと繰り出す

効果のないヘーベル操作を何分も延々と続けているのもよく見る光景である．2分間(実は結構長い)同じ操作を続けて進展がなければ，つぎの手(歯肉骨膜弁挙上，歯の分割，グルーブ形成，骨削除，その他)をどんどん繰り出していくことが時間短縮のカギである．

Point5 時間短縮のポイント

効果がないのに，延々と同じ操作を繰り返さない(とくにヘーベル操作)
→問題解決のための対処法をつぎつぎに繰り出す

Point6 ヘーベルはグルーブをうまく使え！

手こずる歯でも，最終的にはヘーベルかルートチップピックを使って抜くことになる．これらを有効に使うためには3種類のグルーブをうまく使うのがポイント(3種類のグルーブについてはCHAPTER 5 47ページ㉝〜㉟参照)．

Point7 なかなか抜けないときは「補助的外科処置」を加える(CHAPTER 6を参照)

①被覆歯肉を切除して歯根膜腔を明示する⑮
②頬側歯肉骨膜弁を挙上して歯根膜腔を明示する⑯
③バーで歯根膜腔に相当するグルーブを形成する⑰
④複根歯は分割して単根化⑱
⑤単根歯でも歯根分割⑲
⑥周囲骨の削除
⑦歯根の全削去

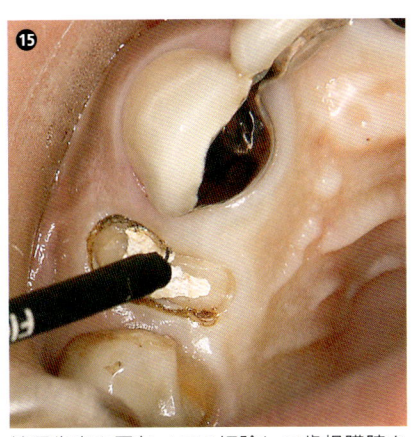

⑮ 被覆歯肉を電気メスで切除して歯根膜腔を明示.

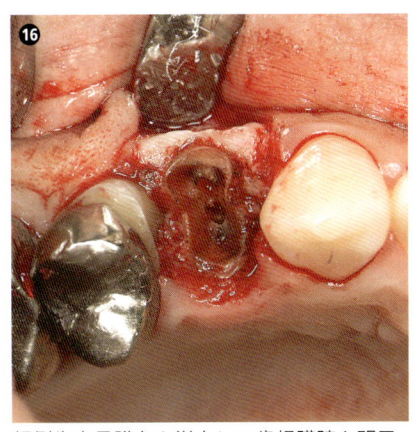

⑯ 頰側歯肉骨膜弁を挙上して歯根膜腔を明示.

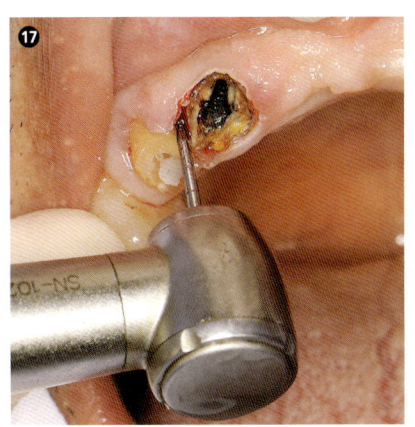

⑰ 歯根膜腔に相当するグルーブをバーで形成.

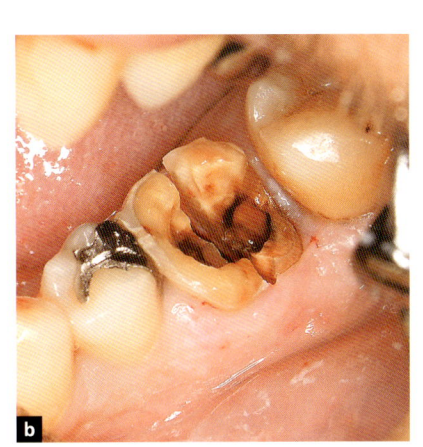

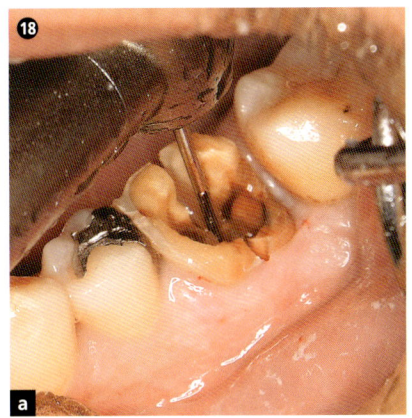

⑱ 複根歯はヘミセクション，トリセクションの要領で分割して単根化.

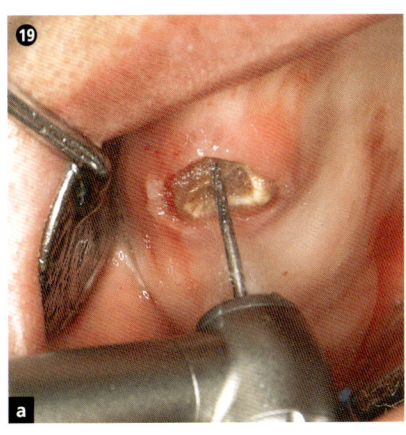

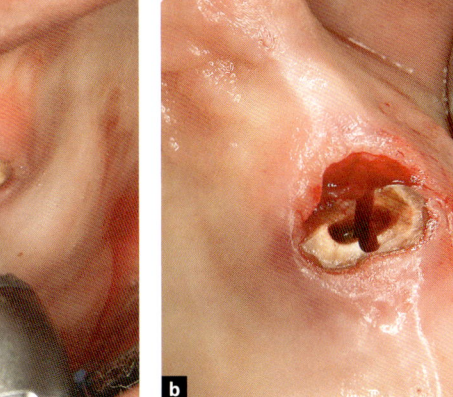

⑲ 単根歯でも歯根湾曲，骨癒着があれば，歯根分割.

①抜歯を中止して，歯根を残す

▶患者の全身状態や手術時間，出血，その他の理由で，前述の処置を加えてもどうしても歯根を完全に除去できないことがある．また，無理して抜歯すると上顎洞へ落とし込んだり，下顎管を損傷したりするおそれが大きい場合もある．

▶そういう場合は，その状況や危険性を患者にきちんと説明したうえで，歯根を残してもよい．その際は歯が残っていること，残した理由，残しても問題がないことなどを説明する．歯根が少しでも残っていると必ず感染するというものではなく，むしろ無症状に経過することのほうが多い（下顎埋伏智歯抜歯の歯冠除去術がその例である）．

▶患者は，抜けなかったことを非難するよりも，正直にきちんと説明したことで安心し，信頼するだろう．無謀に突き進む勇気ではなく，撤退する勇気も大事である．

②後日，再抜歯する

▶ 完全に抜歯できずに中断して後日に抜歯すると，前回とは違って容易に抜歯できることがあり，「前回はどうしてあんなに苦労したんだろう」と思うことがある．

▶ これは，前回骨に力やダメージを加えたことにより，骨の代謝活性が上昇，骨改造亢進が起こり，その過程で一時的に骨が軟らかくなったためではないかと考えられる．骨髄に達する侵襲が骨に加えられると，治癒現象として骨の代謝活性が上昇し，一時的な骨改造現象が起こる．この現象は局所的には「RAP現象」(regional accelarated phenomenon)，全身的には「SAP現象」(systemic accelarated phenomenon)とよばれる．この現象は外科処置後2〜3日以内に始まり，通常は1〜2か月でピークを迎え，6か月くらい続くと言われている．

▶ このため，前回の抜歯から1か月後くらいの2回目の抜歯は比較的容易であることがある．矯正治療で歯を短期間で動かすための皮質骨切開(corticotomy)は，この現象を利用した治療である．

> **Point 8　抜歯中断，後日抜歯も可**
>
> どうしても抜けないときは，患者にきちんと説明をしたうえで，歯根を残して中止してもよい．後日抜歯は前回より簡単なことがある．

CHAPTER 15
抜歯後の処置と患者への説明

　無事に歯が抜けても，それで抜歯がすべて無事に終了したというわけではない．抜歯後のトラブルを防ぎ，抜歯窩の治癒を遅らせないために，抜去歯の歯根の確認，不良肉芽組織の掻爬，止血の確認，患者への術後の注意の説明などをきちんとしておく．

抜歯後の処置

①歯根の確認

▶歯根の分割片や破折片の抜き残しがないかどうか，抜去した歯根と抜歯窩内を確認する．歯冠や歯根を分割して抜歯した場合は，分割片を組み合わせて根尖まで完全に抜歯できているか，歯根の残遺がないかどうかを確認する❶．とくに根尖部分の確認が重要である．

❶歯根の破折がないか，抜去歯の歯根を必ず確認する．また，分割して抜歯した場合は，分割片を組み立ててみて不足する分割片がないかを確認する．

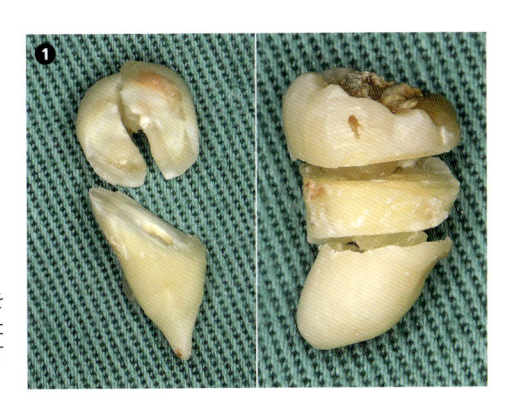

②不良肉芽組織や根尖病変の除去，掻爬

▶辺縁性歯周炎や根尖病変をともなう歯では，歯頸部や根尖部に不良肉芽や病的軟組織が存在している．こういった炎症性組織は血管が豊富で，残しておくと術後出血の原因になり，また抜歯窩の治癒も遅れるので，鋭匙やモスキート鉗子で掻爬・除去する❷❸．
▶下顎埋伏智歯の場合は，根尖部に肉芽組織があることは少なく，また根尖が下顎管に近いこともあるので，必ずしも根尖部を徹底的に掻爬する必要はない．
▶根尖部の病変が下顎管や上顎洞底に近接している場合は，鋭匙で強く掻爬すると，下顎では下顎管を損傷して出血や下唇の知覚鈍麻を生じるおそれがあり，上顎では上顎洞へ穿孔したりするおそれがあるので注意する．
▶軟組織は，むしろ埋伏歯の歯冠部周辺，第二大臼歯部の遠心歯頸部付近にあることが多く，この部分を掻爬する

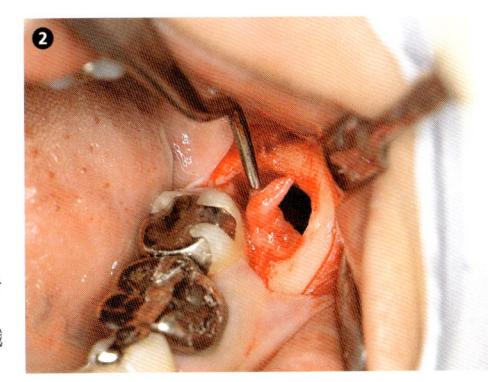

❷鋭匙で抜歯窩内の軟組織を掻爬する．
❸モスキート鉗子で肉芽組織をつまんで除去してもよい．

と智歯抜歯後に第二大臼歯歯根の遠心面が露出することがある．そのため，この部分の掻爬の際に歯根を傷つけて知覚過敏が出やすい．筆者は，そのような場合は，軟組織を曲がった止血鉗子であるモスキート鉗子でつかんで除去している❸．

③骨の鋭縁の有無を確認する

▶抜歯窩周辺を手指で触診して，骨の鋭縁がないかどうかを確認する．鋭縁があれば骨ヤスリをかけるか，バーで削除する．これを怠ると創治癒後に骨鋭縁が突出してきて疼痛を生じることがある．抜歯後にあらためて骨鋭縁削除術を行うようなことになると，信頼をなくすので注意する．とくに連続した複数本の歯を抜いた場合に，鋭縁が残りやすいので注意する．

④抜歯窩の洗浄

▶歯冠や歯根を分割した場合，抜歯窩内に残った歯の細片や切削片を洗浄する❹．
▶歯肉骨膜弁を起こした場合は，歯肉骨膜弁の基部の骨膜の付け根の部分（骨膜と骨の境目の部分）を入念に洗浄する．骨と歯肉骨膜弁のあいだに削片や分割片が残っていると，縫合後の感染や疼痛が長引く原因になる．

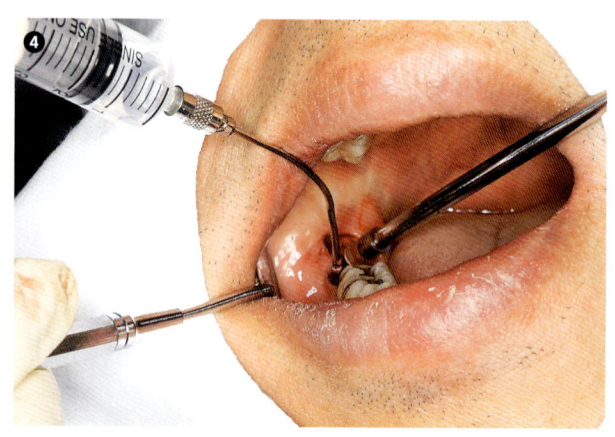

❹生理食塩液で歯冠分割時の削片をよく洗浄し，吸引する．

⑤抜歯窩の確認

▶掻爬・洗浄が終了したら，抜歯窩内をよく吸引して，歯冠分割時に破折した歯冠の一部や切削片が残っていないかどうかを確認する．

▶下顎埋伏智歯の場合は，舌側歯槽骨（舌側板）の骨折の有無や下顎管の露出の有無も確認する．

⑥上顎洞への穿孔の有無の確認

▶上顎の抜歯で根尖が上顎洞底に近接している場合には，上顎洞への穿孔の有無を確認する．このとき根尖部を鋭匙で探ると，その操作で穿孔させることもあるので，にらめっこのときのように口腔内に空気をためさせて，空気が鼻から漏れるかどうかをみる．空気が漏れる場合は穿孔がある．

⑦止血の確認

▶ガーゼを折って抜歯部歯肉におき，15分程度噛ませて止血を確認する❺．このときガーゼが抜歯窩の歯肉にきちんとあたっていることを確認する．患者はどうしても抜歯窩ではなく残存歯で噛んでしまいがちで，抜歯窩が圧迫されていないために止血効果があがらないことがある．
▶また，抜歯窩内からの出血が多い場合は，小ガーゼの折りを延ばして，ピンセットでガーゼの端を持って抜歯窩内に填入して，抜歯窩全体をガーゼで満たして止血する（CHAPTER 17 術中出血の具体的な止血法を参照）．

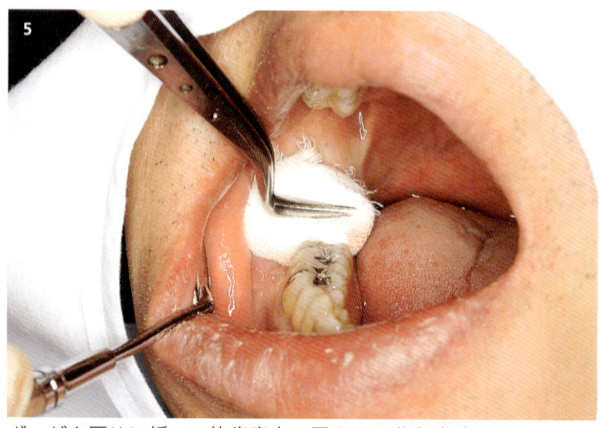

ガーゼを厚めに折って抜歯窩上に置き，15分程度噛ませる．

⑧創の縫合

▶歯冠がきちんと萌出している歯を歯肉骨膜弁を挙上せずに抜歯した場合は，抜歯窩を縫縮・閉鎖することはできないので，必ずしも縫合する必要はないが，血餅の保持や歯肉の固定の目的で縫合しておくとよい．

▶歯肉骨膜弁を挙上した場合には，元に戻して縫合する（定位縫合という）．

▶完全埋伏歯の場合は，縫合して抜歯窩を一次閉鎖（完全閉鎖）することができるが，閉鎖すると内圧が上がって腫脹・疼痛が大きくなりやすいので，筆者は遠心部を楔型（distalwedge）に切除して開放創にする❻❼．一次閉鎖する場合は，腫脹，疼痛の軽減を目的に，ドレーンを留置する（厳密にいうとドレーンを留置することは一次閉鎖することにはならないが）．ドレーンは頰側の縦切開の最下点（歯肉頰移行部）に挿入することが勧められている❽が，臼後部の遠心切開の後端でもよい❾．この部分は軟組織が厚いので，翌日抜去すると一次治癒が期待できる．

表1 開放創と閉鎖創の比較．

開放創	・腫脹・疼痛が少ない ・感染が少ない ・長期的に食物が陥入・停滞しやすい ・第二大臼歯の遠心の骨・歯肉が下がりやすい
閉鎖創	・腫脹・疼痛が大きい ・食物の陥入・停滞がない ・時間経過後に感染することがあり，剝離部分に硬結を形成しやすい

▶閉鎖創にしたほうが，食物が陥入せず，開放創よりも感染しにくいと考えるのは誤りである．開放創にして洗浄して二次治癒させるほうが，腫脹・疼痛が軽く，感染もしない．

完全埋伏智歯の抜歯後の開放創．
❻術前．完全埋伏歯．
❼術後．一次閉鎖が可能であったが，腫脹・疼痛・感染の危険性の軽減を目的に，遠心部歯肉をトリミングして開放創にした．

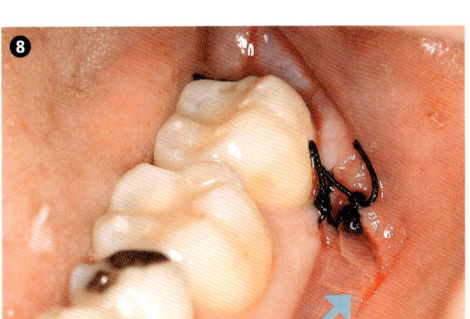

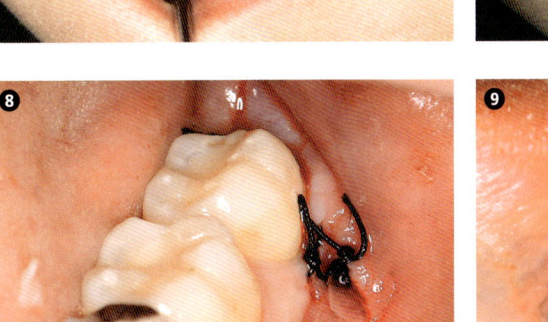

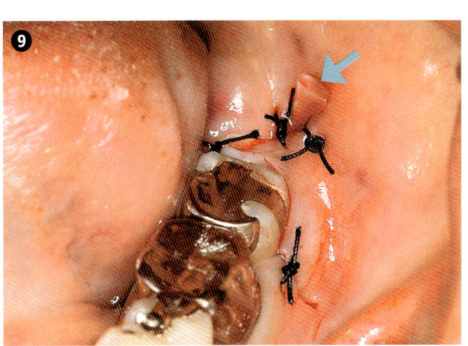

❽頰側縦切開部の歯肉頰移行部にドレーン留置する．ドレーンを縫合糸で歯肉に縫いつけておく．
❾遠心部にドレーンを留置する．遠心部は歯肉が厚いため，翌日ドレーンを抜去すれば一次治癒が期待できる．

術後管理

①創管理

▶抜歯翌日に創の状態を確認して洗浄し，抜歯後1週間程度で抜糸する．抜歯後の経過に問題がなければ，術後の来院はこの2回だけでよい．術後は，縫合創の哆開（しかい：傷が開くこと），後出血，腫脹，疼痛，感染，排膿，開口障害，嚥下痛，下唇の知覚鈍麻，鼻腔への空気漏れ，皮下出血斑などの有無について観察する．

表2 術後の経過観察中の観察項目．

全身状態	発熱の有無，摂食状況，薬剤の服用状況
局所状態	腫脹・疼痛，出血，皮下出血斑，知覚鈍麻，開口障害，嚥下痛

②投薬

- 抗菌薬と鎮痛剤，必要に応じて含嗽剤を処方する．アレルギーの有無，副作用，鎮痛効果，薬剤の相互作用の有無などを勘案して処方する．

(1)抗菌薬

- 抜歯の際の抗菌薬の投与方法については，2016年に日本化学療法学会と日本外科感染症学会による「術後感染予防抗菌薬適正使用のための実践ガイドライン」が発表されている(表3)ので，これにしたがうのが望ましい．内容の詳細は，ガイドラインを熟読していただくことにして，概要を下に述べた．

1. 抗菌薬の選択

- 感染を起こしやすいリスク因子の有無にかかわらず，第一選択はアモキシシリン(サワシリン®)である．
- ペニシリンアレルギーがある場合は，クリンダマイシン，アジスロマイシンを選択する．

2. 投与時期

- 抜歯開始時に抗菌薬の血中濃度がピークに達していることが望ましいので，**抜歯1時間前に経口投与する**．炎症，感染のない状態で，術後感染予防目的に前日から投与することは，耐性菌が生き残った状態で手術することになるので避ける．
- 心臓の弁疾患や中隔欠損，その術後の患者では抜歯1時間前にアモキシシリン(サワシリン®)1,500mg〜2,000mg(6〜8カプセル)を内服させる．また，ステロイド使用中患者，抗癌剤投与中患者，糖尿病患者など易感染性の患者では通常量を抜歯1時間前に前投与する．

3. 投与量，回数，期間

- 健康な患者の通常の抜歯であれば，1時間前の抗菌薬の単回投与のみで術後投与は不要とされている．下顎埋伏智歯や感染リスクのある場合でも，感染予防投与としては長くて2日間(72時間以上で耐性菌が発生するため)である(表3)．

表3 「術後感染予防抗菌薬適正使用のための実践ガイドライン」(一部改変)(歯科領域における術後感染予防抗菌薬の投与適応，推奨抗菌薬，投与期間)．

術式	推奨抗菌薬	ペニシリンアレルギーがある場合	投与期間
①抜歯 (IE，創感染のリスク因子なし)	予防的抗菌薬の投与は推奨しない	−	−
②抜歯 (創感染リスク因子あり)	アモキシシリン(1回250mg〜1g) アモキシリン・クラブラン酸(1回375mg〜1.5g)	クリンダマイシン アジスロマイシン	単回〜 48時間
③抜歯 (※IEの高リスク症例)	アモキシシリン(1回2g) アンピシリン(注射薬，1回1g)	クリンダマイシン アジスロマイシン クラリスロマイシン	単回
④下顎埋伏智歯抜歯	アモキシシリン(1回250mg〜1g) アモキシシリン・クラブラン酸(1回375mg〜1.5g)	クリンダマイシン クラリスロマイシン	単回〜 48時間
⑤歯科用インプラント埋入手術	アモキシシリン(1回250mg〜1g)	クリンダマイシン クラリスロマイシン	単回

【薬剤名(一般名と先発品の商品名)】
アモキシシリン(サワシリン®)，アモキシリン・クラブラン酸(オーグメンチン®)，アンピシリン(ビクシリン®)，クリンダマイシン(ダラシン®)，アジスロマイシン(ジスロマック®)，クラリスロマイシン(クラリス®)

※IE：Infectious Endocarditis 感染性心内膜炎
抜歯の①は，抜歯後感染および感染性心内膜炎を起こす全身的・局所的リスク因子がない場合，②は抜歯後感染を起こす全身的・局所的リスク因子がある場合，③は感染性心内膜炎を起こすリスクがある場合．

下顎埋伏智歯抜歯時の処方例
1. サワシリンカプセル(250mg) 1回1カプセル，1日3回，毎食後，2日分
2. オーグメンチン錠(250mg) 1回1錠，1日3回，毎食後，2日分
3. クラリス錠(200mg) 1回1錠，1日2回，朝夕食後，2日分
4. ダラシンカプセル(150mg) 1回1錠，1日3回，毎食後，2日分

（2）鎮痛薬

▶ 全身疾患がなければ，酸性NSAIDs（Non Steroid Anti-Inflammatory Drugs：非ステロイド系鎮痛薬〔ロキソニン®，ボルタレン®，ポンタール®，ロルカム®，ニフラン®，その他一般的に多用されている鎮痛薬〕）でよい．喘息患者では酸性NSAIDsで喘息発作が誘発されることがあるので，塩基性NSAIDsを選択するが，現在処方可能な薬剤はソランタール®のみである．また胃腸障害が強く出やすい患者や喘息患者には，中性NSAIDsであるCOX II 阻害薬セレコックスが選択されることが多い．

1. アセトアミノフェン（カロナール®）について

▶ NSAIDsとは作用が異なる種類に分類される．副作用・相互作用が少ないため，小児，妊婦，授乳中，有病者，多剤服用者などでも安全であり，世界の多くの鎮痛薬のガイドラインで第一選択とされている．

▶ カロナール®は鎮痛効果が弱いと思われているが，それは従来の投与量（1回300〜500mg）が少なかったためであり，現在は投与量の増量（1回500〜1,000mg）が認められている．下顎埋伏智歯抜歯後の疼痛に対する鎮痛効果をロキソニン®と比較した臨床研究では，カロナール®800mgはロキソニン®120mg（2錠）とほぼ同等であることが報告されている．

▶ カロナール®アレルギー患者を除けば，すべての患者でもっとも安全な鎮痛薬はカロナール®であり，投与量を増やすことで十分な鎮痛効果が得られる．

術後経過の観察ポイント

①疼痛

▶ 患者にとって疼痛はもっとも大きな問題である．鎮痛剤の服用で十分痛みをコントロールできることをきちんと説明し安心させる．鎮痛剤を抜歯直前または直後に服用させたり，抜歯終了直後に浸潤麻酔を追加しておくと痛みが軽い．痛んだときに頓用で服用させてもよいが，抜歯後1日半から2日間程度は定時（5，6時間ごと）で服用させるとほとんど痛みを訴えることはない．

②腫脹

▶ 抜歯後の腫脹は，抜歯の部位，侵襲の大きさにもよるが，下顎埋伏智歯の抜歯でも1日〜1日半頃にピークとなり，その後は徐々に軽減してくることを説明しておく．冷水で冷やす程度の冷罨法は腫脹と疼痛の軽減に効果があるが，抜歯当日のみにとどめ，長く冷やす必要はない．

▶ 氷で冷やしたり，腫脹がピークを超えて消退する時期に入っても冷やし続けていると，循環障害により腫脹の消退が遅れたり，硬結をつくったりするので冷やしてはならない．腫脹をできるだけ小さくするために全身と局所の安静を保ち，アルコールや激しい運動は避けるよう指示する．

③抜歯直後の発熱

▶ 抜歯直後の発熱は，感染による発熱ではなく，一過性の菌血症による発熱であることが多く，特別な処置は必要ない．抜歯直後には必ず一過性の菌血症を起こすが，通常は発熱もなく問題にはならない．処方した抗生剤の服用で十分である．小児で起こることが多いので保護者に説明しておく．

▶ 心臓の弁疾患や手術の既往のある患者では，感染性心内膜炎の予防のために抗菌薬を術前投与する．抜歯後長期に微熱が続く場合には，感染性心内膜炎を疑って口腔外科専門医・循環器科などに紹介する．

④後出血

▶ CHAPTER 17参照

⑤下唇の知覚鈍麻

▶ CHAPTER 18参照

⑥鼻腔への空気漏れ

▶ CHAPTER 23参照

⑦開口障害，嚥下痛

▶ 舌側軟組織の腫脹，炎症の波及が原因であることが多い．腫脹が消退してくるはずの時期になっても改善しなかったり，抗菌薬を投与しているにもかかわらず増悪するようであれば，口腔外科専門医に紹介する．

⑧皮下出血斑⑩

▶ 歯肉骨膜弁を挙上して抜歯した場合，数日後に皮下に青染み（皮下出血斑）を生じることがある．患者は説明を受けていないと非常に驚き，不信感をいだくことがある．歯肉の切開により生じることがあること，現在も出血が続いているわけではないこと，打ち身のときの青あざと同じで特別な処置を施さなくても青紫→薄緑→黄色と変化しながら1週間程度で完全に消失することを説明して安心させる．消失を早めるためには温罨法がよい（吸収促進）．

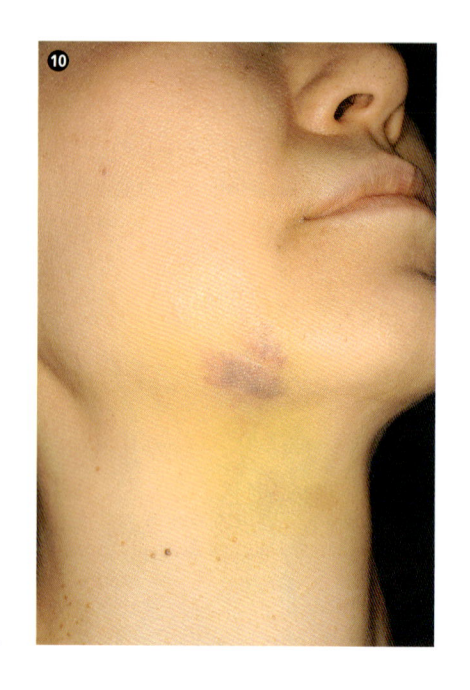

⑩ ⑧ 埋伏智歯の抜歯後に生じた皮下出血斑．

患者への術後説明

　患者に対して抜歯の内容と術後の注意点を説明することにより，患者自身にも創の経過に注意し，創管理に協力してもらう．術後の指示・注意が不十分であると，後出血や創治癒遅延を起こすことがある．

　歯科医師側にとっては当然の知識でわざわざ説明するほどのことではないと思っても，患者は素人なのでわかりやすい言葉で詳細に説明しておくことが大切である．

①手術内容

▶ 口腔内のどの部位でどのような処置（歯肉骨膜弁の挙上，骨削除，抜歯，縫合など）をしたかを説明しておく．

②食事，飲酒，入浴について

▶ 局所麻酔の効果が完全に切れてから，まず軟らかいものから摂取を開始し，痛くないようであればとくに食物の制限はないことを説明する．
▶ 歯肉骨膜弁を挙上した場合，飲酒は腫脹増大の原因となるので，2，3日は控えさせる．
▶ 長風呂をして暖まりすぎると，血液の循環がよくなって後出血することもあるが，入浴の制限をする必要はない．

③全身・局所の安静保持

▶ 普通抜歯では問題ないが，歯肉骨膜弁を挙上した場合は，過度の運動は腫脹を増大させるので数日間控えさせたほうがよい．また，抜歯部位を舌で触ったり，吸ったり，過度に動かしたりしないで，創の安静を保つよう指示する．過度の含嗽はドライソケットの原因になることがあることも説明しておく．

抜歯，外来手術後の注意

1．ガーゼをかんだままでいて下さい．
　いまかんでいるガーゼは止血のための圧迫ガーゼです．薬局で薬をもらうまでかんだままでいてください．

2．化膿止め，痛み止めが出ます．
　薬局で薬が出たらガーゼを捨てて，薬をもらったその場で痛み止めをのんでください．その後は**痛くなくてももう一度6時間後にのんでください．**3回目は痛い時にのんで下さい．化膿止めは処方された分を指示にしたがって全部のんで下さい．

3．出血について
　抜歯後半日程度は唾液に血液が混じっていることがありますが，出血が続いているわけではありません．固まりかけた血液が少しずつ唾液に混じっているだけですので，心配しないで下さい．

4．激しい"ブクブクうがい"をしないで下さい．
　傷口が動いて痛みが出たり，出血したりします．唾液に血液が混じっていても心配いりませんので，激しいうがいをしないでそっとすすぐ程度にしてください．

5．食事は3〜4時間後からにして下さい．
　今日の食事は麻酔が完全にとれてから，まず軟らかめのものから食べて下さい．

6．歯磨きは抜歯部以外はしてかまいません．歯磨きを流すとき激しいブクブクうがいをしないで下さい．

7．お風呂は入ってかまいません．

8．アルコールと激しい運動は今日・明日は禁止です．

9．病院外で出血した場合
　まずガーゼ，ティッシュ，綿花などを厚めに折り，抜歯した部分の歯肉にあてて30分ほど強くかんで下さい(残っている歯でかんでも出血は止まりません)．それでも止まらないときは病院に御連絡下さい．

10．青染みについて
　抜歯後4，5日して顎の部分の皮膚に内出血の青染みが出ることが稀にありますが，これは抜歯のときの出血が徐々に皮膚表面に現れたものであって出血が続いているわけではありません．通常1週間程度であとを残さず完全に消えますので心配いりません．

11．わからないこと，心配なことがあればお問い合わせください．

　　　　　　　　　　　　九州中央病院・歯科口腔外科　TEL：092 - 541 - ××××(代表)

④後出血

▶歯科医院では止血していても，局所麻酔薬の効果が消失して疼痛が出ると，血圧が上昇して出血しやすくなる．また，血管収縮剤の効果切れによる血管の拡張や過度の含嗽も後出血の原因となる．院外での出血の場合は，持ち帰らせたガーゼを30分間程度噛んで止血を試みるよう指示する．このとき残存歯で噛まないよう，きちんと抜歯部の歯肉にガーゼをおいて噛むように指示することが大事である（CHAPTER 17参照）．

⑤下唇や舌の知覚鈍麻

▶下歯槽神経や舌神経を損傷するおそれのある抜歯であった場合，翌日になっても下唇や舌が痺れているようであれば，連絡をもらうことにしておく．

⑥ブラッシング

▶抜歯後数日間は，歯肉切開部，抜歯窩の部分のブラッシングを避けるか，弱めに磨くよう指示する．

⑦術後注意の説明書

▶当科で患者にわたしている術後注意の説明書(161ページ)を例として掲載しておく．

PART 3

偶発症とその対応

CHAPTER 16
抜歯にともなう全身的偶発症

抜歯を含めた歯科治療中の患者の全身状態の急変・悪化は，歯科医師がもっとも苦手とするトラブルである．とくに局所麻酔注射直後に起こると，すぐに「局所麻酔薬アレルギーでは？」「アナフィラキシーでは？」「局所麻酔薬中毒では？」などと難しいことを考えがちである．しかし，実際は「怖い」と「痛い」のストレス（心理的・肉体的）による血管迷走神経反射（いわゆる「デンタルショック」）が大半である．何が起こり得るのか，何が原因なのか，起きたらどう対処するのかをじっくり学んでほしい．

治療中の全身状態の急変・悪化

表1に，歯科治療中に発生する全身的偶発症を，全身疾患に関係のないものと，関係のあるものに分けて列挙した．全身疾患に関係のない偶発症は，局所麻酔に関係したもの（表2）が多く，また，どの患者にも起こりうる．全身疾患に関係のあるものは，いったん発生すると，薬剤を投与する必要があったり，特別な対応が必要になったりして，歯科医師が苦手とする判断や対応が多いので，発生を予防する配慮が必要である．全身的偶発症が起きた場合に歯科医師が対処するために必要なエネルギーや加わるストレスは，予防に必要なそれよりもはるかに大きい．全身的偶発症に対する最大・最良の対応は予防である．

表1 歯科治療中に起こりやすい全身的偶発症．

全身疾患と無関係（対処が重要）	血管迷走神経反射 過換気症候群 血管収縮薬過剰反応 薬物アレルギー アナフィラキシーショック
全身疾患の悪化，発作（予防が重要）	高血圧（高血圧脳症） 虚血性心疾患（狭心症発作，心筋梗塞） 脳血管障害（脳出血，脳梗塞） 糖尿病（低血糖発作） 喘息（喘息発作） 甲状腺機能亢進症（甲状腺クリーゼ） 誤咽・誤嚥

表2 局所麻酔にともなう全身的偶発症．

血管迷走神経反射	疼痛性ショック，デンタルショックともいう．全身的偶発症全体の6〜7割を占める．
エピネフリン過剰反応	通常は10〜15分程度でおさまる．
過換気症候群	不安・緊張が原因．若い女性に多い．
局所麻酔薬アレルギー	即時型（アナフィラキシーショック）． 遅延型（蕁麻疹，皮膚の発赤）．
局所麻酔薬中毒	痙攣など．
内科的疾患の悪化	高血圧，狭心症など．

表3 局所麻酔にともなう全身的偶発症の原因別分類．

注入薬剤によるもの	①エピネフリン過剰反応 ②局所麻酔薬アレルギー ・局所麻酔薬自体（非常にまれ） ・カートリッジに含まれる添加剤，防腐剤 ③局所麻酔薬中毒
痛みと精神的要因	①血管迷走神経反射 ②過換気症候群
内科的疾患の悪化	血圧上昇，頻脈

①歯科治療中の全身状態の急変・悪化の内容

▶歯科治療中に全身状態が急変したり悪化した場合，何が起こっているのか，どのような状態なのかがわからなければ，適切に対応することはできない．そこで何が起きやすいのかをみてみる．❶は，日本歯科麻酔学会が全国の歯科医師会員を対象に行った全身的偶発症についてのアンケート調査の結果で，歯科治療中の全身的偶発症の種類を示している．

▶もっとも多いのは血管迷走神経反射(後述：デンタルショック，疼痛性ショック，神経性ショックなどともよばれていたが，現在，歯科麻酔学会では「血管迷走神経反射」と表現することを推奨している)で，過換気症候群，血管収縮薬過敏症が続いている．「怖い」「痛い」が大きな原因であることが推察される．

▶また，偶発症の半数が局所麻酔に関係するものであり，残りの半数が循環器系疾患，脳血管系疾患，糖尿病などの全身疾患の増悪や発作であることがわかる．

▶(筆者コメント)このアンケート調査結果の局所麻酔薬アレルギー，局所麻酔薬中毒の発生率は，一般的に知られている発生頻度よりもはるかに高い．このうちの大部分は，血管迷走神経反射，血管収縮薬過敏症，血圧上昇などであるのではないかと考えられる．

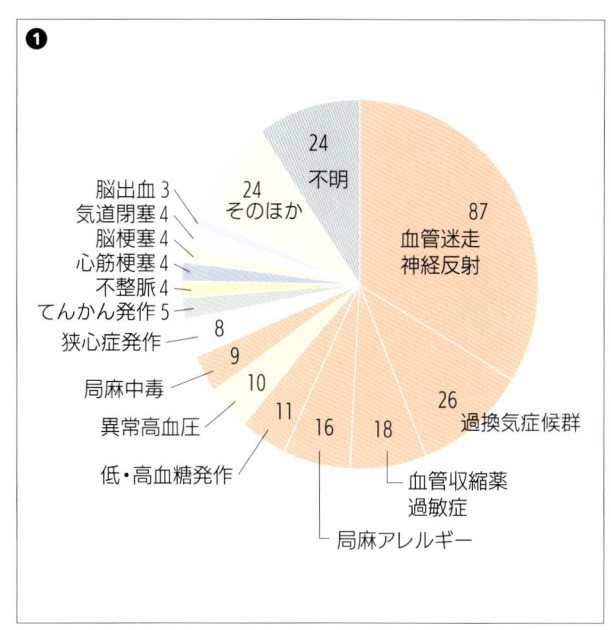

❶

歯科治療中の全身的偶発症の種類．数字は人数．脳貧血発作・過換気症候群・血圧上昇などは，緊張・不安・怖さなどの精神的ストレスと痛みが，大きく関与している．緊張・不安・怖さ・痛みを感じさせなければ全身的トラブルを防ぐことができる．＊日本歯科医師会雑誌 2011；63(12)：1297-1301．より引用・改変

②治療中の全身状態の急変・悪化は，いつ起きやすいのか？

▶❷は，❶と同じアンケート調査の結果で，歯科治療中の全身的偶発症がいつ起こったかを示している．治療開始前と局所麻酔注射中でほぼ半数を占める．このことから，「怖い」(心理的ストレス)と「痛い」(肉体的ストレス)が原因であることが推察される．「怖がらせずに，痛がらせずに，よく効く局所麻酔」をすれば，全身的偶発症の約3/4は防げることになる．

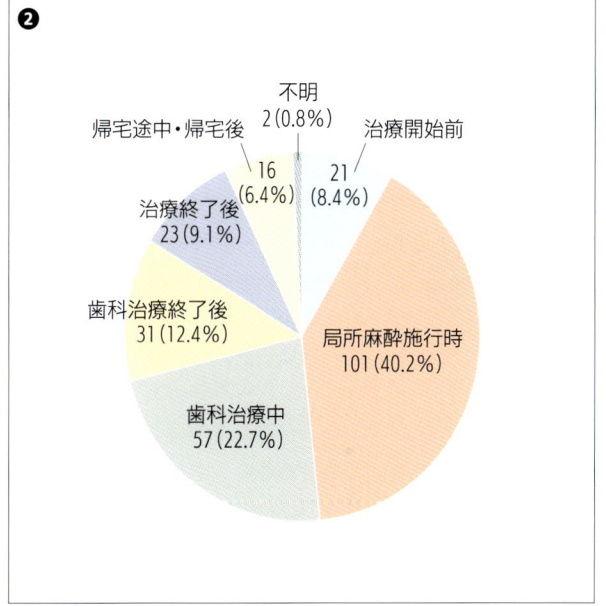

❷

歯科治療中の全身的偶発症の発生時期．「局所麻酔薬注入中・直後」がもっとも多い！ 「歯科治療中」のなかには，治療開始直後で局所麻酔の影響が残っているものと，局所麻酔が効いておらず痛みを感じさせたものがあると思われる．全身的トラブルは局所麻酔に関連して起こることが多い．＊日本歯科医師会雑誌 2011；63(12)：1297-1301．より引用・改変

③「怖い」と「痛い」で全身状態が悪くなるのはなぜ？

- 不安，恐怖心，緊張（精神的ストレス），痛み（肉体的ストレス）は，交感神経を刺激して，血圧上昇・心拍数増加を起こす．
- 一方で，三叉神経の支配領域の痛みは副交感神経である迷走神経を刺激して，三叉・迷走神経反射を起こし，血圧低下・徐脈を起こす（＝血管迷走神経反射）．
- 生体が示すこの反応が，患者のもつ予備力（状態の悪化に耐える力）の範囲内であれば，全身状態の悪化は起こらないが，予備力の範囲を超えていると，全身状態の悪化を生じる．
- つまり，**全身的偶発症を防ぐには，患者のもつ予備力を正しく評価し**（CHAPTER 2），**歯科治療による精神的・肉体的ストレス（怖い，痛い）をできるだけ小さくすること**が重要である．

④「怖い」「痛い」で，血圧・心拍数があがるメカニズム

- 不安・恐怖心・緊張（精神的ストレス）・痛み（肉体的ストレス）が，交感神経を刺激して血圧上昇や心拍数の増加を起こすと説明されても，わかったようでわからないと思われるので，少し補足する．
- 生体に対する侵襲（怖い・不安・緊張は，精神的平穏を脅かす精神的侵襲．痛いは，肉体損傷という侵襲である）が加えられると，生体はその侵襲と闘って（fight）排除しようとするか，その侵襲から逃げて（flight）遠ざかろうとする．この「闘う」あるいは「逃げる」ための体勢をつくる（fight or flight response）ために，血圧と脈拍を上昇させて全身の筋肉や神経に血液（酸素）を十分に送らなければならない．
- この血圧・心拍数・呼吸数をあげるために作用するのが交感神経である．そのため，交感神経は「fight or flightの神経」とよばれる．歯科治療・抜歯を受ける患者は，緊張・恐怖・痛みで，まさしくこの「闘うか，逃げるか」の状態にあるので，血圧・心拍数が上がるのである．
- 副交感神経は，交感神経と逆の生体反応を引き起こす神経で「リラックスの神経」とよばれる．車で例えると交感神経はアクセルであり，副交感神経はブレーキに相当する．このように考えると，それぞれの神経が，刺激されたり興奮したときに，生体にどのような反応が生じるかを理解しやすい．

⑤局所麻酔薬中のエピネフリンは悪者か？

- 全身状態が急変・悪化すると，局所麻酔薬そのものや，局所麻酔薬に含まれているエピネフリン（外因性エピネフリン）のせいにしがちだが，カートリッジ1.5〜2本に含まれている量のエピネフリンは，健康な患者に怖がらせない，痛がらせない状態で注射するなら，心血管系に大きな影響を与えないことは歯科麻酔学の教科書にも記載されている．怖い・痛い・緊張により，体内からアドレナリン（＝内因性エピネフリン）が分泌され，この内因性エピネフリンの影響のほうが局所麻酔薬に含まれているエピネフリンの量よりもはるかに大きいことがわかっている❸．「怖がらせない」「緊張させない」「痛がらせない」の「3ない」で，内因性＋外因性のエピネフリン総量を減らすことが大切である．怖がらせたり，痛がらせたりすると，エピネフリン投与を避けるためにシタネスト®を選択した効果はまったくないことになる．
- 窩洞形成や充填・抜髄・抜歯といった歯科治療行為そのものが心血管系に直接的な影響を与えて，血圧や心拍数が上昇するわけではなく，治療にともなう不安・恐怖・痛みが原因であることを理解しておくことが重要である．

❸

*p<0.05（安静時の値との比較）

内因性エピネフリン（不安・緊張・痛み） ≫ 外因性エピネフリン（局麻のエピネフリン）

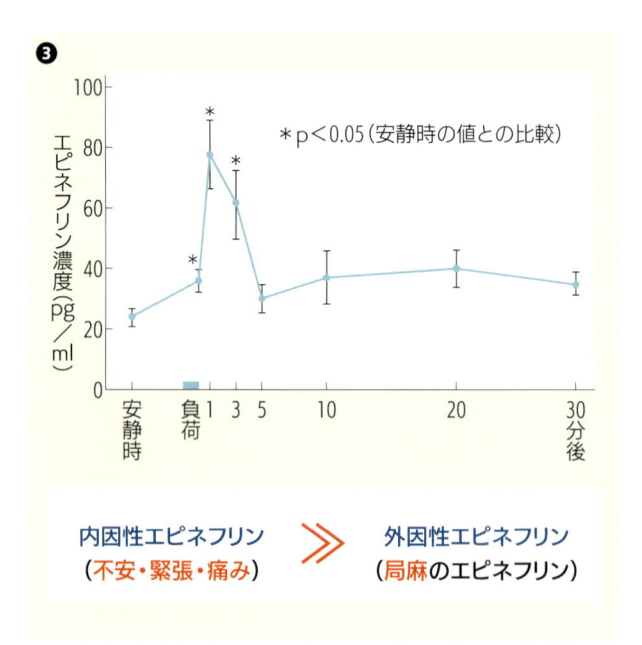

心理的ストレスを与えたときの血中エピネフリン濃度の変化．
＊日本歯科心身医学会雑誌 1992；7（2）：185-217．より引用・改変

Point1 治療中の全身的偶発症の原因

治療中の全身的偶発症は，恐怖・不安・緊張（心理的ストレス）と痛み（肉体的ストレス）を原因とする血圧・心拍数の上昇と，血管迷走神経反射による血圧低下・徐脈（デンタルショック）が原因．つまり「怖い」と「痛い」が全身的偶発症の原因．

Point2 どうして全身的偶発症は，局所麻酔の際に起きやすいのか

局所麻酔注射時には，全身状態悪化の3つの原因である「怖い」「痛い」「エピネフリン（外因性＋内因性）」がすべてそろっているから．

Point3 治療中の全身的偶発症の発生を避けるには

①「怖がらせない」「緊張させない」「痛がらせない」の「3ない」が重要
②十分なコミュニケーションと，痛くなくてよく効く局所麻酔で避けられる
③予備力が小さくても，局所麻酔注射による生体反応＜予備力 なら偶発症は起こらない（＝生体反応をできるだけ小さくする）

血管迷走神経反射

血管迷走神経反射とは，「デンタルショック，疼痛性ショック，神経性ショック，脳貧血様発作」などともよばれる気分不良状態である．厳密な意味でのショックではないので，現在は「血管迷走神経反射」とよぶことが勧められている．歯科治療中に起きる**全身的偶発症のなかでもっとも発生頻度が高く，全体の6〜7割を占める**．

①原因

▶精神的ストレス（不安，緊張，恐怖感）と肉体的ストレス（痛み）により交感神経が緊張して，血圧上昇，頻脈を起こす．すると，生体はこれを正常に戻そうとして副交感神経がはたらいて血圧や脈拍を下げるが，このはたらきが過剰になれば，さらに血圧低下・徐脈にまで進んでしまう．また，口腔の三叉神経の支配領域への痛み・刺激は，副交感神経である迷走神経を直接刺激して，血圧低下・徐脈を引き起こす．

②症状

▶血管迷走神経反射の症状は，早い場合は局所麻酔薬注射直後から，通常は数分以内に発生する．迷走神経の緊張による**徐脈と血圧低下**が**特徴**で，ほかに顔面蒼白・気分不良・嘔気・冷汗などの症状を起こす．
▶意識を失うこともあるが一過性で，不可逆的ショックに移行することは稀である．

③対処法

▶水平位で両下肢を挙上しておくと，10分程度で回復する（ショック体位❹）．
▶真のアナフィラキシーショックではないので慌てなくてもよい．真のアナフィラキシーショックは極めてまれで，また症状としては皮膚の蕁麻疹や紅斑，顔面や粘膜の浮腫をともなうので，血管迷走神経反射とは容易に区別できる．

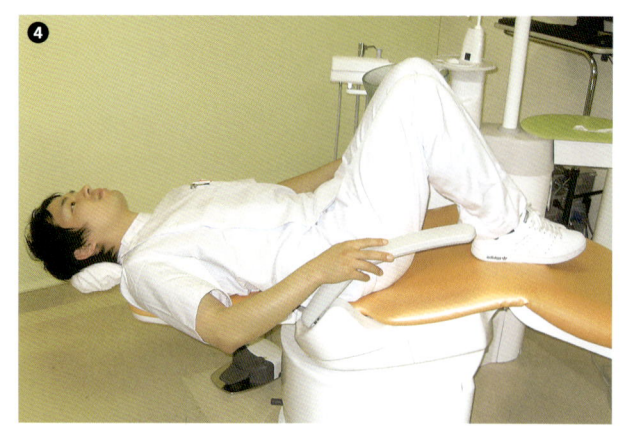

ショック体位．血管迷走神経反射を疑う場合，ただちに治療を中止して水平位にして楽に呼吸できるように衣服をゆるめて深呼吸させる．

④予防法

▶十分なコミュニケーションによる精神的ストレス（不安，緊張，恐怖感）の軽減と，痛くない局所麻酔注射（CHAPTER 3参照）で予防可能である．

エピネフリン過剰反応

「エピネフリン過剰反応」とは，血管収縮薬として添加されているエピネフリンに対する反応が強くでたものである．体質的な過剰反応であって，アレルギーではない．局麻後数分以内に胸がどきどきして気分不良となるが，エピネフリンが代謝されて通常は10～15分程度でおさまるので，説明して安心させ，時間の経過を待つ．

①原因

▶エピネフリンの過量投与・血管内投与，エピネフリンに敏感に反応する体質，エピネフリン感受性の高い内科的疾患（高血圧，甲状腺機能亢進症，褐色細胞腫など）の患者などで起こる．

②症状

▶頻脈，血圧上昇，不穏，興奮，頭痛など．
▶実際はエピネフリンの影響は注射3～4分後から始まって10～15分で消退するので，よく説明して安心させる．

③対処法

▶治療を中止し安静にする．一過性なのでよく説明して安心させて経過観察する．

④予防法

▶精神的ストレス（不安，緊張，恐怖感）と肉体的ストレス（痛み）の軽減が重要で，十分なコミュニケーションと痛くない局所麻酔注射がポイントである．
▶エピネフリンが過量にならないよう注意し，また，血管内に注入しないように注意する．
▶十分な麻酔効果を得つつ，エピネフリンの投与量を減らしたいときは，エピネフリンを含まないキシロカイン®でカートリッジを希釈するか，エピネフリンを含まないほかの局所麻酔薬（たとえばシタネスト-オクタプレシン®）と併用するとよい．

⑤十分な麻酔効果・血管収縮作用を得つつ，エピネフリンの量を減らしたいとき

▶エピネフリンを含むキシロカイン®と，含まないキシロカイン®のカートリッジからそれぞれ半量ずつ引いて，エピネフリンを半分に希釈したキシロカイン®カートリッジ1本を作る方法があるが，この方法は非常にめんどうである．わざわざ半分ずつ引いて1本のカートリッジを作る必要はなく，半分ずつを患者に注射すればよい．

▶また，エピネフリンを含まないキシロカイン®がない場合は，「エピネフリン含有キシロカイン®半筒と，シタネスト-オクタプレシン®半筒」を注射してもよい．

過換気症候群

「過換気症候群」とは，不安・緊張などの心因性反応により過呼吸になって種々の症状を引き起こしたもので，発生頻度は比較的高い．若い女性に多く，過去にも過換気を起こした経験があることが多いので，問診が重要である．

①原因

▶不安・緊張・恐怖感などの精神的ストレス，疼痛などの肉体的ストレスにより，深い呼吸を頻回にする(過呼吸)と，二酸化炭素が過剰に体外に排出されて，血液中の二酸化炭素分圧が低下する．その結果，血液のpHがアルカリ性に傾いて(＝呼吸性アルカローシス)，種々の症状が発現する．

②症状

▶呼吸数の増加(過呼吸)，呼吸困難，気分不良，口唇周囲・手足のしびれ感，**筋硬直**(助産師の手❺)など．これらの症状により患者はさらに不安になり，緊張して，ますます過換気になりやすい．血圧や脈拍数は変化しないことが多い．

❺助産師の手．過換気により呼気中に二酸化炭素が多量に排出され，血液中の二酸化炭素が減少し，血液のpHがアルカリ性に傾く(呼吸性アルカローシス)．この状態では血清カルシウムイオン濃度が減少し，その結果，末梢神経の被刺激性が亢進してしびれや筋の硬直による特徴的な手指の症状(「助産師の手」とよばれる)を生じる．

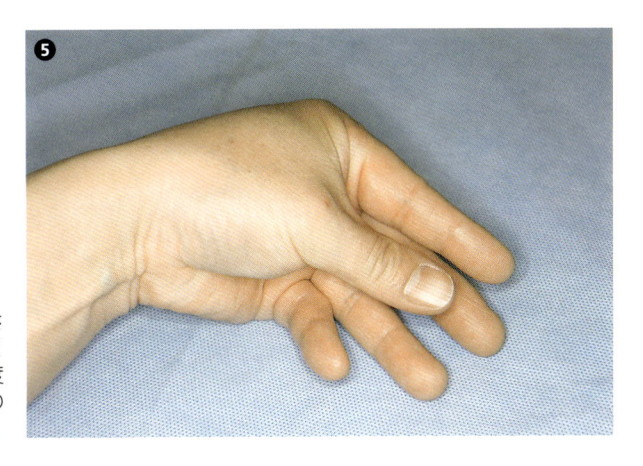

③診断

▶過去に過呼吸を起こしたことがあり，上記症状を呈していれば比較的診断しやすいが，手指の緊張，硬直(助産師の手❺)ははっきりしない場合もある．

④予防法

▶不安・緊張・痛みなどで起こりやすくなるので，精神的ストレス(不安，緊張，恐怖感)と肉体的ストレス(痛み)の軽減が重要．十分なコミュニケーションと痛くない局所麻酔で防げる．治療前・治療開始後に患者の呼吸状態(回数，深さの状態)を観察する．

⑤対処法

▶呼吸のしすぎで気分不良になっていることを説明し，息こらえ，ゆっくり呼吸など，できるだけ呼吸をしないように指示する．患者は息苦しいため，不安でなかなか息こらえの指示に従えないので，まず落ち着かせて，ゆっくりとした呼吸をするよう指示する．

▶従来，自分の呼気中の二酸化炭素を再呼吸させて血液中の二酸化炭素濃度を上げるために，紙袋，ビニール袋による再呼吸(ペーパーバッグ呼吸)をさせることが勧められていたが，長時間の再呼吸で炭酸ガス濃度が必要以上に上がってしまったり，酸素が足りなくなって低酸素状態になったりするおそれがあるため，現在は勧められていない．この方法を用いる場合は，袋に適当な穴をあけておくことが望ましい．

▶また，薬剤の静脈内投与ができるなら，鎮静剤(ジアゼパムなどを5〜10mg)を投与する．仮にまちがって酸素不足と判断して酸素を投与しても症状は改善も悪化もしないので，もし過換気症候群と診断できなければ酸素を投与しても問題はない．

局所麻酔薬アレルギー

患者が「局所麻酔注射で具合が悪くなったことがある」と申告したために，局所麻酔アレルギーを疑われて局麻薬のアレルギー検査を依頼されて紹介を受けることが多い．しかし，**実際には真の局所麻酔薬アレルギーはきわめて少なく，また，口腔内を観察して局所麻酔をともなう歯科治療経験の有無を観察し，局麻使用歴があればアレルギーの可能性は低い．**また，気分不良時の症状と治療，回復状況などを詳細に問診することにより，アレルギー検査をしなくても問診で否定できる症例がほとんどである．局所麻酔薬アレルギーは非常に誤解されているので，しっかりと理解してほしい．

①どのようなタイプがあるのか？

▶局所麻酔薬に関するアレルギーには，「Ⅰ型(即時型)」と「Ⅳ型(遅延型)」がある．

(1)即時型(＝アナフィラキシーショック)
▶即時型は，Ⅰ型で，IgE抗体による免疫応答である．症状は同じだが，抗原抗体反応が関係しないアナフィラキシー様反応もあるが，この両者は臨床症状からは区別がつかない．

(2)遅延型
▶遅延型は，Ⅳ型で，抗体が関与しない細胞性免疫による反応である．症状としては接触性皮膚炎，蕁麻疹などであり，2〜3日後に発赤として表われる．

※(1)(2)のうち重篤な状態に陥り，問題となるのは，(1)即時型(アナフィラキシーショック)のほうである．

②何に対するアレルギーなのか？

▶カートリッジに含まれているどの成分がアレルギーの原因になりうるのか？

(1)局所麻酔薬
▶キシロカイン®カートリッジはリドカイン，シタネスト®カートリッジはプリロカインを含む．

(2)血管収縮剤
▶キシロカイン®カートリッジではエピネフリン，シタネスト®ではフェリプレッシンを含む．

(3)保存剤(防腐剤)
▶パラオキシ安息香酸メチル(メチルパラベン)．

(4)酸化防止剤(pH安定化)
▶ピロ亜硫酸ナトリウム．

➡このなかでアレルギーの原因となるものは(3)と(4)である．

▶(1)の局所麻酔薬については，現在使われている局所麻酔薬はアミド型で，アミド型の局所麻酔薬自体のアレルギーはきわめて少なく(後述)，むしろエステル型である表面麻酔薬のほうがアレルギーを起こしやすいとされている．局所麻酔薬アレルギーのほとんどが歯科からの

報告で，歯科と同様に局所麻酔薬を頻用している医科のペインクリニック領域からの報告はきわめて少ない．このことはアレルギーと考えられている反応が局所麻酔薬自体によるものではなく，口腔という感覚の鋭敏な部位への注射行為によって起こる反応であることを示している．またキシロカイン®は不整脈の治療薬として静脈内注射される薬剤であることから考えても，キシロカイン®自体のアレルギーはきわめて少ないことがわかる．

▶（2）の血管収縮薬については，エピネフリンは血圧上昇を来たすので悪者にされがちだが，アナフィラキシーショック時の治療薬としては第一選択薬であり，また，エピネフリンは体内で分泌されており，フェリプレッシンは同じく体内で分泌されているバソプレッシンの誘導体であることから，アレルギーの原因にならない．

▶（3）のメチルパラベンは，防腐剤として食品・化粧品・医薬品・石鹸・歯磨き材などに含まれている．ほとんどの人が毎日接触しており，こういったもので皮膚炎などのアレルギー症状が出る人は要注意である．日常の生活のなかで接触する機会が多いため，反応は接触性皮膚炎や蕁麻疹として出る．

▶以上のことから，局所麻酔薬のアレルギーがあるとすれば，麻酔薬に添加されている保存剤や酸化防止剤に対するアレルギーであるといえる．

表4 各局所麻酔カートリッジに含まれている局所麻酔薬と添加物の種類．

商品名	血管収縮薬	防腐剤，安定剤
キシロカイン®	エピネフリン	ピロ亜硫酸ナトリウム パラオキシ安息香酸メチル
オーラ注®	エピネフリン（酒石酸）	ピロ亜硫酸ナトリウム
キシレステシンA®	エピネフリン	乾燥亜硫酸ナトリウム
シタネスト®	エピネフリン（酒石酸）	ピロ亜硫酸ナトリウム パラオキシ安息香酸メチル
シタネスト-オクタプレシン®	フェリプレッシン	クロロブタノール パラオキシ安息香酸メチル
スキャンドネスト®	(－)	(－)

③症状

（1）アナフィラキシー症状
- 皮膚症状…………顔面から前胸部にかけての蕁麻疹，発赤，紅斑，顔面浮腫，搔痒感
- 消化器症状………嘔吐，悪心，腹痛，下痢
- 呼吸器症状………声門浮腫，気管支痙攣，呼吸困難，嗄声，喘鳴
- 循環器症状………動悸，頻脈，血圧低下，不整脈
- 中枢神経症状……意識喪失，昏睡，痙攣

※アナフィラキシーでは，蕁麻疹，紅斑，顔面浮腫，粘膜浮腫などの皮膚・粘膜症状が必発である．皮膚，粘膜の蕁麻疹，発赤，浮腫などのない血圧低下・気分不良は，ほとんどが血管迷走神経反射である．

（2）遅延型アレルギー症状
▶2，3日後に接触性皮膚炎，蕁麻疹，発赤として表われる．局麻アレルギーはこのタイプが多い．

④頻度

▶局所麻酔薬の全身的偶発症のうち，アレルギー反応は1％以下で，その80％以上がⅣ型（遅延型）アレルギーである．専門家の報告によれば，**局所麻酔薬のアナフィラキシーの発生頻度は100～150万人に1人程度**であり，またキシロカイン®カートリッジの年間販売数から推察したキシロカイン®に対するアナフィラキシー反応は0.00007％とされており，きわめて稀である．

⑤対処法

▶救急蘇生法（BLS）に則って対処するが，真のアナフィラキシーの発生はきわめて稀であり，また，救急蘇生処置について述べるには紙幅も足りないので，ここでは詳述しない．

▶エピネフリンの過剰反応や添加物によるアレルギーが心配であるなら，血管収縮薬，防腐剤や添加物を含まない局所麻酔薬単味のカートリッジ（商品名：スキャンドネスト®）を用いる．しかし麻酔効果が弱く，血管収縮剤を含まないことから効果時間も短いので，外科的処置や治療時間の長い処置には使いにくい．

⑥予防法(検査)

(1)問診

- 現在のところ問診がもっとも有用かつ最大の局所麻酔薬アレルギーの予防法である．まず口腔内を観察し，局所麻酔の経験，気分不良に陥った回数，そのときの状況と処置，回復状況などを問診すると，局所麻酔アレルギーを否定できることが多い．
- 気分不良に対してとくに薬剤を投与されることもなく，しばらくして安静にしていたら回復したということであれば，アナフィラキシーではない．
- 厳密な意味でアナフィラキシーを予見できるテストはなく，真のアナフィラキシーは皮内テストでも起こり得る．

(2)血液検査，皮膚反応，粘膜反応など

- 体外で行う検査は安全で，血液検査としてDLST(薬剤誘発性リンパ球幼若化試験)やRIST法，RAST法を検査会社に依頼できるが，必ずしも正確ではないことがある．
- 患者に直接行うテストでは，皮膚反応(プリックテスト❻，スクラッチテスト❼，皮内テスト❽)，誘発試験として眼粘膜反応，鼻粘膜反応，口腔粘膜反応などを行うこともあるが，真のアナフィラキシー反応はテストでも起こるので，発生した場合に対応できるような準備をしてから行う．

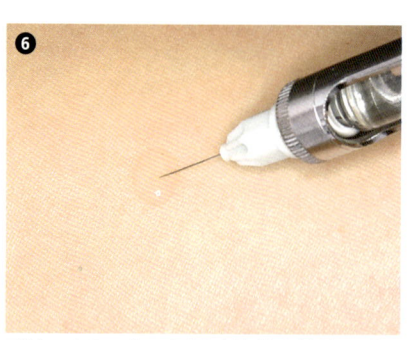

❻ プリックテスト．局所麻酔薬を前腕に垂らして注射針でつつく．

❽ 皮内テスト．局所麻酔薬を前腕の皮内に注射して径5 mm程度の膨疹をつくる．

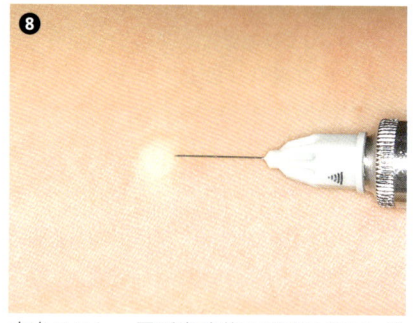

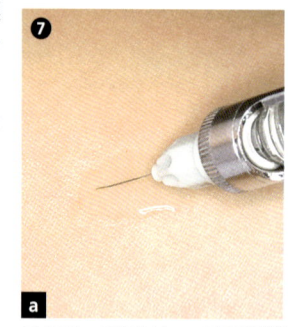

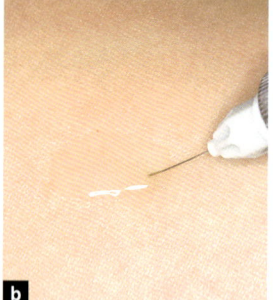

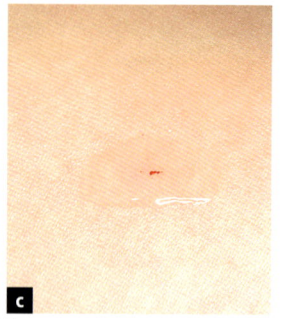

❼ スクラッチテスト．局所麻酔薬を前腕の皮内に垂らして注射針でひっかく．

Point 4 局麻アレルギーかと思ったら①

局所麻酔注射後の気分不良＝局麻アレルギーではない．

Point 5 局麻アレルギーかと思ったら②

過去の気分不良時に，薬剤の投与もなく安静にしていて回復したのであれば，アナフィラキシーではない．

局所麻酔薬中毒

「局所麻酔薬中毒」は，局所麻酔薬の量が多すぎたり，直接血管内に入ったりして，局所麻酔薬の血中濃度が上がりすぎた場合に起こる反応で，痙攣が特徴的な症状である．局所麻酔薬中毒を起こす量はリドカインで500mgとされており，これはキシロカイン®カートリッジで13.9本に相当する．浸潤麻酔では一度にカートリッジ14本を注射したときには起こる可能性があるが，歯科治療でそれだけの量を一気に注射することはないので，**通常の歯科治療時の浸潤麻酔ではまず起こらない**と考えてよい．歯科麻酔学の教科書には，局所麻酔薬中毒は局所麻酔の偶発症として記載されているが，より実践的な文献には，「通常の歯科治療では発生しないので詳述しない」と記載されているものもある．

伝達麻酔の場合に，理論的には局麻薬が誤って下歯槽動脈に流入して，動脈圧と血流に逆らって脳内に入り，局麻中毒を起こす可能性が動物実験では示唆されているが，実際の臨床でそのような事例が発生した報告はない．

①原因

(1) 局所麻酔薬の過量投与
(2) 血管内への直接的注入
(3) 肝機能・腎機能低下による分解・排泄機能の低下

②症状

▶ 低い濃度では中枢刺激作用が表われ，不安・興奮・多弁・頭痛・頻脈・血圧上昇などをきたし，さらに血中濃度が上昇すると抑制作用が表われ，徐脈・血圧低下・痙攣・意識消失を起こす．

③予防法

▶ 通常の歯科治療では起きないが，局所麻酔薬の過量投与を避け，また血管内注入を避けるために吸引操作を行う．

④対処法

▶ 水平仰臥位にして酸素投与し，痙攣に対してはジアゼパム（商品名セルシン）の静脈内投与を行う．症状が進行して意識消失・呼吸停止した場合は，救急蘇生処置を行う．

内科的疾患の悪化

全身疾患としての頻度が高く，また，全身状態の悪化につながりやすい高血圧症と心疾患の患者での局所麻酔薬の使い分け，使用量について述べる．問題になるのは血管収縮薬の種類と量である．

①エピネフリン

▶ キシロカイン®カートリッジは，1本中にエピネフリンを22.5μg（8万分の1）含有する．
(1) **健康人のエピネフリンの許容量は200μgなので**，200÷22.5＝8.8から，カートリッジ**約9本**までは使用可．
(2) **心疾患患者のエピネフリンの許容量は40μgなので**，40÷22.5＝1.7から，カートリッジ**1.5本程度**は使用可．ただし感受性には個人差があり，少量でも反応の大きい患者がいることに注意．

②シタネスト-オクタプレシン®

▶ シタネスト-オクタプレシン®でも，カートリッジ4本以上では冠動脈（心臓自体に血液を送る動脈）の血流が抑制されて心機能が低下することがあるとされている．つまり，血圧や脈拍数に影響を与えないと思われているシタネスト-オクタプレシン®でも過量になると狭心症や心筋梗塞が誘発される危険がある．シタネスト-オクタプレシン®なら絶対安全というわけではないので注意が必要である．

> **Point 6** シタネスト-オクタプレシン®
>
> 高血圧患者，心疾患を有する患者に安全であるシタネスト-オクタプレシン®でも，4本以上では冠動脈の血流が減少して，マイナスの作用がでることがある．

この章のまとめ

　内科疾患の悪化については，紙幅の関係から詳述することは避けるが，治療する際の心身の状態，服薬の状態，対応薬剤をもちあわせているか，などを確認したうえで，緊張させずに痛みを与えないで注射することで，状態の悪化は防げる．過去の局所麻酔で問題がなくても，そのときの体調・心理状態によっては，全身的偶発症は起こりうるので，患者が診療室に入室して来たときから，表情・顔色・歩き方・話し方・会話の内容や量などを観察して，患者の状態を見抜く観察眼をもつことが重要である．

Point7　全身的偶発症を防ぐポイント

①詳細な問診(病名，薬剤，検査値，etc.)
②全身状態の評価(予備力の評価)
③当日の体調確認
④当日の服薬確認
⑤精神的ストレスの低減
　(怖がらせない，緊張させない)
⑥身体的ストレスの低減
　(痛くなくてよく効く局麻)
⑦モニタリング(血圧計，パルスオキシメーター)
⑧患者の健康状態，体調観察
⑨危機対応能力を身につける

Point8　全身的偶発症を防ぐ問診

①今までに何か病気をしたことがありますか
　(既往例)
②今現在，何か病気がありますか
　(現在の全身疾患)
③通院したり薬をのんだりしていますか
　(通院先，薬剤)
④お薬手帳を見せてください(薬剤確認)
⑤その病気のこの頃の状態はどうですか
　(コントロール状態)
⑥この頃の検査の結果はどうでしたか(検査値)
⑦今日の体調はどうですか(当日の体調)
⑧薬や食べ物のアレルギーがあります
　(アレルギーの有無)
⑨歯科治療中に気分が悪くなったことがありますか
　(偶発症)
⑩抜歯の経験がありますか
　(局麻，止血，薬剤アレルギー)
⑪けがをしたとき，血が止まりにくいですか
　(止血)

Point9　治療当日の問診事項

①当日の体調(食事，前夜の睡眠の影響)
②直近の検査値
③当日の服薬状況
　いつもどおりに薬剤を服用して来たか
　薬剤を持参してきたか
④食事をしてきたか
　糖尿病患者
※ そのうえで，怖がらせない，痛がらせない

Point10　歯科治療が可能かどうかの判断

①全身疾患の重症度　NYHA分類，Hugh-Jones分類
②患者の予備力　身体活動能力(MET〔s〕)
③治療・手術の侵襲の程度
④歯科医の知識，技術
⑤設備・環境
などで総合的に判断する

CHAPTER 17

偶発症とその対応①
出血（術中出血，術後出血）

出血は，術者にとって術中・術後をとおしてもっともいやな偶発症である．また，患者にとっても「血が出る」「血が止まらない」ことは非常に恐いものである．出血を上手にコントロールすることが，手際よくスマートに手術するうえでの大きな重要ポイントである．歯科の外来手術で，輸血が必要になったり失血死したりするほどの出血はないので，まず落ち着いて圧迫止血を試みる．

抜歯時にもっとも多い偶発症は出血

抜歯は手術であり，手術には必ず出血がともなう．あらゆる手術で「異常出血」「止血困難」は，もっとも頻度の高い偶発症である．抜歯時の出血としては，下顎埋伏智歯抜歯の際の下歯槽動脈損傷と上顎埋伏智歯抜歯の際の後上歯槽動脈損傷による出血量が多いが，それでも**出血多量で失血死することは絶対にないので，落ち着いて対処する**．まずガーゼで圧迫しておいて，それからゆっくりとその後の対応を考える．

出血をいかにコントロールするかは手術時間の短縮や手術後の経過の善し悪しに影響する．出血で術野が見えないときには，きちんと止血してきれいな術野で手術をするよう心がける．「出血させない」「きちんと止血する」ことは，上手な手術の重要なポイントである．

Point 1　出血時の対応のポイント①　あわてない

抜歯では絶対に失血死はしないので，落ち着いて対応する．

Point 2　出血時の対応のポイント②　基本は圧迫止血

骨があるので圧迫が有効である．抜歯時の出血はほとんど圧迫止血で止められると思ってよい．まずはガーゼで圧迫しておいて，それからゆっくりあとのことを考える．

止血法の種類と止血剤（材）

教科書には，外科の知識として必要ないろいろな種類の止血方法，止血剤（材）が記載されている．しかしながら，抜歯時の止血のもっとも有効な方法は圧迫法であり（その理由は硬い骨があるから），「教科書に記載されているどの方法で止血しようか」と止血法の選択に頭を悩ます必要はない．

①ガーゼ圧迫法

▶抜歯窩内からの出血の場合，折ってある小ガーゼをのばして，抜歯窩をガーゼで満たすように填入して，圧迫する❶.

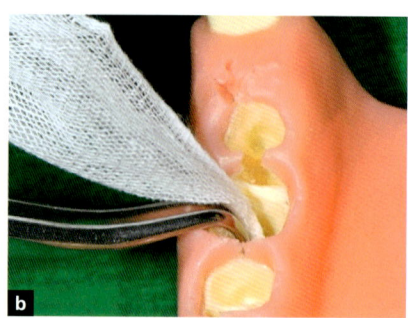

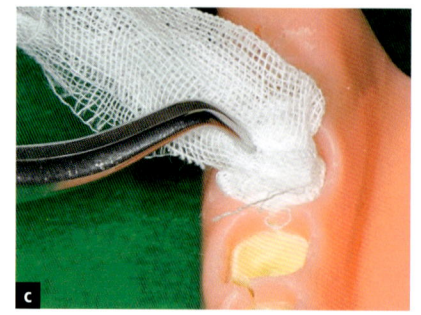

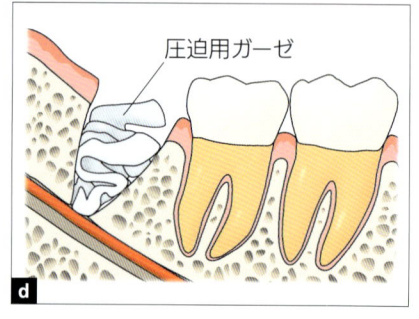

❶
a〜c：短冊状にした「ボスミン®」ガーゼを折り畳むように抜歯窩底部から填入し，全体を圧迫する．＊九州歯科大学口腔外科・笹栗正明先生より提供．
d：ガーゼで圧迫．

圧迫用ガーゼ

②電気メスによる焼灼

▶電気メスの止血モードで出血点を焼灼する．主に軟組織からの出血に用いるが，骨からの点状出血の際に，針型のチップを出血している小孔に刺入して止血することもある．

③縫合

▶歯肉や歯肉骨膜弁からの出血の場合，創縁を緊密に縫合することで止血できる場合がある．

④局所用止血剤(材)の使用

▶血管収縮剤，血液粘度上昇材，血液凝固促進剤などを用いる．
▶たくさんの種類の止血剤(材)があるが，厳密に使い分ける必要はない．よく使われているもの，使いやすいものを5種類選んで商品名で列挙した．抜歯を含む外来小手術の止血ではこれだけで十分である．

止血剤(材)．

- コーパック®(ユージノール　圧迫用)
- ボスミン®(止血用アドレナリン液・血管収縮剤)
- スポンゼル®(吸収性ゼラチンスポンジ)
- ビスコスタット®(塩化第二鉄製剤)
- ボーンワックス®(粘土状の止血材)

(1)「ボスミン®」(止血用アドレナリン液)❷
▶ガーゼを「ボスミン液」に浸して軽くしぼり，抜歯窩に填入して圧迫する．

(2)「スポンゼル®」(吸収性ゼラチンスポンジ)❸
▶ウシのコラーゲンを原料にした多孔性スポンジで，血液の粘度が上昇して流動性が低下し，止血しやすくなる．生化学的な止血，凝固作用はない．

(3)「ビスコスタット®」(硫酸鉄製剤)❹
▶軟組織からのじわじわと出る出血に効果的．ただし血液と反応して創が黒くなるので，患者に説明しておく．

(4)「スタットジェル®」(硫酸第二鉄製剤)❺
▶「ビスコスタット®」と同様．

(5)「ボーンワックス®」
　　(ミツロウを主成分とするワックス製剤)❻
▶骨からの出血の場合に用いる．出血している骨面に強く圧接することにより物理的に出血点を圧迫・閉塞して止血する．吸収されないので，多量に使用すると感染源になることがある．

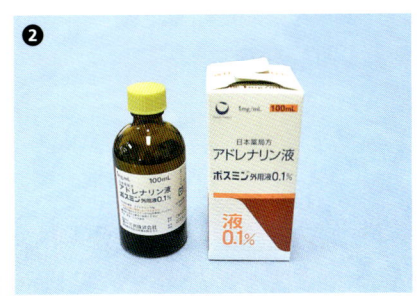

❷「ボスミン®外用液0.1%」（第一三共）．　❸「スポンゼル®」（LTLファーマ）．　❹「ビスコスタット®」（ULTRADENT）．
❺「SUスタットジェル®」（松風）． 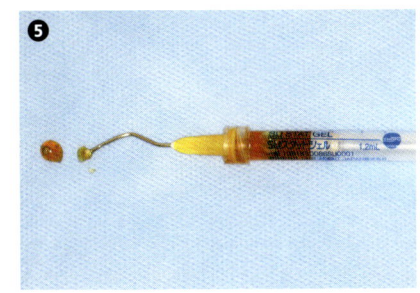 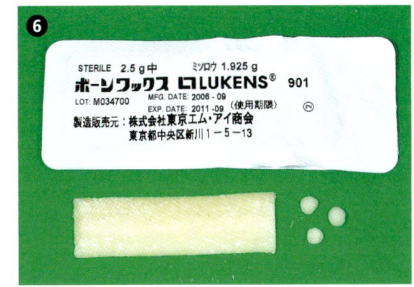
❻「ボーンワックス®」（東京エム・アイ商会）．

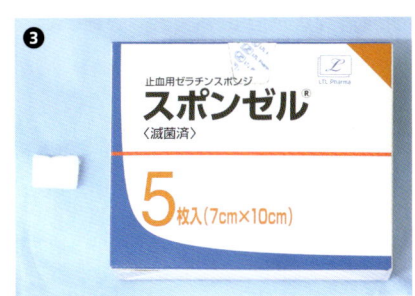

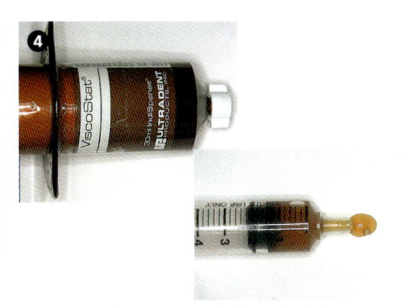

術中出血の具体的な止血法

　ヘーベルを作用させる歯根膜腔がどこなのかが出血でわからないようでは，手際よく抜歯することは難しい．きちんときれいな術野を確保するために止血はとても重要である．また術後の浮腫や創の治癒にも大きく影響する．抜歯時の出血なら，ガーゼによる圧迫止血か局所止血剤（材）の使用で十分止血可能である．

①術中出血の原因

（1）全身の状態
▶全身疾患（血液疾患，肝疾患，糖尿病，血管病変，抗血栓療法薬の服用など）
▶血圧上昇（高血圧，痛みや不安による血圧上昇）
＊抗血栓治療中の患者は出血が止まりにくいと考えられていたが，現在では抗血栓療法治療薬を減量・中止せずに継続下で抜歯しても，十分止血可能であることが明らかになってきている．

（2）局所の状態
▶周囲組織（粘膜・骨膜・骨・血管など）の損傷
▶不良肉芽の残存
▶歯周炎や根尖病変の残存
▶消炎後の炎症残存
▶血管収縮薬の効果切れ

②術中出血を予防するには

（1）解剖学的知識が必要
▶血管の位置や走行，骨の形態，厚さなどに関する正確な知識が必要．

（2）愛護的操作で抜歯する
▶力まかせの暴力的な操作を慎んで，組織の損傷を最低限にするよう心がける．切開は骨膜までシャープに切開し，剥離では骨膜を断裂させないようにして，骨膜の損傷を小さくする．

（3）ブラインド（直視できない状態）での盲目的操作を避ける
▶直視・直達が手術の原則である．見えないままでの盲目的操作は出血，その他のトラブルのもとである．

❼

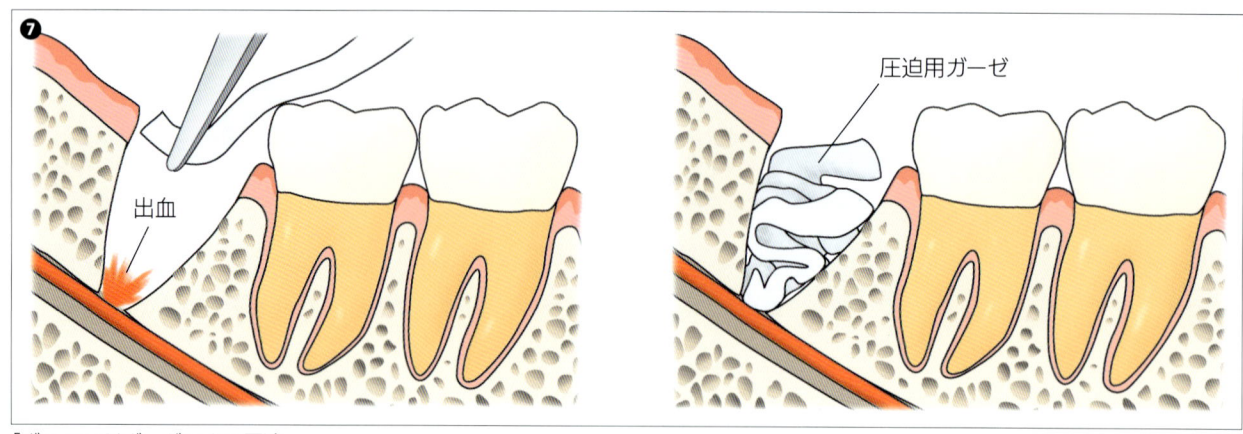

「ボスミン®」ガーゼによる圧迫．

③止血操作の実際

（1）出血の原因の判断
▶全身的な原因による出血か，局所的な原因による出血かを判断する．
▶全身的な原因の可能性は，抜歯前の問診で把握できているはずである．
▶全身疾患が原因である場合は，応急的な圧迫止血処置をしつつ専門医へ紹介する．局所的な原因なら，まずガーゼで圧迫する．

（2）出血部位の確認
▶最初に生理食塩液で創を洗浄し，吸引しながらガーゼで拭いて出血点を確認し，ピンポイントで的確に圧迫する．生理食塩液で創を何度も洗浄すると，体温より低い温度の液体で血管が冷やされて出血が弱まる．冷蔵庫で冷やした生理食塩液であればより効果的である．また，水平位の場合に座位に起こすと，心臓より出血点が高くなるので，出血が弱まる．

（3）歯肉骨膜弁などの軟組織からの出血の場合
▶除痛と血管収縮作用による止血効果に期待して，血管収縮剤入り局所麻酔薬を注射する．痛みがあるままでは，血圧が上がって止血しにくい．
▶軟組織に局所麻酔薬を注射すると，注射された液体のボリュームにより軟組織内の圧が上がって，血管が圧迫されることによる止血効果も期待できる．
▶ガーゼ圧迫，出血点の電気メスによる凝固，「ビスコスタット®」や「スタットジェル®」の塗布，などの止血方法を併用する．

（4）抜歯窩内からの出血の場合
▶不良肉芽を搔爬する．不良肉芽は血管が豊富で，出血の原因としてもっとも多いので，確実に搔爬，除去する．
▶止血用「ボスミン®」に浸して絞ったガーゼで20分間圧迫する．ガーゼをのばして端から抜歯窩の底部から填入して抜歯窩をガーゼで満たす❼．圧迫時間を十分にとる（最低20分）ことが大切で，心配になって途中で何度もガーゼをはずして確認すると，かえって止血までに時間がかかる．心配でも20分間はじっと我慢する．

（5）正しいガーゼ圧迫のしかたは？
▶ガーゼを嚙ませているのに出血が止まらないことがあるが，この場合ガーゼの嚙み方が悪いために圧迫が効いて

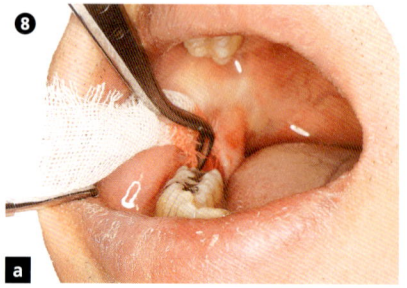

❽

a ガーゼを延ばして，端から抜歯窩に填入する．

b 抜歯窩をガーゼで満たす．

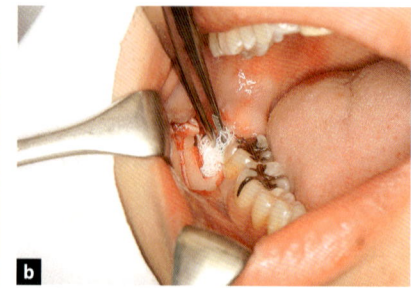

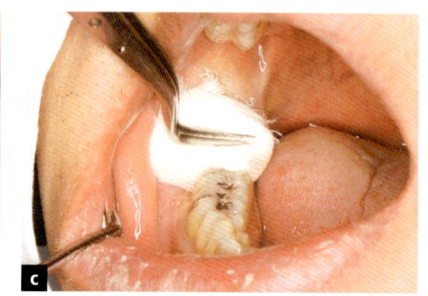

c 抜歯窩をガーゼで満たしたあと，さらにかんで圧迫するためのガーゼを置く．

偶発症とその対応① 出血（術中出血，術後出血） 第17章

いないことが多い．残存歯で噛んでいるために，抜歯窩内や抜歯部歯肉が圧迫されていないのである❿.

▶ガーゼをのばして端から抜歯窩の底部から順に填入して，その上から別のガーゼをかませる．残存歯で噛まないこと，前歯部が開咬になるくらいの厚さにすることが大切❽〜⓫.

▶これでも止まらない場合は，ガーゼタイオーバーにする．ガーゼを抜歯窩内にぎゅうぎゅうに填入して歯肉を縫合する．このとき縫合針はガーゼ内を通さないでガーゼの上を通る．ガーゼの上を通っている糸を締めて結ぶとガーゼが沈んで圧迫される⓬.

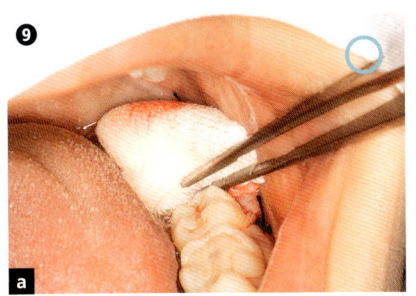

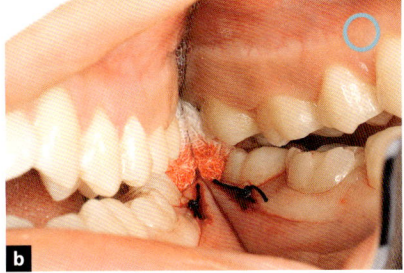

❾
a, b：下顎埋伏智歯の抜歯後の正しいガーゼ圧迫．

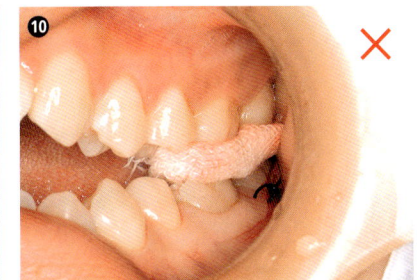

❿下顎埋伏智歯の抜歯後止血の誤ったガーゼ圧迫．残存歯でガーゼを噛んでおり，抜歯窩は圧迫されていない．

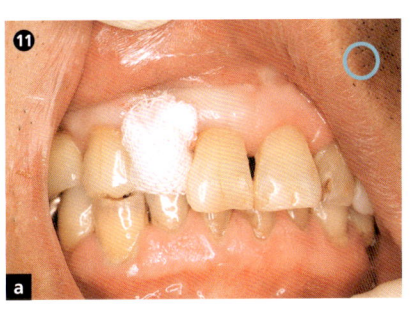

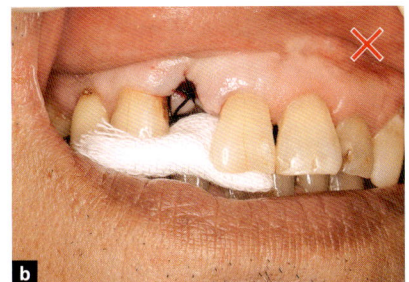

⓫中間欠損の場合のガーゼ圧迫のしかた．
a：正しいガーゼ圧迫．抜歯窩が圧迫されている．
b：誤ったガーゼ圧迫．両隣在歯で噛んでおり抜歯窩は圧迫されていない．

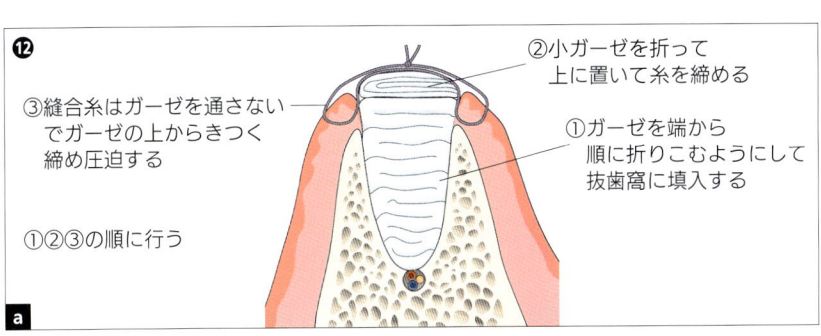

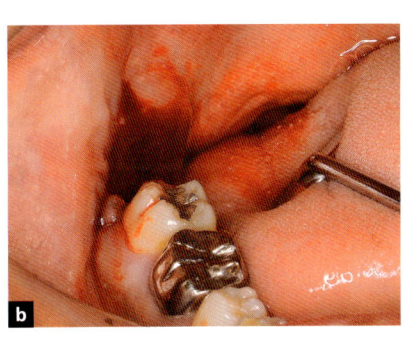

⓬
③縫合糸はガーゼを通さないでガーゼの上からきつく締め圧迫する
②小ガーゼを折って上に置いて糸を締める
①ガーゼを端から順に折りこむようにして抜歯窩に填入する
①②③の順に行う

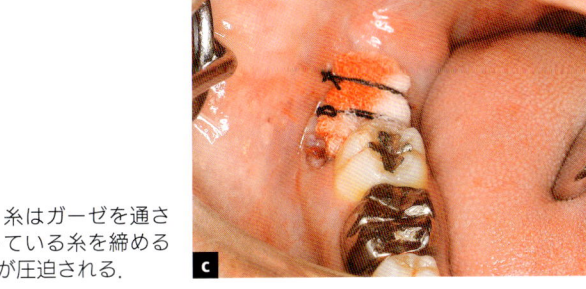

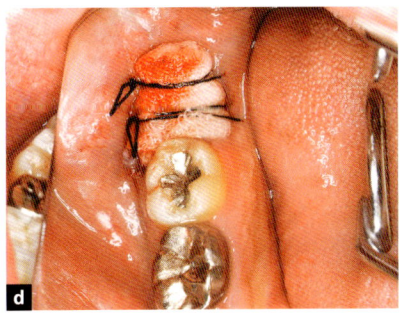

⓬ガーゼタイオーバー．糸はガーゼを通さない．ガーゼの上を通っている糸を締めるとガーゼが沈んで抜歯窩が圧迫される．

179

Point3 止血操作はガーゼによる圧迫止血が基本

いろいろと難しい止血法を試みる必要はない．まずは最低でも20分間はガーゼで圧迫する．圧迫がきちんと効くようにピンポイントで圧迫することが大事．

④「スポンゼル®」の効果的な使い方は？

- 「スポンゼル®」による止血作用は，生化学な止血・凝固作用によるものではなく，スポンゼル®が血液を吸収することによってゼリー状になり，血液の流動性が低下することによる（血液粘度上昇剤）．
- 「スポンゼル®」を用いる場合，ただ抜歯窩に「ポン」と入れるだけでは止まりにくい．スポンゼル®を填入して圧迫することにより，ゼリー状に変化したスポンゼル®が出血点を圧迫したり，目詰まりさせることにより，止血効果が上がる．
 （1）「スポンゼル®」を指で固めて⓭a
 （2）抜歯窩に填入して⓭b
 （3）「スポンゼル®」が脇から逃げてしまわないように，抜歯窩全体をガーゼで覆って圧迫する⓭c．

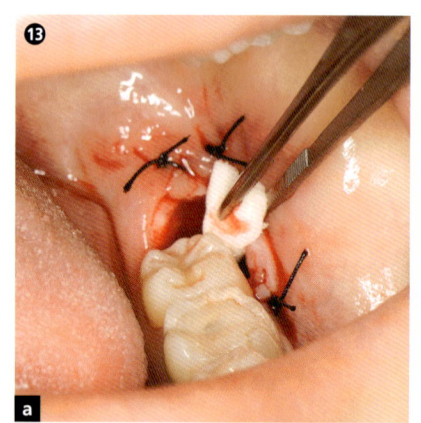

⓭
a 手指でスポンゼル®を圧縮して填入．
b 抜歯窩をスポンゼル®で満たす．
c スポンゼル®をガーゼで圧迫．

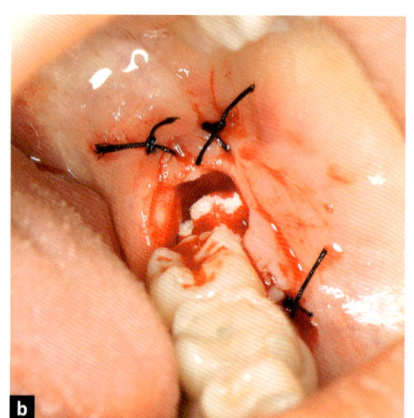

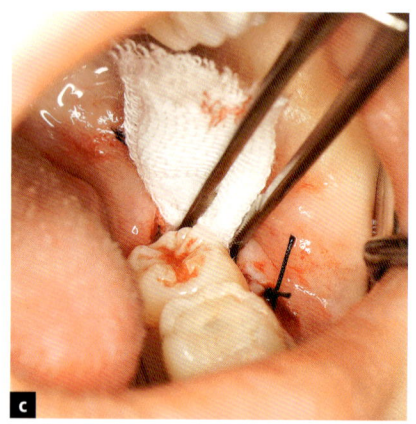

⑤骨挫滅法

- 骨内からの動脈性の出血の場合に，止血点に止血ノミ（通称「賽の目ノミ」）をあてて槌打し，骨を挫滅させて血管を圧迫して止血する⓮．
- 下歯槽動脈からの動脈性出血にこの止血方法を使う場合は，知覚鈍麻を生じる恐れがある．

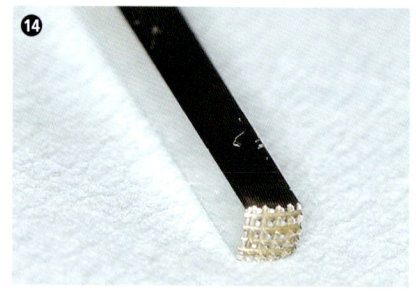

⓮ 止血ノミ．

後出血⓰a

①抜歯後出血の原因は？

- 抜歯後出血の原因は，術中出血の原因に加えて，さらに以下のことがあげられる．

 （1）局所麻酔薬に含有されている血管収縮剤の効果切れ
   （→帰宅後の後出血）

（2）局所麻酔薬の効果消失による疼痛や出血に対する不安による血圧上昇
＊この（1）（2）が同じ頃に起こると，後出血を起こしやすい．
（3）不良肉芽組織の残存（原因＝掻爬不十分）
（4）骨の鋭縁による組織損傷
（5）不適当な圧迫止血（原因＝ガーゼの噛ませ方の不良）
（6）抜歯窩内異物
（7）縫合不良（原因＝歯肉骨膜弁が動くために出血する．とくに縦切開の歯肉頬移行部側が縫われていない場合）
（8）過度の含嗽や排唾，入浴，運動（→患者に十分な説明が必要）

②後出血を防ぐには？

▶術中出血の予防・対処に加えて，（1）手術終了時の浸潤麻酔追加，（2）術前または抜歯終了後の鎮痛剤服用，が有効．（1）（2）とも，術後の痛みが原因の血圧上昇による出血を防ぐ．

③具体的な止血操作は？

▶術中出血への対応と基本的には同じだが，大切なことは2つ．

（1）局所麻酔薬の注射⓰b

▶後出血では局所麻酔薬の効果が切れてきている場合があり，痛みがあると止血操作がしにくいので，まず局所麻酔薬を注射する．局所麻酔薬の注入により組織内圧が上昇して血管が圧迫されて出血量が減少する．また血管収縮剤の効果による止血効果がある．痛みがなくなることにより，上昇していた血圧が下降して止血しやすくなる⓰c．

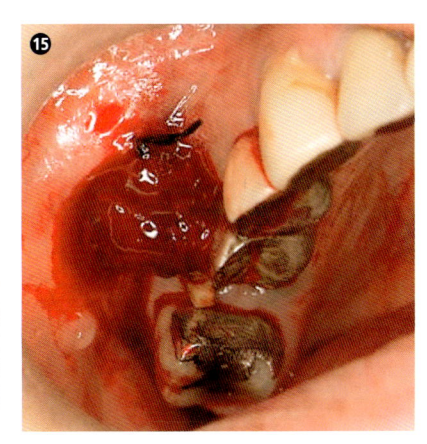

（2）血餅の除去⓯

▶局所麻酔が効いたところで，ゼリー状の血餅を掻爬して取り除いて出血点を確認する．
▶この血餅は，残しておいても止血には効果がなく，出血が続くので，怖がらずに必ず掻爬して除去する．
・完全に除去したあとの止血操作は術中出血の場合と同様である⓰d～g．

（3）緊密縫合

▶とくに，歯間乳頭部歯肉，歯頸部縦切開の歯肉頬移行部側の縫合が不十分で出血していることが多いので，この部分を縫合する．

⓯凝血塊を除去する．ゼリー状の凝血塊は必ずすべて除去して出血点を確認する（写真は切開創の凝血塊）．

⓰
a ⑧の抜歯後出血．
b 痛くては止血処置ができないので，まず局麻薬を注射する．

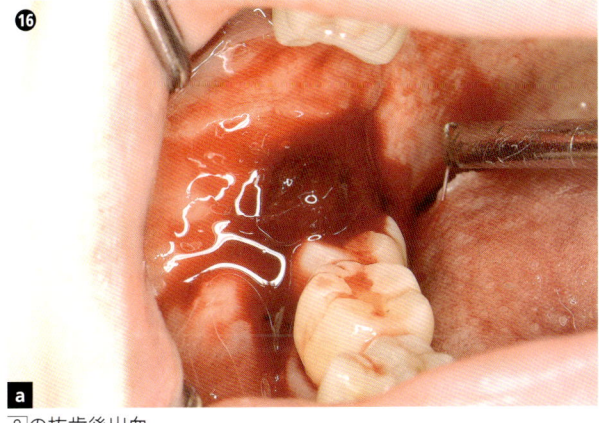

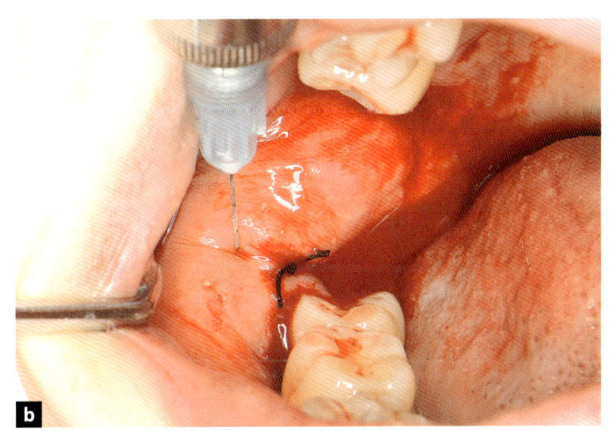

第17章

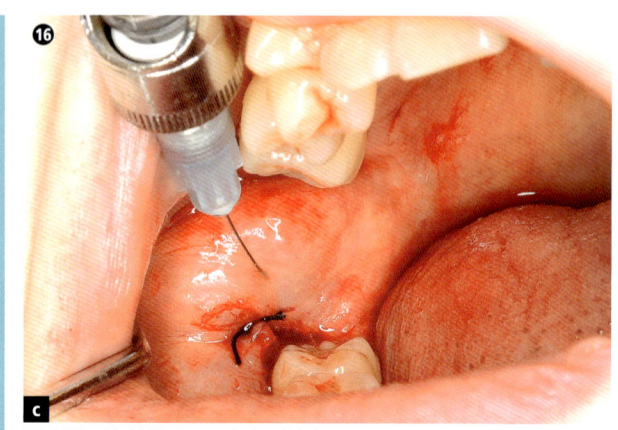

c: 局麻薬の注射だけでも出血は減少．

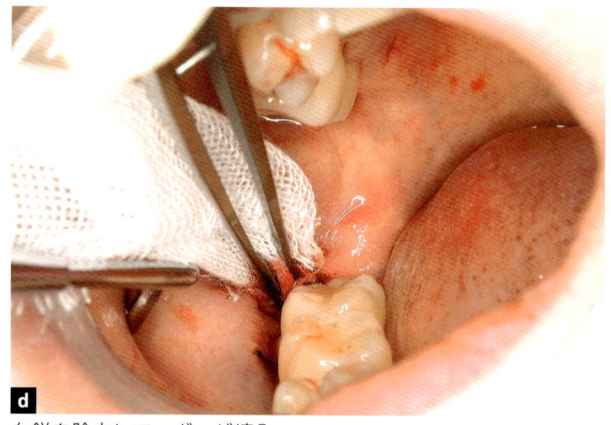

d: 血餅を除去して，ガーゼ填入．

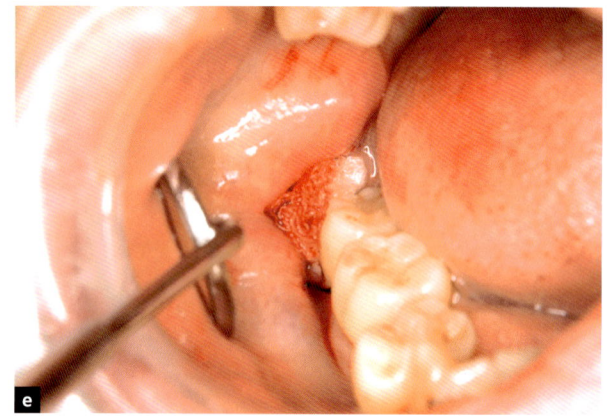

e: 抜歯窩にガーゼ填入して圧迫止血する．

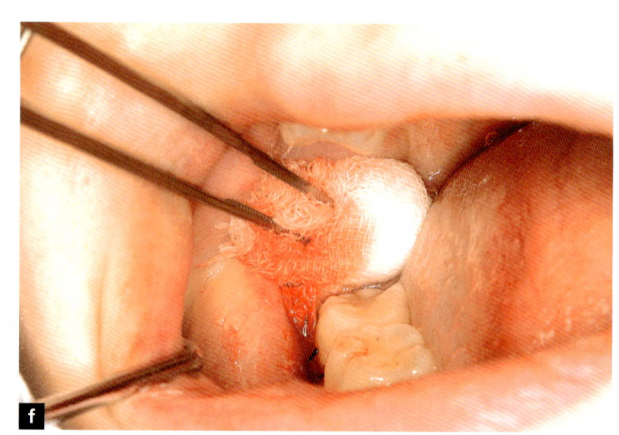

f: さらに，填入したガーゼの上に圧迫ガーゼを置いて噛ませる．

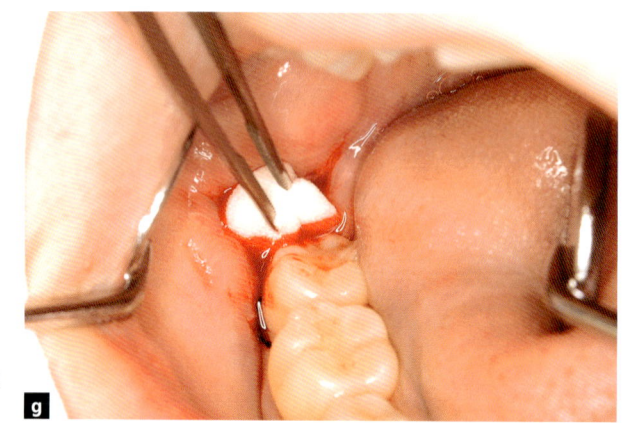

g: 填入したガーゼを取り除いて止血確認後，再出血防止の目的でスポンゼル®を填入して縫合する．

CHAPTER 18

偶発症とその対応②
神経損傷

　下顎の抜歯時の偶発症でもっとも頻度の高いものは，下歯槽神経，オトガイ神経の損傷による下唇の知覚鈍麻である．また，舌神経損傷は，頻度は高くはないものの味覚障害を後遺することがあり，重大な偶発症である．神経損傷は治癒に時間がかかり，また完全には回復しないこともあり，患者の苦痛が大きい．また，医事紛争に発展することもあるため，もっとも避けなければならない偶発症である．下歯槽神経・舌神経損傷を避ける抜歯法については「CHAPTER 11　下顎埋伏智歯の抜歯」で詳細に述べたのでこの章では詳述は避け，主に診断・検査・治療の概略について述べる．

オトガイ孔の位置とオトガイ神経の走行

　知覚鈍麻を防ぐためには，神経の走行を理解しておく必要がある．オトガイ孔は，標準的には第一小臼歯と第二小臼歯の間の根尖から5 mm程度下方にある❶．オトガイ孔から出たオトガイ神経は，口角枝，下唇枝，オトガイ枝の3つの枝に分かれて前上方へ走行し，犬歯部付近では歯肉頬移行部やや外側の頬粘膜直下を走行している❷．

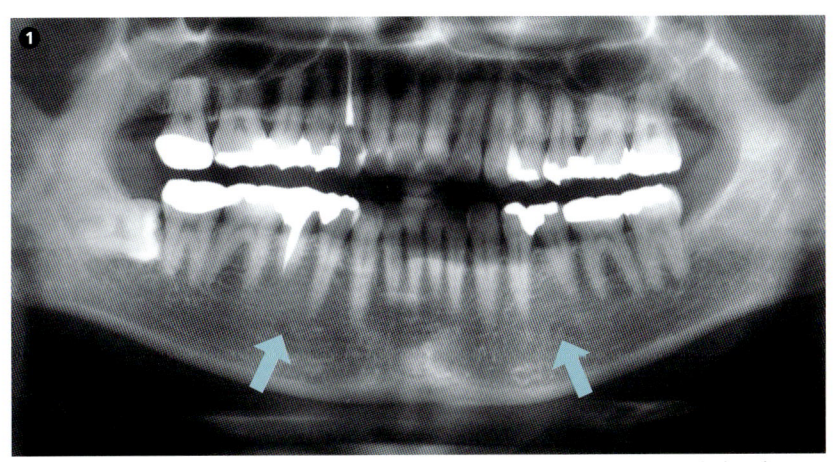

オトガイ孔の標準的位置．第一小臼歯と第二小臼歯の間で，根尖より5 mm程度下方．

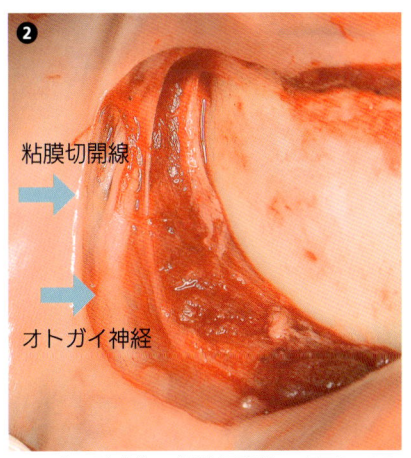

オトガイ形成術の粘膜切開線の直下にみられたオトガイ神経．

下歯槽神経の構造と損傷の分類

下歯槽神経は❸のように1〜3万本の神経線維の束である．1本の神経線維についての3段階の損傷程度（表1のSeddonの神経損傷の分類参照）があるが，I度の損傷を受けた神経線維が何本で，II度が何本，III度が何本といった損傷の程度と損傷された神経線維の数を正確に知ることはできないので，「必ずいつまでに回復します」と断言することはできない．

知覚鈍麻を起こしてしまった場合，申し訳ない気持ちと，完全に回復してほしいという願望や，患者と揉めたくないという気持ちから，ついつい「○○までに治ります」と完全に治癒することを保証したり，断言したりしてしまいがちだが，治ると断言したことがあとで問題になることがあるので，説明には注意を要する．

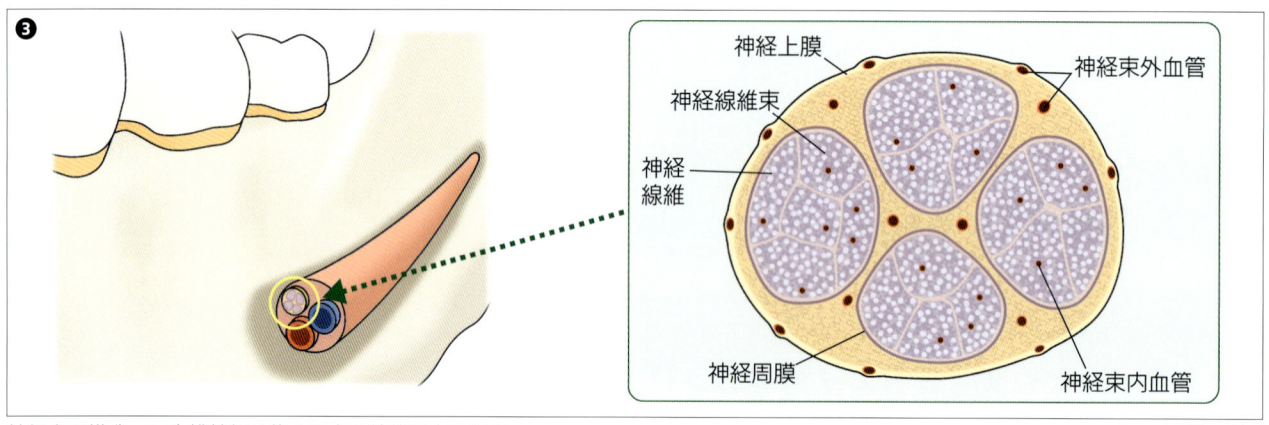

❸ 神経束の構造．下歯槽神経は約3万本の線維の束である．

表1 Seddonの神経損傷の分類．

分類	特徴
一過性神経麻痺（ニューラプラキシア）	・もっとも軽微で，神経線維の損傷なし ・神経線維を栄養する血管の一過性虚血 ・一過性の局所伝導障害 ・1〜数か月以内に回復 ・神経の露出，神経の牽引などが原因
軸索切断（アクソノトメーシス）	・軸索のみ断裂，シュワン鞘の連続性は保持 ・損傷部より末梢の軸索は変性 ・軸索の回復に時間がかかる，1年必要 ・感覚は正常域まで回復しないことあり ・インプラントによる持続的圧迫や下顎管壁の微小骨折による神経圧迫などが原因
神経切断（ニューロトメーシス）	・もっとも重傷で，軸索・シュワン鞘ともに断裂 ・知覚脱失，完全麻痺 ・神経縫合，神経移植が必要 ・メス，バーでの切断，化学薬品が原因

抜歯時の神経損傷の原因と対策

①局所麻酔

（1）下顎小臼歯部の浸潤麻酔時の注射針による オトガイ神経の直接損傷

▶下顎小臼歯部の浸潤麻酔の場合には，歯肉頬移行部より外側に刺入しない．刺入後は注射針を真下に向かって針を進めることは避けて歯槽骨に向かう，などに注意する．

（2）下顎孔伝達麻酔時の注射針による舌神経の直接的損傷

▶下顎孔伝達麻酔は下顎孔近傍を狙う盲目的な注射であるため，その前方にある舌神経の損傷を100％回避することは難しい．しかし，刺入位置・刺入角度・刺入深度を守った正しい手法で行えば，必ずしも頻度の高いものではない．

▶骨内を走行する下歯槽神経とは異なり，軟組織内を走行する舌神経は，大開口により，たるんでいた紐が両端を引っ張られてぴんと引き伸ばされたような状態になって前方へ移動してくる．このため，注射針が舌神経に当たりやすくなり，また注射針が舌神経にあたった場合，引き伸ばされて固定された状態になっているために，神経が横へずれて針をかわすことができずに，神経を貫通しやすい．

▶このように，最大開口では舌神経を損傷するリスクが高まるため，刺入点を決めたあとで少し閉口させて刺入したほうがよいといわれている．また，舌神経損傷回避のために近位伝達麻酔法が推奨されている（CHAPTER 3参照）．

②切開・剥離

（1）下顎小臼歯部の付近での歯肉縦切開や歯肉剥離時のオトガイ神経損傷

▶下顎小臼歯部，犬歯付近では歯肉頬移行部を大きく超えて頬側に切開を延ばさない．また，歯肉頬移行部より深部の切開をする場合は，まっすぐ下方へ向かわずに，骨に向かうように進める❹．

（2）下顎埋伏智歯の抜歯の際の遠心切開による舌神経損傷

▶下顎骨は，臼後部から後方は頬側に向かって開いており，第二大臼歯の真後ろに骨はない．

▶そのため，遠心切開を真後ろに延長すると，舌神経を損傷することがある（CHAPTER 11下顎埋伏智歯の抜歯参照）ので，必ず骨を触診して骨上に切開を加える❺❻．

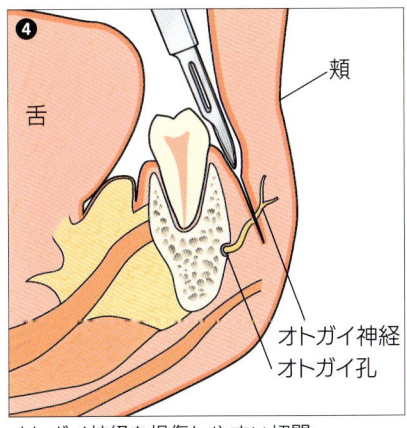

❹ オトガイ神経を損傷しやすい切開．

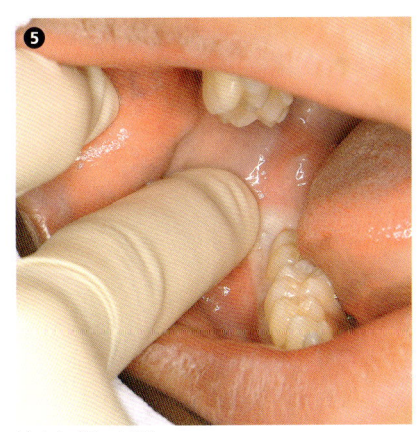

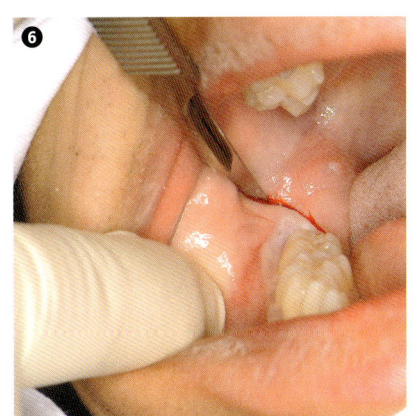

❺ 遠心切開の触診．

❻ 骨の上を頬側に向かう．

③抜歯操作(CHAPTER 11下顎埋伏智歯の抜歯参照)

(1)下歯槽神経損傷
1. 分割バーによる損傷
▶バーによる損傷はきわめて稀であり，下顎管が歯冠分割線直下を埋伏歯に接触して走行している場合以外では起こりにくい．歯冠分割線直下にある場合は，下顎管を損傷しないために，バーの先端が見えるように歯冠分割幅を広くし，視線の延長線方向に分割して，最深部のエナメル質を残して切削を終了し，ヘーベルやその他の器具を使って歯冠を分割して除去する．

2. 歯根の押し込み
▶根尖部が下顎管に近接，接触，交叉している場合の知覚鈍麻の発生原因は，ほとんどが不適切なヘーベルの使い方と，歯根周囲の骨を処理しないために起こる歯根の押し込みによる下顎管の圧迫である❼(回避法はCHAPTER 11下顎埋伏智歯の抜歯参照)．

(2)舌神経損傷
▶舌神経損傷の頻度は低いが，断裂させた場合は，生涯にわたって味覚障害を生じ，神経吻合によっても完全な回復は期待できないため，患者の苦痛は非常に大きい．筆者は歯科口腔外科の外来手術でもっとも起こしてはならない偶発症はこの舌神経の完全断裂であると考えている．

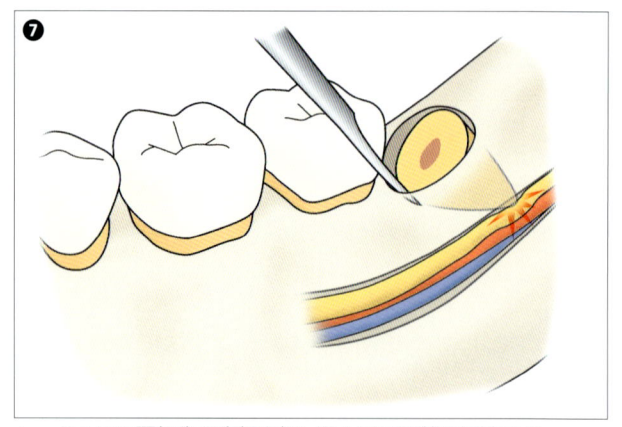

❼ ヘーベルで下顎智歯の歯根を押し込んで下顎管を圧迫する．

▶舌神経損傷は，
(1)下顎智歯抜歯時に遠心切開線を舌側寄りに設定した場合(CHAPTER 11❿参照)
(2)歯冠分割時にバーが舌側板(歯槽骨)を抜けた場合 ❽❾
(3)舌側の歯肉骨膜弁挙上，舌側板の破折，歯根の舌側迷入，など(CHAPTER 22参照)
により生じる(回避法はCHAPTER 11下顎埋伏智歯の抜歯参照)．

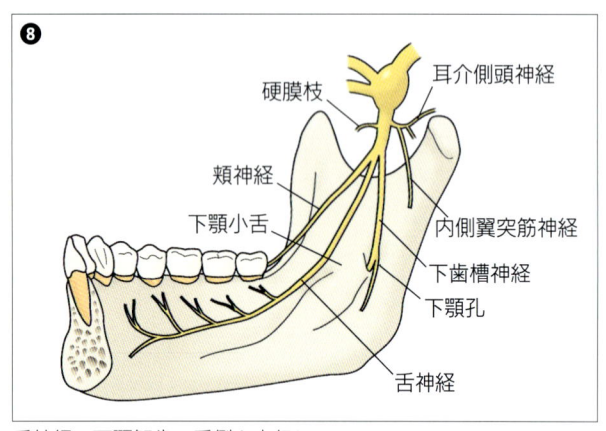

❽ 舌神経は下顎智歯の舌側を走行している．
(耳介側頭神経／硬膜枝／頰神経／下顎小舌／内側翼突筋神経／下歯槽神経／下顎孔／舌神経)

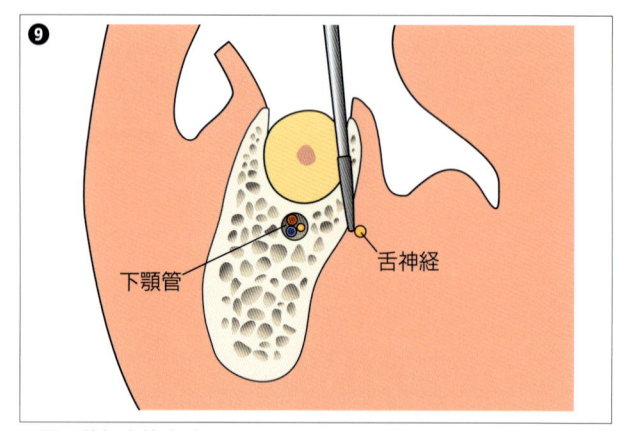

❾ 下顎埋伏智歯抜歯時のタービンによる舌神経損傷．
(下顎管／舌神経)

知覚鈍麻の検査・診断

知覚鈍麻の評価・診断は，自覚的症状の訴えと検査による．検査にはいろいろな種類があるが，いずれも刺激に対する患者の感覚の反応をみて評価するものであり，血液検査結果の数値のように純粋に客観的・定量的に評価できるような検査法はない．

①簡便な検査法

▶ 簡便な検査法としては，綿花や筆，ピンセットやノギス，探針などで刺激して，触覚・痛覚などの感覚の異常の範囲を記録する❿．

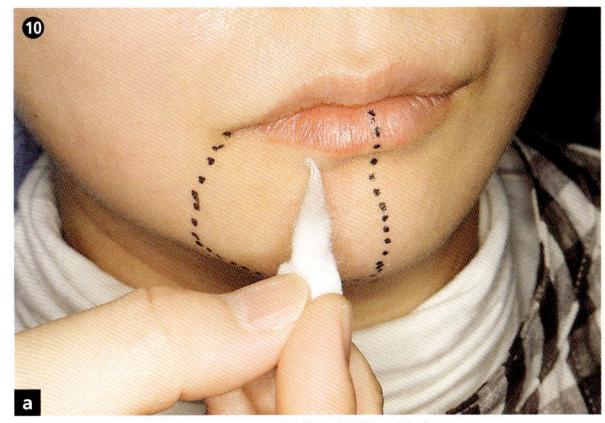

▶ 綿花テスト❿aは触覚をみる検査で，綿花でブローチを巻くときのような綿花のヒゲをつくり，これを用いて目を閉じた患者の下唇(オトガイ神経下唇枝)，口角(オトガイ神経口角枝)，オトガイ部(オトガイ神経オトガイ枝)を軽く触わり，触られたことがわかったら，触られた側の手を挙げさせる．この操作を左右側・部位でランダムに行い，患者の反応の有無・早さ・正確さなどから鈍麻の程度・範囲を評価し，鈍麻の範囲を記録しておく．著者の経験では，この綿花テストで正確に反応していれば，完全に回復することが多い．

❿
a
綿花テスト．綿花による弱い刺激で触覚を検査する．

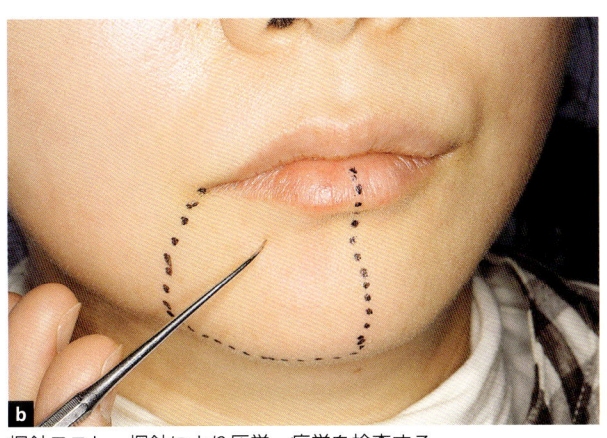

b
探針テスト．探針により圧覚，痛覚を検査する．

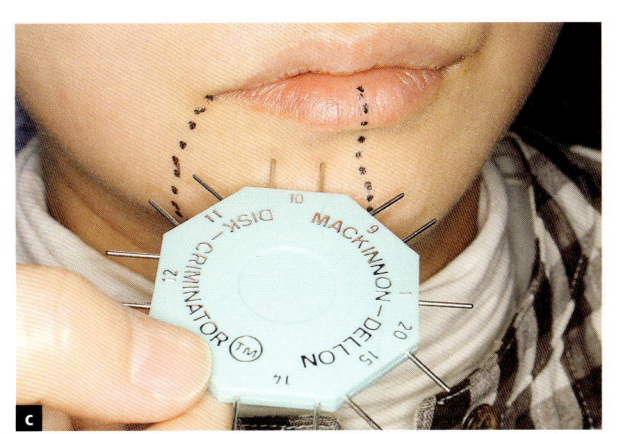

c
2点弁別法テスト．離れた2点を2点として感じる距離を計測する．鈍麻が強いほど，2点として弁別できる距離が大きい．

②精密触覚機能検査

▶ 日本口腔顔面痛学会が定めた「精密触覚機能検査の実施方針」(ダウンロード可)に則って検査を行う．この検査を行うための研修を受けた歯科医師が，SWテスター(Semmes-Weinstein monofilament)を用いて知覚鈍麻の有無や程度を評価する検査で，2018年4月に保険導入された(480点)．SWテスターは，0.008g〜2.0gの径の異なるフィラメント10本セット⓫，で，フィラメントの大きいものから小さいものへ，続いて小さいものから大きいものへと順番に用いて定められた部位の皮膚を刺激して⓬，「触られていることを感じるか，感じないか」で患側と健側の閾値を調べる感覚検査である．

▶ SWテストの結果が患側と健側で2段階以内の差であれば軽度の知覚低下と判断して，初期治療としてビタミンB12の経口投与を行い，定期的に検査を行って鈍麻の回復を観察する．

▶ 2段階以上の差がある場合は，専門的な施設での検査や治療が勧められている．検査法の詳細な手順については，「精密触覚機能検査の実施方針」を一読されたい．

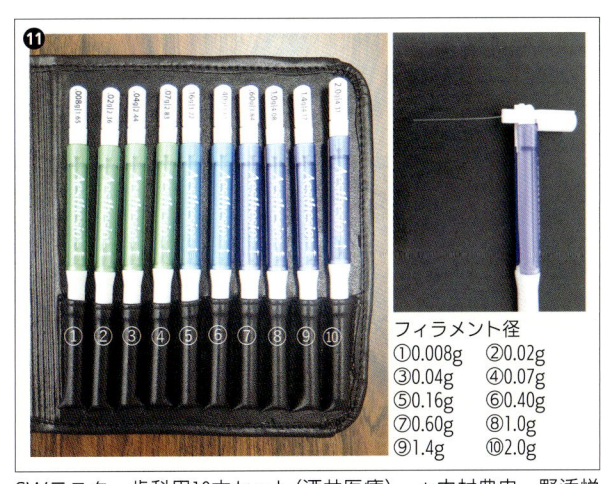

⓫
フィラメント径
①0.008g　②0.02g
③0.04g　④0.07g
⑤0.16g　⑥0.40g
⑦0.60g　⑧1.0g
⑨1.4g　⑩2.0g

SWテスター歯科用10本セット(酒井医療)．＊中村典史，野添悦郎．感覚異常の種類とその診断．一般臨床家，口腔外科医のための口腔外科ハンドマニュアル'19：124-129．より引用

⑫SWテスターの正しいフィラメント操作法．＊中村典史，野添悦郎．感覚異常の種類とその診断．一般臨床家，口腔外科医のための口腔外科ハンドマニュアル'19：124-129．より引用

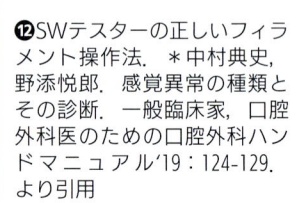

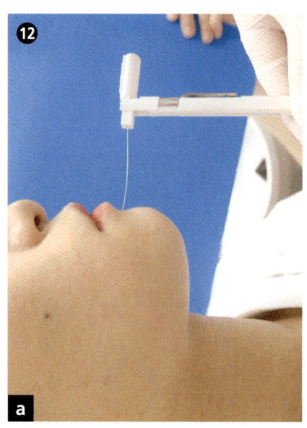

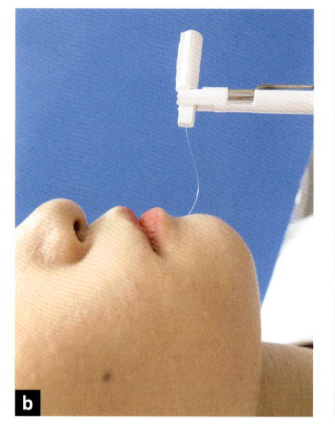

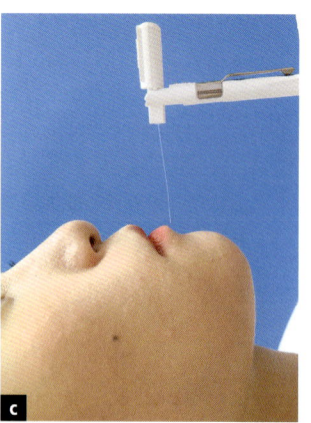

神経損傷の治療

　知覚鈍麻が生じたら，漫然と経過観察しないで，できるだけ早期に治療を開始することが望ましい．2019年6月に日本歯科麻酔学会を中心とする5つの学会により「歯科治療による下歯槽神経・舌神経損傷の診断とその治療に関するガイドライン」(ダウンロード可)が策定されているので，深く学びたい方には一読を勧める．

①神経損傷を起こさない

▶予防に勝る治療はない．前述したとおり，将来的な経過を断定的に予測することはできず，また医事紛争になりやすいため，神経損傷を起こさないことがもっとも重要である．
▶そのためには，オトガイ孔・下顎管・下顎孔・舌神経の走行などの解剖を熟知しておくこと❶❷❹❽❾，また，どのような部位の，どのような手術の，どのステップで，神経損傷の怖れがあるかを理解しておくことが重要である．

②投薬

（1）メチコバール（VitB12）6 T（1.5mg／日）
（2）アデホス腸溶錠（ATP製剤）6 T（120mg／日）
▶（1），（2）は作用機序が異なる神経賦活剤であるので，併用してよい．投与期間については，いつまで投与すれば治ると断定できるものではなく，鈍麻が回復して患者が服用の終了を希望するまでは服用させたほうがよい．

（3）ステロイド剤（専門医に相談して量・期間を決定）
▶損傷初期の腫脹，浮腫による圧迫の予防・軽減に有効である．
（4）抗うつ剤
▶知覚鈍麻がなかなか改善せず長期間続くと，精神的にうつ状態になりやすく，このうつ状態がさらに鈍麻を強く感じさせるので，抗うつ剤の処方が有効なことがある．

③星状神経節ブロック
   （SGB：stellate ganglion block）⑬⑭⑮

▶星状神経節ブロックそのものは，歯科麻酔科，麻酔科，ペインクリニックなどに依頼する．
▶第6，7頸椎の横突起前面にある交感神経節に局所麻酔をすると，交感神経がブロックされて副交感神経優位となり，頭部顔面の血管が拡張して血流が増加し，神経損傷の治癒が促進される．1週間に2回程度を，効果が現れるまで続ける．
▶また，針を刺さずに，近赤外線を星状神経節に照射する方法もある（スーパーライザー®）．

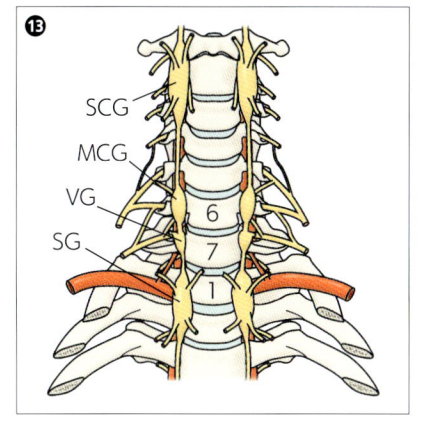

⑬星状神経節ブロックは，第6（7）頸椎の横突起に対して局所麻酔薬を注射する．

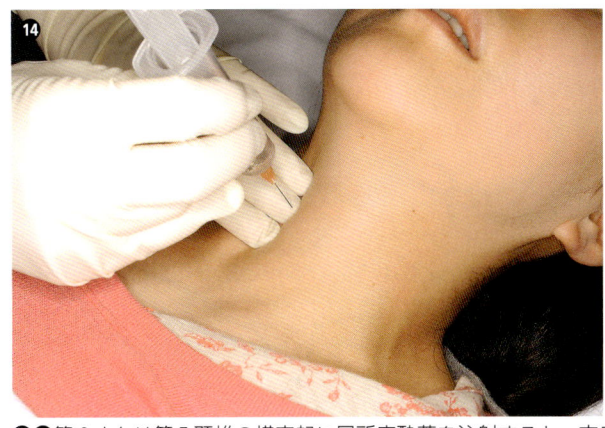

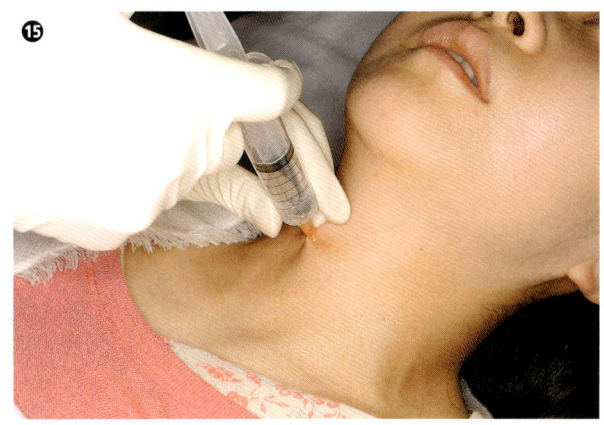

⑭⑮第6または第7頸椎の横突起に局所麻酔薬を注射すると，交感神経節である星状神経節がブロックされ，顔面の血管が拡張して血流が増加し，神経線維の損傷の治癒が促進される．

④手術療法

▶舌神経の完全断裂が明らかな場合は，神経吻合術が行われることがあるが，限られた施設でしか行われていない．吻合術を行っても味覚は完全には回復しないことが多いので，損傷しないよう十分に注意する必要がある．抜歯後の下歯槽神経損傷で下歯槽神経の吻合術が行われることは，現実にはほとんどない．

知覚鈍麻の経過

①回復までの期間

▶前述したように，完全に回復するのかしないのか，いつまでに回復するかを断言することはできないが，回復までの期間の1つの目安としては，過去に著者が紹介を受けた患者約80名の治療経験で，大きく分けると，3か月以内，6か月以内，12か月以内の集団に分かれていた．ほかにも同様の臨床研究報告がなされているが，その回復までの期間はほぼ同様であった．
▶バーやメス，その他の抜歯器具で直接的に損傷したものは別として，歯根で下顎管を圧迫した，あるいは歯根で強く擦れたことによると思われる鈍麻は完全に回復することが多い．
▶この点がインプラント治療の場合の知覚鈍麻とは異なる．インプラントの場合は鈍麻の原因が，①ドリリング時の直接的な巻き込み損傷，②ドリリング時の熱傷，③埋入時のインプラント体による圧迫など，直接的損傷のことが多いため，回復に時間がかかり，また完全には回復しないことが多い．

②知覚過敏期

▶鈍麻が改善してくる途中で，蟻走感(ザワザワ，ムズムズした感じ)や疼痛(ジンジン，ビリビリと表現されることが多い)が発現する知覚過敏期がある．患者は痛みや異常感に過敏になっているために，症状がさらに悪化したと思い込むことが多いが，これは神経損傷の回復の途中段階の症状であるので，説明して安心させる．正座していて脚が痺れていると，つねってもまったく痛みを感じないが，回復してくる途中でジンジンして，こそばゆい感じがするのと同じ症状であると説明すると，患者は理解しやすく安心する．

▶しかし，神経切断や重度の損傷の場合は，完全に回復しなかったり，痛み(神経障害性疼痛)や異常感覚がそのまま持続することがあるので，注意して経過をみる必要がある．

▶この神経障害性疼痛に対しては，CHAPTER 25で述べる．

> **Point1** 神経損傷時の治療のポイント
>
> ①いったん傷ついた神経は，厳密には元には戻らないことが多い．臨床的には完全に回復して無症状であっても，それは患者の慣れであることが多く，検査では知覚低下していることが多い
> ②回復の時期，回復の程度を正確に予測・断言することはできないが，回復までの期間の目安としては，3か月以内(軽度)，6か月以内(中度)，12か月以内(高度)である
> ③軽度の損傷であっても回復の正確な予測は困難なので，治療はできるだけ早期に(1週間以内)に，可能な治療法を総動員すべきである
> ④医事紛争に備えて，経過・所見・症状をカルテに詳細に記録し，鈍麻の範囲を写真撮影しておく．初期に適切に対応したか否かは，医事紛争になった場合の重要なポイントになる
> ⑤自院で治療しない場合は，できるだけ早期に専門施設に紹介する

CHAPTER 19

偶発症とその対応③
ドライソケット

抜歯時には出血や神経損傷以外にもいろいろな偶発症が起こりうる．どの部分の抜歯の際に，どのような操作で，どの偶発症が起こりうるのかをよく知っておいて偶発症を予防し，生じたら早期に適切に対応するように努める．ドライソケットは厳密には偶発症とはいえないが，比較的に発生頻度の高い経過不良状態で，痛みが強いため，早期に適応に対応する必要がある．

ドライソケットとは

ドライ（乾いた）ソケット（抜歯窩）とは，抜歯窩に血餅が形成・保持されずに，抜歯窩の骨が露出した治癒不全の状態である．単なる骨の露出ではなく，抜歯窩の表在性骨炎である．下顎智歯の抜歯後に生じることが多く，上顎では稀である．この上下顎での発生頻度の差は，顎骨の血流の差によるものである．

①症状

▶ 抜歯直後は痛みが強くないにもかかわらず，抜歯後3～4日頃から増強し，耳奥部，側頭部，顎関節部，顎角部，咽頭部の広い範囲に放散して痛むことが多い．特徴的な痛みと口腔内の所見から診断は容易である．

②口腔内所見

▶ 抜歯窩には血餅・肉芽組織が形成されておらず，ゾンデ（消息子）で探ると，抜歯窩表面の骨を直接触知する❶．
▶ 感染ではないので腫脹・発赤・排膿はともなわない．
▶ 発生頻度は，全歯で0.5～5％，下顎智歯では0.4～14％と報告者によりばらつきがあるが，ある頻度で起こるものである．

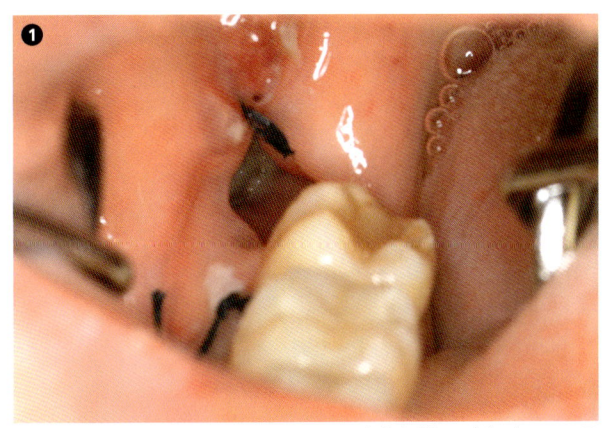

8̅のドライソケット．抜歯窩に血餅，肉芽組織の形成がなく，骨が露出している．

③発生原因

▶ 患者側の要因と術者側の要因があり，必ずしも特定はできない．

患者側の要因

年齢，抜歯前からの炎症の存在，慢性的炎症による骨硬化，喫煙，飲酒，過度の含嗽・排唾，血流不足(骨が硬い・厚い)，抜歯窩への物理的刺激，線溶系(血餅を吸収するはたらき)の亢進，などがあげられる．

術者側の要因

手術侵襲の大きさ(骨の削除量や所要時間)，暴力的な操作，不潔な操作，歯根膜腔注射(歯根膜腔注射については，ドライソケットの原因になるという説と，無関係という説の両方がある．筆者は多用しているが，歯根膜腔注射によりドライソケットが増加するという印象はない)などがあり，抜歯の難易度や抜歯手技との相関があるといわれている．

治療法

鎮痛薬投与と抜歯窩への薬物填入により疼痛軽減を図る．また，抜歯窩への食物の圧入・停滞の予防と，刺激の遮断を目的に保護床を作製して，疼痛の改善を待つ．筆者の対応を紹介する．

①薬剤の処方

▶鎮痛剤を処方するが，感染ではないので抗菌薬の投与は不要である．筆者は抗菌薬を投与していないが，ドライソケットが感染に移行した経験はない．

②抜歯窩への薬物填入

▶消炎効果を期待してステロイド含有軟膏(ケナログ®は製造中止になったため，デキサルチン軟膏®，アフタゾロン軟膏®など)と，塗布用局所麻酔薬(キシロカインゼリー®，プロネスパスタ®など)を適量ずつ練和して，レジン充填用シリンジを用いて抜歯窩に填入して満たす❷❸．
▶また，スポンゼル®にネオダイン®の液(ユージノールの消炎鎮痛効果に期待)をしみ込ませ，抜歯窩に填入して保護床で保護する❹．刺激があり少し苦いが，効果は高い．

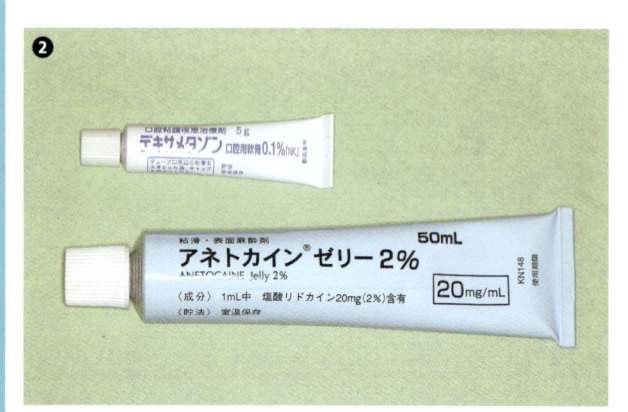

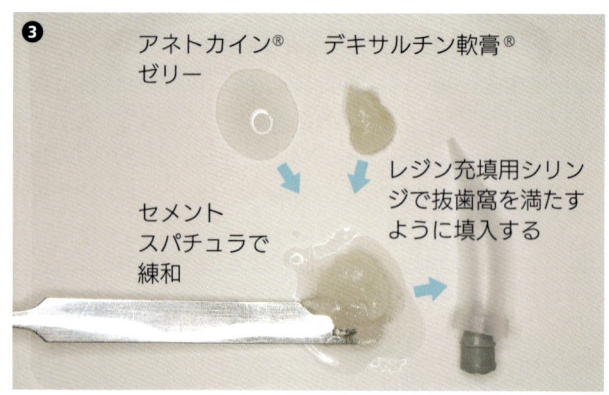

❷❸「ステロイド含有軟膏」(消炎効果)と「塗布用局所麻酔薬」(麻酔効果)それぞれを適量とり，練和してレジン充填用シリンジで抜歯窩に填入する．

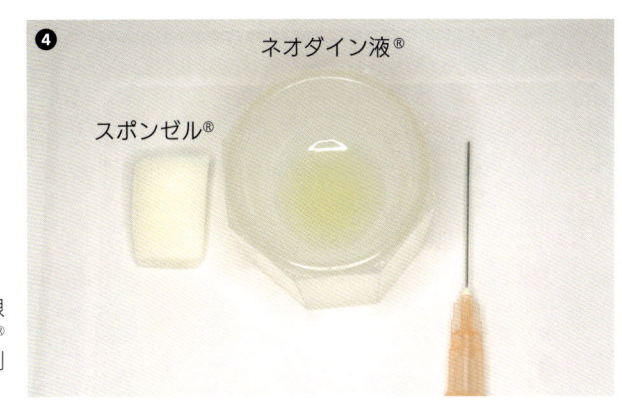

❹スポンゼル®（左端）を抜歯窩に填入し，ネオダイン液®（中央）を根管洗浄用シリンジ（右端）で吸引して，抜歯窩に填入したスポンゼル®にしみ込ませる．にがいので，この上にネオダイン液®を含まない別のスポンゼルを置いて蓋代わりにする．短期間で痛みが軽くなる．

③抜歯窩への食物停滞の予防，刺激の遮断

▶ 保護床を装着して，抜歯窩への食物の圧入，停滞を防ぎ，抜歯窩への刺激を遮断して保護する．また，洗浄用シリンジを貸し出して，水道水でよいので自己洗浄して食物残渣の停滞を防ぐ❺．上記の対応で数日以内に疼痛は軽減してくる．

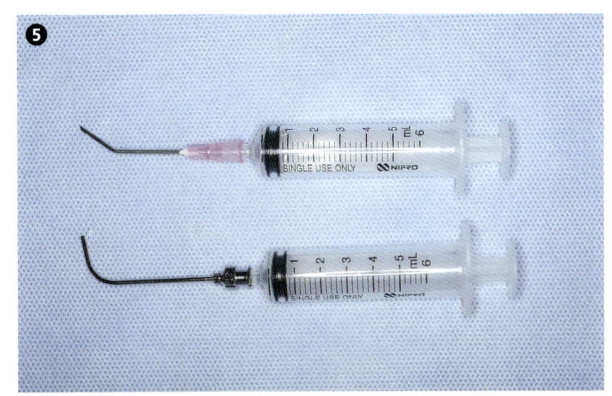

上：静脈注射用注射針の先端を丸めてつくった洗浄針．
下：市販の洗浄針．

④再掻爬は禁忌！

▶ 「骨が露出していて痛むのなら，再出血させて血餅を形成させればよい」と考えて再掻爬を勧める意見があるが，これは誤りである．ドライソケットは表在性の骨炎であって，露出骨面が血餅で覆われさえすれば痛みが止まるというものではない．海外の教科書では，再掻爬して新たな外科的侵襲を加えることにより，さらに疼痛が激化，長期化するので，再掻爬は禁忌とされている．筆者の経験では，再掻爬が必要になった経験はまったくない．

> **Point1 ドライソケットの再掻爬はしない**
>
> ドライソケットは表在性の骨炎であって，露出骨面が血餅で覆われさえすれば痛みが止まるというものではない．さらなる疼痛の激化・持続を招くので，新たな外科的侵襲を加えないで保存的に対応する．「再掻爬したら治った」という意見があるなら，それは「再掻爬したから治った」のではなく，「再掻爬したけれども治った」というほうが正しい．

予防するには

ドライソケットは，患者の局所的な状態・術者の抜歯操作・手術時間などの要因が関係しており，一定の確率で生じるものであり，完全に予防することは困難である．

①予防のポイント

- 愛護的操作で不必要な侵襲を加えない，短時間で終了する，抜歯窩に切削屑を残さないよう洗浄する，終了時に出血を確認する，出血が少ない場合は出血を促す，過度の含嗽を禁止する，などに注意する．
- 筆者は，抜歯直後の所見でドライソケットを生じることが予想されるときは，コラーゲン塊(テルプラグ®)を填入している．スポンゼル®は，止血には有効であるが，血餅の保持，創の治癒促進には寄与しないので，ドライソケットの予防目的では使用していない．
- また，患者に頻繁な含嗽，飲酒，喫煙などを避けるよう術後指示をしておく．

患者への説明

①完全な予防法はなく，一定の確率で起こりうるものである．
②原因となる要因には，患者側の要因，術者側の要因(前述)がたくさんあり，特定することは困難である．
③感染ではなく(患者は化膿したと思い込んでいる)，骨の露出・表在性の骨炎である．
④鎮痛薬の服用，抜歯窩への薬剤の填入で時間とともに治癒する(治療開始して数日で疼痛が軽くなることが多い)．
などを十分に説明して安心させる．

CHAPTER20

偶発症とその対応④
上顎洞への穿孔

エックス線写真で根尖が上顎洞に突出している場合，抜歯により上顎洞へ穿孔することがある．穿孔は，根尖と上顎洞の解剖学的な位置関係により避けられないこともあるので，必ずしも偶発症，トラブルとはいえないが，穿孔が予想される場合は，術前にその可能性と穿孔時の対処法について説明をしておくことが必要である．また，穿孔時には適切に対処できなくてはならない．

上顎洞への穿孔

①なぜ穿孔するのか？

▶上顎洞底が低く，エックス線写真で上顎臼歯歯根が上顎洞内に突出している場合がある❶．実際には歯根が上顎洞内にむき出しになっているわけではなく，紙のように薄い骨が一層歯根周囲に存在しているが，抜歯の際にこの薄い骨が歯根と一緒に除去されて，穿孔することがある．

▶デンタルエックス線写真で，歯根膜腔，歯槽硬線の有無を確認する❷．一見，根尖が上顎洞内に突出しているようにみえても，これらが確認できる場合は根尖部に菲薄な骨があるので，根尖側に強い圧をかけることなく愛護的に抜歯すれば，必ずしも穿孔するものではない．

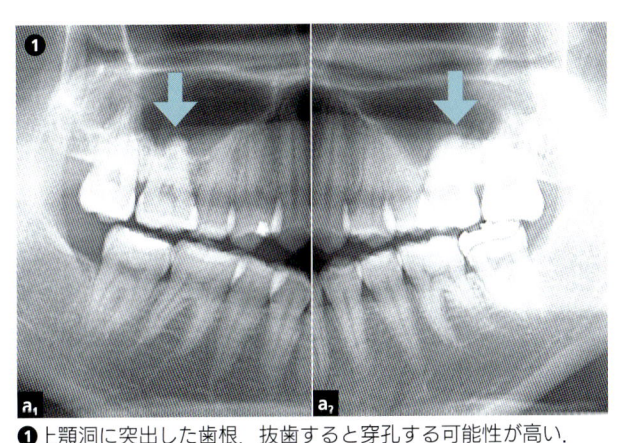

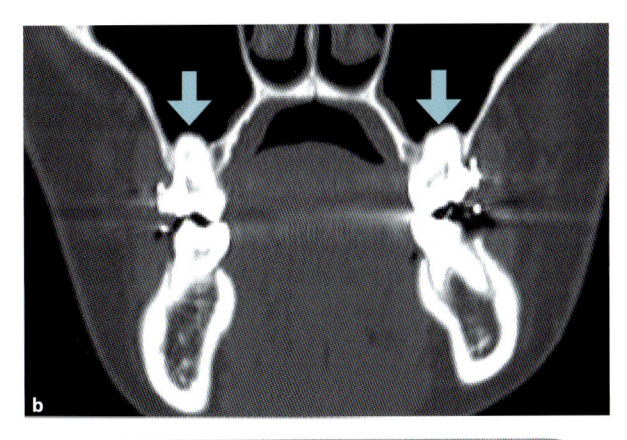

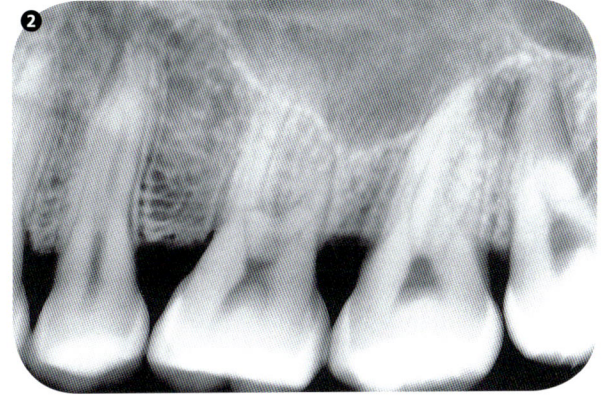

❶上顎洞に突出した歯根．抜歯すると穿孔する可能性が高い．

❷6の口蓋根は上顎洞底から洞内に突出しているようにみえる．こういう歯が残根になったときには，抜歯時に穿孔しないように注意を要する．

②穿孔を生じやすい歯は？

▶ 口腔解剖学のバイブルである「上條の口腔解剖学」によれば，穿孔しやすいのは，第一大臼歯の口蓋根，第二大臼歯の口蓋根，第二小臼歯，などである（表1）．

表1 上顎臼歯の歯根尖と上顎洞底の距離と，洞内への歯根露出頻度．＊上條雍彦．図説口腔解剖学 1 骨学．東京：アナトーム社，1965．より引用・改変

歯種		距離(mm)	頻度(%)
第一小臼歯		8.5	4.0
第二小臼歯		5.3	4.0
第一大臼歯	近心根	4.3	8.0
	遠心根	4.1	8.0
	口蓋根	3.3	8.0
第二大臼歯	近心根	2.5	24.0
	遠心根	1.9	8.0
	口蓋根	2.9	12.0

③穿孔への対応

▶ 穿孔部が自然閉鎖するか，閉鎖術が必要かは，穿孔径の大きさ，歯肉の厚さ上顎洞炎の有無などにより判断する．

穿孔の確認

穿孔の有無は，口を閉じて口腔内に空気を溜めて，鼻から空気が抜けないように意識して頬を膨らませることができるかどうかで判断する．穿孔があれば，鼻から自然に空気が抜けてしまって頬を膨らませ続けられない．

また，含嗽時や飲水時に水が鼻腔へ漏れる場合も穿孔があると判断する．

目視で穿孔がないようにみえても，空気漏れの有無を調べると，小さな穿孔がある場合がある．ただし，穿孔しても上顎洞粘膜が厚く肥厚している場合や，自然孔が閉鎖している場合には，鼻腔から空気が漏れないことがあるので，CTでの上顎洞粘膜の状態の評価が必要である．

対処

穿孔径の大きさと上顎洞炎の有無により対応が異なる．穿孔後は，閉鎖が確認できるまで強く鼻をかまない，喫煙しない，ストローで吸わないなどの指示をして上顎洞底部に強い圧力がかからないように注意させる．また継発症として口腔上顎洞瘻孔，上顎洞炎を生じることがあるので，注意深く観察する．

①穿孔の径が小さい場合❸

▶ 穿孔しただけで上顎洞炎がなければ，歯根1本分（1歯分ではない）程度の径（5mm程度）なら2〜3週間程度で自然閉鎖する❹a,b．このとき，自然閉鎖しやすいように抜歯窩にコラーゲン塊（テルプラグ®）を填入し，脱落を防止するために歯肉を縫合しておく❹c．スポンゼルの填入を勧める論もあるが，スポンゼルは創の治癒，肉芽組織の形成には寄与しないので勧められない．

▶ 抜歯窩の血餅の脱落を防ぐために，過度の含嗽や強く鼻をかむことは避けるよう指示する．抜歯窩への刺激を避けるために，保護床を作成して装着するとよい❹d．

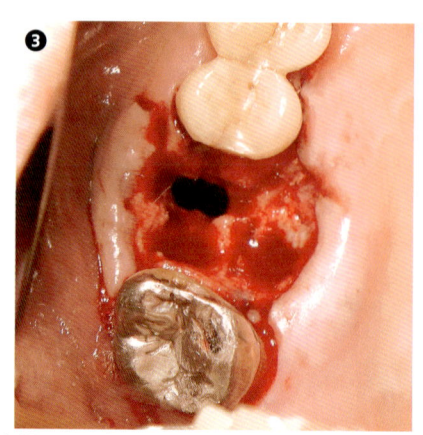

❸頬側近心根のみの穿孔．歯根迷入，上顎洞炎がなければ自然閉鎖可能．

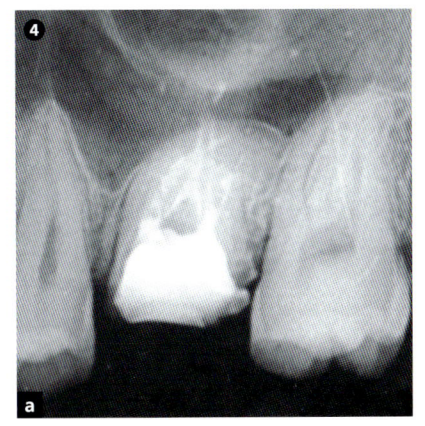

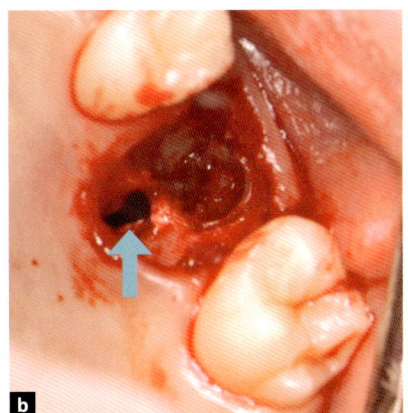

偶発症とその対応④ 上顎洞への穿孔 第20章

❹抜歯時所見.
a：抜歯前のデンタル写真. b：口蓋根穿孔.

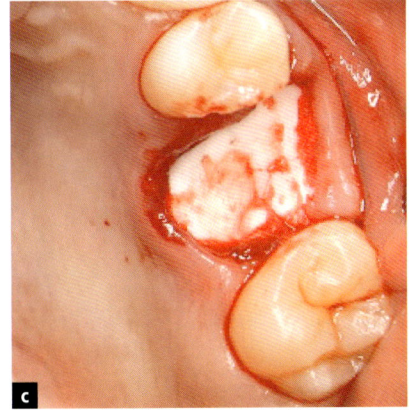

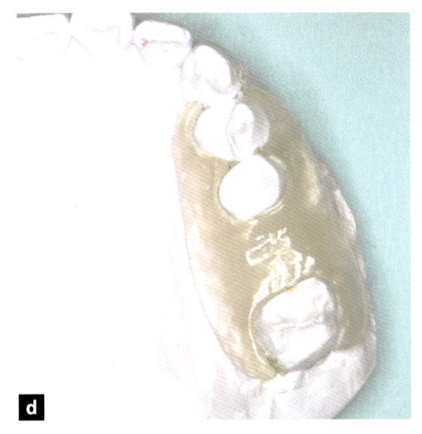

c：テルプラグ®填入（縫合前）. d：保護床作製.

②穿孔の径が大きい場合❺

▶穿孔の径が大きい場合（歯冠程度）には，自然閉鎖は期待できないので，すぐに閉鎖手術を行うか専門医に紹介する.

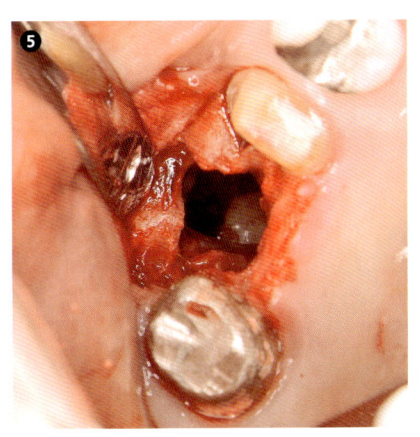

❺ 6｜歯冠大の穿孔．洞内に迷入歯が確認できる．穿孔径が大きいため，迷入歯根摘出後に閉鎖手術が必要.

③自然閉鎖しない場合

▶経過観察していて，数週間経過しても閉鎖しない場合は，①穿孔の径が大きい，②上顎洞炎がある，の２つの原因が考えられる.
▶①の径が大きい場合は，口腔上顎洞瘻孔閉鎖術を行う.
▶②の上顎洞炎が疑われる場合は，CT撮影して上顎洞粘膜の状態を観察する．上顎洞炎がある場合は，抗菌薬・消炎薬を投与しながら，穿孔部から生

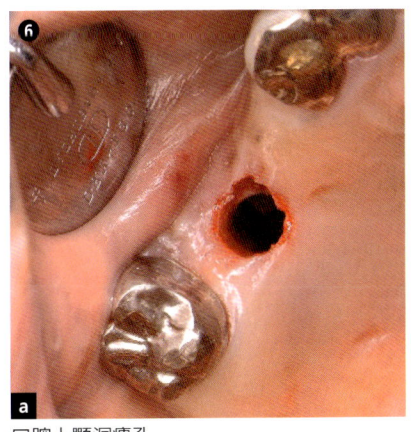

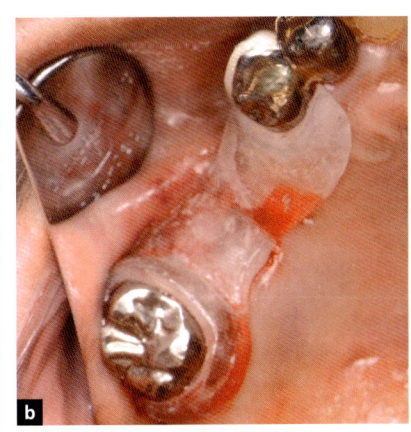

a 口腔上顎洞瘻孔.　　b 保護床で洞内への刺激を遮断する.

197

理食塩液で洞内洗浄する．このとき洗浄液が鼻腔に流れ出る場合は，自然孔が開存しており，上顎洞炎が消炎されれば穿孔部は自然閉鎖する可能性があるので，保護床を装着して上顎洞への刺激を遮断して3か月程度までは引き続き経過観察してもよい❻．
▶ その後も自然閉鎖しない場合は，穿孔の径が大きいか，上顎洞炎が改善しないためである．上顎洞炎がなく穿孔径が大きいだけの場合は，閉鎖手術を行う．上顎洞炎の改善がない場合は，耳鼻科に内視鏡による自然孔開大手術を依頼し，上顎洞炎の改善後に口腔外科専門医に瘻孔閉鎖術を依頼する．
▶ 上顎洞炎に対する手術として以前は，上顎洞粘膜をすべて剥離，除去する上顎洞根治術が行われていたが，上顎洞粘膜をすべて除去しなくても閉鎖している自然孔を内視鏡手術で開大して上顎洞の排泄性と含気性を確保することにより，上顎洞炎が治癒することが明らかになり，現在は従来の上顎洞根治術は行なわれない．

口腔上顎洞瘻孔閉鎖術

穿孔後に瘻孔が残った場合には，瘻孔閉鎖術を行う．瘻孔閉鎖法としては頬側粘膜骨膜弁法，口蓋粘膜骨膜弁法，頬脂肪体有茎弁閉鎖法，などがある．各々の術式の詳細は紙幅の関係で他書に譲り，ポイントのみを述べる．

①頬側粘膜骨膜弁法❼

▶ もっとも多用される．確実に閉鎖するためのポイントは，
①粘膜骨膜弁の基部に減張切開を加え，十分に弁が延びるようにする．
②骨鋭縁の除去と粘膜骨膜弁が届きやすくなるように，抜歯窩の頬側の歯槽頂を削合して高さを低くする．
③垂直マットレス縫合で縫合する．
の3点である．縫合の際に粘膜骨膜弁の緊張が強く，無理やり弁を寄せて縫合した状態では，すぐに創が開いて閉鎖は困難である．粘膜骨膜弁を強く引っ張らなくても楽に届くように十分に減張することが重要である．

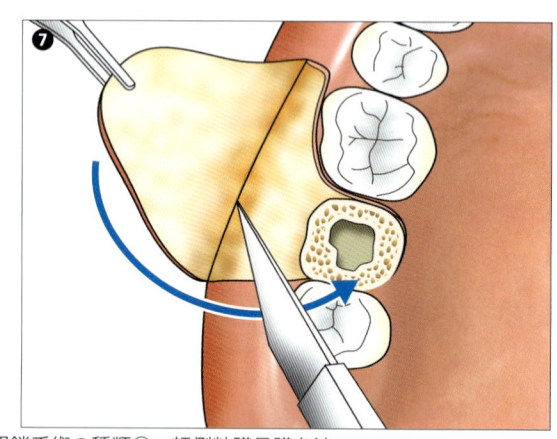

閉鎖手術の種類①．頬側粘膜骨膜弁法．

②口蓋粘膜骨膜弁法❽

▶ この方法は侵襲が大きく，口蓋骨が露出したままの期間があることから，多用はされない．

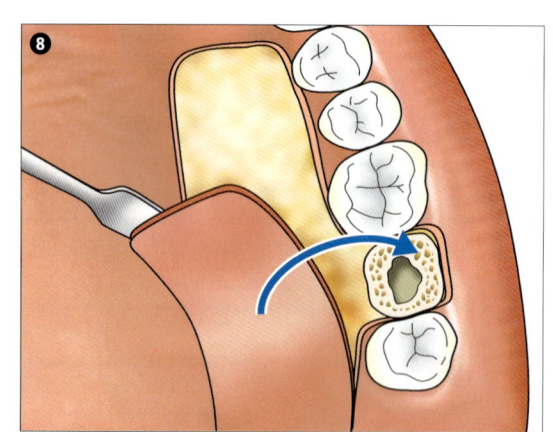

閉鎖手術の種類②．口蓋粘膜骨膜弁法．

③頬脂肪体有茎弁法❾

▶ 頬側粘膜骨膜弁による閉鎖手術が奏功しなかった場合や，穿孔径が大きい場合などに用いる．頬脂肪体が表面に露出しているが，やがて瘢痕化し，口腔粘膜に近い状態になる．

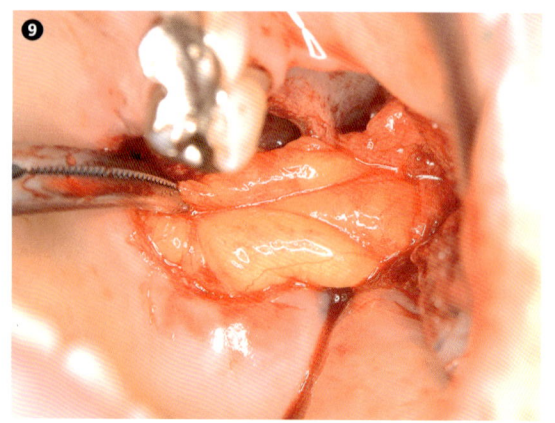

閉鎖手術の種類③．頬脂肪体有茎弁法．

CHAPTER 21
偶発症とその対応⑤
上顎洞内歯根迷入

　エックス線写真で，根尖が上顎洞内に近接，あるいは洞内に突出している場合，誤ったヘーベル操作により，容易に歯根を上顎洞内に迷入させてしまうことがあるので注意する．上顎臼歯部の抜歯の際には，エックス線写真やCTで迷入リスクの有無を評価し，迷入を回避すべく慎重に抜歯する．また，迷入させた場合は，迅速に適切な対応ができなくてはならない．

なぜ迷入させるのか？

①いつ迷入するのか？

▶歯根の上顎洞内迷入は，根尖と上顎洞底部が近い歯や，根尖が上顎洞内に突出している歯で起きやすい❶．とくに，残根や破折して残った根尖を抜去する際に生じやすい．

▶迷入しやすいのは穿孔の場合と同様に，第一大臼歯口蓋根，第二小臼歯などである．

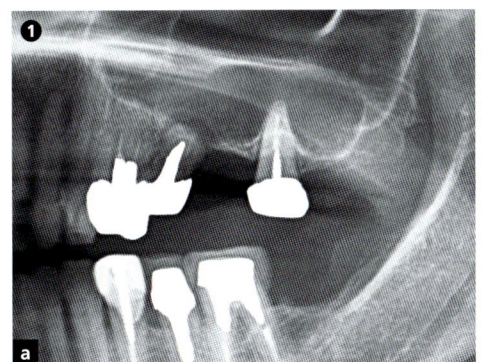

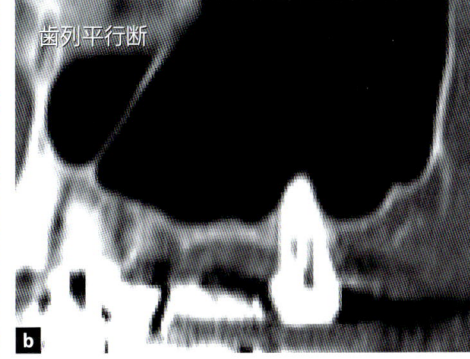

洞底線の消失，歯根の上顎洞内突出．
a：パノラマエックス線写真．|5 部の上顎洞底線の消失，|7 歯根の洞内突出が認められる．b：|7 のCT像（歯列平行断）．

②なぜ迷入するのか？

▶ヘーベルがきちんと歯根膜腔に入っておらず，ヘーベルで歯根を押し込むことにより生じる❷．外科の原則である「直視直達」が守られておらず，歯根膜腔を「よく見ていない」ことが原因である．

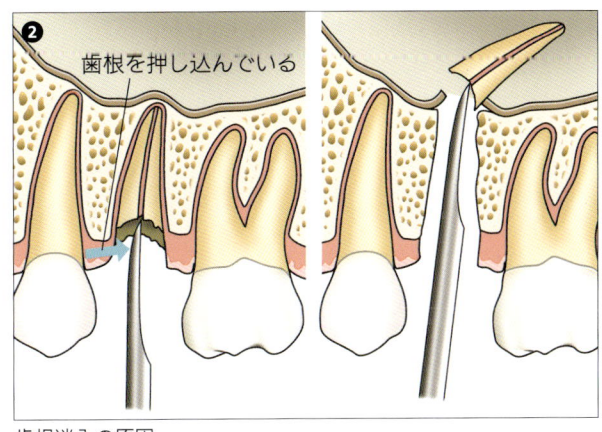

歯根迷入の原因．

迷入させたらどうするか？

上顎洞に歯根を迷入させたままでは，上顎洞炎を生じるおそれがあるため，摘出が必要である．

①抜歯窩からの摘出か？　上顎洞側壁からの摘出か？

▶抜歯窩からの摘出を勧める意見があるが，実際には抜歯窩からの摘出は難しいことが多い．
▶完全に洞内に落ち込んでおらず，歯根が見えている場合は，洞底部の骨と洞粘膜の間にあることが多いので，抜歯窩からの摘出を試みてもよいが，摘出操作中に完全に洞内に落とし込んでしまい，抜歯窩からは摘出できなくなることが多い．実際には，
（1）抜歯窩の穿孔部を拡げて迷入歯を取り出すのは，思ったほどやさしくはない（直視直達が難しい，また穿孔部を拡大する最中に完全に迷入させてしまうことが多い）．
（2）患者水平位で処置すると，迷入歯が上顎洞後方に移動することがあり，抜歯窩からは届かなくなる．
（3）穿孔部を拡大しすぎると自然閉鎖が期待できなくなり，閉鎖手術が必要になる．
などの理由で，上顎洞側壁を開削して摘出するほうが視野と器具の操作性がよく，早くて確実に摘出することができる．

②穿孔部の径が小さい場合，大きい場合

▶自然閉鎖が期待できる程度の穿孔径（歯根1本分程度の径）であれば，穿孔部を拡大するよりも上顎洞側壁を開削して摘出するほうがよい．
▶また，歯槽中隔も欠損して径が大きく，自然閉鎖を期待できない場合（歯根2本分程度以上）で，迷入歯が見えている場合は，まず穿孔部からの摘出を試みる．容易に摘出できない場合には，摘出後に穿孔部を閉鎖することができる歯肉切開の設計をして頬側粘膜骨膜弁を挙上し，上顎洞側壁を開削して摘出する．摘出後は頬側粘膜骨膜弁（CHAPTER 20❼参照）で穿孔部の閉鎖を行う．

摘出手術の実際

洞内迷入時の対処の重要なポイントは，①迷入歯の位置の確認，②摘出時期，③摘出のアプローチ法である．

①迷入歯の位置の確認

▶迷入歯を直視できない場合は，CT撮影して迷入歯の三次元的な位置を確認する．迷入位置は必ずしも上顎洞内とは限らず，洞粘膜下や頬側の骨膜下，頬部軟組織内へ迷入していることもある❸．

❸迷入位置．①上顎洞内．②上顎洞粘膜下．③頬側骨膜下．④頬部軟組織内．

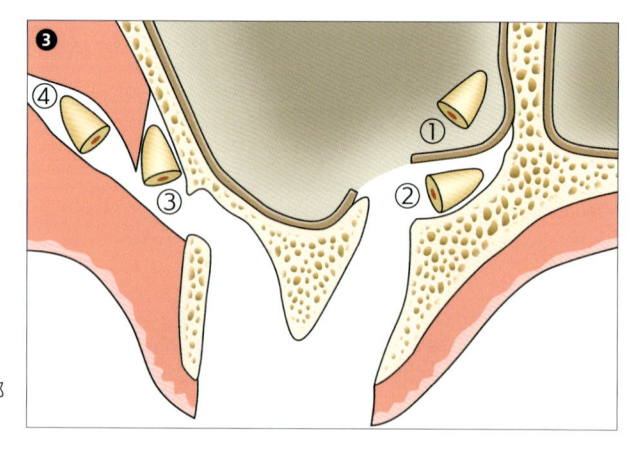

②摘出の時期

▶即時摘出と後日摘出の場合があるが，摘出が遅れるほど上顎洞炎や洞粘膜肥厚，迷入歯の位置移動を生じやすいので，迷入直後の摘出が望ましい❹❺．
▶止むを得ず後日摘出する場合には，必ず摘出術直前にCT撮影して迷入歯の位置を確認する．これを怠ると迷入歯の位置が迷入直後の位置とは変化していてなかなか見つからず，摘出に手間取ることがある．

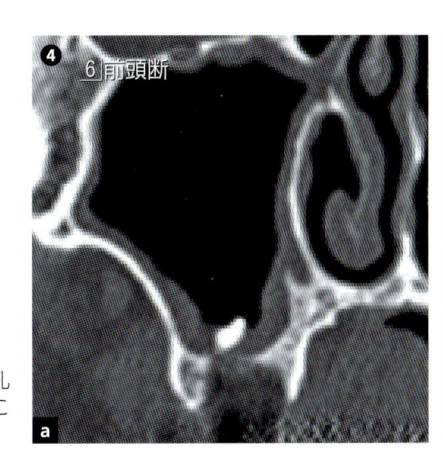

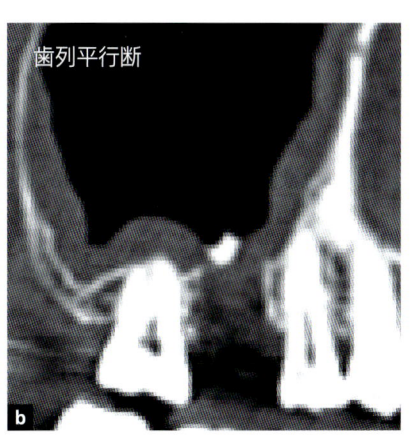

偶発症とその対応⑤　上顎洞内歯根迷入　第21章

❹a, b：6̲|口蓋根の迷入．迷入直後．穿孔径が大きく，迷入歯は穿孔部直上にあることから，抜歯窩からの摘出が可能．

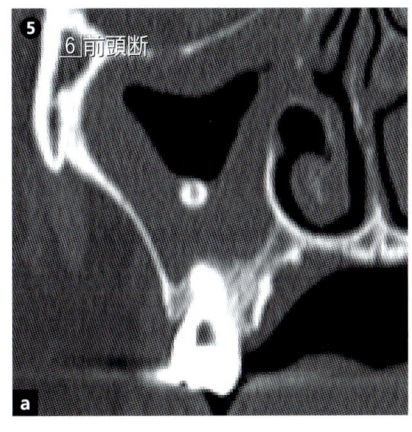

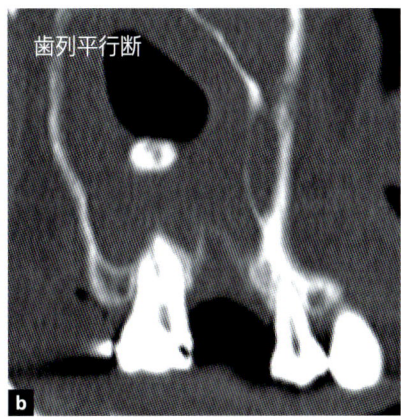

❺a, b：6̲|口蓋根の迷入．迷入後時間が経過した症例．穿孔径は小さく，粘膜肥厚により迷入歯は後上方に移動している．上顎洞側壁を開削して摘出する．

❹ 6̲|前頭断　　歯列平行断

❺ 6̲|前頭断　　歯列平行断

③摘出のアプローチ

（1）抜歯窩からの摘出

▶迷入歯を直視できる場合は，洞粘膜下にあることが多いので，吸引して摘出できる場合がある．また，洞粘膜を穿孔させないように注意して，スプーンエキスカベータなどで抜歯窩からの摘出を試みてもよい．

▶しかし，実際には穿孔部周囲の骨を削除して穿孔径を拡大しなければ摘出できないことが多く，そのために自然閉鎖が期待できなくなるようであれば，上顎洞側壁から摘出するほうがよい．

▶また，穿孔部の径が十分に大きく，迷入歯を直視できる場合は抜歯窩から摘出できることがある❻a, b．この場合は穿孔部の閉鎖術が必要となることが多い．

（2）上顎洞側壁からの摘出

▶穿孔部から迷入歯を直視できない場合は，CT撮影して位置を確認したのちに，頬側粘膜骨膜弁を挙上して，迷入

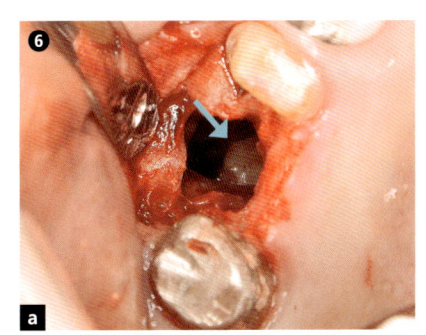

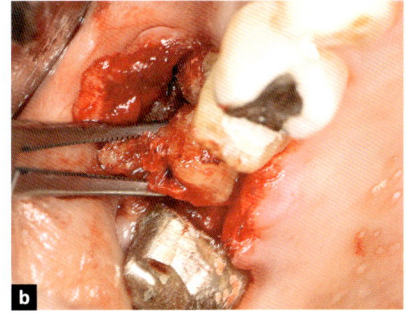

❻a, b：穿孔径が大きく，迷入した歯が直視できた（矢印）ので，抜歯窩から摘出した．自然閉鎖は期待できないので，同時に頬側粘膜骨膜弁で閉鎖術を行った．

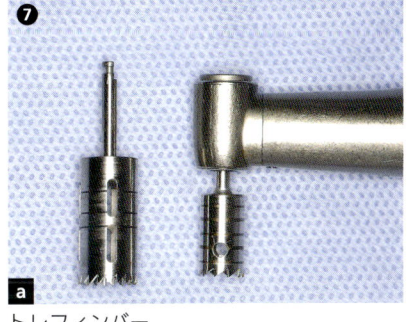

❼ トレフィンバー．
a：コントラ用．
b：ストレート用．

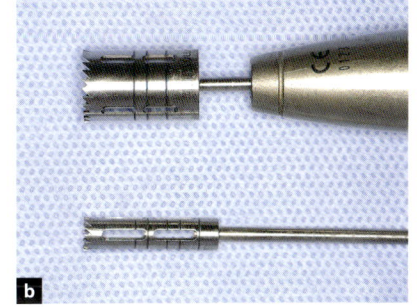

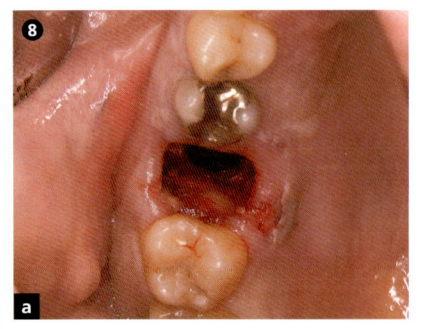

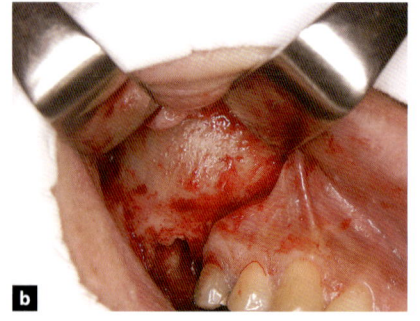

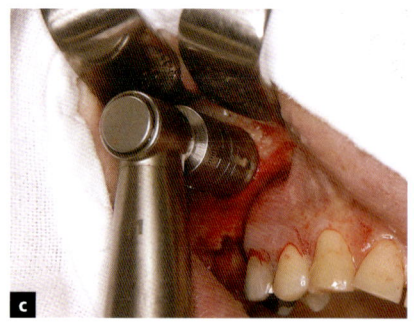

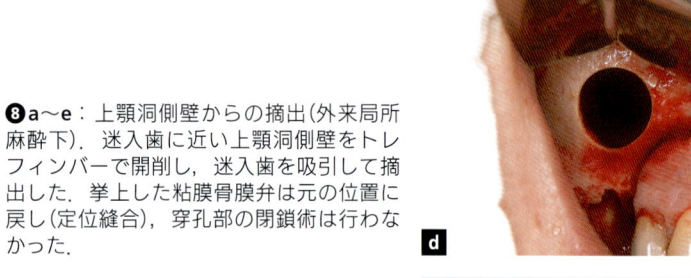

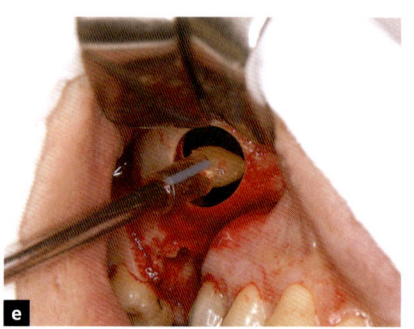

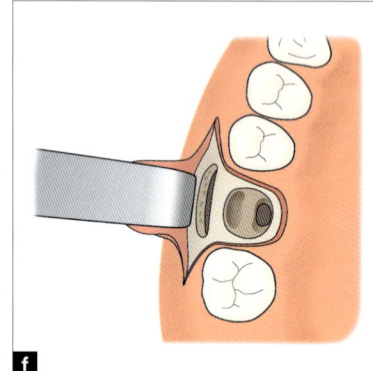

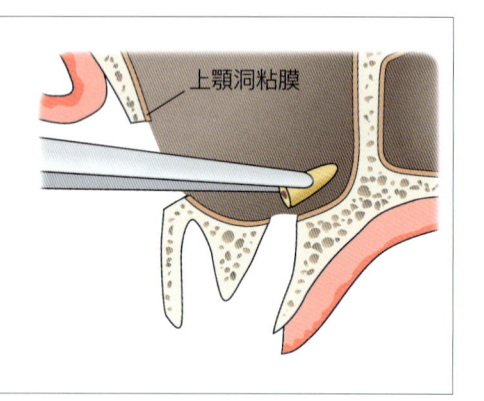

❽a〜e：上顎洞側壁からの摘出（外来局所麻酔下）．迷入歯に近い上顎洞側壁をトレフィンバーで開削し，迷入歯を吸引して摘出した．挙上した粘膜骨膜弁は元の位置に戻し（定位縫合），穿孔部の閉鎖術は行わなかった．

f：迷入歯の位置を確認して穿孔部の近くにない場合は，抜歯窩から抜去するよりも側壁を開けて摘出するほうが確実．

歯に近い上顎洞側壁をトレフィンバー❼などで開削し，直視下に摘出するほうが，短時間で確実に摘出することができる❽．この方法は上顎洞底挙上術のラテラルアプローチの経験があれば難しくはない．
▶開洞しても迷入歯を直視できない場合は，患者仰臥位で洞内全体を大量の生理食塩液で洗浄すると，洗浄液とともに迷入歯が仰臥位のときの最下方である上顎洞後壁部分に移動してくるので，バキュームで吸引したり❽e，直接把持して容易に取り出すことができる．
▶穿孔部の径が自然閉鎖が期待できる大きさの場合は，抜歯窩にコラーゲン塊（テルプラグ®）を填入し，頰側粘膜骨膜弁は元に戻して縫合する．自然閉鎖が期待できない大きさの穿孔径の場合は，瘻孔閉鎖手術を行う（閉鎖手術については，上顎洞への穿孔のCHAPTER 20❼参照）．
▶この上顎洞側壁からの摘出，頰側粘膜骨膜弁による閉鎖術は，上顎洞側壁部への浸潤麻酔と上顎結節部の注射（上

❾a, b：上顎結節注射法（上顎骨後壁部の局所麻酔）．上顎神経後上歯槽枝をブロックし，上顎臼歯，上顎洞底部の洞粘膜を麻酔することができる．

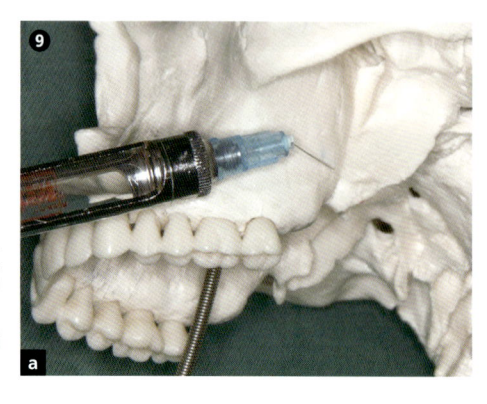

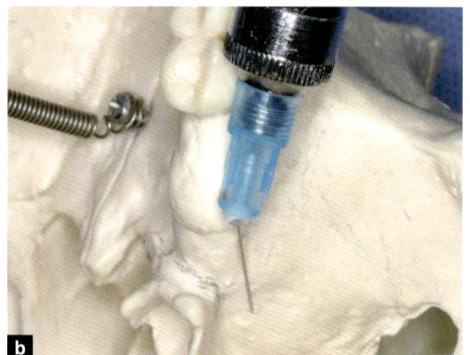

顎神経後上歯槽枝のブロック❾)で，洞粘膜まで麻酔されるので十分外来局麻下で可能であり，全身麻酔の必要はない．迷入させたらただちに局麻下に摘出術を行う．後日摘出すると，洞粘膜の肥厚や迷入位置の移動により摘出が難しくなる．トレフィンバーで除去した円板状の骨を戻す必要はない．トレフィンバー程度の大きさの骨欠損であれば，ほとんどの症例で3～4か月後には骨が形成されて骨欠損はなくなる．

どのようにして防ぐのか？

上顎洞内歯根迷入を防ぐには，エックス線写真で，根尖と上顎洞底の距離，歯根膜の状態を観察し，また術野では，歯根膜腔を確認してヘーベルを使用することが大切である．

上顎洞への穿孔の項(CHAPTER 20 195ページ)で述べた観察ポイントに注意し，迷入のおそれがある場合には事前に説明しておく．

①ヘーベルで歯根を押し込まないために

▶ヘーベルで脱臼を試みる場合，歯根を押し込まないように，
　①被覆歯肉を切除したり，頬側歯肉骨膜弁を剥離挙上して歯根膜腔を明示する．
　②歯根膜腔に相当するグループを形成する❿a．
　③複根歯は根分岐部で分割して単根化する❿b．
などの補助的処置を加えて，ヘーベルを確実に歯根膜腔あるいは形成したグループに挿入し，**歯根を根尖方向に押し込まないようにして抜歯する**．

❿見えなかったら歯肉を切除．歯と骨の間にスペースがなければ，バーでヘーベルのスペースをつくる．

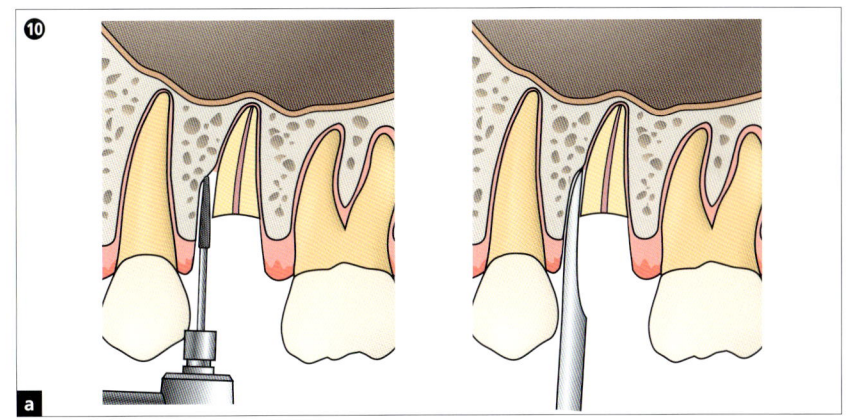

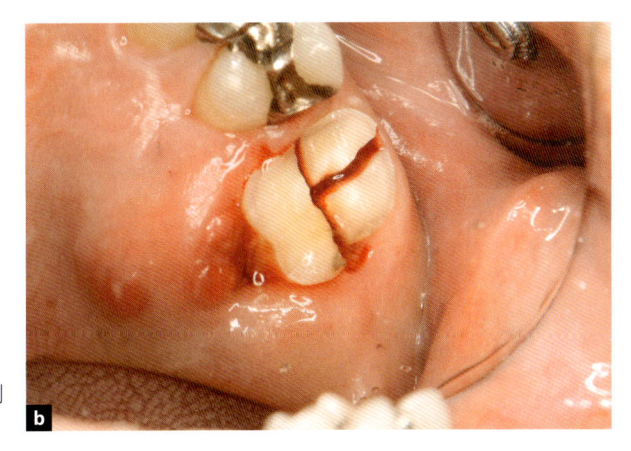

❿b：複根歯は歯根分割して抜歯する．

CHAPTER 22
偶発症とその対応⑥
下顎智歯の舌側軟組織内迷入

下顎智歯部の舌側皮質骨は薄く，稀には下顎智歯の歯根が骨外に突出していることがあり，ヘーベルで押し込むと歯根を骨外の舌側軟組織内へ迷入させることがある．下顎埋伏智歯の抜歯の際にCT撮影した場合は，歯根と下顎管の位置関係だけでなく，舌側の骨の状態(菲薄化，消失など)も必ず確認する．

なぜ迷入させるのか？

下顎智歯の舌側軟組織内迷入は，舌側皮質骨が薄い症例や，舌側の骨が欠損している症例❶で，歯根脱臼の際に，ヘーベルやルートチップで歯根を押し込むことにより生じる．

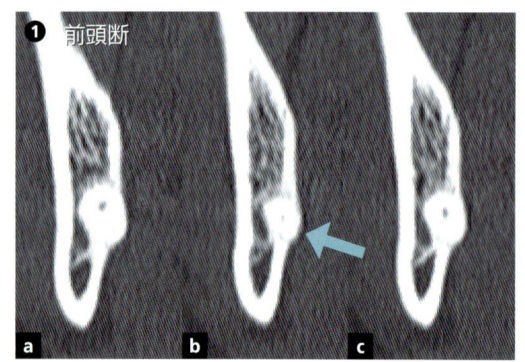

a〜c：歯根は舌側皮質骨から突出している．

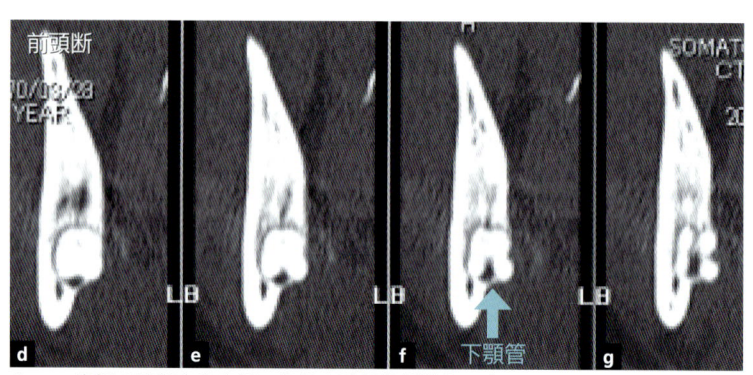

d〜g：歯根の舌側突出症例．歯根を舌側軟組織内へ迷入させないヘーベル操作が必要．

①迷入する理由

①解剖学的に下顎智歯の舌側の皮質骨は薄い．
②顎舌骨筋線より下方は，顎下腺窩で頬側に向かって陥凹しており❷，稀に下顎智歯の歯根が舌側の骨外に突出していることがある❶．
③ヘーベルで歯根を押し込んでいる．
▶口底迷入も，上顎洞内迷入と同様に，ヘーベルによる歯根の押し込みが原因であり，「よく見ていない，見えていない」ために生じる．

❷矢印は顎舌骨筋線．この線より下方は頬側に向かって陥凹している．

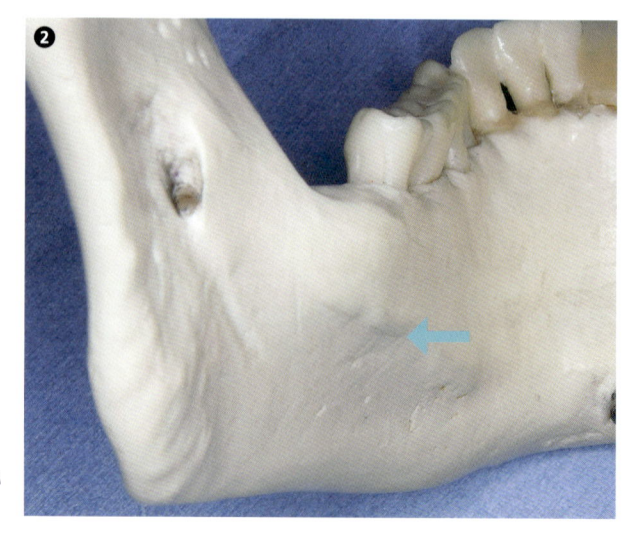

どのようにして防ぐのか？

　ヘーベルをきちんと歯根膜腔に挿入することがもっとも重要である．歯根膜腔がなければバーでグルーブ（溝）形成してヘーベルを使用する．グルーブの種類は「CHAPTER 11　下顎埋伏智歯の抜歯」で述べた3種類で，①歯根膜腔に相当するグルーブ（ヘーベルが入るスペースの確保）㊶，②頰側グルーブ㊷，③背面グルーブ㊺，である．これらのグルーブを利用して，歯根を根尖側に押し込まないで，前方に引き出すように抜歯する．

どのようにして迷入位置を確認するか？

　デンタルエックス写真は，撮影時に迷入歯をさらに押し込むおそれがあるので，パノラマ写真を撮影して，迷入歯の大きさ・位置を確認する❸．摘出手術を行うためには，埋入歯の位置を三次元的に正確に把握する必要があるので，CT撮影も行う．

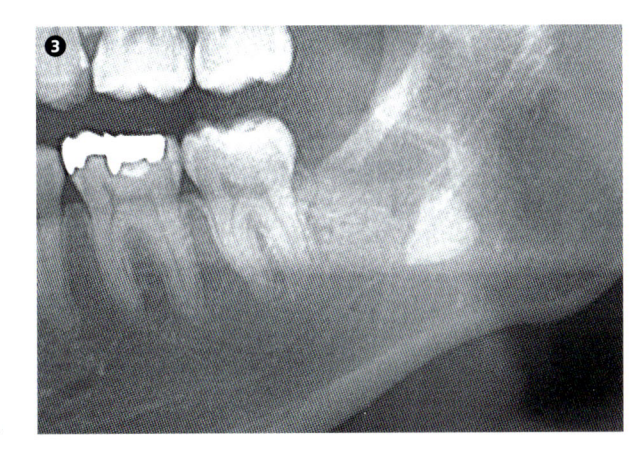

❸ ⌊8の歯冠分割後に歯根が舌側に埋入して紹介されてきた症例．

どのようにして摘出するか？

①注意点

▶迷入歯の位置の確認や摘出の操作の際に，歯根をさらに深部に押し込まないように注意することが最大のポイントである．歯根の移動，深部への押し込みが，摘出が難しくなる最大の原因である．

▶術者が舌側から手指で迷入歯の位置を確認する場合に押し込みやすい．深部に押し込まないように，助手が手指で顎下部から軟組織を押し上げた状態で触診，摘出する．

②摘出方法

▶摘出が困難になるもう1つの原因は出血である．出血させないためには血管収縮剤入りの局所麻酔を十分量注射し，止血しながら愛護的に操作することが重要である．
▶後日摘出では，開口障害，舌側軟組織の腫脹が出てさらに摘出が難しくなり，また感染のおそれもあるので，迷入直後に摘出するのが望ましい．
▶迷入歯の位置が，骨膜内（骨と骨膜の間）❹①か骨膜外（口底部軟組織内）❹②かによって，摘出方法が異なる．

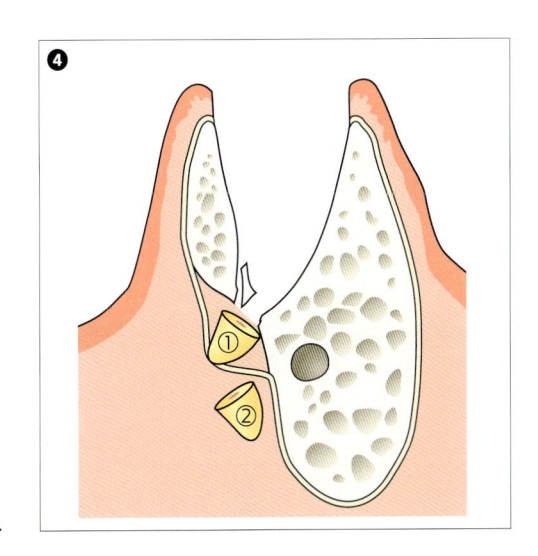

❹迷入位置の確認が必要．①骨膜内，②骨膜外．

（1）舌側皮質骨の骨膜内に迷入歯がある場合❹①，❺

1．抜歯窩から摘出する

▶骨外には出ているが，骨膜を破って舌側軟組織内へは迷入していないので，それ以上に押し込まなければ，摘出はさほど難しくはない．抜歯窩から，舌側穿孔部の骨を超音波骨切削器やラウンドバーで拡大して摘出する❻．

▶このとき，骨膜を損傷しないように骨を削除する．骨膜を損傷・断裂させると，迷入歯が骨膜外へ移動して摘出が難しくなるので，注意する．

▶器具の操作，歯根の摘出がしやすいように，骨の穿孔部を十分に拡大することがポイントである．

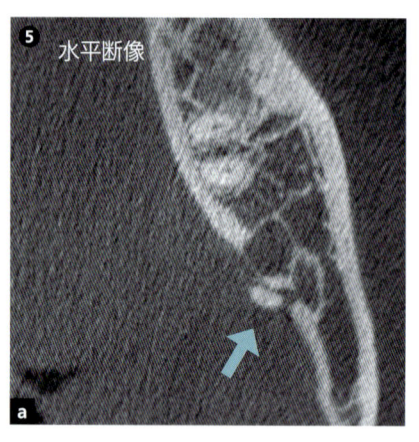

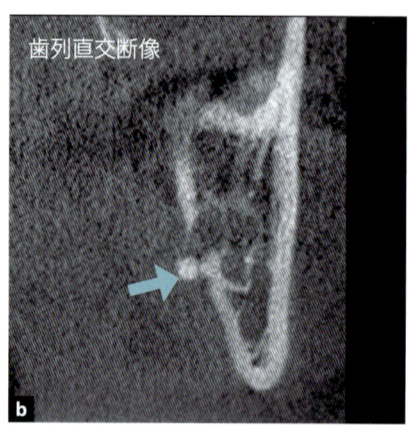

❺a, b：舌側骨膜内迷入症例．

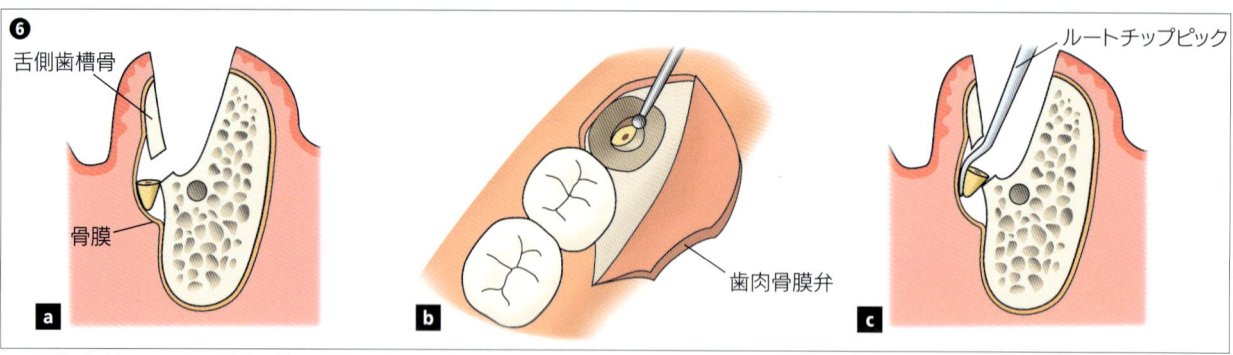

❻a：骨膜が破れていない場合．迷入歯根は骨と骨膜の間にある．b, c：骨膜下に迷入歯がある場合の摘出法①．舌側の穿孔部を超音波骨切削器やラウンドバーで拡大して抜歯窩から摘出する．

2．舌側骨膜を剥離して摘出する❼

▶深部まで十分な術野・視野がとれるように，舌側歯肉の切開を第一大臼歯付近まで歯頸部切開で延ばす．前方部に縦切開を加えると視野が広く，見やすい．前方の縦切開部から，骨膜下で歯肉骨膜弁を後方に向かって剥離・挙上する．

▶前方部舌側の歯槽頂側の骨がじゃまで迷入歯根が見えにくい場合は，舌側歯槽骨の表面を削除するとよい❼b．

▶迷入部に向かって骨膜下剥離を進めると骨と骨膜のあいだの最深部に迷入歯根をみつけることができる．

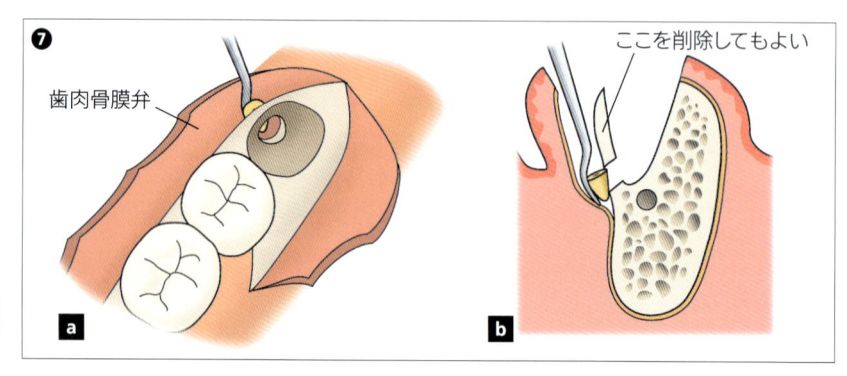

❼骨膜下に迷入歯がある場合の摘出法②．大臼歯部の舌側軟組織を歯頸部から下方へ向けて骨膜下で剥離し，歯を確認して摘出する．

(2)骨膜が破れて舌側軟組織内に迷入歯がある場合
❹②, ❽

▶術前にCT撮影し，迷入位置を三次元的に把握して摘出術を行う．CTで距離計測が可能であるので，骨または歯に基準点を設けてそこからの距離を計測して手術に望む．
▶舌側歯肉と口底粘膜の移行部で前後方向に口底部の粘膜を切開し，骨膜上を鈍的に剥離して摘出する．助手が顎下部軟組織を下方から上方に向かって押し上げておくと摘出しやすい．
▶舌神経を損傷しないように，また出血させないように，粘膜表面の切開のみメスで切開し，その後はメスを使わず鈍的剥離で迷入歯を探す❾．

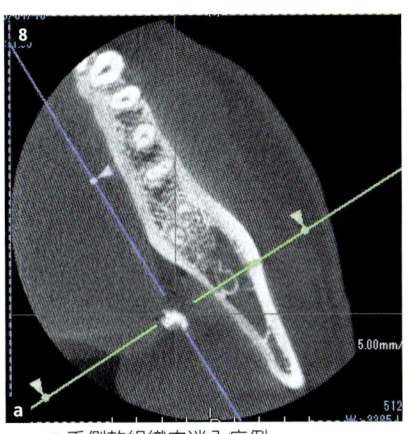

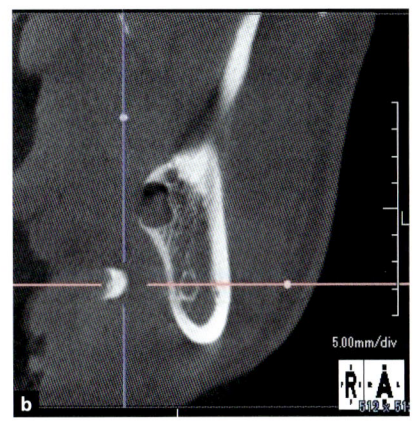

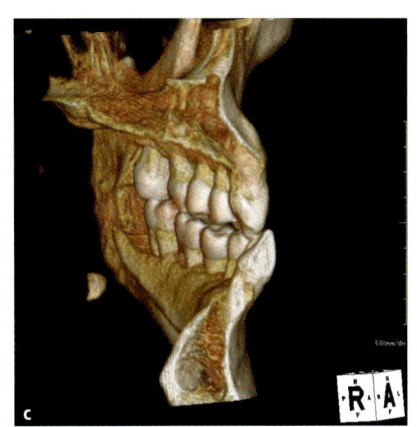

a〜c：舌側軟組織内迷入症例．

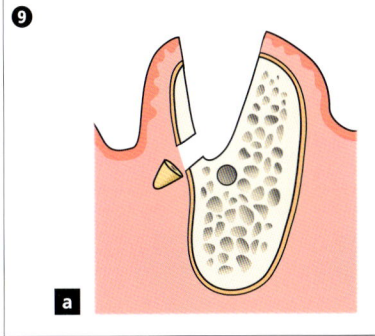

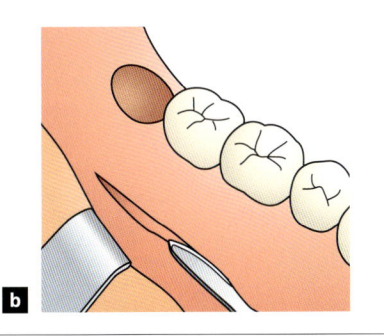

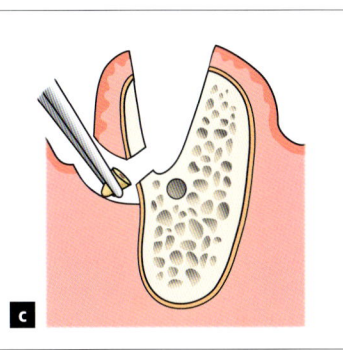

❾

a：骨膜が破れた場合．迷入歯根は骨膜外の舌側軟組織内にある．摘出は難しい．b, c：骨膜が破れて舌側軟組織内にある場合は，口底部軟組織を切開し，鈍的に剥離して摘出する．

どのようにして予防するか

①パノラマエックス線写真のみで抜歯する場合

▶パノラマエックス線写真のみで抜歯する場合には，舌側の骨の状態を評価できないので，このトラブルが生じ得るという意識をもって抜歯しなくてはならない．

②CT撮影した場合

▶CT撮影した場合には，必ず埋伏歯の頬舌的位置，舌側の歯槽骨の状態（厚み，歯槽頂の高さ，欠損の有無）を確認し，舌側迷入が起こりうるか否かをチェックしておく．

③舌側皮質骨が薄い場合

▶舌側皮質骨が薄い場合でも，「CHAPTER 11 下顎埋伏智歯の抜歯」で述べたような歯根を押し込まないヘーベルの使い方で回避できる．

④根尖部が破折して残遺した場合

▶また，根尖部が破折して残遺している状態で，抜歯操作により舌側軟組織内に迷入させるおそれが大きい場合には，無理に抜去せず，患者に十分説明のうえ歯根を残してもよい．根尖を残しても，下顎埋伏智歯の歯冠除去術と同じ結果であり，とくに大きな問題ではない．

CHAPTER 23

偶発症とその対応⑦
皮下気腫

皮下気腫とは，気体が生体内に侵入して，皮下や組織間隙に貯留した状態である．診療中に急激に強い腫脹が生じ，消退するまで1週間〜10日程度の時間がかかるため，何が起きたか，どう対応するかをすぐに説明できないと，患者の不信を招きやすく，対応を誤ると医療過誤として問題になりかねない❶．

どんな処置・操作で起こるか？

皮下気腫は，エアーが噴出している機器や発泡する薬品を使用している際に生じる．タービンを使った抜歯に限らず，一般歯科治療中でも以下のような場合に発生する．

①タービン使用時
- 窩洞形成時，支台歯形成時，歯冠分割時など．
- 歯頸部レジン充填後に，タービンにホワイトポイントを装着してレジン研磨している際に発生した例も，報告されている．

②エアシリンジの使用
- 根管乾燥，ポケット内乾燥，印象採得時の口腔内からの撤去時などにエアシリンジを使用した場合．

③根管洗浄
- 根管治療時の過酸化水素水と次亜塩素酸ナトリウムによる交互洗浄時の発泡．

④レーザー照射
- 冷却エアによる．冷却エアが出るモードでレーザーを使用した際の発生例が近年増加している．

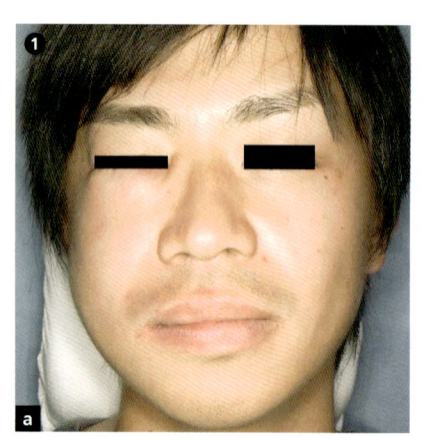

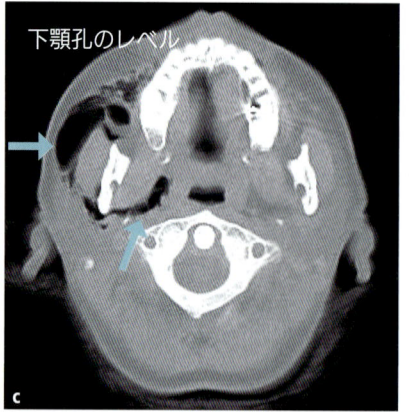

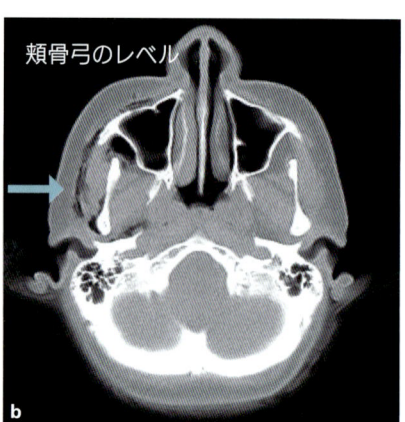

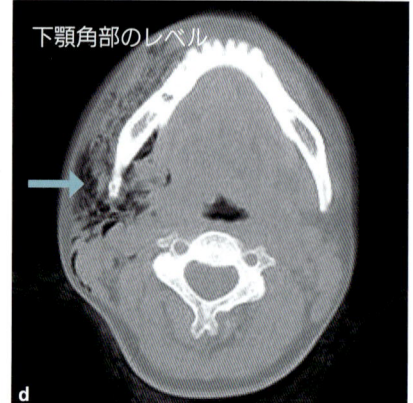

❶ 下顎埋伏智歯の抜歯時に生じた皮下気腫．

⑤過酸化水素水での深部洗浄　など

▶深部の創を過酸化水素水で洗浄した際の発泡による．

⑥抜歯

▶抜歯時の皮下気腫❶は，下顎埋伏智歯の抜歯に，タービンで歯冠分割をする際に起こりやすい．

抜歯時の皮下気腫はなぜ起こるのか？

歯冠分割時にタービンヘッドから噴出した圧縮空気が，骨膜の断裂部や，軟組織の裂隙から，組織内に侵入して生じる．

①5倍速コントラアングルの使用は予防になるか？

▶皮下気腫を防止するために5倍速コントラアングルの使用が推奨されているが，5倍速コントラアングルからもエアが出ており，皮下気腫を生じるおそれは皆無ではない．5倍速コントラアングルによる歯冠分割時の気腫の発生症例の学会発表・論文報告が散見されており，5倍速コントラアングルで抜歯すれば皮下気腫は起こらないと盲信してはならない．

②切開を小さくすれば予防になるか？

▶皮下気腫は，切開が大きく，歯肉骨膜弁の剝離・挙上範囲が広い場合に生じるといわれることが多いが，筆者はその逆であると考える．

▶小さい切開，狭い剝離範囲，不十分な歯肉骨膜弁の圧排の術野で，タービンを無理に押し込んで使うと，エアの噴出口が軟組織よりも下に位置することになり，エアの逃げ道がなくなって組織内に侵入する．歯肉骨膜弁を十分な広さで剝離・挙上し，きちんと圧排されていて，エアの逃げ道があれば気腫は生じない．切開・剝離が小さいこと，歯肉骨膜弁の圧排が不十分であることが原因である．つまり，手術の基本がきちんとできていないことによる．

▶また，埋伏位置が深い場合に，分割バーが短いと，深部までバーを届かせようとしてタービンを押しつけてしまい，エアの噴出口が軟組織よりも下に位置することになり，皮下気腫を生じる❷．

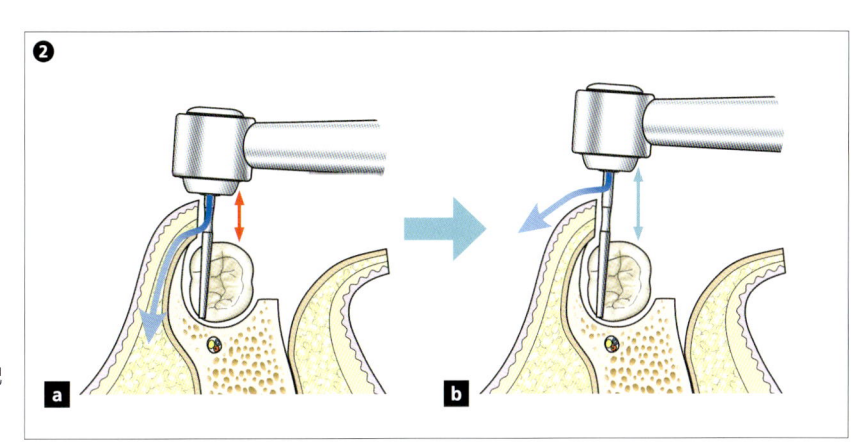

❷歯冠分割時の気腫発生の原因．＊土肥昭博，ほか．日口科誌 2013；62（2）：193-197．より引用・改変

どのような下顎埋伏智歯の場合に，皮下気腫が起きやすいか？❸

下顎埋伏智歯の抜歯時に皮下気腫が起きやすいのは，以下のような状態の場合である．
①埋伏深度が深い場合
②臼後部に十分なスペースがなく，狭い場合
③下顎枝前縁に近い位置に埋伏していて，歯肉骨膜弁を展開しにくい場合
④開口量が小さい場合，など．

深い埋伏位置，小さくて狭い術野，歯肉骨膜弁の展開・圧排が不十分な術野で，タービンを使用した場合に，皮下気腫が生じやすい．

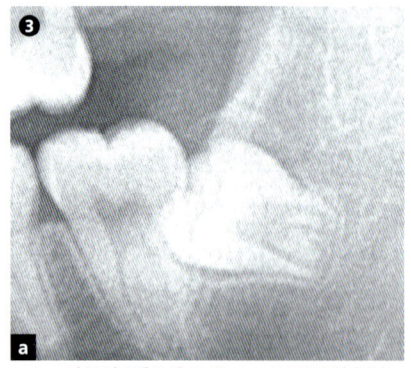

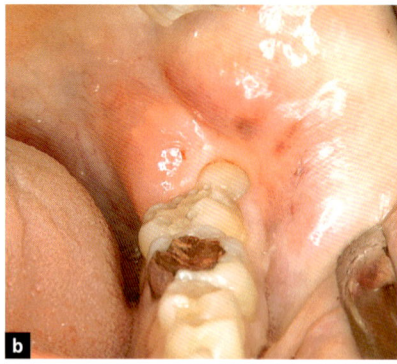

a, b：皮下気腫を生じやすい下顎埋伏智歯．また，このように下顎枝前縁に近い埋伏智歯の抜歯では，舌神経損傷も発生しやすい．

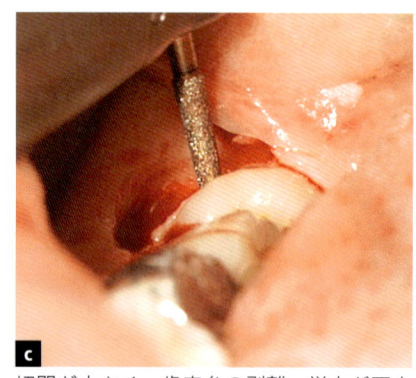

切開が小さく，歯肉弁の剥離・挙上が不十分で，気腫を起こしやすい．

どんな症状・所見があったら皮下気腫と診断するか？

①抜歯途中に一瞬にして生じる急激な腫脹・疼痛・圧迫感(前掲❶)

▶腫脹は，眼窩周囲，側頭部，頬部，顎下部，頸部に及ぶことがある．疼痛・圧迫感は迷入した気体の量により程度が異なる．

②腫脹部を圧迫すると，捻髪音(プチプチ)がする

③泡状陰影

▶エックス線写真やCT撮影により，迷入した気体が泡状陰影として描出される．

④気体侵入が縦隔*まで及ぶ（＝縦隔気腫）と，呼吸困難，胸痛，血圧低下などの症状がでることがある❹❺

▶感染して縦隔膿瘍になると，生命にかかわる事態になりうる（*「縦隔」とは，左右を肺に，前方を胸骨に，後方は胸椎によって囲まれた胸部の正中部分．心臓・食道・気管・大動脈・神経などの重要臓器が含まれた部分）．

▶縦隔内の臓器（心臓・肺・大動脈など）の圧迫により，呼吸困難・胸痛・血圧低下，などを生じる．

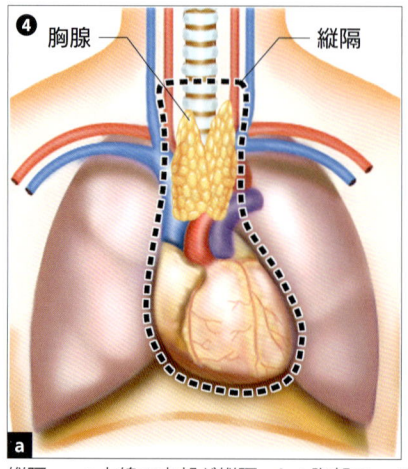

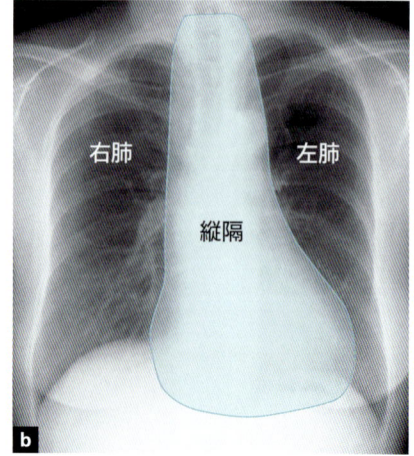

縦隔．a：点線の内部が縦隔．b：胸部エックス線写真での縦隔の範囲．

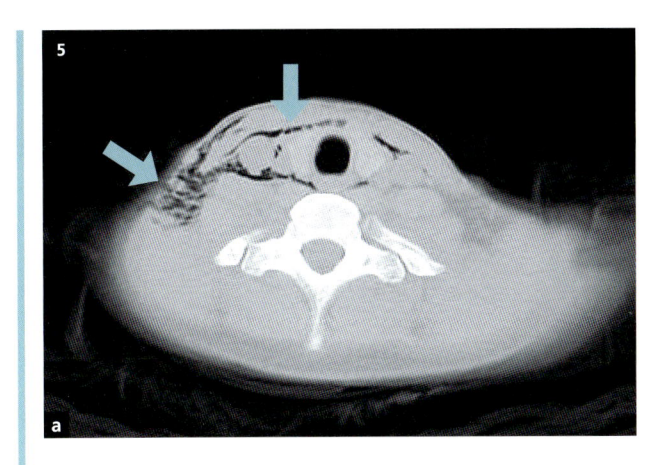

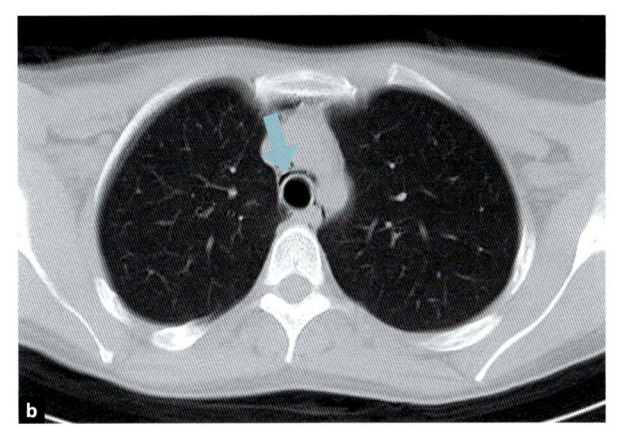

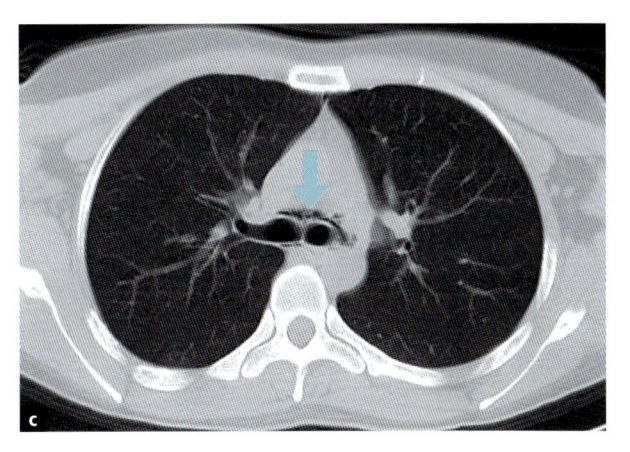

❺ 縦隔気腫のCT像（矢印がエア）．

皮下気腫の診断

　皮下気腫の診断は，上記の臨床症状から容易につけられるが，気体の侵入範囲と侵入量の把握のため，必ずCT撮影を行う．エックス線写真・CT画像では，組織間隙に侵入したエアの泡状陰影が認められる（前掲❶）．腫脹は頬部だけであっても，CT撮影すると，側頭部・眼窩周囲・頚部・縦隔まで侵入していることがあり，外見だけでは侵入範囲は把握できない．
　縦隔気腫では呼吸困難・胸痛が認められることがある❺．

皮下気腫の対応，治療

①感染予防目的に抗生剤を投与する

▶エアの侵入とともに口腔内細菌も侵入しているおそれがあるため，感染予防目的で抗菌薬を投与して，エアが自然吸収されるのを待つ．

②安静を指示して自然吸収を待つ

▶腫脹部や気体の侵入部を圧迫して迷入した気体が抜けるものではない．圧迫するとさらに周辺へ分散・拡大させるので，腫脹部をいたずらに圧迫してはならない．
▶1週間程度で吸収されて腫脹は徐々に消退するので，十分に説明して不信感や不安を招かないようにする．

③胸部圧迫感・胸痛・呼吸困難があれば，縦隔気腫を疑い，専門医へ送る

▶縦隔気腫を疑う場合は，呼吸器内科を受診させる．

皮下気腫の予防

抜歯の場合に皮下気腫を予防するには，以下のことがポイントである．

①十分な大きさの切開を加える

②十分な広さで歯肉骨膜弁を挙上する

③歯肉骨膜弁を十分に圧排する

④下顎埋伏智歯の抜歯時の頬側の歯肉骨膜弁を挙上する際に，縦切開を加えずに前方歯（第一・第二大臼歯）の歯頸部に沿って剥離・挙上するエンベロープ切開❻を避ける．エンベロープフラップで済ますと，フラップが袋状になってエアに逃げ道がなくなり，気腫を起こしやすくなることが考えられる．

⑤狭い剥離範囲で，タービンヘッドを無理に深く押し込まない．

⑥歯冠分割には長めのバー（❼b）を用いて，タービンやコントラアングルの噴出口が，歯肉骨膜弁の下に位置しないように注意する（筆者が推奨するバー❼）．

⑦抜歯窩にエアシリンジでエアをかけない．

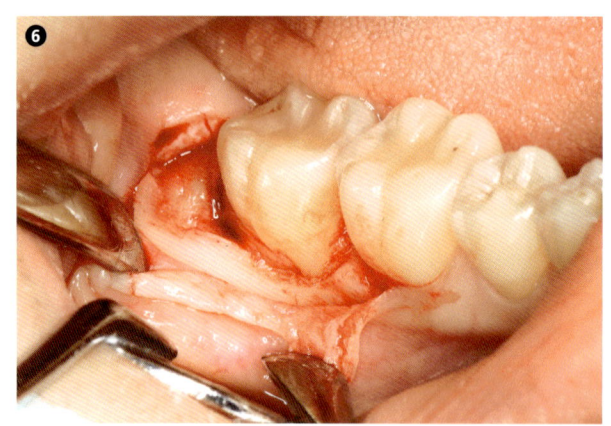

❻ エンベロープフラップ．頬側歯肉に縦切開をいれずに，前方歯の歯頸部に沿った剥離で挙上した歯肉骨膜弁．

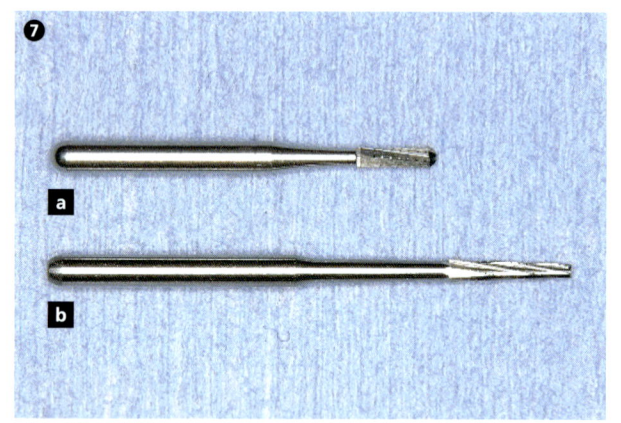

❼ 筆者が歯冠分割に使用しているバー．
a：冠撤去用バー「＃155」．
b：「インプラントバーXXL」（ブラッセラー社製，ヨシダ取り扱い）．

Point 1 皮下気腫について重要なこと（訴訟にならないために）

①発生の想定

②診断（気腫の症状に対する知識）

③患者への説明（原因，病態）

④適切な対処
　（1）侵入範囲の確認（CT撮影）
　（2）重篤さの判断（病院への紹介）
　（3）感染予防（抗菌薬の投与）

CHAPTER 24

偶発症とその対応⑧
誤抜歯

残根歯，う蝕歯，重度の歯周病歯であれば誤抜歯するおそれは少ない．だが，矯正治療目的の便宜抜歯，過剰歯，連続した複数の歯の埋伏などでは，誤抜歯するおそれは多々あり，決してきわめて稀とはいえないトラブルである．誤抜歯は歯科医師の思い込みや勘違い，確認不足などの不注意によるミスで責任は重大であり，医事紛争に発展しやすいので避けなければならない．

誤抜歯の発生と原因

表1を見ると，一般歯科における医療事故としては誤抜歯がもっとも多いことがわかる．

①発生状況

▶誤抜歯の発生状況としては，
　①上下顎のまちがい
　②左右側のまちがい
　③矯正治療上の便宜抜歯の第一・第二小臼歯のまちがい
　　（まれに第一小臼歯ではなく第二小臼歯の抜歯依頼であることがある）
　④永久歯が未萌出の時期の埋伏過剰歯と本来の永久歯の歯胚とのまちがい
　などが多いと思われる．

▶筆者はこれまでに，
- 第一小臼歯と第二小臼歯をまちがって抜歯された症例，またその左右をまちがって抜歯された症例
- 下顎の第二・第三大臼歯がともに埋伏した状態での第三大臼歯の抜歯の際に，誤って第二大臼歯を抜歯された症例（萌出している第一大臼歯を第二大臼歯と勘違いしたため，歯肉骨膜弁を挙上して最初に歯冠の一部が見えた第二大臼歯を第三大臼歯と思い込んで抜歯したと思われる❶）
- 矮小歯の|2の歯胚を過剰歯とまちがって抜歯された症例
- 上顎正中過剰埋伏歯をまちがって，中切歯歯胚を抜歯された症例

などを紹介された経験がある．

表1　歯科治療中に発生した事例の概要．
○印は，抜歯中に起こる偶発症として筆者がつけたもの．＊公益財団法人日本医療機能評価機構医療事故防止事業部．医療事故情報収集等事業第47回報告書．2016：141．より引用・改変

事例の概要	件数
部位まちがい	**57**
○誤抜歯	44
抜歯以外の処置	13
治療にともなう合併症・偶発症など	**32**
○皮下気腫	7
○抜歯時の歯根残存	5
○出血	3
○縦隔気腫	2
咬合調整による偶発症	2
○上顎洞への歯の迷入	2
○下顎への歯の迷入	2
髄床底への穿孔	2
○骨折による咬合不全	1
○薬剤によるアナフィラキシー様反応	1
薬剤性の炎症	1
○知覚・味覚麻痺	1
軟口蓋の腫脹	1
上顎洞へのインプラントの穿孔	1
インプラント植立時の位置異常	1
誤飲・誤嚥	**30**
補綴装置・歯冠修復物	15
歯科用医療機器・歯科材料	13
○歯	2
○異物残存	13
○器具などによる切創	8
器具などによる熱傷	5
その他	10
合　計	**155**

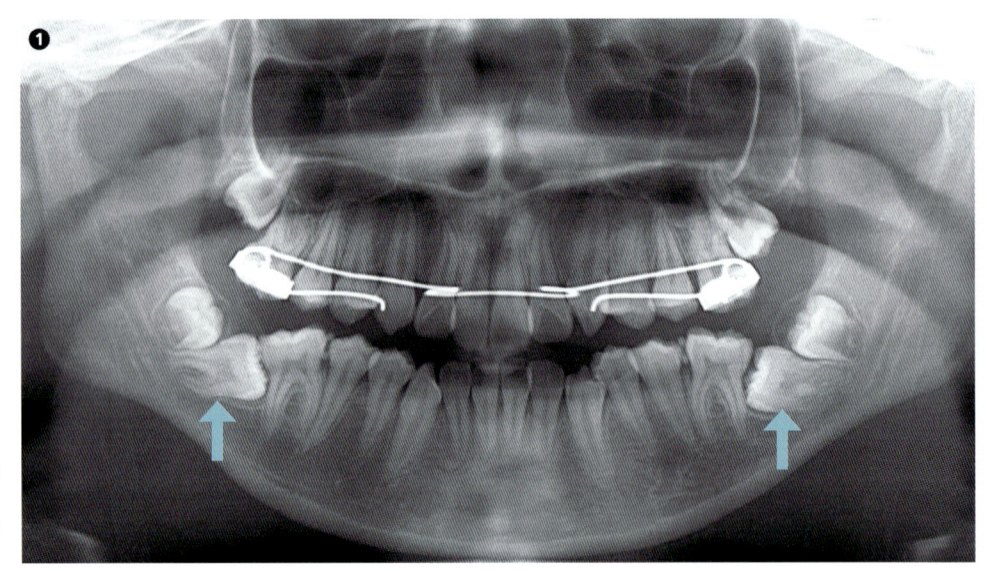

❶誤抜歯しやすい状態．連続して埋伏している場合，誤抜歯しやすい（同様の埋伏での誤抜歯の実例あり）．

②原因

- 誤抜歯は，術者の思い込みや先入観，不注意，確認不足によるものであり，明らかに術者のミスである．
- 矯正科からの便宜抜歯依頼であっても第一小臼歯の抜歯とは限らず，第二小臼歯が無髄歯であったり，歯根の湾曲があって矯正治療に不利な場合は，第二小臼歯が抜歯対象である場合もあるので，紹介状をきちんと読むことが必要である．
- ごくまれに紹介状の記載ミスのことがある．筆者は紹介状の記載が左右をまちがっており，不審に思って患者に確認し，最終的には紹介医に確認して，ことなきを得た経験がある．必ず患者自身にも確認して抜歯する．

③予防法

- 残根や動揺の著しい歯を誤抜歯することは少なく，健全歯の便宜抜歯の場合に誤抜歯が多いものと思われる．
- 誤抜歯を防ぐためには，便宜抜歯の際は，術者・助手の複数人で抜歯すべき歯を確認したり，歯にマークをつけたりすることが勧められている．
- また，混合歯列期の埋伏過剰歯の抜歯の際には，術前にエックス線写真やCT写真を入念に読影し，永久歯の数と歯胚の数，埋伏過剰歯の位置を確認し，近接する未萌出永久歯の歯胚を損傷したり，過剰歯とまちがって永久歯の歯胚を抜歯したりしないように注意する❷．

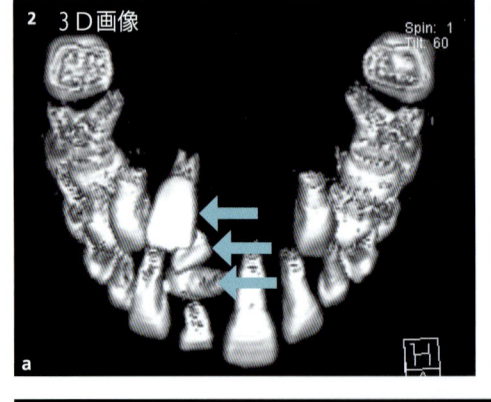

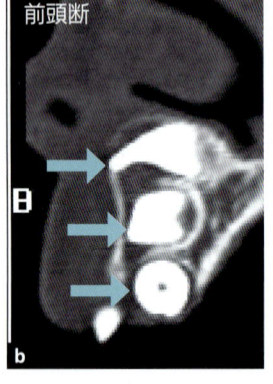

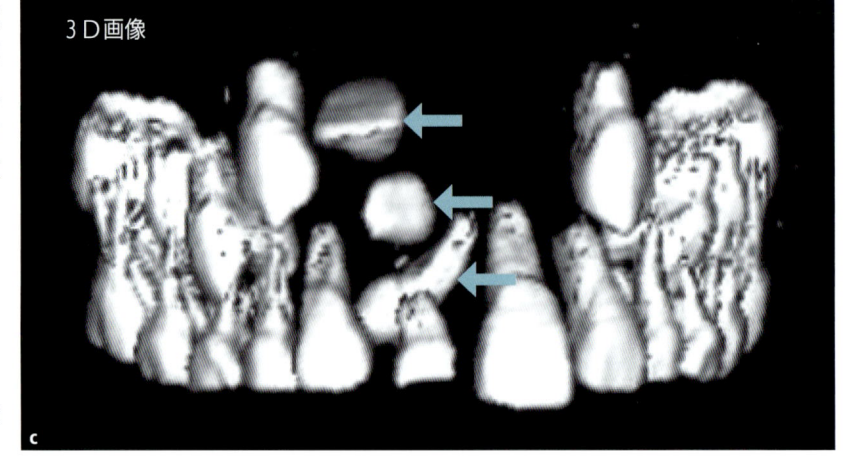

❷混合歯列期の複数の上顎正中埋伏過剰歯．1|の歯胚を誤抜歯しないよう，歯数・位置を入念に確認する必要がある．

④対処

- 萌出歯であればただちに歯を歯槽窩に戻し，隣在歯と固定する．
- 再植後は電気歯髄診断で歯髄の失活の有無を観察し，歯冠部が変色したり，光沢を失って6か月程度待っても電気歯髄診断に反応しない場合は，失活したと判断して感染根管処置を行う．再植により歯の喪失は回避されても，最終的には歯髄が失活して歯髄処置が必要となることが多い．また，長期的にはアンキローシスや歯根吸収を起こす可能性がある．
- 歯胚を誤抜した場合は，元に戻しても，残念ながらその後に完全に歯が形成されず，低形成のままである．

CHAPTER25

術後経過不良
抜歯後の腫脹，疼痛，感染

　抜歯は「歯が抜けたら終わり」ではなく，痛みが消え，抜歯窩が治癒するところまで責任をもって診療しなければならない．患者の全身状態，使用中の薬剤，抜歯前の歯の状態によっては，腫れや痛みが長引いたり，感染することもある．これらの術後経過不良についての知識や対処法も身につけておかなければならない．

抜歯後疼痛

①抜歯後疼痛の経過

- 抜歯により痛みを生じるが，鎮痛薬を服用しつつ時間の経過を待てば徐々に軽くなり，普通抜歯であれば抜歯後1～2日で鎮痛薬は不要になる．
- また，歯肉骨膜弁の挙上や骨削除をともなう難抜歯や埋伏歯の抜歯であっても，順調に経過すれば3～4日で鎮痛剤は不要となることが多い．
- もっとも痛みが長引きやすい下顎埋伏智歯の抜歯でも順調に経過していれば1週間後の抜糸時には鎮痛薬は不要である．普通抜歯で3～4日を超えて，また下顎埋伏智歯で1週間を超えても疼痛改善の兆しがなく，鎮痛薬が必要なほどの痛みがある場合は，経過不良の抜歯後疼痛と考えてよい．

②原因

- 抜歯後に疼痛が長引く場合の原因を表1に示す．もっとも多いものは，下顎埋伏智歯の抜歯後のドライソケットである．
- ドライソケットについてCHAPTER 19で詳述したので，本項ではドライソケット以外の原因の鑑別と対処について述べる．

表1　抜歯後疼痛の原因（必ずしも頻度順ではない）．

ドライソケット
抜歯後感染
根尖部病変（囊胞，腫瘍）の残存
歯槽骨鋭縁
歯根や歯の破折片の残存
歯以外の異物残存（バーの破折片など）
隣在歯痛（破折，亜脱臼，歯根損傷，知覚過敏）
歯槽骨・顎骨の骨折
上顎洞炎
骨髄炎（硬化性骨炎，顎骨壊死を含む）
神経障害性疼痛
非歯原性疼痛
悪性腫瘍　　　など

③対応

- 問診，口腔内診査，画像検査，血液検査などを行って表1に示した原因の有無について検討する．

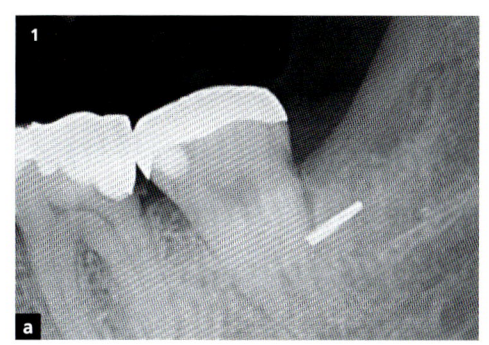

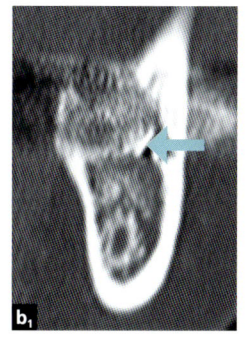

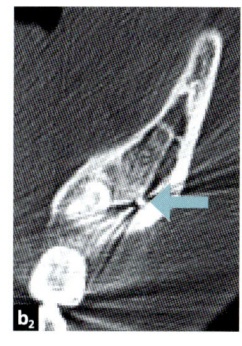

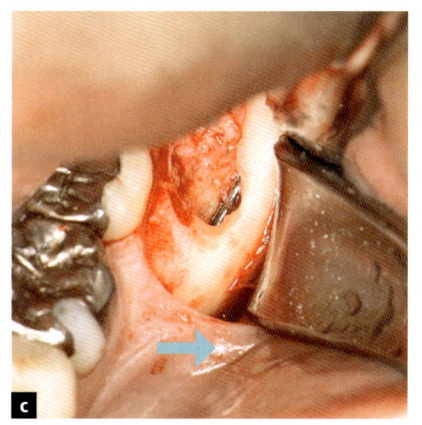

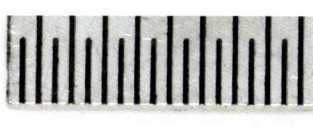

❶ 8 抜歯時の歯冠分割用バーの残存．CT画像で位置を確認して摘出した．

（1）口腔内診査
▶抜歯により生じた痛みであれば，抜歯窩からの排膿，周囲歯肉の腫脹，発赤，出血，骨鋭縁の有無，隣在歯の打診痛・冷水痛や歯根露出，開口障害の有無などについて，抜歯窩とその周辺の歯肉をよく観察する．

（2）画像検査——異物の残存，歯槽骨骨折，隣在歯の歯根の損傷の有無の確認
▶必要に応じて画像検査（デンタル写真，パノラマエックス線写真，CTなどの撮影）を行う．画像検査では，歯の破折片，歯根の残遺，分割バーの破折片などの異物の残存，歯槽骨骨折や隣在歯の歯根の損傷の有無などを確認する．
▶歯の分割片やバーなどの異物の残存❶aが確認できた場合には，摘出する．エックス線写真で抜歯窩内にあると思われた異物が，実は皮質骨内や，皮質骨と歯肉骨膜弁の骨膜との間にあるということもあるので，摘出する前に必ずCT撮影を行って三次元的な位置を確認しておく❶b．

（3）慢性硬化性骨炎
▶見逃されがちなのは，抜歯前から存在する慢性根尖性歯周炎に対する反応としての慢性硬化性骨炎（多くは無症状か違和感，軽度の痛み）❷が，抜歯により悪化して疼痛を生じる場合である．この場合，肉芽組織の形成が遅く，痛み以外には明らかな臨床所見がないことが多い．下顎智歯以外で生じるドライソケットの多くはこの状態と思われる．

（4）血液検査——抜歯後感染や骨髄炎などの炎症の診断
▶抜歯後感染や骨髄炎などの炎症を疑う場合には，血液検査を行う．

▶表1にあげた長引く痛みの原因のほとんどが臨床所見，画像検査，血液検査などで診断可能で，またNSAIDsが有効である．

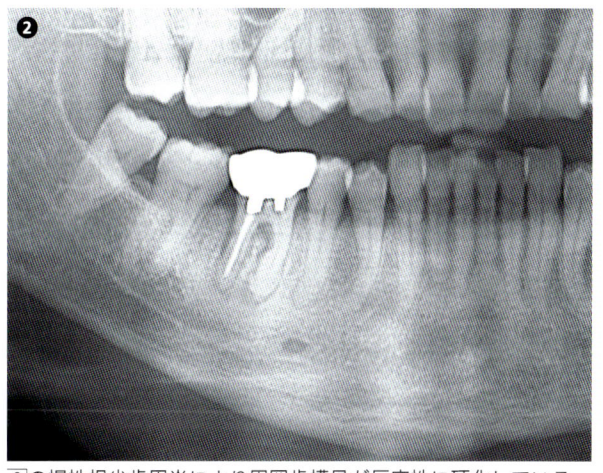

❷ 6 の慢性根尖歯周炎により周囲歯槽骨が反応性に硬化している．このような骨の状態の場合，抜歯後に痛みが遷延するおそれがあるので，事前に説明しておく．

（5）神経障害性疼痛，心因性疼痛

▶ 痛みの明らかな原因や他覚的所見がなく，画像検査，血液検査でも異常がなく，またNSAIDsが無効な場合は，神経障害性疼痛や心因性疼痛を疑う．

▶ 神経障害性疼痛は，神経の損傷が原因の痛みで，下歯槽神経・舌神経の損傷後に発生することが多いが，抜歯や抜髄，歯根端切除術，インプラント手術などの外科的処置によっても生じる．一過性の電撃性の痛みの場合と，ヒリヒリとした持続性の痛みの場合がある．神経障害性疼痛は難治性で，治療は投薬と星状神経節ブロックを行う．薬剤としては，リリカ®，ガバペン®，トリプタノール®などが投与されることが多い．

▶ 原因不明の痛みが続く場合に，対応に困って「とりあえず抜歯窩掻爬をしてみる」といった安易な掻爬は避けなければならない．とくに**ドライソケット**では，掻爬は新たな**外科的侵襲を加えることになるため，禁忌**とされている．

▶ 原因が不明であったり，痛みが長期化する場合は，掻爬を繰り返したり，漫然と鎮痛薬を処方することなく，大学病院や病院歯科口腔外科に紹介する．

抜歯後腫脹

①抜歯後腫脹の経過

▶ 生体に外科的侵襲が加わると，組織の正常な反応として腫脹を生じる．術後腫脹は抜歯後1日半〜2日頃にピークとなり，その後は徐々に消退し，4〜5日で消退する．

▶ 手術侵襲（歯肉骨膜弁の挙上や骨削除の有無，出血量，手術時間など）が大きいほど術後腫脹も大きいが，順調に経過すれば，下顎の埋伏智歯でも1週間後の抜糸時には消失している．

▶ また，侵襲に対する患者個々の生体の反応性の違いにより，小さな侵襲でも大きな腫脹を生じたり，大きな侵襲でも腫脹は小さいこともある．

②抜歯後腫脹の原因と対応

▶ 抜歯後の腫脹を軽減させたい場合には，抜歯当日のみ冷罨法を行う．発熱時に額に貼る解熱シートを使用するとよい．

▶ 腫脹軽減目的の冷罨法は，腫脹がピークに達する前までで十分である．ビニール袋に入れた氷で冷やしたり，ピークを超えた時期まで冷やすと，循環障害のためかえって腫脹の消退や創の治癒が遅れたり，組織の硬結を生じるので避ける．

▶ 1週間後の抜糸時にも残存している腫脹で，痛み・発赤・熱感などをともなうものは，術後感染・膿瘍形成を疑う．抗菌薬の投与や切開排膿が必要となることがある．

▶ 痛みをともなわない腫脹や硬結の残存は，術中に生じた狭い範囲の気腫や歯肉骨膜弁下や軟組織内の血腫（局所麻酔時に注射針による血管損傷で形成されることがある）が考えられる．痛みのない術後腫脹は，時間の経過とともに徐々に軽減してきていれば処置の必要はない．

抜歯後感染

①原因

▶ 全身疾患がなければ，難抜歯や下顎埋伏智歯抜歯のような比較的侵襲の大きな抜歯であっても，抜歯後感染を起こすことは稀である．

▶ しかし，糖尿病や肝機能低下，腎不全などの全身疾患がある場合や，免疫抑制剤，ステロイド剤，がんの化学療法中，放射線治療後など，免疫能が低下した状態は，易感染性状態で，感染しやすい（表2）．

▶ また局所的には，炎症が残存した状態での抜歯や不潔な操作，異物や死腔（本来の生体にはない空間のこと．抜歯窩を完全閉鎖した場合に，抜歯窩全体が血液で満たされないで残ったスペースは死腔である）の存在などが感染源になる．

表2　易感染性患者．

- 糖尿病
- 肝機能低下
- 腎不全
- ステロイド使用
- 免疫抑制剤使用
- がんの化学療法中
- 放射線治療中

②予防

▶ 易感染性が高いと判断した場合は，ペニシリン系抗菌薬（ペニシリンアレルギー患者にはクリンダマイシンやマクロライド系）の術前投与を行う（CHAPTER 15　158ページ抗菌薬の項参照）．

▶ また，急性炎症を起こしている歯は，抜歯による炎症の拡大を避けるため，十分消炎したのちに抜歯する．

▶ 完全埋伏歯であっても抜歯窩を完全閉鎖せずに，開放創にするほうが感染しにくい．下顎の埋伏智歯の抜歯の場合，完全閉鎖することを勧める論もあるが，死腔の形成を避けることは外科の原則であり，完全閉鎖した場合は，開放創にした場合より腫脹・疼痛が強くなり，感染率も上昇することが報告されている．筆者は完全埋伏智歯の抜歯後は，完全閉鎖せずに歯周病手術のdistal wedgeのように，遠心部の歯肉を一部トリミングして開放創にしている❸が，閉鎖創と比較して感染する率やドライソケットになる率が高いとの印象はない．

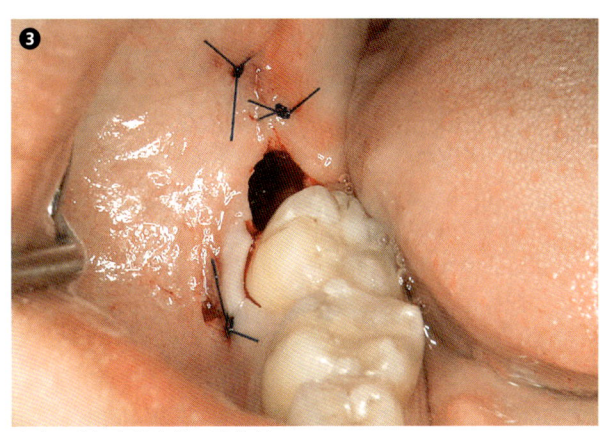

完全埋伏智歯抜歯後の開放創．

③対応

▶ 感染した場合の治療は，抜歯窩の洗浄，抗菌薬の投与と，膿瘍形成時の切開排膿である．感染した場合の抗菌薬の選択，投与方法，投与量については，2016年に日本感染症学会と日本化学療法学会が策定した「JAID/JSC感染症治療ガイドライン 2016 ——歯性感染症」（表3）（ダウンロード可）に則って投与する．

（1）抗菌薬の投与

▶ 抗菌薬の種類の選択は，感染予防投与（CHAPTER 15　158ページ抗菌薬の項参照）と同様にペニシリンが第一選択である．抗菌薬の効果判定は3日，投与期間は3日程度が目安とされている．つまり4日目になっても症状の改善がない場合は，抗菌薬が効いていないと判断して，薬剤を変更するか，切開して排膿させるべき膿瘍形成を疑う．

表3　歯性感染症と選択薬剤．効果の有無は3日間の使用後に判定．
＊ JAID/JSC 感染症治療ガイドライン2016——歯性感染症．より引用・改変

歯性感染症	選択薬剤
【第1群】 歯周組織炎 【第2群】 歯冠周囲炎	①第一選択： アモキシシリン　1回250mgを1日3〜4回服用 ②ペニシリンアレルギーがある場合： クリンダマイシン　1回150mgを6時間ごとに服用，または アジスロマイシン　1回500mgを1日1回3日間服用 クラリスロマイシン　1回200mgを1日2回服用
【第3群】 顎炎 【第4群】 顎骨周囲炎 （重症の場合は注射剤を用いる）	①第一選択： アモキシシリンまたはアモキシシリン／クラブラン酸またはスルタミシリントシル酸 ②ペニシリンアレルギーがある場合： クリンダマイシン ③第二選択（第一選択薬で効果が認められない場合）： シタフロキサシン，ファロペネム

薬品名（一般名と先発品の商品名）
アモキシシリン／クラブラン酸（オーグメンチン®）
スルタミシリントシル酸（ユナシン®）
シタフロキサシン（グレースビット®）
ファロペネム（ファロム®）

- 歯性感染症は，1群：歯周組織炎，2群：歯冠周囲炎，3群：顎炎，4群：顎骨周囲炎の4群に分類される．

【1群や2群の場合】

- 1群や2群の軽度～中等度の歯性感染症であれば，第一選択薬はペニシリン系のアモキシシリン（サワシリン®）である．また，ペニシリンアレルギーがある場合は，クリンダマイシン（ダラシン®）またはアジスロマイシン（ジスロマック®）を選択する．クリンダマイシン（ダラシン®）は，肝障害のある患者および腎障害のある患者，大腸炎の既往がある患者は慎重投与とされており，そのような場合はアジスロマイシン（ジスロマック®）を選択する．1群，2群でも炎症の勢いが強く，第一選択薬で効果が認められない場合，第二選択として，シタフロキサシン（グレースビット®），もしくはファロペネム（ファロム®）を使用する．

【3群，4群の場合】

- 炎症が重篤で，開口障害，嚥下困難をともなう重症の顎炎（3群）や顎骨周囲炎，蜂巣炎（4群）の場合は，入院加療が望ましい．抗菌薬はβラクタマーゼ阻害剤配合のペニシリン系抗菌薬であるアモキシシリン／クラブラン酸（オーグメンチン®）を選択するか，注射剤の点滴投与が必要となることが多いので病院へ紹介する．

(2)膿瘍形成時の切開排膿

- 膿瘍形成があれば切開して排膿させる．口腔内切開で排膿可能な場合は自院で治療してもよいが，❹に示すような症例では，抗菌薬の点滴投与や口腔外からの切開・排膿が必要であるので，大学病院や病院歯科口腔外科に紹介する．
- 病院に紹介すべき症状，所見を表4に示す．とくに，易感染性患者では，開口障害，嚥下障害，呼吸困難などがある場合には，対処が遅れると，頸部の深部膿瘍や縦隔膿瘍へ進展して重篤な状態になるおそれがあるので，早めに紹介する．

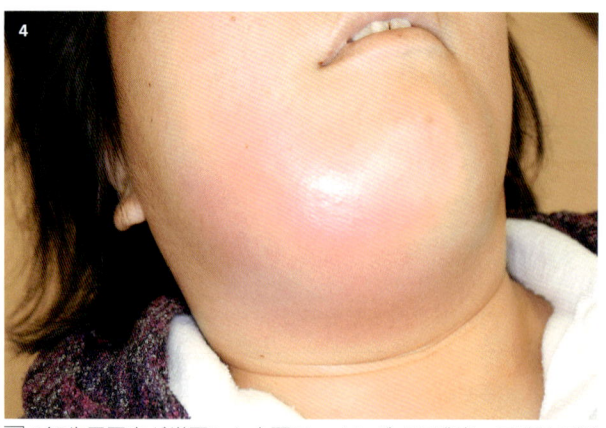

❹ ⑧の智歯周囲炎が増悪した右顎下・オトガイ下膿瘍．口腔外切開が必要である．

表4 大学病院，病院歯科口腔外科へ紹介すべき症状・所見．

発熱	38.5℃以上
腫脹	急激に悪化する腫脹
開口障害	開口域1cm以下
嚥下痛，嚥下困難	あり
呼吸困難	あり
疼痛	鎮痛剤の効かない強い痛み＝顎骨内膿瘍 根尖病変の存在，強い打診痛
骨髄炎症状	下唇の知覚鈍麻（＝Vincent（ワンサン）症状） 下顎前方歯の打診痛（＝弓倉症状）
有病者，免疫能低下患者	
消炎処置にもかかわらず増悪している場合	

抜歯のための推薦器具

APPENDIX
抜歯のための推薦器具

これまで述べてきた器具をまとめ，安全で手際のよい抜歯のために便利な器具を紹介する．増補新版で新たに加えたものには 追加 と示した．

脱臼鉗子

製造：(株)YDM
問合先：
(株)モリタ
Tel. 06-6380-2525
▶もっともオーソドックスでポピュラーな製品．脱臼鉗子は萌出している智歯に対しては非常に有用．

ヘーベル

製造：(株)イシズカ
問合先：(株)ヨシダ
Tel. 03-3845-2931
▶イシズカのヘーベルは先端の刃部が薄く，握りが太いので使いやすい．

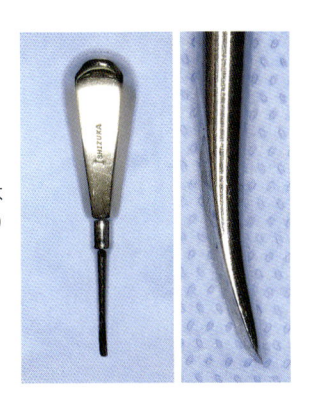

クライヤー 追加
（ヘーベルの一種）

問合先：ヒューフレディ・ジャパン合同会社
Tel. 03-4550-0660
▶歯冠または歯根にグルーブを形成し，先端をグルーブに入れて歯を引き出す．
＊製品番号　E25，E44
（サイズの大小，左右向きあり）

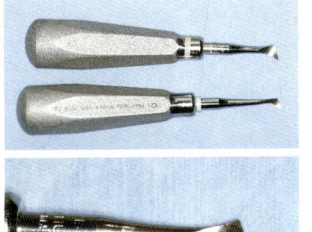

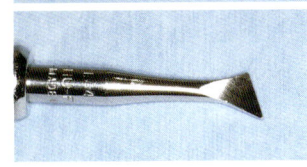

ヘーベル 追加
（先端逆向き）

問合先：(株)YDM
Tel. 03-3828-3161
▶先端部が通常のヘーベルとは逆向きであるため，歯を前方や上方に動かす際に有効．
＊製品番号　智歯用 #NM2A
No.16098（リバース逆反）

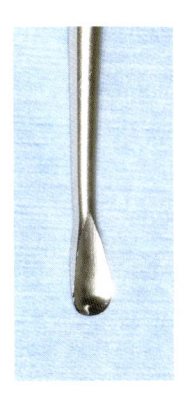

ヘーベル剝離子 追加

問合先：フォーメディック
Tel. 03-6280-7233
▶通常のヘーベルとは先端部の向きが異なっており，下顎埋伏智歯の歯冠分割の際に，歯冠を頰側片・舌側片に分割する際に有用．
＊製品番号　FMH-401-04

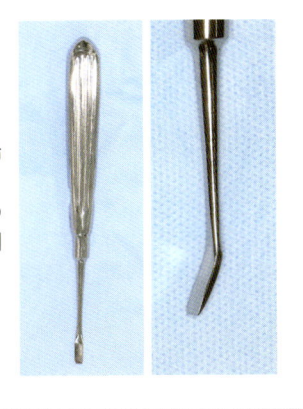

ルートチップピック

製造：(株)YDM
問合先：
(株)モリタ
Tel. 06-6380-2525
▶3本組のセットでそろえておきたい器具．

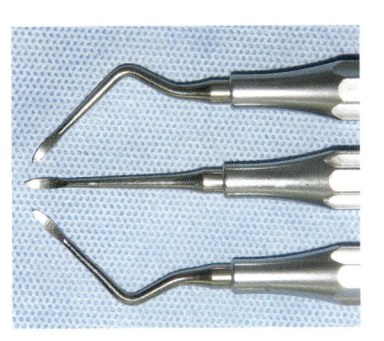

221

骨膜剥離子（18cm）

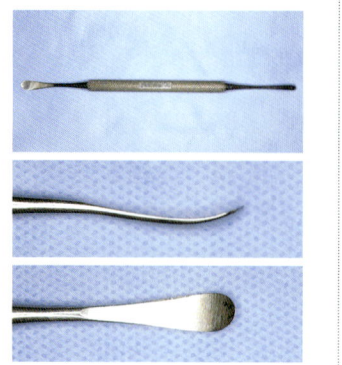

問合先：(有)フォーメディックス
Tel. 03－6280－7233
▶剥離子の先端部分が薄く鋭くなっており，骨膜を切離しながら剥離することができる．
＊製品番号　骨膜剥離子R－100－18

インプラントバー　XXL

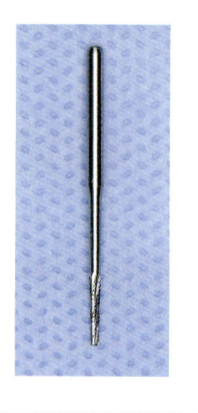

製造：ブラッセラー社（ドイツ）
問合先：(株)ヨシダ
Tel. 03－3845－2931
▶歯冠分割用バー．先端の刃部が短いので，埋伏歯の深部の分割の際にも，歯肉を損傷しないため，出血や組織損傷が少ない．

NEW サージカルバー FG 4入 25mm #1557

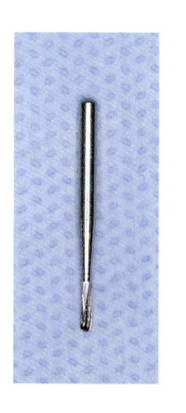

製造：マニー(株)
問合先：(株)モリタ
Tel. 06－6380－2525
▶歯冠分割用バー．ゼクリアバーよりも破折しにくい．

丸刃骨ノミ

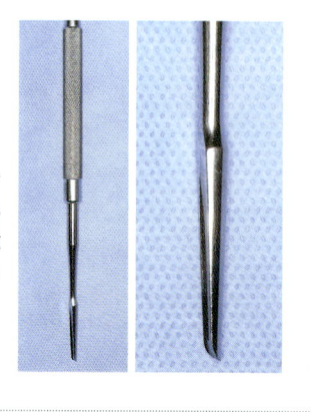

製造：(株)YDM
問合先：(株)モリタ
Tel. 06－6380－2525
▶平刃（片刃，両刃）だけでなく丸刃の骨ノミもあると便利．埋伏歯の骨除去の際に，歯冠の形態に応じた骨削除がしやすい．

キリアン氏骨止血器

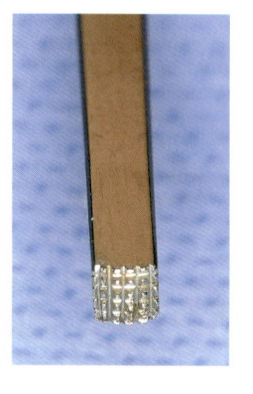

問合先：永島医科器械(株)
Tel. 03－3812－1271
▶骨からの動脈性出血の際に使用する止血ノミ（挫滅ノミ）．先端を出血点にあてて槌打し，出血点の骨を挫滅させて出血点を目詰まりさせて止血する．
＊型番は10227900．

マッカンドー型ピンセット

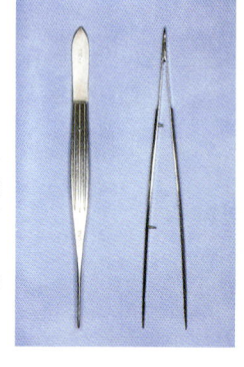

問合先：ケイセイ医科工業(株)
Tel. 03－3816－2811
▶医科領域でも多用されているピンセット．手術時に，縫合針や組織をつかむ場合，歯科用ピンセットは用いない．手術器具メーカー各社でも製造されている．写真はケイセイ医科工業社製．

ヘガール型持針器

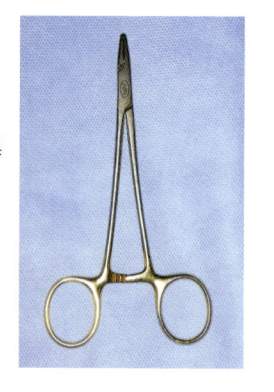

製造：各手術器具メーカー
▶使いやすく，もっとも広くつかわれている．手術器具メーカー各社からでている．

ビスコスタット

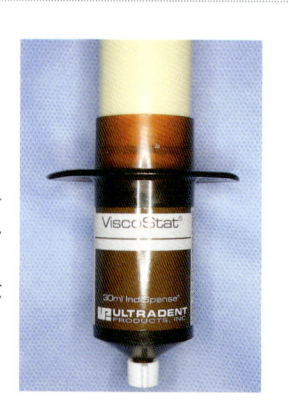

製造：ウルトラデント社
問合先：ケーオーデンタル(株)
Tel. 03－3333－8141
▶塩化第二鉄製剤のゼリー状止血剤．軟組織からのじわじわとした出血に効果的．血液と反応して創が黒くなるが問題はない．

参考図書一覧(参考にした書籍を年代順に並べた)

1. Archer WH. Oral Surgery. Philadelphia : W.B. Saunders, 1952.
2. 歯界展望別冊　抜歯の臨床．東京：医歯薬出版，1979．
3. 朝波惣一郎・監修．抜歯に強くなる本．東京：クインテッセンス出版，1985．
4. 野間弘康，金子　譲．カラーアトラス　抜歯の臨床．東京：医歯薬出版，1991．
5. 小林晋一郎．難易度別　初心者のための智歯抜歯．東京：クインテッセンス出版，1994．
6. 山根源之，外木守雄．抜歯がうまくなる臨床のポイント110．東京：医歯薬出版，1999．
7. 笠崎安則，木津英樹，朝波惣一郎．智歯の抜歯ナビゲーション．東京：クインテッセンス出版，2003．
8. 大関　悟，覚道健治，又賀　泉・編集．カラーアトラスハンドブック　口腔外科臨床ヒント集．東京：クインテッセンス出版，2004．
9. 斉藤　力・編．動画とイラストで学ぶ　抜歯のテクニック．東京：医歯薬出版，2005．
10. Fragiskos FD. Oral Surgery. Berlin : Springer, 2007.
11. 角　保徳．一からわかる抜歯のテクニック．東京：医歯薬出版，2008．
12. Hupp JR, Ellis E III, Tucker MR. Contemporary oral and maxillofacial surgery 5th. Edi. Philadelphia : Mosby Elsevier, 2008.
13. 山根源之，外木守雄．抜歯がうまくなる臨床のポイントQ&A．東京：医歯薬出版，2010．
14. 山根伸夫，森島　丘，古土井春吾．開業医のための安全・確実な抜歯術　その基礎と臨床．東京：デンタルダイヤモンド社，2010．
15. 坂下英明．抜歯器具　その奇妙なものたちの物語．口腔保健協会，2015．
16. 坂下英明，近藤壽郎，濱田良樹，柴原孝彦，堀之内康文．抜歯テクニックコンプリートガイド．東京：クインテッセンス出版，2015．

索引

英数字

#1557	53
2回法	125
2点弁別法テスト	187
3種類のグルーブ	47
Ⅰ型	170
Ⅳ型	170

アルファベット

darkening of the root	105, 123
DLST	172
elevator	39
fight or flight response	166
fight or flightの神経	166
forceps	28
Hugh-Jones分類	174
MET(s)	8, 174
NewYork Heart Assosiation分類	8
No.11（尖刃刀）	61
No.12（弯刃刀）	61
No.15（円刃刀）	61
NYHA分類	8, 174
Pell & Gregory分類	13, 104
RAP現象	154
RAST法	172
RIST法	172
SAP現象	154
Seddonの神経損傷の分類	184
SWテスター	187
V字型切開	138
Wassmundの歯頚部切開	138
Winter分類	13, 105
Zange	28

あ

アクソノトメーシス	184
圧迫止血	175
アデホス腸溶錠	188
アドソン型	75, 76
アナフィラキシーショック	164, 168, 170
編み糸	72

い

一次閉鎖	157
一過性菌血症	159
一過性神経麻痺	184
糸切り用はさみ	70
糸つき針	72
意図的残根化	56, 92, 141, 144
インフォームドコンセント	2, 9
インプラントバーXXL	53, 112

え

エピネフリン過剰反応	164, 168
塩基性NSAIDs	159
遠心傾斜歯	126
エンベロープフラップ	108

お

押し出し法	60
オトガイ孔	183, 188
オトガイ枝	183
オトガイ神経	183
オトガイ神経オトガイ枝	187
オトガイ神経下唇枝	187
オトガイ神経口角枝	187
オトガイ神経損傷	185

か

ガーゼ圧迫法	176
ガーゼタイオーバー	179
外因性エピネフリン	166
外斜線	23
回転作用	42
開放創	128
下顎管	188
下顎孔	23, 188
下顎孔伝達麻酔	22
下顎孔伝達麻酔――効かない理由	26
下顎孔伝達麻酔――トラブル	27
下顎小舌	23
下顎神経	23
下顎埋伏智歯	103
下顎用	29
過換気症候群	164, 165, 169
顎下腺窩	9, 204
顎間皺襞	24
顎舌骨筋線	204
過呼吸	169
下歯槽神経	23, 25, 123, 184
下歯槽神経損傷	27, 186
下歯槽神経麻痺	124
下唇枝	183
カストロビージョ	73
角針	71
鉗子	29
鉗子抜歯	11
鉗子抜歯のトラブル	35
環状靱帯	68, 69
感染性心内膜炎	158
観音開き切開	135, 136
顔面神経麻痺	27

き

絹糸	73
逆三角針	71
逆生	132
吸収性縫合糸	72
頬咽頭縫線	24
頬脂肪体有茎弁法	198
頬神経	23, 26
頬側グルーブ	118, 123, 124

強湾針	70
曲型	40
局所麻酔薬アレルギー	164, 170
局所麻酔薬中毒	164, 173
局麻中毒	27
近位伝達麻酔法	26, 124, 185
筋硬直	169

く・け

楔作用	42
クライヤー	53
グルーブ	39
血液凝固促進剤	176
血液粘度上昇材	176
血管収縮剤	176
血管収縮薬過敏症	165
血管迷走神経反射	15, 164, 165, 166, 167, 171
結紮	70, 80
減張切開	198

こ

抗うつ剤	188
口蓋側アプローチ	133
口蓋側犬歯間歯頚部切開	134, 135
口蓋粘膜骨膜弁法	198
口蓋半側挙上切開	136
口角枝	183
交感神経	166
抗菌薬	158
口腔上顎洞瘻孔	196
口腔上顎洞瘻孔閉鎖術	198
咬傷	27
後上歯槽動脈	102
呼吸性アルカローシス	169
胡弓把持法	62
後出血	162, 180
弧状切開	63, 138
骨改造現象	154
骨硬化	13
骨削除	111

骨挫滅法	180
骨性癒着	13, 150
骨内麻酔	107, 125
骨膜下注射	17
骨膜剥離	110
誤抜歯	139, 213
根切法	57, 59

さ

三角形切開	136, 137
三角針	71
残根鉗子	29
残根歯	83
三叉・迷走神経反射	166
酸性NSAIDs	159

し

哆開	79
歯冠除去術	125
歯冠分割	112
死腔	128
軸索切断	184
止血ノミ	180
歯根開大	148
歯根全削去	91
歯根の全削去	60
歯根の分割	57
歯根破折	101
歯根肥大	148
歯根肥大歯	53, 58, 87
歯根分割	121
歯根膜腔注射	19, 107
歯根膜腔に相当するグルーブ	47
歯根膜注射	125
歯根離開歯	53
歯根湾曲	148, 149
歯根湾曲歯	55
歯質内のグルーブ	47
持針器	70, 73
執筆把持法	62
歯胚抜去	126

嘴部	29
尺取り虫注射法	18
弱湾針	70
縦隔	210
縦隔気腫	210, 211
縦切開	62, 64
出血	175
術後出血	175
術中出血	175
順生	132
上顎結節骨折	101
上顎結節注射法	202
上顎神経後上歯槽枝	95
上顎正中埋伏過剰歯	130
上顎前歯部埋伏過剰歯	130
上顎洞炎	196
上顎洞根治術	198
上顎洞穿孔	101, 195
上顎洞内歯根迷入	49, 101, 199
上顎埋伏智歯	93
上顎用	29
小臼歯部用	29
食刀把持法	62
助産師の手	169
ショック体位	168
心因性疼痛	218
神経障害性疼痛	189, 218
神経性ショック	164, 165, 167
神経切断	184
神経吻合術	189
浸潤麻酔	14
唇側アプローチ	133, 138
身体活動能力	174
蕁麻疹	170

す

垂直マットレス縫合	79, 198
水平マットレス縫合	79
スキャンドネスト®	171
スクラッチテスト	172
スタットジェル®	176

ステロイド含有軟膏	192	直型	40	抜糸	70
ステロイド剤	188	直視直達	10, 199	抜歯鉗子	28
スポンゼル®	176	直針	70	抜歯後感染	218
		鎮痛薬	159	抜歯後腫脹	218
せ				抜歯後疼痛	216
星状神経節ブロック	189	**て**		パラオキシ安息香酸メチル	170
精神的ストレス	15, 166, 168	定位縫合	157	パルチの切開	63
精密触覚機能検査	187	挺子	39	歯を分割するグルーブ	47
ゼクレア	53, 112	挺子作用	42		
切開	61	テルプラグ®	94	**ひ**	
切開排膿	220	転位歯	55, 141	皮下気腫	208
接触性皮膚炎	170	デンタルショック	15, 165, 167	皮下気腫の予防	212
舌神経	23, 108, 123, 188	電動注射器	18	皮下出血斑	160
舌神経損傷	27, 185, 186	疼痛性ショック	165, 167	非吸収性縫合糸	72
舌神経麻痺	124	塗布用局所麻酔薬	192	鼻歯槽神経血管束	136
舌側突き出し法	141, 143			皮質骨切開	154
舌側転位歯	143	**と**		ビスコスタット®	176
舌側軟組織内迷入	204	ドライソケット	107, 191	皮内テスト	172
前歯部用	29	トレフィンバー	201, 203	表在性骨炎	191
全身的偶発症	164, 165			表面麻酔	17
全身的トラブル	15	**な**		ピロ亜硫酸ナトリウム	170
前鼻棘	138	内因性エピネフリン	166	ピンセット	70, 75
		内斜線	23, 24, 25	ピンセット——無鉤	76
そ		内側翼突筋	23, 25	ピンセット——有鉤	76
叢生歯	55, 141	ナイフ把持法	62		
即時型	170	ナイロン糸	73	**ふ**	
		難抜歯	52	フィンガーグリップ	74
た		肉体的ストレス	15, 166	副交感神経	166
大臼歯部用	29			複根歯	87
脱臼鉗子	29	**に・ね・の**		複数繊維	72
単一糸	72	ニューラプラキシア	184	普通抜歯	28, 52
単一線維	72	ニューロトメーシス	184	プリックテスト	172
弾機孔	72	捻髪音	210	分割バー	112
単結節縫合	79	脳貧血様発作	167	分離鉗子	29
単根歯	34, 86				
探針テスト	187	**は**		**へ**	
		パームグリップ	74	閉鎖創	128, 129
ち		バイオリン把持法	62	ペーパーバッグ呼吸	170
遅延型	170	背面グルーブ	118, 120, 123, 124	ヘーベル	39, 40
知覚過敏期	189	剥離	61	ヘーベル抜歯	39
知覚鈍麻	162	把持部	29	ヘガール	73

便宜抜歯	141	丸刃骨ノミ	93, 96, 99	翼突下顎ヒダ	24
ペングリップ	62	丸針	71	翼突下顎隙	23, 25
		慢性硬化性骨炎	217	予備力	166, 174
ほ		溝	39	撚り糸	72
縫合	70, 76	無傷針	72		
縫合糸	70, 72	迷走神経	166	**り・る・れ**	
縫合針	70			梨状口下縁	138
傍骨膜注射	17	**め・も**		輪軸作用	42
泡状陰影	210, 211	メスの腹	65	隣接面の削除	141
ボーンワックス®	176	メチコバール	188	ルートチップピック	49, 53
ポジショニング	10	メチルパラベン	170, 171	冷罨法	159
補助的外科処置	55	綿花テスト	187		
ボスミン®	176	モスキート鉗子	53	**わ**	
		問診	8	ワスムントの切開	62
ま・み・む				湾針	70
マチュー	73	**や・よ**			
マッカンドー型	75, 76	薬剤誘発性リンパ球幼若化試験	172		

著者略歴

堀之内康文（ほりのうち・やすふみ）

- 1957年　鹿児島県生まれ
- 1982年　九州大学歯学部卒業
- 1982年　九州大学歯学部第二口腔外科医員
- 1986年　九州大学歯学部第二口腔外科助手
- 1999年　九州大学歯学部附属病院高度先端治療部顎変形症治療室長を併任
- 2002年　公立学校共済組合・九州中央病院歯科口腔外科部長
- 現在に至る

＜資格・役職＞

- 歯学博士（九州大学）
- 九州大学歯学部臨床教授
- 熊本大学医学部臨床教授
- 福岡歯科大学非常勤講師
- 日本口腔外科学会専門医，指導医
- 日本歯科麻酔学会認定医
- 口腔顔面神経機能学会認定医
- 日本口腔外科学会代議員
- 日本顎変形症学会代議員
- 日本口腔顎顔面外傷学会理事
- 日本有病者歯科医療学会理事
- 口腔顔面神経機能学会理事
- 日本病院歯科口腔外科協議会理事

＜主な著作＞

- 必ず上達　抜歯手技（クインテッセンス出版，2010年）
- 抜歯テクニックコンプリートガイド（分担執筆）（クインテッセンス出版，2015年）
- 別冊 the Quintessence 口腔外科YEARBOOK 一般臨床家，口腔外科医のための口腔外科ハンドマニュアル'18, '19, '20, '21（分担執筆）（クインテッセンス出版，2018～21年）
- 一からわかる口腔外科疾患の診断と治療　増補版（分担執筆）（医歯薬出版，2006年）
- 歯科におけるくすりの使い方2011-2014（分担執筆）（デンタルダイヤモンド社，2010年）
- よくわかる歯科医学・口腔ケア（分担執筆）（医学情報社，2011年）
- 臨床口腔外科学　一からわかる診断から手術（分担執筆）（医歯薬出版，2016）
- 知っておきたい顎・歯・口腔の画像診断（分担執筆）（秀潤社，2017）
- 子どもの口と顎の異常・病変　口の粘膜編（分担執筆）（クインテッセンス出版，2019年）
- 子どもの口と顎の異常・病変　歯と顎骨編（分担執筆）（クインテッセンス出版，2019年）
- 顎矯正手術エッセンシャル（編集・分担執筆）（クインテッセンス出版，2021年）

QUINTESSENCE PUBLISHING 日本

必ず上達 抜歯手技　増補新版

- 2010年 9 月10日　第 1 版第 1 刷発行
- 2021年 7 月 1 日　第 1 版第 7 刷発行
- 2022年 6 月10日　第 2 版第 1 刷発行
- 2024年 7 月10日　第 2 版第 2 刷発行

著　者　堀之内康文

発行人　北峯康充

発行所　クインテッセンス出版株式会社
　　　　東京都文京区本郷 3 丁目 2 番 6 号　〒113-0033
　　　　クイントハウスビル　電話(03)5842-2270（代表）
　　　　　　　　　　　　　　　(03)5842-2272（営業部）
　　　　　　　　　　　　　　　(03)5842-2279（編集部）
　　　　web page address　https://www.quint-j.co.jp

印刷・製本　サン美術印刷株式会社

Printed in Japan
ISBN978-4-7812-0881-7 C3047

禁無断転載・複写
落丁本・乱丁本はお取り替えします
定価はカバーに表示してあります